JUSTO L. GONZÁLEZ

ATOS
O EVANGELHO DO ESPÍRITO SANTO

hagnos

© 2011 por Justo L. González

Tradução
Lena Aranha

Revisão
Dominique M. Bennett
João Guimarães
Raquel Fleischner

Capa
Guther Faggion

Diagramação
Catia Soderi

1a edição - Março de 2011
Reimpressão - Fevereiro de 2014
Reimpressão - Julho de 2015
Reimpressão - Maio de 2020

Editora
Marilene Terrengui

Coordenador de produção
Mauro W. Terrengui

Impressão e acabamento
Imprensa da Fé

Todos os direitos desta edição reservados para:
Editora Hagnos
Av. Jacinto Júlio, 27
04815-160 - São Paulo - SP - Tel (11) 5668-5668
hagnos@hagnos.com.br - www.hagnos.com.br

Dados Internacionais de Catalogação na Publicação (CIP)
(Câmara Brasileira do Livro, SP, Brasil)

González, Justo L.
  Atos, o evangelho do Espírito Santo / Justo L. González ; [tradução Lena Aranha] - São Paulo, SP : Hagnos 2011.

  Título original: *Acts, the gospel of the spirit*

  ISBN 978-85-7742-081-0

  1. Bíblia. N.T. Atos dos Apóstolos - Comentários 2. Igreja - História I. Título.

11-01071   CDD-226.607

Índices para catálogo sistemático:
1. Bíblia : Novo Testamento : Atos dos Apóstolos : Comentários 226.607

Editora associada à:

Sumário

Prefácio 9

Abreviações 11

Introdução geral 15
    A. A natureza do livro   15
    B. O autor   16
    C. Data de composição   19
    D. O propósito do livro   20
    E. Contexto   23
    F. Texto   27

1. Introdução (1.1-26) 29
    A. Dedicatória e prólogo (1.1-3)   29
        Os atos do Espírito   32
    B. A promessa do Espírito (1.4-8)   34
        O reino de Deus e a nossa realidade   37
    C. A ascensão (1.9-11)   41
        Um olhar voltado para o céu   42
    D. A eleição de Matias (1.12-26)   45
        Missão e estrutura   48

2. Pentecostes (2.1-41) 51
A. O derramamento do Espírito Santo (2.1-13) 51
A desvantagem dos favorecidos 55
Cada um em sua própria língua 57
B. Explicação e resposta (2.14-41) 58
1. O DISCURSO DE PEDRO (2.14-36) 58
2. A RESPOSTA DA MULTIDÃO (2.37-41) 62
A comunidade do Espírito 62
   1. *Os últimos dias* 63
   2. *Dupla cidadania* 64
   3. *O Espírito nivelador* 66

3. A igreja em Jerusalém (2.42 - 8.3) 69
A. Um resumo (2.42-47) 69
A igreja entre o temor e a alegria 72
B. Um milagre e suas consequências (3.1 - 4.31) 76
1. O MILAGRE (3.1-10) 76
2. A EXPLICAÇÃO DE PEDRO (3.11-26) 77
3. A REAÇÃO DO PODEROSO (4.1-22) 79
   a. A intervenção (4.1-6) 79
   b. A fala de Pedro (4.7-12) 81
   c. O veredicto (4.13-22) 83
4. A RESPOSTA DO FIEL (4.23-31) 84
Conflitos de hoje 84
C. O uso de bens (4.32 - 5.11) 92
1. OUTRO RESUMO (4.32-35) 92
2. CASOS CONCRETOS (4.36 - 5.11) 97
A natureza da igreja e sua vida interior 99
   1. *Interpretação e ideologia* 99
   2. *Missão e uso de recursos* 100
   3. *O preço da graça* 103
D. Aumento da perseguição (5.12-42) 105
1. O EVANGELHO CONQUISTA POPULARIDADE (5.12-16) 105
2. OUTRA TENTATIVA DE SILENCIAR PEDRO E JOÃO (5.17-42) 106
A questão dos milagres 108
Tenha cuidado com Gamaliel! 110
Os que transformam a justiça em amargura 111
E. Helenistas e hebreus (6.1-7) 114
Pluralismo na igreja 117

F. Estêvão (6.8 - 8.3)	121
1. A prisão dele (6.8-12)	121
2. O julgamento (6.13 - 7.56)	122
3. A morte de Estêvão: começo da perseguição (7.57 - 8.3)	125
Quando o inimigo nos chama à obediência	127

4. Novos horizontes (8.4 - 12.24) 133

A. Filipe (8.4-40)	133
1. Em Samaria (8.4-25)	134
Entre Simão, o Mago e Simão Pedro	140
2. O etíope (8.26-40)	143
Quando a promessa é cumprida	147
B. Conversão de Saulo (9.1-31)	149
1. A conversão (9.1-19)	149
2. Saulo como discípulo (9.20-31)	152
Estradas de Damasco	156
Chamado renovado	158
C. Obra de Pedro (9.32 - 11.18)	159
1. Dois milagres (9.32-43)	160
a. A cura de Eneias (9.32-35)	160
b. A ressurreição de Dorcas (9.36-43)	160
2. Pedro e Cornélio (10.1-48)	161
a. A visão de Cornélio (10.1-9a)	161
b. A visão de Pedro em Jope (10.9b.-23a)	162
c. Os eventos de Cesareia (10.23b-48)	163
3. Relato à igreja de Jerusalém (11.1-18)	165
O que Deus purificou, você não deve chamar de profano	166
D. A igreja de Antioquia (11.19-30)	168
A grandeza do pequeno	173
Missão de duas vias	175
E. Perseguição de Herodes (12.1-24)	176
1. Introdução: Tiago é morto (12.1,2)	176
2. Prisão e libertação de Pedro (12.3-19a)	177
3. Morte de Herodes (12.19b-24)	180
Fé e perseguição	181

5. A missão é definida (12.25 - 15.35) 185

A. O envio (12.25 - 13.3)	186
Chamado e comunidade	188

    B. Chipre (13.4-12)   189
        Saulo, também conhecido como Paulo   191
    C. Antioquia da Pisídia (13.13-51a)   193
        O poder do evangelho   197
    D. Icônio (13.51b - 14.6a)   200
        Evangelho e polarização   200
    E. Listra e Derbe (14.6b-21a)   202
        O mensageiro e a mensagem   203
    F. O retorno (14.21b-28)   205
        Missão em Antioquia   205
    G. O Concílio de Jerusalém (15.1-35)   207
        1. O PROBLEMA É APRESENTADO (15.1-3)   207
        2. EVENTOS EM JERUSALÉM (15.4-29)   208
          a. Recepção inicial e dificuldades (15.4,5)   208
          b. A assembleia (15.6-29)   209
            i. Pedro intervém (15.6-11)   210
            ii. Tiago intervém (15.12-21)   210
            iii. A decisão (15.22-29)   214
        3. Retorno a Antioquia (15.30-35)   215
        Missão e visão   216

6. Missão na Europa (15.36 - 18.22) **219**
    A. O chamado (15.36 - 16.10)   219
        1. SEPARAÇÃO DE PAULO E BARNABÉ (15.36-41)   219
        2. TIMÓTEO JUNTA-SE À MISSÃO (16.1-5)   221
        3. A VISÃO DO MACEDÔNIO (16.6-10)   221
        Lições missionárias   223
    B. Filipos (16.11-40)   226
        1. O COMEÇO DA MISSÃO NA EUROPA (16.11-15)   226
        Missão, desafio e oportunidade   228
        2. A MENINA COM ESPÍRITO DE ADIVINHAÇÃO (16.16-24)   230
        Quando o mal produz o bem, e o bem produz o mal   231
        3. O CARCEREIRO DE FILIPOS (16.25-34)   233
        Uma conversão radical   234
        4. OS MISSIONÁRIOS SÃO ABSOLVIDOS E EXPULSOS (16.35-40)   235
        Humildade e dignidade   235
    C. Tessalônica (17.1-9)   236
        Uma mensagem subversiva   238
    D. Bereia (17.10-14)   239

  O zelo da oposição   240
 E. Atenas (17.15-34)   241
  Pregação e popularidade   244
  O propósito da criatura humana   246
 F. Corinto (18.1-17)   246
  O livro de Atos do Espírito e os Atos da História   251
 G. O retorno (18.18-22)   253
  Missão e conexão   256

7. Em Éfeso e circunvizinhança (18.23 - 20.38) **259**
 A. Discípulos deficientes (18.23 - 19.7)   259
  1. Apolo (18.23-28)   259
   a. Um resumo (18.23)   259
   b. A pregação de Apolo (18.24-28)   260
  Uma mulher que ensinava teologia   261
  2. Os doze discípulos em Éfeso (19.1-7)   262
  Jesus e o Espírito   262
 B. Milagres em Éfeso (19.8-22)   263
  1. O ensinamento de Paulo (19.8-10)   263
  2. Falsos milagres (19.11-16)   264
   a. Um resumo dos milagres (19.11,12)   264
   b. O sarcasmo do demônio (19.13-16)   265
  3. A reação do povo (19.17-20)   267
  4. Um esboço do futuro (19.21,22)   267
  Vitória sobre os demônios atuais   268
 C. O tumulto em Éfeso (19.23-41)   272
  A serviço do bolso   276
 D. Jornada à Macedônia, Grécia e Trôade (20.1-12)   279
  1. A jornada (20.1-6)   279
  2. Êutico (20.7-12)   280
  O maior milagre   281
 E. Despedida em Mileto (20.13-38)   283
  1. De Trôade a Mileto (20.13-16)   283
  2. Despedida aos presbíteros efésios (20.17-38)   283
   a. Obra passada de Paulo (20.18-21)   283
   b. Situação atual de Paulo (20.22-24)   284
   c. O futuro (20.25-31)   284
   d. Conclusão (20.32-38)   285
  Ministério atual   285

8. **Cativeiro de Paulo (21.1 - 28.31)** **289**
   A. De Mileto a Jerusalém (21.1-16) 289
      Os mandamentos do Espírito 291
   B. O voltar-se para os gentios (21.17 - 22.24) 292
      1. CHEGADA A JERUSALÉM (21.17-25) 292
      2. PRISÃO DE PAULO NO TEMPLO (21.26-36) 294
      3. DIÁLOGO DE PAULO COM LÍSIAS (21.37-39) 295
      4. DISCURSO DE PAULO PARA O POVO (21.40 - 22.24) 296
      Forças da oposição 297
   C. Paulo sob custódia de Lísias (22.25 - 23.33) 302
      1. PAULO REIVINDICA CIDADANIA ROMANA (22.25-29) 302
      2. PAULO DIANTE DO CONSELHO (22.30 - 23.10) 303
      3. COMPLÔ CONTRA PAULO (23.11-22) 304
      4. PAULO É ENVIADO PARA CESAREIA (23.23-33) 304
      Entre os poderes 306
   D. Paulo sob custódia de Félix (23.34 - 24.27) 307
      1. PRIMEIRA ENTREVISTA COM FÉLIX (23.34,35) 307
      2. O JULGAMENTO DIANTE DE FÉLIX (24.1-23) 308
      3. ENTREVISTA COM FÉLIX E DRUSILA (24.24-27) 310
      Poder, paciência e corrupção 311
   E. Paulo sob custódia de Pórcio Festo (25.1 - 26.32) 313
      1. O JULGAMENTO DIANTE DE FESTO (25.1-12) 313
      2. PAULO DIANTE DE AGRIPA E BERENICE (25.13 - 26.32) .. 315
      Testemunho em meio ao poder, indecisão e curiosidade 318
   F. Paulo é enviado para Roma (27.1 - 28.10) 319
      1. O início da viagem (27.1-12) 320
      A autoridade dos especialistas 322
      2. TEMPESTADE E NAUFRÁGIO (27.13-44) 322
      A igreja, esperança do mundo 325
      3. Na ilha de Malta (28.1-10) 326
      Tenha cuidado com a teologia banal! 327
   G. Paulo na Itália (28.11-31) 329
      1. NO CAMINHO PARA ROMA (28.11-15) 329
      2. PAULO EM ROMA (28.16-31) 330
      Epílogo: os Atos do Espírito 331

Índice **333**

Prefácio

Este comentário foi escrito originalmente em espanhol como parte de um planejado Comentário Bíblico Hispano-Americano. Ele foi primeiramente dirigido a leitores da língua hispânica — em sua maioria, mas não exclusivamente, protestantes — da América Latina e dos Estados Unidos. A intenção era fornecer um comentário que, embora levasse em consideração o estudo acadêmico contemporâneo, enfatizasse a relevância do livro de Atos para as batalhas atuais dos cristãos da América Latina e das igrejas latinas dos Estados Unidos. Foram utilizados dois estilos de caracteres a fim de tornar esse propósito mais claro: um estilo de fonte foi usado para o que o conselho editorial chama "o texto em seu contexto" e outro para "o texto em nosso contexto".

No processo de preparação de uma edição em inglês, debati se devia produzir uma tradução ou uma adaptação. No fim, decidi pela primeira opção, convidando leitores de língua inglesa para "supervisionar" os hispânicos enquanto tentávamos ler a Escritura em nosso contexto e para decidir por si mesmos quanto disso é relevante para a situação deles. Assim, fiz adaptações menores e, em sua maioria, limitadas a esclarecer pontos que podiam não estar totalmente claros para aqueles que não estão familiarizados com o contexto em que o livro foi planejado originalmente. Também fiz adaptações menores em pontos em que traduções inglesas — em especial, a NRSV[1] — apresentam problemas ou questões diferentes das das traduções espanholas a que o original se referia.

---

1   Optou-se por manter a referência à *New Revised Standard Version* para dar maior clareza à obra [NT].

Como no caso da edição espanhola, este comentário foi impresso em dois tipos de fonte, um para o que chamamos originalmente de "o texto em seu contexto" e outro para "o texto em nosso contexto". Claramente, essa é uma distinção que não deve ser exagerada. Sempre lemos um texto a partir do nosso contexto e não existe algo como leitura "objetiva" de um texto. O texto e nosso contexto estão em constante diálogo, assim, o movimento entre eles é circular, em vez de linear. Contudo, deve-se fazer um esforço para respeitar a "diversidade" do texto, pois, do contrário, não haveria motivo para lê-lo. É isso que a distinção entre os dois tipos de fonte procura mostrar.

Por fim, uma palavra de gratidão. Sou particularmente agradecido à dra. Sharon Ringe, do Wesley Theological Seminary, e ao dr. William Burrows, da Orbis Books, pelo encorajamento para traduzir o comentário para o inglês. E agradeço à srta. Jane Gleim por seu cuidado e paciência em transcrever minha primeira tradução, bastante truncada!

J. L. G.

Abreviações

TRADUÇÕES BÍBLICAS

A21	Almeida 21
AEC	Almeida Edição Contemporânea
ARA	Almeida Revista e Atualizada
ARC	Almeida Revista e Corrigida
BJ	Bíblia de Jerusalém
BLH	Bíblia na Linguagem de Hoje
BSEP	Bíblia Sagrada Edição Pastoral
BV	A Bíblia Viva
CEV	Contemporary English Version
NASB	New American Standard Bible
NEB	New English Bible
NRSV	New Revised Standard Version
NTLH	Novo Testamento na Linguagem de Hoje
NVI	Nova Versão Internacional
RSV	Revised Standard Version
TB	Tradução Brasileira
VKJ	Versão King James

OUTRAS ABREVIAÇÕES

AndUnivSem	St. Andrews University Seminary Studies (Berrien Springis, MI)
ANF	The Ante-Nicene Fathers (edição americana)
AngThRev	Australian Biblical Review (Evanston, IL)
Ant	Antonianum (Roma)
AusBibRev	Australian Biblical Review (Melbourne)
Bang ThF	Bangalore Theological Forum (Bangalore)
Bib	Biblica (Roma)
BibArch	Biblical Archaelogist (Durham, NC)
BibLitur	Bibel und Liturgie (Klosterneuburg)
BibOr	Bibliotheca Orientalis (Leiden)
BibTo	The Bible Today (Collegiville, MI)
BibTrans	Bible Translator (Londres)
BibZeit	Biblische Zeitschrift (Paderborn)
Bsäch	Berichte über die Verhandlungen der königlich sächsischen Gesellshaft der Wissenschaften (Leipzig)
BZ	Biblische Zeitschrift (Freiburg i.B.; Paderborn)
BZntW	Beihefte zur Zeitschrift für die neutestamentlich Wissenshaft (Giessen; Berlim)
CBQ	Catholic Biblical Quarterly (Washington)
Christus	Christus: Revista mensual (México)
CollTheol	Collectanea Theologica (Warsaw)
Comm	Communio (Sevilla)
Conc	Concilium (Nova York)
ConcThM	Concordia Theological Monthly (St. Louis)
Dia	Dialog (St. Paul)
EphThLov	Ephemerides Theologicae Lovanienses (Leuven)
EstBib	Estudios Bíblicos (Madri)
EstEcl	Estudios Eclesiásticos (Madri)
EtThRel	Etudes Théologiques et Religieuses (Montpellier)
EvTh	Evangelische Theologie (München)
Exp	The Expositor (Londres)
ExpTim	The Expository Times (Londres)
FilolNt	Filologia neotestamentaria (Córdoba, Esp.)

GuL	*Geist und Leben* (München)
HTR	Harvard Theological Review (Cambridge, MA)
IDB	*The Interpreter's Dictionary of the Bible* (4 vols. + suppl., Abingdon, Nashville, 1962)
Int	*Interpretation: A Journal of Bible and Theology* (Richmond)
IntRevMiss	*International Review of Missions* (Genebra)
JBL	*Journal of Biblical Literature* (New Haven, Boston etc.)
JEH	*Journal of Ecclesiastical History* (Londres)
JfdT	*Jahrbücher für deutsche Theologie* (Göttingen)
JJewSt	*Journal of Jewish Studies* (Oxford)
JnRyl	*Journal of the John Rylands Library* (Manchester)
JQR	*The Jewish Quarterly Review* (Merion Station, PA)
JR	*The Journal of Religion* (Chicago)
JRomSt	*The Journal of Roman Studies* (Londres)
JStNT	*Journal for the Study of the New Testament* (Sheffield)
JTS	*The Journal of Theological Studies* (Oxford)
LMD	*La Maison Dieu* (Paris)
MiscB	*Miscelanea Biblica* (Roma)
Neot	*Neotestamentica* (Stellenbosch, África do Sul)
NkZ	*Neue Kirchliche Zeitschrift* (Leipzig)
NRT	*Nouvelle Revue Théologuique* (Tournai)
NT	*Novum Testamentum* (Leuven)
NTSt	*New Testament Studies: An International Journal* (Cambridge, Ing.)
PalExQ	*Palestine Exploration Quarterly* (Londres)
Prot	*Protestantesimo* (Roma)
RCatalT	*Revista Catalana de Teología* (Barcelona)
RechScR	*Recherches de Science Religieuse* (Paris)
RelStudRev	*Religious Studies Review* (Macon, GA)
RestorQ	*Restoration Quarterly* (Abilene, TX)
RevBib	*Revue Biblique* (Jerusalém)
RevisBib	*Revista Bíblica con Sección Litúrgica* (Madri)
RevScPhTh	*Revue des Sciences Philosophiques et Théologiques* (Paris)

RevThLouv	*Revue Théologique de Louvain* (Louvain)
RevThom	*Revue Thomiste* (Toulouse)
RHE	*Revue d'Histoire Ecclésiastique* (Louvain)
RHPR	*Revue d'Historie et de Philosophie Religieuses* (Strasbourg)
RHR	*Revue de l'Histoire des Religions* (Paris)
RicRel	*Ricerche Religiose* (Roma)
RivBib	*Rivista Biblica* (Brescia)
RScR	*Revue des Sciences Religieuses* (Strasbourg)
RTP	*Revue de Théologie et de Phiolosophie* (Genève; Lausanne)
Salm	*Salmanticensis* (Salamanca)
ScEccl	*Sciences Ecclésiastiques* (Paris)
SecCent	*Second Century* (Macon, GA)
ST	*Studia Theologica* (Lund)
StNTUmv	*Studien zum Neuen Testament und seiner Umvelt* (Linz)
StRelScRel	*Studies in Religion / Sciences Religieuses* (Waterloo, Ontario)
Th	*Theology: A Journal of Historical Christianity* (Londres)
ThQ	*Theologische Quartalschrift* (Tübingen)
ThRund	*Theologische Rundschau* (Tübingen)
ThSt	*Theological Studies* (Nova York)
ThuGl	*Theologie und Glaube* (Paderborn)
ThWzNT	*Theologisches Wörterbuch zum Neuen Testament* (10 vols., ed. G. Kittel, W. Kohlhammer, Stuttgart, 1933-79)
TynBull	*Tyndale Bulletin* (Cambridge, Ing.)
TZ	*Theologische Zeitschrift* (Basel)
VyP	*Vida y Pensamiento* (San José)
WaW	*Word and World* (St. Paul)
ZKgesch	*Zeitschrift für Kirchengeschichte* (Stuttgart)
ZkT	*Zeitschrift für katholische Theologie* (Innsbruck)
ZntW	*Zeitschrift für die neutestamentlich Wissenshaft* (Giessen; Berlim)

Introdução geral

Não há melhor forma de estudar um livro da Bíblia que ler o próprio livro. Por isso, muitos dos assuntos que os comentários, com frequência, incluem em sua introdução serão, aqui, deixados para o lugar apropriado no próprio comentário. Aqui, como introdução geral ao livro de Atos, bastam algumas palavras sobre a natureza do livro, seu autor, a data, o propósito, o contexto, o valor histórico e o texto.

A. A NATUREZA DO LIVRO

Atos é um livro único em todo o cânon do Novo Testamento. Os livros antes dele, os evangelhos, representam, por si mesmos, um gênero literário, talvez criado pelo autor de Marcos. Os livros depois dele, as epístolas, seguem as estruturas aceitas do gênero epistolar como era praticado na época, abandonando-o apenas quando as circunstâncias e o conteúdo assim exigissem. O livro de Apocalipse é um exemplo — com certeza, o mais influente — da literatura apocalíptica que circulava na época entre os judeus e também entre os cristãos. Contudo, o livro de Atos não se encaixa em nenhuma dessas categorias. Ele não é evangelho nem epístola e, tampouco, apocalíptico.

Ele, de forma marcante, é diferente de todos esses outros livros já que, na verdade, é uma sequência de um dos quatro evangelhos. Parece não ter ocorrido aos outros três evangelistas dar continuidade à narrativa da vida e dos ensinamentos de Jesus em um segundo livro. Devido à atual ordem do Novo Testamento, em que o evangelho de João aparece entre o de Lucas e o livro de Atos, tende-se a perder a conexão entre os dois livros, quando, na verdade, Lucas e Atos são realmente os dois volumes de uma única obra. Demonstra-se essa ligação na dedicatória dos dois livros, para "Teófilo", e na referência ao "primeiro relato" em Atos 1.1.[1] No entanto, o evangelho de Lucas já nos fornece um indício de seu interesse em relatar os fatos da história de Jesus ocorridos após sua ressurreição. Os outros três evangelistas não relatam a história depois da ressurreição de Jesus ou, na melhor das hipóteses, só dedicam algumas palavras finais sobre os atos e os ensinamentos do Senhor ressurreto. Só o evangelho de Lucas nos conta da ascensão de Jesus (Lc 24.50-52a) e nos fornece um indício do que ocorreu a seguir: "Eles voltaram com grande alegria para Jerusalém. E estavam continuamente no templo, bendizendo a Deus" (Lc 24.52b,53). Esses versículos finais do evangelho de Lucas mostram que seu autor está interessado na continuação da narrativa — e pode estar até mesmo aludindo a sua sequência ou ao "segundo livro".

B. O AUTOR

Quem escreveu esse livro singular do Novo Testamento? Quando ele foi escrito e com que propósito? A percepção tradicional é que os dois livros foram escritos por "Lucas, o médico amado" que envia saudações para Colossos em uma das epístolas de Paulo (Cl 4.14) e que, depois, também aparece nas saudações de Filemom 24 e de 2Timóteo 4.11. Essa opinião é expressa pela primeira vez no cânon muratoriano, documento da segunda metade do século II, e em escritos contemporâneos de Ireneu.[2] Deve-se também mencionar que, já pela metade do século II, Marcião (no fim, condenado como herege por outros motivos) incluiu em seu cânon do Novo Testamento o evangelho de Lucas — cuja autoria Marcião fundamentou no fato de Lucas ter acompanhado Paulo — ao lado das epístolas de Paulo. Mais tarde, no início do século IV, alguns sugeriram que Lucas é "Lúcio de Cirene", mencionado em Atos 13.1.

A essa altura, deve-se observar duas questões distintas. A primeira é se o autor do terceiro evangelho, independentemente de qual seja seu nome, também é o autor de Atos. A segunda é se esse autor é o "Lucas" a quem as epístolas se referem.

Em relação à primeira questão, há consenso geral de que, na verdade, os dois livros são obra de um único autor. Esse consenso baseia-se

---

1 A respeito de quem é "Teófilo" e de quantos "livros" Lucas escreveu ou pretendeu escrever, veja o comentário sobre Atos 1.1-3 (especialmente, sobre Teófilo, notas 3-5; sobre a possibilidade de um terceiro livro, nota 2).
2 IRENEU. *Adv. Haer.* Iii, 1.1; 10.1; 12.1-15; 14.1.

não só nas palavras iniciais dos dois livros, mas também na continuidade de estilo entre os dois livros, o que aponta para uma única autoria. Essa continuidade é tão grande que algumas pessoas até mesmo sugeriram que, originalmente, os dois livros eram um único livro que, depois, foi dividido para que a primeira parte pudesse fazer paralelo com os outros evangelhos.³ Essa teoria não conquistou ampla aceitação.

O que ainda está em questão é se o autor desses dois livros é, de fato, "Lucas, o médico amado". Os dois livros não trazem indicação para decidirmos a favor de uma resposta ou de outra. O título "Evangelho Segundo Lucas", como os outros títulos dos livros do Novo Testamento, foi acrescentado no século II e, por isso, não é prova de que o autor desses livros, na verdade, chamava-se Lucas. Alguns defendem a autoria de Lucas com base no interesse de Lucas/Atos em assuntos médicos.⁴ Outros argumentam que esse interesse não vai realmente além do conhecimento que seria esperado em qualquer pessoa moderadamente instruída no mundo helênico, e que, nos dois livros, não há uma única prova de que seu autor tinha algum conhecimento especializado em medicina. O assunto não pode ser resolvido com facilidade, o que, em si mesmo, mostra que a evidência para "Lucas, o médico amado" é frágil.

O principal argumento dos que sustentam que Lucas, companheiro de Paulo, não pode ter escrito esses dois livros (sobretudo Atos) é uma série de aparentes contradições ou discrepâncias entre Atos e as epístolas paulinas. Estas serão discutidas de forma mais plena conforme alcançamos os trechos pertinentes ao longo do livro. Contudo, talvez seja bom resumir algumas dessas principais discrepâncias:

Primeiro, há alguns assuntos aparentemente factuais em que é difícil harmonizar o que Atos registra com o que Paulo diz em suas epístolas. Um desses casos é o da visita de Paulo a Jerusalém. Quantas vezes e com que finalidade Paulo visitou Jerusalém após sua conversão? Em 9.26, Atos revela que Paulo foi a Jerusalém, aparentemente, pouco depois de sua conversão. Em Gálatas 1.15-21, Paulo declara que após sua conversão ele foi à Arábia, sem passar por Jerusalém, e que três anos depois retornou a Damasco e, depois, foi a Jerusalém. Contudo, conforme veremos no comentário sobre 9.20-31, é possível explicar essa discrepância. O mesmo é verdade em relação às diferenças entre Atos e as epístolas no que diz respeito à apresentação e à interpretação da reunião apostólica ocorrida em Jerusalém, em geral, chamada de "Concílio apostólico".

---
3 Veja comentário sobre 1.9-11.
4 Os textos citados com mais frequência em relação a esse aspecto são Lucas 4.38; 5.18; 22.44 e Atos 3.7; 9.18; 28.8.

Segundo, há diferenças entre a personalidade e a teologia de Paulo, conforme observado em suas próprias epístolas e apresentado em Atos. Para o autor de Lucas/Atos, os "apóstolos", em geral, são os Doze, e Paulo não é um deles (embora em 14.4,14, Paulo e Barnabé recebam o mesmo título). Em contrapartida, Paulo, em suas epístolas, argumenta firmemente por seu direito de ser considerado apóstolo e, nesse aspecto, parece equiparar sua posição com a dos Doze. Todavia, deve-se salientar que esse aparente contraste se baseia na leitura de Atos como sustentando a autoridade dos Doze de uma maneira que este livro questiona.[5]

Outro caso trata do assunto do que era esperado dos gentios convertidos. De acordo com 15.29, havia quatro exigências postas sobre eles. De acordo com Gálatas 2.9, as "colunas" de Jerusalém — Tiago, Pedro e João — estenderam a Paulo e Barnabé a "mão direita da comunhão" e não puseram mais exigências sobre os gentios. Não obstante, muitos intérpretes, ao colocarem essas objeções, ainda leem a história do cristianismo primitivo através das lentes da famosa, mas hoje questionada, escola de Tübingen. Essa escola, cujo principal expoente foi F. C. Bauer, sustentava que havia na igreja primitiva um sério conflito entre as tendências "judaizantes" de Tiago e a receptividade de Paulo em relação aos gentios. Dessa perspectiva, os "últimos" livros do Novo Testamento, como Atos, refletem a concessão alcançada no fim. Embora muitas das premissas da escola de Tübingen não sejam mais defendidas, ainda é usual pensar em termos de um grande conflito e tensão entre Paulo e as autoridades cristãs de Jerusalém.[6]

Um problema adicional é apresentado pela existência de diversas seções no livro de Atos (16.10-17; 20.5-15; 21.1-18; 27.1—28.16) nas quais a narrativa aparece na primeira pessoa do plural (seções "nós"). Essas porções do texto causam muito debate. A principal dificuldade é que se o "nós" for considerado no sentido literal, nem sempre é fácil discernir onde ou quando o narrador se juntou a Paulo e seus companheiros ou os deixou. Isso tem levado a diversas hipóteses. As mais comuns são: (1) que o autor de Atos fez uso da "narrativa de viagem" de um dos companheiros de Paulo ou de outro viajante, e que o "nós" aparece nas seções tiradas desse documento; (2) que o "nós" é um indício teológico ou estilístico que o autor usa para sinalizar algo.[7] Nenhuma dessas hipóteses é

---

5   Veja, por exemplo, o comentário sobre a escolha de Matias (1.12-26) e sobre a eleição dos "sete" (6.1-7).

6   Não há dúvida de que Paulo teve sérios conflitos com "judaizantes" como pode ser constatado em Gálatas. Contudo, isso não quer dizer que esses judaizantes tinham o apoio da liderança cristã de Jerusalém. Veja Munck, J. *Paul and the salvation of mankind*. Londres: SCM, 1959.

7   Veja as referências bibliográficas e o resumo de várias posições no comentário sobre 16.10.

totalmente convincente. Se o autor, na verdade, empregou uma narrativa de viagem, seria bastante simples mudar a primeira pessoa do plural para a terceira pessoa a fim de fazê-la concordar com o restante da obra. O autor de Lucas/Atos é cuidadoso com o estilo, e a discrepância no uso de pessoas gramaticais não teria passado despercebida. Da mesma forma, em todas as diversas versões, a segunda hipótese pressupõe que o livro de Atos foi escrito em código e que esse código não foi realmente descoberto até os intérpretes modernos terem sugerido uma hipótese específica. A noção mais simples e provável é aceitar que o "nós" se refere, como o texto nos leva a pensar, a um dos companheiros de Paulo que também é o autor do livro. Conforme será abundantemente demonstrado, o fato de o livro não declarar ser uma narrativa detalhada de tudo que aconteceu, ele não nos informa quando ou por que essa pessoa em particular se juntou ao grupo ou o deixou. Não só o narrador "nós", mas também toda uma série de personagens, incluindo Pedro, aparecem e desaparecem na narrativa sem que seja dita uma palavra sobre aonde eles foram ou o que estiveram fazendo durante sua ausência na narrativa. Além disso, no fim do livro, o mesmo acontece em relação a Paulo, pois não se relata o resultado final da história dele.

Esse companheiro pode ser a mesma pessoa que Paulo chama de "Lucas, o médico amado"? É impossível saber com certeza. O próprio livro — como o terceiro evangelho — não nos informa quem o escreveu. Nem o restante do Novo Testamento lança alguma luz sobre esse assunto. Conforme já mencionado, os indícios de possível conhecimento médico por parte do autor são insuficientes para se chegar a uma conclusão. Contudo, uma tradição muito antiga, pelo menos tão antiga quanto o século II, afirma, em unanimidade, que o nome do autor de Atos era Lucas, e que ele, na verdade, era médico e companheiro de Paulo.[8]

Por todos esses motivos, neste comentário, o autor de Atos e do terceiro evangelho será simplesmente chamado de "Lucas". Todavia, o uso desse nome não quer dizer que haja alguma certeza de que o autor desses livros seja a pessoa tratada por esse nome nas epístolas de Paulo.

C. DATA DE COMPOSIÇÃO

Quando Atos foi escrito? O próprio livro não fornece datas. Sugere-se que o motivo de o livro terminar sem nos informar o resultado final da prisão de Paulo, em Roma, é que ele foi escrito quando Paulo ainda estava

---

8 Veja o resumo dos argumentos para essa teoria em MARSHALL, I. Howard. *The Acts of the Apostles*. Leicester: InterVarsity Press, 1980, p. 44-46.

esperando o julgamento.⁹ Contudo, essa hipótese levanta muitas objeções. A mais importante está ligada à data de composição do evangelho de Lucas. Muitos estudiosos concordam que o primeiro dos quatro evangelhos foi o de Marcos, escrito no fim da década de 60. Lucas deve ter sido escrito algum tempo depois. Por Atos ser sua sequência, então deve ter sido escrito ainda mais tarde. A dedicatória de Atos sugere que Teófilo, o destinatário do livro, já teria tido tempo de receber e de ler o evangelho de Lucas. Ademais, o fato de Lucas falar da igreja de Jerusalém no início de seu livro e, depois, deixá-la de lado parece indicar que, na época em que Atos estava sendo escrito, essa igreja não existia mais. Como o desaparecimento da igreja ocorreu por volta de 70 d.C., quando Jerusalém foi tomada pelos romanos e os cristãos fugiram para Pella, é mais provável que Atos tenha sido escrito depois dessa data.

Atos, por sua vez, não menciona as epístolas de Paulo, e isso leva à suposição de que esse livro foi escrito antes dessas epístolas terem sido compiladas e terem desfrutado do grande prestígio que logo conquistaram. Além disso, há a possibilidade de que a publicação de Atos possa ter sido um dos eventos catalisadores que levaram à compilação das epístolas de Paulo. Muitos escritores cristãos antigos, alguns tão antigos quanto Clemente de Roma do fim do século I, também pareciam conhecer o livro de Atos. Sem dúvida, na metade do século II, foi garantida grande autoridade a toda a igreja. Por isso, poderia parecer que o livro foi escrito por volta do ano 80.

Quanto ao local em que ele foi escrito, é impossível saber. Tradicionalmente, pensa-se que o evangelho de Lucas e Atos foram escritos em Antioquia, principalmente por causa do lugar ocupado pela igreja de Antioquia no livro de Atos. Contudo, simplesmente não há indicação suficiente para determinar onde o livro foi escrito.

D. O PROPÓSITO DO LIVRO

A primeira impressão que temos quando iniciamos a leitura de Atos é que Lucas está nos contando a história do cristianismo primitivo. Isso é sustentado pelo título do livro e pelos primeiros versículos. Em vista dessa pressuposição, lemos o livro todo considerando, como garantido, que é a história da primeira geração da igreja. Não obstante, quando depois dessa leitura revemos o conteúdo do livro, fica evidente que esse é um tipo estranho de história. Certamente, os historiadores devem sempre selecionar entre os materiais que têm, pois, evidentemente, é impossível contar

---

9 Para outra explicação para esse fim abrupto, veja o comentário sobre 28.16-31.

tudo o que aconteceu. Contudo, a seleção de Lucas é estranha. De início, a atenção dele foca a igreja de Jerusalém, que, a seguir, ele abandona e não retorna a ela a não ser muito depois, quando Paulo volta a Jerusalém (21.17-25). É dito muito pouco sobre a vida e os atos dos Doze apóstolos. Embora o nome deles seja enumerado em 1.13, a maioria deles é ignorada daí em diante, e os únicos deles que aparecem no restante da narrativa são Pedro, João e Tiago (que morre em 12.2 e tem de ser distinguido do outro Tiago, irmão do Senhor, que aparece posteriormente na narrativa). No capítulo 8, Filipe, que não é um dos Doze, mas um dos sete, vira o foco; mas, a seguir, ele desaparece e só é mencionado de novo de passagem em 21.8,9. Os companheiros de Paulo entram e saem de cena, na maioria das vezes sem que tenhamos conhecimento de quando deixaram o grupo ou se juntaram a ele.

Por isso, embora Atos, com certeza, seja uma narrativa, é uma narrativa seletiva. Lucas conta alguns incidentes e omite outros. Isso leva a uma questão crucial para a interpretação do livro: com base em que Lucas faz essa seleção? Toda a interpretação do livro depende da maneira que respondemos a essa pergunta.

Nos tempos modernos, os estudiosos da escola de Tübingen foram os primeiros a questionar o propósito do livro e a tentar obter uma resposta. Essa escola, profundamente influenciada pela filosofia de Hegel, interpreta a história como uma série de teses que eram contrapostas por várias antíteses até que cada conflito fosse resolvido em uma síntese. Na história da igreja primitiva, apareceu uma série de conflitos entre os elementos mais tradicionais, ou judaizantes, cujo líder e protótipo foi Tiago, e os de tendências helenistas, representados por Paulo. De acordo com a escola de Tübingen, esse conflito aparece em primeiro plano nas epístolas de Paulo, em especial em Gálatas. Às vezes, a síntese, ou concessão, era alcançada, o que reconciliava ambas as posições, excluindo suas expressões extremas. É isso que encontramos em Atos, cujo propósito é apresentar a história do cristianismo primitivo para fazer parecer que sempre houve união e concordância entre Pedro e Paulo, especialmente entre Tiago e Paulo.[10]

Por muitos motivos, essa teoria, em geral, não é mais aceita entre muitos estudiosos. Embora, com certeza, tenham existido múltiplas perspectivas e interpretações na igreja primitiva, os contrastes e as generalizações da escola de Tübingen eram muito claramente determinadas por suas pressuposições filosóficas hegelianas. Portanto, logo muitos estudiosos começaram a apontar os pontos fracos dessa hipótese e o fato de ela

---

10 O principal expoente dessas teorias foi F. C. Bauer, especialmente em seu livro *Paulus, der apostel Jesu Christi* [*Paulo, o apóstolo de Jesus Cristo*], publicado em 1845.

falhar em explicar grande parte do texto de Atos e também do restante do Novo Testamento.

Outra teoria que conquistou certa aceitação e tem muitos defensores considera Atos como uma obra apologética, escrita a fim de mostrar que o cristianismo não é realmente antagônico ao Império Romano. Essa teoria assume diferentes formas. Algumas, por exemplo, sugerem que Teófilo era um oficial romano, e que Lucas destina sua dupla obra a ele a fim de lhe mostrar que o império não tem motivo para perseguir a igreja. Outros acreditam que Atos foi escrito para preparar a defesa de Paulo em Roma e que foi endereçado a um militar romano que estaria envolvido no julgamento.[11] Essa teoria também tem seus pontos fracos. Um deles é que, embora se possa interpretar que vários episódios, perto do fim do livro, tenham propósito apologético, a teoria, em si mesma, não explica o propósito do livro como um todo. Além disso, conforme observamos reiteradamente no próprio comentário, Lucas nem sempre apresenta as autoridades romanas sob uma luz favorável, mas, antes, aponta as fraquezas, a corrupção e a injustiça delas.[12]

Então, qual é o propósito de Atos? Se nos pusermos no período em que o autor estava, digamos por volta do ano 80, não seria muito difícil responder a essa pergunta. A igreja, que começara com uma percepção do poder de Deus e com grande esperança que o avanço de sua missão levaria ao cumprimento das promessas de Deus, encontra-se, agora, em um sério conflito com o Império Romano e com a cultura e a civilização circunvizinhas. Havia conflitos políticos, cuja expressão extrema levaria à perseguição, e havia conflitos de cultura e de valores. O estilo de vida que os cristãos propunham e seguiam não era o da sociedade como um todo. Não era nem mesmo o dos melhores elementos daquela sociedade. Os cristãos, que iniciaram sua missão como arautos de uma nova era, corriam agora o risco de se sentir extremamente desencorajados por estarem em conflito com os poderes da antiga era.

Nessa situação, era necessário um guia para orientar os cristãos em seu comportamento e em sua fé durante esses tempos difíceis. Em meio ao conflito com Roma, com o judaísmo e com a própria civilização, o que devemos fazer? Qual tem de ser nossa atitude? Por que ter coragem? Lucas responde a essas perguntas com uma obra dupla. A primeira parte é um evangelho, no qual está claro que Jesus, embora

---

11 Essas teorias e muitas outras estão bem resumidas em HAENCHEN, E. *The Acts of the Apostles*. Filadélfia: Westminter, 1971, p. 14-50. Um bom exemplo de interpretação de Atos como apologia é EASTON, B. S. *Early christianity*. Greenwich, Conn.: Seabury Press, 1955, p. 33-118.

12 Há uma excelente crítica da interpretação de Atos como apologia em CASSIDY, R. J. *Society and politics in the Acts of the Apostles*. Maryknoll, N.Y.: Orbis, 1968, p. 145-57.

não fosse um revolucionário segundo a maneira dos zelotes, estava em conflito com as autoridades entre seu povo judeu e entre os romanos. A segunda parte da obra mostra que o mesmo é verdade em relação aos primeiros discípulos. É por isso que Lucas dedica tempo nos contando sobre os confrontos entre os primeiros discípulos e o Sinédrio, o martírio de Estêvão, as repetidas aparições de Paulo diante das autoridades judias e romanas, o episódio no Areópago, em Atenas, e a maneira como as pessoas cultas de sua época zombavam de Paulo, apesar de sua erudição. Os cristãos da época de Lucas tinham experiências similares, e o livro de Atos tem o propósito de fortalecê-los e guiá-los nesses conflitos.[13]

A consequência desse propósito é que o principal personagem do livro de Atos não são os apóstolos nem mesmo Paulo, mas o Espírito Santo. Conforme observaremos adiante, desde o início do livro, Lucas afirma com muita clareza que pretende falar da maneira como Jesus continuou a operar na igreja por intermédio do Espírito.

Isso, por sua vez, quer dizer que nossa leitura de Atos deve ser bem diferente das leituras tradicionais. Tradicionalmente, lemos esse livro como um tipo de primeiro livro de disciplina da igreja primitiva, no qual os apóstolos e outros estabelecem os procedimentos e práticas a serem seguidos em todas as eras. Assim, no capítulo 6, a eleição dos sete, por exemplo, torna-se o paradigma e a base bíblica para a eleição e o papel de diáconos em tempos posteriores. Se, por sua vez, o principal personagem do livro é o Espírito Santo, devemos nos sentir livres para perceber casos em que o Espírito parece corrigir o que os apóstolos e outros líderes da igreja fazem e decidem, e talvez até mesmo zombar de leve deles por essas atitudes. Muitos desses casos surgirão ao longo deste comentário. O livro de Atos, quando lido dessa maneira, torna-se um chamado para que os cristãos sejam receptivos à ação do Espírito, não só os levando a confrontar os valores e as práticas da sociedade que precisavam ser mudadas, mas, até mesmo, os levando a subverter, ou a questionar, as práticas e os valores da própria igreja.

No entanto, essa ação do Espírito sempre acontece em um contexto concreto. Por isso, é necessário descrever, mesmo que brevemente, esse contexto.

E. CONTEXTO

Toda a narrativa de Atos desenvolve-se no Império Romano. Esse foi um império diversificado, cujas províncias e cidades eram governadas

---
13   Essa é a tese, bem sustentada por argumento, de Cassidy, R. J. *Society and politics in the Acts of the Apostles*, p. 158-70.

de várias maneiras, de acordo com sua história e circunstâncias particulares. Assim, por exemplo, começando no ano 27 a.C., havia províncias "imperiais" e "senatoriais", e cada uma dessas tinha a própria forma de governo. As províncias imperiais ficavam sob o governo direto do imperador, que nomeava um "procurador" como seu representante. Algumas cidades e seus cidadãos recebiam consideração legal especial. Assim, havia, por exemplo, "colônias", cidades livres etc. É notável que Lucas sempre se refira às autoridades de cada cidade ou província pelo título correto, conforme observaremos no próprio comentário.

A situação política da Judeia mudou durante o período abrangido em Atos. A começar no ano 6 a.C., a maior parte da região estivera sob o governo de procuradores romanos, embora os sucessores de Herodes, o Grande, tivessem jurisdição sobre alguns dos territórios externos. No início da narrativa de Atos, Herodes Filipe era "tetrarca" de uma área próxima da Judeia em direção ao nordeste da Galileia. No ano de 37 d.C., Calígula garantiu esses territórios e também outros para Herodes Agripa I. Graças a sua leal colaboração com o poder romano, seus territórios e sua autoridade foram repetidamente aumentados, até que ele se tornou rei da Judeia e de Samaria no ano 41 d.C., o que lhe garantiu terras tão extensas quanto as de Herodes, o Grande. Quando ele morreu três anos depois, seu filho Herodes Agripa II era bastante jovem, e os romanos não lhe outorgaram o trono de seu pai.[14] Por essa razão, em todo o restante da narrativa de Atos — por exemplo, até a última visita de Paulo a Jerusalém — Herodes Agripa II, embora ainda detivesse o título de rei, não governou sobre a Judeia. Ele tinha determinadas prerrogativas especiais, como indicar o sumo sacerdote e ser o guardião do tesouro do templo. Mas sua autoridade era bem limitada.

O que acaba de ser dito sobre a indicação do sumo sacerdote é um indício da maneira como a política afetava a vida religiosa da Judeia. Os romanos respeitavam as várias religiões de seus súditos, mas tinham muito cuidado em mantê-las sob seu controle a fim de evitar que fossem usadas para incitar rebelião. Por conseguinte, os líderes religiosos de Israel tinham de estar constantemente preocupados com seu relacionamento com os romanos e evitar qualquer ato religioso que pudesse ser entendido como subversivo ou incitação ao tumulto. Nos capítulos iniciais de Atos, essa situação causa impacto na maneira como o Sinédrio e os líderes do judaísmo, em geral, reagiram contra o cristianismo. Por sua vez, o exato fato de que o povo considerava que os líderes religiosos serviam a um poder estrangeiro enfraquecia o prestígio deles e os forçava a agir de

---

14   Veja comentário sobre 25.13–26.32.

forma ainda mais severa a fim de manter o controle sobre o povo e, assim, evitar tumultos ou atos contra sua autoridade.

Da perspectiva de Roma, a primeira tarefa de todo governante oficial era manter a ordem. Qualquer desordem ou tumulto era severamente punido. Em vários pontos deste livro, ficará claro que as autoridades temiam que houvesse um tumulto (*estasis*) pelo qual podiam ser consideradas responsáveis. Por essa razão, era quase inevitável que os cristãos logo entrassem em conflito com as autoridades porque sua pregação provocava debates e distúrbios. Isso já aparece nos conflitos com o Sinédrio nos capítulos iniciais do livro, e esses tumultos continuam a ocorrer à medida que Paulo e seus companheiros fazem seu caminho a outras partes do Império Romano. Quando Lucas escreveu Atos, a situação ainda era a mesma.

A data em que o cristianismo começou a abrir caminho pelo mundo coincide com o tempo de maior glória do Império Romano. O Império Romano, como todo império deve fazer, justificava sua existência com base em uma ideologia. Nesse caso, a ideologia era de que Roma era um agente civilizador. A própria palavra "civilização" tem a mesma raiz que "cidade"; e a forma como os romanos entendiam sua tarefa civilizadora era exatamente a "urbanização" do mundo. Para eles, a maior criação da humanidade era exatamente a cidade, e seu propósito na História era promover a vida citadina em todo seu império. Por isso, durante os anos de maior glória, o Império Romano embelezou as cidades com prédios bonitos, construiu estradas ligando uma cidade à outra e até mesmo fundou cidades que, até essa época, não eram nada além de terra não cultivada ou, até mesmo, pântanos insalubres. A construção tornou-se a principal ocupação do mundo mediterrâneo. Os ricos construíam mansões luxuosas com mármore e outras pedras de várias cores: amarelo das pedreiras de Simitu, na África; verde da Grécia; vermelho do Egito; e púrpura de Felsberg. Aqueles que realmente queriam mostrar sua riqueza e liberalidade construíam prédios públicos, templos e outras joias arquitetônicas com o próprio dinheiro a fim de embelezar as cidades e proclamar a gloria do doador. Nunca o mundo mediterrâneo vira tal civilização nem tal urbanização.

Por sua vez, essa prosperidade, como em geral é o caso, também tem seu lado negativo. Cidades precisam do produto da agricultura a fim de sobreviver, e seus mercados sempre crescentes ajudavam a desenvolver as *latifundia*, grandes propriedades agrícolas dependentes do trabalho de escravos ou de quase escravos. Isso era ainda pior porque os ricos e poderosos pagavam pouco ou nenhum imposto, enquanto o fardo fiscal recaía em sua maioria sobre os camponeses e os trabalhadores. Por isso, embora os primeiros séculos do cristianismo tenham testemunhado o desaparecimento progressivo das pequenas fazendas, as quais foram o fundamento da antiga república romana, as famílias senatoriais e outros membros da aristocracia acumulavam cada vez mais terras. Muitos dos antigos pequenos proprietários de terra permaneciam ali para trabalhar sob as ordens de novos senhores ou se juntavam à crescente massa dos parcialmente desempregados que migravam para as cidades. Assim, as próprias cidades em que os mais bonitos prédios eram levantados também tinham um número crescente de pessoas vivendo em condições semelhantes às de favelas.

Essas eram as cidades que Paulo visitava em suas viagens. Quando o vimos em Atenas, sentindo "grande indignação, vendo a cidade cheia de ídolos" (17.16), devemos imaginá-lo em meio às joias arquitetônicas da Acrópole e de tudo que os romanos construíram, em tempos mais recentes, em volta desse lugar com construções mais antigas; devemos imaginar um cenário similar quando lemos sobre a confusão em Éfeso e sobre o teatro dessa cidade (19.29). Ao mesmo tempo, essa mesma confusão lembra-nos de outra realidade, as massas empobrecidas e desempregadas que também faziam parte desse cenário e eram uma consequência do "progresso" econômico do império. (Veja comentário sobre 17.1-9.)

Em meio a essa situação — que aparece primeiro em Jerusalém e, depois, em outras cidades do império — algumas pessoas continuavam falando de um reino de Deus e um "Senhor" Jesus Cristo. Esse reinado e esse Senhor, por sua mera existência, questionam a justiça e a ordem de César e negam a autoridade absoluta dele.[15] O que Lucas conta-nos a seguir é a história da missão desses cristãos primitivos, impelidos e fortalecidos pelo Espírito, e a forma como essa missão os levou a ter cada vez mais conflitos com a sociedade que os rodeava. Conforme Cassidy declara com acerto, "à medida que Lucas desenvolve gradativamente sua narrativa, a imagem de Paulo como grande missionário é substituída pela imagem de Paulo como prisioneiro romano e pela imagem de Paulo como testemunha diante das autoridades romanas".[16]

Este comentário específico é escrito da perspectiva de alguém que já testemunhou muitas situações semelhantes em sua terra nativa, a América Latina, e nos Estados Unidos, onde ele vive agora. Os cristãos de hoje, tentando ser obedientes em seu contexto, veem-se forçados a questionar e a desafiar os valores de uma sociedade que insiste em ignorar o evangelho. Como consequência disso, tem havido e haverá

---

15   Em 25.26 acontece o primeiro caso na literatura antiga sobrevivente em que o imperador é chamado de "senhor". Esse título, usado pelos cristãos para se referir a Jesus, poderia ser a causa de muitos dos conflitos dos cristãos com o Estado e suas autoridades.
16   Cassidy, R. J. *Society and politics in the Acts of the Apostles*, p. 162.

muitos conflitos semelhantes aos que lemos em Atos. O resultado é que, embora seja verdade que Lucas escreveu para os cristãos de sua época, que começavam a enfrentar o grande desafio do conflito com Roma, ele também escreveu para nós, que ainda não conhecemos os desafios que nos aguardam.

F. TEXTO

Quando comparamos os vários manuscritos de Atos existentes, fica claro que o livro chegou a nossa época em duas versões, ou tradições, distintas. O texto encontrado na maioria dos manuscritos mais antigos e que parece original, em geral, é o texto "egípcio", "comum" ou "neutro". O outro é comumente chamado de texto "ocidental".[17] Outros livros do Novo Testamento também existem nessas duas versões, mas nenhum mostra diferenças tão frequentes ou extensas entre as duas versões como o livro de Atos. Desde o século II, há autores e traduções que usam cada uma das duas versões — indicando que as duas versões são bem antigas. É, até mesmo, sugerido que as duas versões têm origem no autor do livro que revisou sua obra poucos anos depois de escrevê-la. Poucos estudiosos sustentam que o texto original é o ocidental e que a versão egípcia é uma revisão posterior.[18] Contudo, a maioria dos estudiosos bíblicos acredita que o texto egípcio é o original, e que o texto ocidental é uma revisão posterior, apesar de em alguns momentos isolados quando o texto ocidental pode estar mais próximo do original.

Em geral, a NRSV e outras traduções seguem o texto egípcio, embora alguns tradutores tenham argumentado pelo texto ocidental. Neste comentário, o texto ocidental também será levado em consideração nas passagens em que ele parecer relevante ou que possa esclarecer um ponto.

Parece evidente que o texto ocidental reflete algumas das tendências de seu autor. Por isso, esse texto ocidental, por exemplo, tem um claro preconceito antifeminista e parece refletir a reação antifeminista geral que acontecia na igreja no final do século I e início do II.[19] Em todo caso, o propósito de um comentário como este é estudar o texto em si. Portanto, voltemo-nos para ele.

---

17 É possível falar também a respeito do "texto bizantino" e do "texto cesarino". Contudo, essas são apenas variantes das principais tradições citadas.
18 Veja HAENCHEN, E. *The Acts of the Apostles*, p. 51, para a bibliografia pertinente.
19 Por exemplo, enquanto o texto egípcio, exceto em um caso em que a gramática exigia isso, fala de "Priscila e Áquila", o texto ocidental invariavelmente chama-os de "Áquila e Priscila". Em 17.12, o texto ocidental muda as palavras para que o qualificador "de alta posição" não se aplicasse especificamente às mulheres como acontece no texto egípcio. Em 17.34, ele omite completamente Dâmaris.

1 Introdução
(1.1-26)

A. DEDICATÓRIA E PRÓLOGO (1.1-3)

As próprias palavras iniciais de Atos indicam que esse livro é a continuação de outro.[1] Conforme vimos na Introdução geral, o livro anterior é o evangelho de Lucas, do qual Atos é a sequência.[2] É impossível dizer quem era "Teófilo" ao qual os dois livros foram endereçados.[3] O próprio nome quer dizer "amigo de Deus" e, por isso, muitos sugerem que esse nome não se refere realmente a uma pessoa específica, mas, antes, é um nome simbólico que Lucas deu para todos seus leitores. Por sua vez, há motivos para pensar de outra maneira. Primeiro, o próprio nome Teófilo

---

1   A respeito de algumas questões literárias e estruturais relacionadas ao prólogo de Atos, veja: ALFARIC, Prosper. "Les prologues de Luc". RHR, 115 (1937), p. 37-52; HIRSCH, Emanuel. *Frügeschichte des evangeliums*. Tünbingen: J. C. B. Mohr, 1951, p. xxx-xxxix; IGLESIAS, Eduardo. "El libro de los Hechos: El prólogo". *Christus* 1 (1935-36), p. 429-436.

2   A forma grega empregada aqui na descrição do "primeiro relato" (*prôtos* em vez de *prôteros*) poderia tecnicamente sugerir que devia haver um terceiro livro. ZAHN, T. "Das dritte Buch des Lukas". *NkZ* 28 (1917), p. 373-95. A verdade é que o grego helênico do tempo de Lucas não faz mais uma distinção clara entre *prôtos* e *prôteros*. Portanto, não é necessário supor, como fazem alguns, que Lucas escreveu ou planejou escrever um terceiro livro. HAENCHEN, E. *The Acts of the Apostles: A commentary*. Filadélfia: Westminster, 1975, p. 137, n. 1.

3   GOODSPEED, Edgar J. "Was Theophilus Luke's Publisher?". JBL 73 (1954), p 84; MULDER, H. "Theophilus, de 'Godvrezende'", em N. J. Holmes e outros, eds. *Arcana revelata*. Kampen: J. H. Kok, 1951, p. 77-88. Sem tentar resolver a questão da identidade Teófilo, Paul Kingsbury, Structure [Estrutura] Minear oferece um excelente estudo dos desafios enfrentados pelos leitores de Lucas e, portanto, do propósito de Atos em "Dear Theo: The Kerygmatic Intention and Claim of the Book of Acts". *Int* 27 (1973), p. 131-50. Encontramos um bom resumo das várias posições em relação à identidade de Teófilo em BRUCE, F. F. *Commentary on the book of Acts*. 2ª. ed. Grand Rapids: Eerdmans, 1954, p. 30-32.

era relativamente comum, no século I, não só entre os gentios (porque o nome é grego), mas também entre os judeus. Segundo, em Lucas 1.3, Lucas chama esse Teófilo de "excelentíssimo". Esse era um tratamento honorífico formal, normalmente reservado para os romanos da classe de cavaleiros — ou seja, a graduação imediatamente abaixo da aristocracia senatorial. Embora se possa argumentar que Lucas não emprega esse tratamento em seu estrito sentido técnico,[4] ele, com certeza, é um indício de que os dois livros foram endereçados a uma pessoa de certa posição social. Terceiro, naquele tempo, era costumeiro dedicar um livro a uma pessoa ilustre e poderosa, que, por isso, promovia a circulação do livro. Por todos esses motivos, parece possível que Lucas, na verdade, tenha endereçado seu livro a um cristão ilustre cujo nome era Teófilo e que tenha feito isso não só para que Teófilo o lesse, mas também para que o livro circulasse entre outros.[5]

De qualquer modo, o fato de um livro como o evangelho de Lucas ter um prefácio que, de muitas maneiras, segue as estruturas convencionais da melhor literatura da época[6] e ser endereçado a um cristão de certa posição social, como Teófilo, sugere que, na época em que Lucas escreveu, a igreja começava a fazer progresso, pelo menos, entre alguns membros da classe média e alta da sociedade. Os problemas subsequentes fazem parte do pano de fundo para a escrita de Lucas.

A palavra que a NTLH traduz por "relato" é *logos*. É a mesma palavra que aparece no prólogo do quarto evangelho, e que neste foi traduzida por "Verbo".

O que a NTLH traduz por: "Tudo o que Jesus fez e ensinou, desde o começo do seu trabalho"; pode ser traduzido como faz a A21: "Acerca de tudo o que Jesus começou a fazer e a ensinar". A sugestão é que o primeiro

---

4 Embora contra essa posição permaneça o fato de que Lucas usa esse tratamento em seu sentido apropriado em Atos 24.3 e 26.25.

5 Lucas 1.4 parece sugerir que Teófilo era cristão, passagem em que o livro é dedicado a ele "para que tenhas certeza da verdade das coisas em que foste instruído". É verdade que essas palavras também poderiam ter sido dirigidas a um juiz ou outro funcionário que tivesse autoridade para julgar os cristãos, e, nesse caso, se poderia entender que elas se referem aos relatos que Teófilo recebera. Essa interpretação não encontra grande apoio entre os estudiosos. Além disso, em muitos momentos na história da interpretação de Atos, vários candidatos são sugeridos como pessoas a quem Lucas se refere sob o pseudônimo de "Teófilo". O mencionado com mais frequência é Flávio Clemente, aristocrata romano que morreu na época de Domiciano, falecido no século I, aparentemente, como mártir cristão. Há tentativas de o identificar com outras pessoas de mesmo nome: um que aparece na 17ª epístola de Sêneca (que não foi escrita por Sêneca, mas, na verdade, por um cristão que escreveu usando pseudônimo) e outra que aparece na literatura pseudo Clementina [*Recog.* 10.1]). Mas essas tentativas são apenas hipóteses, ou teorias, impossíveis de ser testadas ou comprovadas.

6 LARRAÑAGA, Victoriano. "El proemio-transición de Act 1:1-3 en los métodos literarios de la historiografía griega". *MiscB* 2 (1934), p. 311-74; Palmer, D. W. "The literary background of Acts 1:1-14". *NTSt* 33 (1987), p. 427-38; VEN DER HOST, P. W. "Hellenistic parallels to the Acts of the Apostles: 1:1-26". *ZntW* 74 (1983), p. 17-26.

1. Introdução (1.1-26)

livro lidava com as coisas que Jesus começou a fazer "até o dia em que foi elevado ao céu", e o segundo livro lida com o que Jesus continuou a fazer e a ensinar depois de sua ascensão, agora, por intermédio do Espírito Santo.[7] A afirmação de que Jesus dava instruções "pelo Espírito Santo" (1.2) ajuda a juntar os dois livros. No primeiro, quando Jesus estava fisicamente presente, o Espírito Santo atuava por intermédio dele. No segundo livro, Jesus, depois da ascensão, continuaria a atuar por intermédio do Espírito Santo.[8]

É provável que as "provas incontestáveis" do versículo 3 (A21 e ARA) ou "com numerosas provas" (BSEP) se refiram não só às manifestações de Jesus para os seus discípulos, mas também a sua insistência em relação a sua ressurreição física. Em Lucas 24.37-43, quando os discípulos "assustados e com medo, pensavam que estavam vendo algum espírito", Jesus mostrou-lhes suas mãos e pés e os convidou a tocá-lo. Finalmente, como prova final de sua ressurreição física, ele recebeu deles um pedaço de peixe assado "e ele o pegou e comeu na frente deles".

Nesse versículo, os "quarenta dias" não devem ser entendidos no sentido literal, pois essa é uma expressão frequentemente usada no sentido de "muitos dias". O próprio Lucas usa-a assim em Lucas 4.2 (veja também, por exemplo, Gn 7.4,14,17; Êx 24.11; Ez 4.6; em At 7.30,36,42). A igreja logo notou o paralelismo entre esses "quarenta dias" e o que é dito sobre o tempo que Moisés passou no monte Sião para receber a lei (Êx 24.18). Da mesma maneira como Moisés, durante aqueles quarenta dias, recebeu instruções sobre a futura conduta de Israel, também Jesus, durante esses outros quarenta dias, instruiu os apóstolos para as suas futuras tarefas.[9]

Por fim, Lucas resume o que Jesus ensinou durante esses "quarenta dias" como o "reino de Deus".[10] Conforme veremos na próxima seção, o reinado ou reino de Deus está intimamente relacionado com as expectativas dos discípulos.

---

7   Também é possível entender o "começou" como uma expressão idiomática grega que apenas acrescenta força aos principais verbos e, por isso, traduz a passagem apenas por "o que Jesus fez e ensinou".

8   A gramática grega permite outras duas traduções. Uma delas poderia fazer que a frase "pelo Espírito Santo" não se refira só às instruções, mas também à escolha dos apóstolos. A outra poderia se referir à ação do Espírito apenas na escolha, e não nos ensinamentos de Jesus. A tradução da NTLH é mais natural. Veja TURRADO, Lorenzo. *Hechos de los apóstoles y Epístola a los Romanos*. Madri: Biblioteca de Autores Cristianos, 1975, p. 27-28.

9   Veja ROLOFF, Jürgen. *Hechos de los Apóstoles*. Madri: Cristiandad, 1984, p. 46-47; ROSCHER, William H. "Die Tessarkontaden and Tessarakontadenlehren der Griechen und anderer Völker". *Bsäch* 61 (1909), p. 17-206. Roloff também enfatiza o propósito dos "quarenta dias" como uma forma de estabelecer um prazo para as manifestações do Senhor ressurreto. Depois desses dias e da ascensão, poderia haver visões de Jesus, mas não mais manifestação física dele.

10   Sobre os ensinamentos orais diretos de Jesus à medida que eles aparecem em Atos, veja WIKENHAUSER, A. "Las instrucciones que Cristo Resucitado Dio según los Hechos de los Apóstoles 1:3". *Revis-Bib* 17 (1955), p. 117-22.

OS ATOS DO ESPÍRITO

As exatas primeiras palavras de Atos são "o primeiro relato". Isso nos mostra que esse livro não é para ser lido sozinho. Ele é uma continuação do evangelho de Lucas, "o primeiro relato" endereçado ao mesmo Teófilo de quem esse livro fala. O que temos aqui é uma história dividida em duas partes. A primeira parte lida com os atos de Jesus e a segunda, com os atos do Espírito depois da ascensão de Jesus. Mas Lucas não quer que imaginemos que esses são assuntos totalmente distintos. Por isso, ele refere-se ao assunto de seu primeiro livro como tudo que Jesus começou a fazer e a ensinar. Ao dizer "começou", ele sugere que esse segundo livro, apesar de falar sobre o que aconteceu depois da ascensão de Jesus, ainda lida com o ministério dele, o qual não termina com a ascensão, mas, antes, continua na obra do Espírito e, portanto, também na vida da igreja. Esse segundo livro conta a sequência do que já foi contado no primeiro. Os atos do Espírito são uma continuação do evangelho e uma parte dele.

No início desse segundo livro, Lucas sente a necessidade de resumir o que disse no primeiro. É evidente que ele não pode repetir todo o primeiro livro, mas, antes, deve encontrar uma forma de juntar tudo a uma frase que, de alguma maneira, abranja os atos e ensinamentos de Jesus. Para Lucas, não há melhor maneira de fazer isso que se referindo à mensagem do reino de Deus. Por isso, ele informa a Teófilo (e, agora, também a nós) que Jesus, durante o tempo que passou com seus discípulos entre a ressurreição e a ascensão, ensinou-lhes as "coisas referentes ao reino de Deus". Até mesmo uma rápida leitura do evangelho de Lucas mostra que o tema central dos ensinamentos de Jesus é o reino de Deus. A maioria das parábolas refere-se a ele. As boas-novas que merecem a mensagem de título de "evangelho" são exatamente as do reino de Deus que chegou na pessoa e nos atos de Jesus (veja, por exemplo, Lc 10.9,11). Esse assunto será discutido mais uma vez na seção seguinte (o comentário sobre 1.4-8). Todavia, a essa altura, é importante destacar a relevância da continuidade entre os dois livros de Lucas.

Parte do que Lucas conta é que é impossível conhecer a Jesus sem a intervenção do Espírito Santo. Paulo diz a mesma coisa com outras palavras: "Ninguém pode dizer: Jesus é Senhor! a não ser pelo Espírito Santo" (1Co 12.3). Lucas indica isso no início de seu evangelho ao afirmar que Maria concebeu pela ação do Espírito Santo (Lc 1.35), fornecendo diversos exemplos de pessoas que reconhecem Jesus por causa do Espírito (Lc 1.41; 2.25-27) e afirmando que o Espírito desceu sobre Jesus em seu batismo, no momento em que ele estava pronto para iniciar seu ministério (Lc 3.22).

Para ser cristão, não basta crescer entre cristãos ou pertencer a uma cultura supostamente cristã. Jesus torna-se conhecido para nós como Senhor

1. Introdução (1.1-26)

e Salvador pela obra do Espírito Santo que emprega essas experiências humanas para revelar o verdadeiro caráter e poder de Jesus, e não meramente pela ação ou inferência humana. É impossível ser cristão sem o Espírito Santo.

Outro ponto relevante aqui é que a função do Espírito é guiar as pessoas para Jesus. Independentemente do que o Espírito faça hoje, Jesus já está fazendo por intermédio do Espírito. Por isso, Lucas declara que seu primeiro relato trata das coisas que Jesus *começou* a fazer e a ensinar. Assim, Jesus, por intermédio do Espírito, continua a agir e a ensinar. Esse é exatamente o assunto do "segundo relato". O que o Espírito ensina não é uma revelação que vai adiante da que Jesus nos trouxe; é a mesma que Jesus ensinou.

Entender essa relação entre Jesus e o Espírito Santo é muito importante para a igreja atual. Há entre nós a opinião em comum de que a revelação de Deus acontece em três estágios sucessivos, cada um mais alto que o anterior, para que cada um exceda o outro. De acordo com essa opinião, primeiro veio a revelação do Pai no Antigo Testamento, depois, a do Filho no evangelho; e, por fim, a do Espírito na igreja depois da ascensão de Jesus e, em especial, com o derramamento contemporâneo de dons carismáticos. Essa noção não é nova, pois ideias semelhantes foram defendidas, no século II, pelos montanistas e, na Idade Média, pelos seguidores de Joaquim de Fiore.

A atração dessas opiniões para muitas gerações e também para a nossa está no fato de que ela se ajusta bem à compreensão de "espiritualidade". Para muitos, "espiritualidade" consiste em deixar para trás tudo que é físico ou material. Como Jesus é uma pessoa física, de carne e osso, poderia parecer que "a religião do Espírito" seria superior à de Jesus. Essas noções, que ainda desafiam a igreja atual, já eram um desafio na época do Novo Testamento. Por isso, em 1João 4.2,3, passagem que trata da questão de testar os espíritos, o teste é exatamente a relação entre esses espíritos e a carne de Jesus: "Assim conheceis o Espírito de Deus: todo espírito que confessa que Jesus Cristo veio em corpo é de Deus; e todo espírito que não confessa Jesus não é de Deus". O propósito de todo o livro de Atos é descrever a ação do Espírito para nos guiar para o mesmo Jesus encarnado que, por intermédio do Espírito, ainda está ativo na igreja.

Isso tem consequências práticas. Se a "religião do espírito" é mais elevada, poderia parecer que a melhor maneira de servir a Deus seria lidar só com as coisas "espirituais" e esquecer as coisas materiais. Em um hemisfério oprimido pela pobreza, pela fome, pela desnutrição e por todos os tipos de males físicos, então a igreja não poderia estar preocupada com essas coisas e sua única obrigação seria pregar o "evangelho". Naturalmente, esse "evangelho", como Lucas demonstra de forma abundante em seus dois livros, não é o evangelho de Jesus Cristo e, por isso, também não é o resultado da obra do Espírito Santo.

B. A PROMESSA DO ESPÍRITO (1.4-8)

Essa seção e a seguinte (1.9-11) dedicam-se ao que já foi discutido no fim do "primeiro relato".[11] Elas servem de ligação entre os dois livros. A instrução para permanecer em Jerusalém e a promessa do Espírito Santo, os objetos dessa seção, também estão resumidas em Lucas 24.49. A ascensão do Senhor, que aparecerá na próxima seção de Atos, também é mencionada, de modo muito mais breve, em Lucas 24. Contudo, o que aparece no evangelho como conclusão; aqui, serve como introdução; o que lá completa a narrativa; aqui, estabelece o tom para tudo que se segue.

Lucas, como também Paulo em Gálatas, usa duas palavras gregas que são ambas traduzidas por "Jerusalém": *Ierousalemm* (Jerusalém) e *Hierosolyma* (Jerosolyma). A primeira tem origem no hebraico, ao passo que a última é helênica. Normalmente, Lucas usa a primeira quando suas referências são religiosas ou relacionadas com o templo; ao passo que a segunda é simplesmente o nome geográfico da cidade.[12]

No versículo 4,[13] o sentido literal do que a NTLH traduz por "quando estava com os apóstolos" é "compartilhando o sal", por isso, as traduções da A21, da BJ e da NVI são mais próximas do original. Isso lembra-nos que, de acordo com Lucas, uma das "provas convincentes" que o Senhor forneceu de sua ressurreição foi compartilhar uma refeição com seus discípulos, além do fato de Lucas e também João se referirem a refeições que o Senhor ressurreto compartilhou com seus seguidores.

No mesmo versículo, "a promessa do Pai" (que aparece na passagem paralela em Lc 24.29) é o Espírito Santo, conforme o versículo 5 deixa claro: "Porque, na verdade, João batizou com água, mas vós sereis batizados com o Espírito Santo dentro de poucos dias".[14] Esse contraste

---

11 Veja García, José Ramos. "La restauración de Israel". *EstBib* 8 (1949), p. 75-133.
12 Há um bom estudo dessas duas palavras e sua relevância teológica: Gómez, G. Morales. "Jerusalén-Jerosólima en el vocabulario y la geografia de Lucas". *RCatalT* 7 (1982), p. 131-86. Veja também De la Potterie, I. "Les deux noms de Jérusalem dans les Actes des Apôtres". *Bib* 63 (1982), p. 153-87.
13 Hatch, William H. P. "The meaning of Acts 1:4". *JBL* 30 (1911), p. 123-28.
14 Best, Ernest. "Spirit-baptism". NT 4 (1960-61), p. 236-43. A construção gramatical dessa frase também permite uma tradução no sentido de que João batizou "com" água, e os discípulos serão batizados "com" o Espírito Santo.

1. Introdução (1.1-26)

entre o batismo de João Batista e o de Jesus aparece em todos os evangelhos, em geral, proclamado por João Batista (Mt 3.11; Mc 1.8; Lc 3.16; Jo 1.33). As palavras que João Batista proclama nos evangelhos, no início do ministério de Jesus, aparecem mais uma vez aqui no fim desse ministério, mas, dessa vez, na boca de Jesus.

Nos versículos 6 e 8, "os que se haviam reunido" perguntam a Jesus a respeito da restauração do reino de Israel, e é ao responder a essa pergunta que Jesus esclarece a promessa do Espírito Santo.[15] Há alguns pontos nessa passagem que merecem atenção especial. O primeiro é que não está claro que quem fez a pergunta foram os apóstolos. Nesse caso específico, não parece que Lucas está tentando ressaltar o atordoamento mental dos apóstolos, que depois de "quarenta dias" de instrução especial após a ressurreição do Senhor ainda não entendem a natureza da mensagem de Jesus. Mais adiante (1.15), observaremos que os que haviam se reunido em Jerusalém eram cerca de 120 pessoas. Portanto, é possível interpretar o texto simplesmente no sentido de que a pergunta foi feita por alguma dessas pessoas. No entanto, o fato de Lucas não identificar quem está falando — apesar de parecer que nos informa que eles foram os que, desde a ressurreição, receberam os ensinamentos de Jesus — poderia parecer apontar para um tema que aparecerá reiteradamente nesse livro: os discípulos de Jesus nem sempre têm claro em mente a vontade de seu Senhor e, com frequência, o Espírito Santo consertará as ações e decisões deles.

De todo modo, é necessário esclarecer a resposta de Jesus. Somos informados, às vezes, que essa passagem mostra que os discípulos ainda pensavam em termos materialistas e na restauração de um reino político, e que Jesus os corrige porque essa não era realmente a natureza de sua mensagem. O texto não diz que Jesus, com certeza, corrige seus discípulos, mas não porque os interesses deles são materialistas ou políticos demais. Na verdade, a palavra "reino", central para a mensagem de Jesus, tem necessariamente conotações políticas.[16] Jesus, antes, corrige-os por dois outros motivos: primeiro, porque eles desejam "saber os tempos ou as épocas que o Pai reservou por sua autoridade"; segundo, (e isso mais por implicação que de forma direta) porque o reino de Deus não será restaurado só para

---

15   Sobre a maneira em que Lucas entende a igreja como a "restauração de Israel", veja SCHMITT, J. "L'église de Jérusalem ou la 'restauration' d'Israël d'après les cinc premiers chapitres des Actes". *RScR*, 27 (1953), p. 209-18; Tiede, D. L. "The exaltation of Jesus and the restoration of Israel in Acts 1". *HTR* 79 (1986), p. 278-86.

16   TIEDE, D. L. "Acts 1:6-8 and the Theo-political claims of Christian witness". *WaW* 1 (1981), p. 41-51, mostra que Lucas estava bem ciente da natureza política e religiosa da mensagem de Jesus em relação à inauguração do reino de Deus, e que seus discípulos foram enviados como "agentes" dele. A mensagem do reino, ou reino de Deus, é uma crítica radical de todas as declarações políticas dos reis dos gentios, incluindo o Império Romano.

Israel, mas também incluirá os samaritanos[17] e todos os outros povos "até os confins da terra".[18]

Lucas acabou de nos dizer que Jesus passou quarenta dias após sua ressurreição contando aos discípulos sobre o reino de Deus. O reino de Deus é o cerne da mensagem de Jesus nos evangelhos e também seria o cerne da mensagem dos apóstolos e de outros em Atos. Esse reino, na percepção bíblica, não é um lugar puramente espiritual para o qual a alma dos mortos vai. É a consumação, física e também espiritual, da vontade de Deus para toda criação. É sobre isso que Jesus fala a eles por quarenta dias, e é a respeito disso que, agora, eles fazem uma pergunta. Jesus, em sua resposta, não lhes diz que esse reino não virá, mas apenas os adverte contra estar preocupado com o tempo em que isso acontecerá. A vinda do reino de Deus acontecerá no tempo ou época que "o Pai reservou por sua autoridade". O que é rejeitado aqui não é a própria ideia do reino nem mesmo de uma restauração, mas o interesse em descobrir quando isso ocorrerá.

Esses versículos, por sua vez, negam a limitação do reino de Deus só para Israel.[19] Os discípulos perguntam sobre a restauração do reino "para Israel"; o Senhor responde, falando-lhes sobre a necessidade de testemunhar "até os confins da terra". Nesse ponto, o contraste não é nada mais esclarecido. O restante do livro é a narrativa da maneira que, graças à orientação do Espírito, os discípulos descobrem que o reino não é só para Israel.

Menciona-se, com frequência, que a última parte do versículo 8 pode ser lida como um esboço do livro todo: "Em Jerusalém como em toda a Judeia e Samaria, até os confins da terra". O que não é suficientemente compreendido é que, nesse processo todo, os próprios cristãos estão descobrindo, por intermédio do Espírito, que o reino de Deus é muito mais amplo do que eles pensavam ou esperavam.

A função dos discípulos é que sejam "testemunhas".[20] O próprio texto não fala mais que isso. Contudo, de acordo com a teologia lucana, Deus deu o domínio a Jesus. Por isso, a mensagem do reino de Deus também é

---

17 Veja ENSLIN, Morton S. "Luke and the samaritans". *HTR* 36 (1943), p. 277-97.

18 Há uma interpretação incomum em Schwartz, D. R. "The end of the Ge (Acts 1:8)". *JBL* 105 (1986), p. 669-76. De acordo com SCHWARTZ, a citação "até os confins da terra" não são os limites do mundo habitado, mas, antes, os limites da terra prometida para Israel. Nesse caso, poderia parecer que Jesus está, antes, dando a seus discípulos uma percepção limitada da missão deles e que só depois, conforme os eventos se desenvolvem no livro de Atos, se falará de uma percepção mais abrangente. Veja também a nota referente à Etiópia em 8.27.

19 GALUS, Walter J. *The universality of the kingdom of God in the gospels and the Acts of the Apostles*. Dissertação de doutoramento, Catholic University of America, Washington, D.C., 1945.

20 BURNIER, Edouard. *La notion de témoignage dans le Nouveau Testament. Notes de théologie biblique*. Lausanne: F. Roth, 1939; Iglesias, Eduardo. "El libro de Hechos: ¡Seréis mis testigos!" Christus 2 (1936), p. 637-42; Subilia, Vittorio. "Nota sulla nozione di testimonianza nel Nuovo Testamento". Prot 4 (1949), p. 1-22.

a mensagem de que o reino foi iniciado com o advento de Jesus. Por essa razão, ser testemunha de Jesus também é ser testemunha do reino de Deus. O próprio reino, como ideia e esperança, não precisa de "testemunhas" entre os judeus. Ele fazia parte da expectativa de todo judeu fiel. Os discípulos não devem testemunhar apenas da ideia ou promessa de um reino de Deus por vir, mas do fato de que, em Jesus, o reino já irrompeu. É importante enfatizar essa natureza histórica do testemunho dos discípulos. Não se pode "testemunhar" uma ideia nem uma doutrina. O indivíduo é "testemunha[...]" de um fato, um evento, dos atos e palavras de uma pessoa. O testemunho para o qual os discípulos são capacitados é o anúncio concreto do que Deus realizou na vida, morte e ressurreição de Jesus.

O REINO DE DEUS E A NOSSA REALIDADE

De acordo com Lucas, a mensagem de Jesus no evangelho é o reino de Deus, e Lucas, agora, começa o segundo livro resumindo mais uma vez essa mensagem em termos do reino. É importante lembrar isso, pois, em todo o segundo livro, o assunto do reino de Deus aparecerá reiteradamente, embora, com mais frequência, de forma mais implícita que explícita. A fim de entender os atos do Espírito como esse livro os apresenta, temos de vê-los como os atos do Espírito no reino e em direção ao reino. No primeiro livro, Lucas explicou a importância desse reino, que está no cerne dos ensinamentos de Jesus. Em Lucas 4.43, Jesus declara: "É necessário que eu anuncie o evangelho do reino de Deus também às outras cidades; pois foi para isso que fui enviado". Seus milagres são sinais do reino. Suas parábolas são promessas do reino de Deus e descrições da vida nele. Sua própria vida é a inauguração desse reino.

No entanto, é um reino um tanto estranho que pode ser comparado com um grão de mostarda (Lc 13.18,19) ou a um pouco de fermento (Lc 13.20,21). É um reino diferente de todos os reinos atuais porque "o maior entre vós seja como o mais novo; e quem governa, como quem serve" (Lc 22.26). Além disso, embora possamos não gostar disso, esse é um reino em que o pobre, o faminto, os que são odiados e os que pranteiam são abençoados; ao passo que o contrário diz respeito aos que vivem bem e são queridos na sociedade: "Mas ai de vós que sois ricos, porque já recebestes a vossa consolação. Ai de vós, os que agora estais satisfeitos, porque passareis fome. Ai de vós, os que agora estais rindo, porque vos lamentareis e chorareis. Ai de vós, quando todos vos elogiarem, porque os antepassados deles fizeram o mesmo com os falsos profetas" (Lc 6.24-26).

Atos também é sobre esse reino estranho. A história aqui é sobre os atos de um Espírito que torna possível a vida para os cristãos como cidadãos desse outro reino mesmo em meio a reinos deste mundo. Boa parte do livro de Atos informa-nos como essa estranha ordem do reino de Deus torna-se uma realidade na vida da igreja quando ela obedece aos ditames do Espírito.

Entrementes, os eventos da antiga ordem continuam. O rico ainda desfruta de seu prestígio. Os que comem mais que o necessário ainda se deliciam em seus banquetes. Os jornais ainda estão mais interessados no poderoso que nos que sofrem. Mas aqueles dentre nós que ouviram o "evangelho do reino de Deus" sabem que esse novo reino é uma realidade inevitável e tentam organizar sua vida e seus atos, mesmo enquanto vivem na antiga ordem, de tal maneira que testemunhem da nova ordem para a qual estamos nos preparando e da qual, de alguma maneira, já desfrutamos.

Essa é claramente a situação da igreja da América Latina. Nossas terras e nossos povos têm abundância de recursos humanos e naturais, os quais, em si mesmos, são sinais do reino de Deus. Contudo, mesmo em meio a essa abundância, milhões de pessoas vivem em abjeta pobreza. A condição do pobre na América Latina fica pior, em vez de melhorar, com o passar do tempo. O mesmo é verdade em relação aos hispânicos que vivem nos Estados Unidos, entre os quais, de acordo com o último censo, quase duas em cada cinco crianças vivem abaixo da linha de pobreza.

Às vezes, parece difícil perceber onde há verdadeiro temor ao Senhor. O poderoso explora o pobre como se não houvesse um Deus para ver e julgar seus atos. Na própria igreja, há "líderes" que ficam ricos pregando o evangelho, enquanto pessoas morrem de fome. Sem dúvida, embora o reino de Deus tenha irrompido, ainda vivemos sob o antigo regime, no qual o poderoso tira vantagem do restante do povo, e o privilegiado ostenta seu privilégio.

Os primeiros versículos de Atos advertem-nos a respeito de duas tentações. A segunda ficará clara quando discutirmos a ascensão do Senhor (1.9-11), mas a primeira é semelhante à dos discípulos que perguntaram ao Senhor se ele estava prestes a restaurar o reino para Israel (1.6). Israel fora oprimida por séculos e, todo o tempo, esperara sua libertação. Na época de Jesus, havia muitos partidos políticos entre os judeus. A maioria deles, cada um de sua maneira, falava do dia em que o reino seria restaurado para Israel. A exceção eram os que se aproveitaram tanto com a "prosperidade" e "paz" trazida pelo Império Romano que se tornaram praticamente estrangeiros em meio ao próprio povo. Por isso, a pergunta feita pelos discípulos não é surpreendente. Surpreendente é a resposta de Jesus

1. Introdução (1.1-26)

ampliando a compreensão deles do reino de Deus. Eles perguntam-lhe a respeito da restauração do reino *para Israel*; ele responde falando-lhes de uma missão "até os confins da terra". Felizmente, a maior parte da igreja latino-americana não perdeu sua expectativa do reino de Deus. Contudo, para muitos de nós a maior tentação está em estreitar as fronteiras desse reino, muitíssimo semelhante ao que os discípulos fizeram. Aqueles entre nós que somos protestantes na América Latina e que, às vezes, sentimo-nos oprimidos ou marginalizados por motivos religiosos e todos nós hispânicos nos Estados Unidos, onde, com frequência, sentimo-nos marginalizados por motivos étnicos e econômicos, esperamos ardentemente pela vinda do reino de Deus em nosso meio. Nossa esperança é que o reino termine com nosso sofrimento e, assim, em vez de perguntar como temos de testemunhar em esferas sempre mais amplas, simplesmente perguntamos quando o reino será nosso.

Isso é compreensível, da mesma maneira como também entendemos a atitude daqueles discípulos judeus sofredores que perguntaram ao Senhor se, naquela época, o reino seria restaurado para Israel. O texto de Atos adverte-nos que não temos de tentar saber a época em que os eventos ocorrerão, mas, sim, que nossa obrigação consiste mais propriamente em receber o poder do Espírito Santo e, depois, testemunhar "até os confins da terra". Isso quer dizer que nosso testemunho tem de chegar até onde alcança a obra criativa de Deus.[21]

Parece que alguns acham que o Espírito Santo lhes dirá quando o fim deve chegar. Hoje em alguns círculos protestantes, alguns olham o novo Estado de Israel e, com base nessa suposta "restaura[ção] de Israel" e de o que dizem lhes ser revelado pelo Espírito, afirmam que isso é um sinal de que o fim está próximo. Essas pessoas precisam ouvir mais uma vez o que o texto diz, que o Espírito Santo não nos é concedido a fim de prever o futuro, mas a fim de capacitar-nos como testemunhas. É pelo poder do Espírito que temos fé; é pelo poder do Espírito que podemos viver em esperança até mesmo em circunstâncias piores; é pelo poder do Espírito que sabemos que somos filhos amados de Deus mesmo enquanto o mundo nos maltrata. Não obstante, esse poder foi-nos concedido não só para que o possamos desfrutar em nossa vida, mas, acima de tudo, para que possamos testemunhar de Jesus e do reino de Deus.

Entretanto, é necessário esclarecer o sentido da palavra "testemunha", que é o que os discípulos devem ser por meio do poder do Espírito. Há vários tipos de verdades, e cada uma delas deve ser trans-

---

21 Talvez, em relação a esse ponto, devamos aprender com os cristãos primitivos que oravam pelo "adiamento do fim" a fim de conseguir proclamar mais o evangelho. Tertuliano. *Apol*. 32.

mitida de sua própria maneira. Por exemplo, é verdade que dois mais dois são quatro; mas não declaramos que alguém é "testemunha" do fato de dois e dois serem quatro. Esse tipo de verdade não é normalmente transmitida por "testemunhas", mas pelos professores. Contudo, quando é necessário estabelecer os fatos diante de uma corte o que é indispensável não são professores, mas testemunhas. Os professores dizem: "Isso e isso são sempre assim por sua própria natureza"; a testemunha diz: "Esse e esse evento aconteceram dessa maneira". Por isso, a primeira característica do testemunho é que não se refere a verdades invariáveis como ocorre na matemática, mas a fatos históricos. É importante entender isso porque a mensagem do evangelho não é uma série de doutrinas, mas uma série de eventos. O que proclamamos não é nosso conhecimento de teorias nem de doutrinas, independentemente de quão verdadeiras elas possam ser. O que proclamamos são eventos, os atos e as promessas — pois as promessas são simplesmente eventos futuros — de Deus em Jesus Cristo. Infelizmente, às vezes, os cristãos confundem essas duas coisas, por isso agimos como se o evangelho fosse uma série de doutrinas e como se fosse nossa obrigação fazer todos aceitarem esses quatro, dez ou duzentos pontos específicos da doutrina. Mas esse não é o caso. O evangelho é as boas-novas do que Deus fez, está fazendo e fará em Jesus Cristo. O evangelho não é uma filosofia nem um estilo de vida. Ele é notícia! E como toda notícia, os que a transmitem são testemunhas dela.

Com certeza, há relação entre realidade eterna e os eventos que são o objeto do testemunho, da mesma maneira que há uma relação entre o princípio matemático de que dois mais dois são quatro e a experiência de alguém que observa que duas pedras mais duas pedras formam quatro pedras. Mas o que transforma uma testemunha verdadeiramente em testemunha não é só conhecer principalmente uma verdade eterna, mas o que o indivíduo vê na vida e na história.

Isso quer dizer que o que testemunhamos é o evento concreto e histórico de Jesus encarnado e os eventos, também concretos e históricos, que resultaram disso. Por isso, o testemunho cristão sempre leva em consideração o contexto. Não é uma série de palavras que repetimos o tempo todo e em todas as circunstâncias, mas a maneira como os cristãos de cada época e em cada circunstância testemunham do que aconteceu no século I na vida de Jesus e do que acontece em nosso século e em nossa vida e história. Assim, a história do nosso povo — nossa própria história — é o campo apropriado para o testemunho. O testemunho que não está encarnado em sua própria história não é um testemunho verdadeiro e, tampouco, refere-se verdadeiramente ao Senhor que se fez carne em nossa História. Por isso, quando, ao longo deste livro tentamos relacionar o que lemos em Atos com nossa vida e História, o que estamos fazendo não é opcional, algo que fazemos porque escolhemos fazer assim, mas, antes, é algo absolutamente necessário à medida que tentamos ser o tipo de testemunhas que somos chamados a ser.

C. A ASCENSÃO (1.9-11)

Esse texto faz paralelo com Lucas 24.50-52.[22] Alguns apontam as diferenças entre os dois textos, pois, aqui, somos informados que a ascensão aconteceu depois de "quarenta dias" e, em Lucas, a impressão é que ela ocorreu no mesmo dia da ressurreição. Com base nessa discrepância, alguns argumentam que, originalmente, os dois livros eram apenas um e que, ao separá-los, algum redator descuidado produziu essa discrepância.[23] A verdade é que o evangelho de Lucas, na realidade, não diz que a ascensão ocorreu imediatamente após a ressurreição, a discrepância, portanto, não é tão grande quanto parece. O mesmo pode ser dito a respeito do lugar da ascensão. Em Lucas, ela ocorreu em Betânia, aqui, no monte das Oliveiras (1.12). Na verdade, Betânia fica na encosta do monte das Oliveiras, cerca de três quilômetros de Jerusalém. Portanto, a única diferença seria que, em Lucas, a ascensão parece ter ocorrido cerca de três quilômetros de Jerusalém ao passo que em Atos ocorreu "a distância da caminhada de um sábado", o que representa menos que um quilômetro.

Contudo, há uma clara diferença na ênfase de cada um dos dois textos. Em Lucas, a despeito da brevidade da história, somos informados que Jesus abençoava seus discípulos quando os deixou, e que, depois, eles "voltaram com grande alegria para Jerusalém". Em Atos, a ênfase cai no que aconteceu imediatamente após a ascensão. Enquanto os que estavam presentes continuavam a olhar para o céu, "dois homens vestidos de branco" apareceram junto deles e perguntaram: "Homens galileus, por que estais olhando para o céu? Esse Jesus, que dentre vós foi elevado ao céu, virá do mesmo modo como o vistes partir". Esses

---

22 Sobre a relação entre os dois textos, veja MENOUD, Philippe H. "Remarques sur les textes de l'ascension dans Luc-Actes". *BZntW* 21 (1954), p. 148-56; Schlier, Heinrich. "Jesu Himmelfahrt nach den lukanischen Schriften". *GuL* 34 (1961), p. 91-99; Stempvoort, P. A. "The interpretation of the ascension in Luke and Acts". *NTSt* 5 (1958-59), p. 30-42. Embora um tanto antiquado, provavelmente o estudo mais completo ainda é o de LARRAÑAGA, Victoriano. *La ascensión del Señor en el Nuevo Testamento*, 2 vols. Madri: Instituto Francisco Suárez, 1943.

23 TROCMÉ, Etienne. *Le "Livre des Actes" et l'Histoire*. Paris: Presses Universitaires de France, 1957, p. 30-41.

dois mensageiros lembram-nos dos "dois homens com roupas resplandecentes" que anunciaram primeiro a ressurreição de Jesus (Lc 24.4,5). Nos dois casos, o que eles fazem é apontar a atenção dos discípulos em uma direção diferente. No primeiro, eles dizem às mulheres para não procurarem mais Jesus no túmulo vazio. No segundo, eles dizem aos discípulos que parem de olhar para o céu e que, antes, simplesmente confiem que Jesus retornará.

UM OLHAR VOLTADO PARA O CÉU

Ao comentar a passagem anterior, observamos que uma das tentações com a qual os cristãos se defrontam constantemente é a de estreitar as fronteiras do reino de Deus. Agora, observamos que a segunda tentação é o escapismo religioso: permanecer olhando para o céu no qual Jesus está. Jesus disse a seus discípulos que eles, após sua ascensão, deviam ir para Jerusalém, onde receberiam o poder do Espírito Santo. Porém, após a ascensão, os discípulos permaneceram imobilizados, com o olhar voltado para o céu, e foi necessário que os "dois homens vestidos de branco" os lembrassem que não era isso que se esperava deles. Com certeza, Jesus retornará do céu, disseram eles, mas, nesse meio-tempo, havia outras coisas a ser feitas. Atos fala sobre essas outras coisas.

O que os dois homens prometeram aos discípulos não foi que eles também iriam para o céu, mas, mais propriamente, que Jesus retornaria à terra. Se a primeira opção fosse o caso, eles podiam esquecer sobre Jerusalém e o restante dos lugares mencionados em Atos. Mas a promessa é que Jesus retornará à terra e, nesse meio-tempo, é nesta terra que os discípulos devem ser obedientes, em meio às circunstâncias e desafios terrenos.

Nós, cristãos, com frequência demais, permanecemos com nosso olhar voltado para o céu e esquecemos que fomos postos na terra a fim de cumprir uma missão. Falando como protestante com histórico latino-americano, posso dizer que essa é uma tentação comum na comunidade em que fui criado e à qual pertenço. Por causa de uma série de circunstâncias históricas, políticas e sociais, ouvimos a pregação de um "evangelho" que tem pouco a ver com o reino integral de Deus sobre toda a criação e, com frequência, é reduzido à promessa de que a alma continuará a viver eternamente no céu. Da perspectiva dos reinos atuais, esse "evangelho" é inócuo; ele não os desafia de nenhuma forma. Se o "reino" tem a ver com o "além", os que o pregam não têm conflito com o "aqui e agora". Por isso, esse truncamento do evangelho é atraente não só

1. Introdução (1.1-26)

para os que conduzem os assuntos dos reinos atuais, mas também para muitos cristãos que, por meio disso, tentam evitar problemas e conflitos com a ordem atual.

Pagamos um alto preço por essa tranquilidade. Nossa pregação, tão preocupada com o além, com frequência, corre o risco de ter pouco a dizer àqueles que ainda devem viver em meio à injustiça e ao sofrimento atuais. (Muito semelhante àquele filósofo da Antiguidade que estava tão fascinado com o estudo das estrelas que caiu em um poço.) Pelo menos por enquanto e contanto que seja a vontade divina, não fomos chamados para o céu, mas, primeiro de tudo, fomos chamados para Jerusalém, para nos prepararmos para ser obedientes e, depois, somos chamados para o mundo, "até os confins da terra".

Há, contudo, outra forma de olhar para o céu que tem valor positivo. O motivo para isso não é que o céu seja "espiritual", mas a própria ascensão.[24] A vitória de Jesus já acontece no céu.[25] Essa é uma garantia não só da vitória de Jesus, mas também da nossa. Como João Calvino afirma em suas *Institutas da religião cristã*:

> Disso nossa fé recebe muitos benefícios. O primeiro, ela entende que o Senhor, por meio de sua ascensão, abriu o caminho para o reino celestial, caminho esse que fora fechado por intermédio de Adão. Uma vez que ele entrou no céu em nossa carne, como se entrasse em nosso nome, segue-se, como diz o apóstolo, que em Jesus, em certo sentido, já nos "assentamos com Deus nos lugares celestiais", de forma que não esperamos pelo céu com esperança vazia, mas, em nosso Cabeça, já o possuímos.[26]

A epístola aos Hebreus interpreta a ascensão da mesma maneira quando comenta sobre o Salmo 8.6, em que se afirma que tudo está sujeito ao ser humano. Hebreus afirma que, na verdade, não vemos que isso aconteceu pois, com certeza, não governamos toda a criação; "vemos, porém, Jesus, que foi feito um pouco menor que os anjos, coroado de glória e honra" (Hb 2.9).

Isso é de extrema importância para nós hoje. Observamos constantemente pessoas serem enganadas e oprimidas por forças que não

---

[24] Sobre a história da interpretação da ascensão e o lugar que ela tem na história do pensamento cristão, veja Davies, J. G. *He Ascended into Heaven: A study in the history of doctrine*. Londres: Lutterworth Press, 1958.
[25] Talvez isso pareça muito estranho para aqueles de nós que acreditamos que o céu, em contraste com a terra, é e sempre foi um lugar de calma e de pureza. No Novo Testamento, parece que parte da vitória de Jesus consiste precisamente em expulsar o mal do céu. Veja Lucas 10.18 e Apocalipse 12.12,13.
[26] *Inst.* 2.16. Trad. Ford Lewis Battles. Filadélfia: Westminster, 1960, p. 524.

podem controlar. Fome, pobreza e opressão são uma experiência comum entre os latino-americanos e hispânicos. Se tivéssemos de levar em conta apenas o que vemos, talvez tivéssemos de confessar que somos seres miseráveis sem futuro nem esperança. Isso está a apenas um passo de se entregar a miséria e a opressão. Mas esse não é o caso. Embora ainda não nos vejamos em glória, vemos nosso Cabeça, Jesus Cristo, em glória. É lá que ele está atualmente em nosso lugar. Como diz Paulo: "A vossa vida está escondida com Cristo em Deus. Quando Cristo, que é a nossa vida, se manifestar, também vos manifestareis com ele em glória" (Cl 3.3,4).

Em contrapartida a isso, há um estilo de pregação e um tipo de teologia, infelizmente difundida hoje em dia, que parece acreditar que a melhor maneira de exaltar a Deus é humilhando a criatura humana. Por isso, somos ensinados a declarar: "Não passo de um vil verme". A Bíblia, por sua vez, fala de forma muito diferente. Um de nós já está assentado à direita do Pai. Todos nós reinaremos, em glória, com ele. Não somos vermes. Somos reino e sacerdotes (Ap 1.6; 5.10), "geração eleita, sacerdócio real, nação santa, povo de propriedade exclusiva de Deus" (1Pe 2.9). Que ninguém ouse nos humilhar ou nos oprimir!

Se aquele que se assenta à direita de Deus é "um de nós", ou seja, um ser humano, todo ser humano é digno do mais alto respeito. Algumas vezes, os cristãos empregaram sua afirmação de ser "reino e sacerdotes" a fim de impor sua vontade àqueles que não acreditam que as coisas são como eles acham. Isso não é o que é pretendido aqui. Não só nós cristãos, mas também todos os seres humanos, somos iguais àquele que já está assentado à direita de Deus. Por isso, devemos, também como cristãos, resistir à tentação que oprime os outros. Quando um cristão, por qualquer razão, ficar tentado a explorar, humilhar ou marginalizar outro ser humano, esse cristão deve ver que aquele que está assentado à direita de Deus é igual a esse outro ser humano.

Na América Latina, sofremos por muito tempo do mal de ter uma percepção de Jesus que o vê principalmente como o crucificado, mas não como o ressurreto assentado à direita de Deus. Essa percepção foi usada na época da conquista a fim de tentar convencer os habitantes nativos dessas terras que eles tinham de aceitar o sofrimento imposto a eles pelos conquistadores. Essa visão foi usada na época colonial a fim de sustentar o privilégio das elites do poder. E ainda é usada desse modo hoje. Isso não é prerrogativa de algum ramo particular da fé cristã.

1. Introdução (1.1-26)

D. A ELEIÇÃO DE MATIAS (1.12-26)

A última seção deste capítulo introdutório trata da eleição de Matias.[27] Depois da ascensão de Jesus, os discípulos voltaram para Jerusalém (veja também Lc 24.52) e, lá, reuniram-se no "aposento superior". Esse parece o mesmo lugar em que Jesus fez a última ceia com os discípulos antes de ser crucificado (Lc 22.12; Mc 14.15).[28] Aqui somos informados que os Doze se alojaram nesse "aposento superior". Lucas repete a lista do nome deles, que nos forneceu antes no evangelho (Lc 6.14-16).[29] Aos Doze, juntaram-se outros que se devotaram a orar. Entre eles, "as mulheres, com Maria, mãe de Jesus, e com os irmãos dele". Há muita discussão em relação a esses "irmãos" não porque o próprio texto levante quaisquer problemas, mas porque a possível existência deles, obviamente, envolve a questão da virgindade perpétua de Maria. Afora essa questão, não há como saber se eles eram de fato os irmãos de Jesus ou outros parentes.

O assunto das "mulheres" deve chamar nossa atenção. Aparentemente, elas são as mesmas mulheres, várias delas ricas, que acompanhavam Jesus e cuidavam, pelo menos, de algumas das despesas dele, conforme afirmado em Lucas 8.2,3. Um manuscrito de cerca do ano 500, o "códice Beza", diz: "As esposas e filhos", sugerindo, assim, que essas mulheres eram dependentes dos discípulos homens. Esse manuscrito específico, como o restante do texto ocidental que ele reflete, mostra certo preconceito antifeminista e, por isso, poderia parecer que o propósito dessa leitura distinta é diminuir a importância dessas mulheres que acompanhavam Jesus em seu ministério, que pagavam as despesas e, aparentemente, que também participaram dos eventos de Pentecostes.

O que complica o assunto é o fato de que no versículo 16, Pedro dirige-se a um grupo que parece formado exclusivamente de homens. Alguns tentam resolver a contradição, supondo que o cenário mudou entre os versículos 14 e 15, para que os 120 reunidos quando Pedro faz sua pregação seja um grupo distinto do descrito nos versículos 13 e 14. Não

---

27 GAECHTER, Paul. "Die Wahl des Matthias". ZkT 71 (1949), p. 318-46; IGLESIAS, Eduardo. "Los hechos de los apóstoles: Muéstranos al que has elegido". *Christus* 2 (1936), p. 902-8; MASSAN, Charles. "La reconstitution du collège des douze, d'après Actes 1:15-26". *RTP*, série 2, 5 (1955), p. 193-201; MENOUD, Philippe. "Les additions au groupe des douze apôtres, d'après le livre des Actes". *RGPH* 37 (1957), p. 71-80; RENGSTORF, K. H. "Die Zuwaahl des Matthias". *ST* 15 (1961), p. 35-67; RIUS-CAMPS, J. "L'elecciò de Maties: Restauraciò pòstuma de Nou Israel". *RCatalT* 12 (1987), p. 1-27; THORNTON, L. S. "The choice of Matthias". *JTS* 46 (1945), p. 51-59; DUPONT, J. "Le douzième apôtre (Actes 1:15-26) à propos d'une explication recente". *BibOr*, 24, 1982, p. 193-98.

28 Embora a palavra grega que Lucas emprega aqui (*hyperiôn*) seja diferente da que usa no evangelho (*anagaion*).

29 As listas dos Doze no Novo Testamento nem sempre batem. Veja o estudo de WEBER, Wilhelm. "Die neutestamentlichen Apostellisten". *ZkT* 54 (1912), p. 8-31.

há dúvida de que, em algum ponto dessa passagem, a cena mudou, pois é inconcebível que o aposento do andar superior tivesse espaço para os 120 do versículo 15. Contudo, o lugar mais provável para essa mudança é entre o versículo 13, em que nos é dito que os Doze estavam alojados no aposento superior, e o versículo 14, em que são acrescentados as mulheres e outros. Nesse caso, o que Lucas está nos dizendo é que depois do retorno a Jerusalém e ao aposento superior, os apóstolos reuniram-se com outros em algum lugar não especificado, e o número desses congregados era cerca de 120 pessoas. Se for esse o caso, começando com o versículo 15, Lucas está descrevendo uma cena que poderia acontecer em uma sinagoga ou outra assembleia na qual as mulheres estavam presentes, mas não participavam do processo de tomada de decisão. Em alguns desses casos, os homens reuniam-se no centro da sala, e as mulheres ficavam em torno das paredes. Nesse caso, Pedro, em uma assembleia aparentemente mista, dirigiu-se aos homens, pedindo-lhes que indicassem outro para assumir o lugar que Jesus deixou vago entre os apóstolos. (Esse fenômeno de mudar o cenário sem levar o fato ao conhecimento do leitor acontece muito no livro de Atos — por exemplo, no evento do próprio Pentecostes.)

Lá, segue a fala de Pedro incitando os "irmãos" a elegerem um sucessor para ocupar o lugar de Judas. Embora a fala seja posta na boca de Pedro, na verdade, ela é de Lucas.[30] Isso fica claro no versículo 19, em que Pedro explica que *hakeldama* quer dizer campo de sangue "na própria língua deles". Pedro, falando aramaico entre pessoas que falavam a mesma língua, não precisaria explicar o sentido dessa palavra.[31] Da mesma forma, as citações dos Salmos 109.8 e 69.25, que aparecem no versículo 20, não são extraídas do texto hebraico, mas da versão grega das Escrituras hebraicas, conhecida como Septuaginta.[32] Portanto, Lucas descreve a cena em termos gerais, adaptando-a para os seus leitores que falavam grego e, por isso, podiam usar a Septuaginta e precisavam ter as palavras hebraicas e aramaicas explicadas.

---

30   Aproximadamente, 30% do livro de Atos consiste de falas que Lucas põe na boca de vários atores. Há muita discussão em relação à autenticidade dessas falas e, em especial, das que proclamam o evangelho. Esse assunto será discutido de forma mais completa no estudo das pregações de Pedro nos capítulos 2 e 3.

31   Sobre *hakeldama* e seu histórico, veja WILCOX, Max. *The smitisms of Acts*. Oxford: Clarendon, 1965, p. 87-89.

32   Embora seja comum falar da "Septuaginta" como se ela fosse uma tradução grega oficial, o fato é que, afora o Pentateuco, o que existia na época do Novo Testamento era uma série de diversas traduções circulando de forma independente. Foi só no século III ou talvez, até mesmo, no IV, que as traduções foram reunidas como um todo. Contudo, depois de esclarecer isso, deve-se falar da "Septuaginta", e isso representava a totalidade das traduções independentes e o consenso entre elas. Veja JELLICOE, Sidney. *The Septuagint and modern study*. Oxford: Clarendon, 1968.

1. Introdução (1.1-26)

A fala de Pedro gira em torno de duas necessidades: no versículo 16, a traição de Judas é expressa na necessidade de cumprir a Escritura, e, mais adiante, somos informados que alguém "deve" se tornar testemunha da ressurreição no lugar de Judas. Nos dois casos, a palavra grega é a mesma. De qualquer forma, Pedro não está realmente lidando com o assunto muito debatido da relação entre a predestinação divina e a responsabilidade humana. Ele apenas afirma que, em cumprimento à Escritura, Judas traiu o Senhor. A segunda necessidade refere-se à responsabilidade atual: à luz do que aconteceu é necessário nomear outro para tomar o lugar de Judas.[33] Quanto ao que aconteceu com Judas depois de sua traição, o Novo Testamento reflete duas tradições distintas. De acordo com uma delas, que aparece em Mateus 27.3-8, Judas jogou as moedas no templo e, depois, enforcou-se. Então, os sacerdotes usaram o dinheiro para o "Campo de Sangue". Segundo a outra tradição, que está refletida aqui em Atos, foi o próprio Judas quem comprou o campo, ali caiu e morreu.[34] Há muito tempo, tornou-se costumeiro juntar essas duas tradições declarando que Judas se enforcou, mas que a corda que se pendurou ou o galho no qual se pendurou quebrou, então, ele caiu de cabeça e seu corpo se partiu.

O que Pedro propõe é que alguém assuma o "seu lugar". O texto grego de Salmos que Lucas menciona se refere a essa posição como *episkope*. Nos tempos da Antiguidade, essa palavra, mais tarde entendida por "episcopado", referia-se à posição, função ou capacidade de supervisionar. Contudo, com o passar do tempo, ela ficou cada vez mais limitada ao episcopado cristão e foi desenvolvida a noção de que os bispos — que ocupam o episcopado — eram os sucessores dos apóstolos. Esse texto desempenhou um papel importante nesse processo porque, nele, o ofício do apóstolo é chamado de "episcopado". Pedro sugere que dentre os "homens" — que é literalmente o que o versículo 21 diz — que estiveram

---

33 MARSHALL, I. H. *The Acts of the Apostles*. Leicester, Ing.: Inter-Varsity Press, 1980, p. 65-66, indica que o motivo para alguém ser eleito para tomar o lugar de Judas não é cumprir as profecias da Antiguidade, mas, antes, completar o número de testemunhas para a ressurreição de Jesus.

34 Também havia na igreja antiga uma terceira tradição, afirmando que Judas inchou. Essa tradição aparece em um fragmento de Papias: "Judas perambulou por este mundo como um triste exemplo de impiedade; pois seu corpo inchou de tal maneira que ele não conseguia passar onde um carro passaria com facilidade; ele foi esmagado pelo carro, de modo que suas entranhas se espalharam" (*ANF*, 1:153). Talvez essa tradição esteja ligada com a refletida em Atos na qual "seu corpo partiu-se ao meio". As duas tradições são brevemente comparadas por GARCÍA, Rubén Darío. *La iglesia, el pueblo del Espíritu*. Barcelona: Ediciones Don Bosco, 1983, p. 63-64. García também oferece várias referências de literatura interbíblica que ilustram o uso de imagens e tradições semelhantes. Veja também: BENOIT, Pierre. "La mort de Judas", em *Synoptische Studien: Alfred Wikenhauser zum siebzigsten Geburstage*. München: Karl Zink, 1953 p. 1-19; HOELEMANN, H. G. *Letzie Bibelstudien*. Leipzig: Gustav Wolf, 1985, p. 104-60; WREDE, W. *Vorträge und Studien*. Tünbingen: J. C. B. Mohr, 1907, p. 127-46.

com Jesus desde o início de seu ministério deve ser escolhido alguém para ocupar o lugar de Judas. Essa exigência é estranha e interessante porque nem todos os Doze "conviveram conosco todo o tempo em que o Senhor Jesus andou entre nós, começando desde o batismo de João até o dia em que dentre nós ele foi elevado ao céu". Em João 1.40,41, somos informados de que Pedro e André cumpriam essa exigência, mas não há indicação de que o mesmo era verdade para os outros. Em todo caso, os que estavam reunidos[35] sugeriram dois nomes: José Barsabás,[36] o "Justo", e Matias. Nada se sabe a respeito dos dois além do que esse texto nos diz. Em Atos 15.22, há uma referência a Judas Barsabás, que pode muito bem ter sido o irmão de José. A respeito de Matias, que finalmente foi escolhido, o Novo Testamento permanece em silêncio. De acordo com uma tradição posterior, Matias pregou na Judeia e morreu como mártir, apedrejado até a morte.[37]

Quanto à maneira como foi tirada a sorte, o texto não oferece mais esclarecimento. O procedimento mais comum era escrever o nome dos candidatos em pequenas pedras, pondo-as em um recipiente e chacoalhando até que uma caísse para fora.

MISSÃO E ESTRUTURA

O que temos de dizer sobre a eleição de Matias e sua aplicação a nós hoje? Isso depende de como interpretamos a mensagem e o propósito de todo o livro de Atos. Pensa-se muitas vezes que o livro de Atos foi escrito a fim de confirmar o papel e a autoridade dos apóstolos. Nesse caso, o propósito dessa passagem poderia ser o de mostrar que Matias, o décimo segundo dos apóstolos, foi eleito pelo Senhor da mesma maneira que os outros. Por sua vez, permanece o fato de que Matias não é nunca mais mencionado, seja em Atos seja no restante do Novo Testamento. Portanto, parece mais apropriado entender esse episódio como um passo na transição que fica clara nos capítulos iniciais de Atos. Nesses capítulos, ao mesmo tempo em que a missão da igreja avança, emerge nova liderança. Os apóstolos e os primeiros discípulos, fundamentados em sua tradição bíblica, viam uma relevância especial no número doze, que está claramente relacionado com as doze tribos de Israel. Mas o Espírito está pronto para fazer coisas novas, abrindo a igreja para um

---

35 Códice Beza diz que foi Pedro quem propôs os dois nomes. Tudo que é necessário para esse sentido diferente é uma mudança mínima no verbo, transformando-o em singular em vez de plural. O mais provável é que o Códice Beza tente salientar a autoridade de Pedro como aquele que propôs os nomes dos candidatos.

36 Alguns manuscritos dizem "Barrabás", mas isso é claramente um erro.

37 CLEMENTE. *Strom.*, p. ii.163, vii.318; EUSÉBIO. *Hist. Ecl.*, p. i.12.2, iii.25.6; EPIFÂNIO. *Pan.*, p. i.20.

1. Introdução (1.1-26)

mundo mais amplo, o que exige outros líderes. A tarefa de testemunhar não só em Jerusalém e na Judeia, mas também em Samaria e nos confins da terra, exigia pessoas que pudessem participar dessa missão. Por isso, tornou-se comum dizer que os discípulos escolheram Matias, mas o Espírito escolheu Paulo. Embora não se deva tomar essa declaração no sentido literal, com certeza, ela aponta para um dos temas de Atos, que é a maneira como o Espírito chama novos líderes e novas estruturas para novas circunstâncias.[38]

Capítulos posteriores de Atos deixam isso mais evidente. De qualquer jeito, as questões levantadas por essa passagem podem ser familiares para os cristãos que tentam ser fiéis ao que Deus está fazendo em seu mundo hoje. À medida que a missão é transformada, também é necessário buscar novas estruturas e nova liderança que se adaptem às novas dimensões da missão. Nos círculos cristãos, com muita frequência, procura-se a resposta para a questão sobre a estrutura da igreja e de como ela tem de ser governada no Novo Testamento — ou em algum período da igreja — um padrão estabelecido, um modelo a ser copiado. Contudo, o que todo o livro de Atos mostra de forma abundante é que o cerne do assunto não é a *estrutura* da igreja, mas sua *missão*. Os onze buscam manter a estrutura nomeando alguém para ocupar o lugar de Judas. Eles podem estar certos. Mas logo o Espírito chamará a igreja para uma nova dimensão da missão que exigirá um tipo de liderança diferente até mesmo dos próprios apóstolos.

O texto ressoa as experiências de muitos cristãos latinos de outras maneiras. A "velha guarda" — ou seja, os onze — parece acreditar que a estrutura da igreja deve ser para sempre a mesma que conheciam, e eles até buscam líderes cuja experiência e perspectiva sejam as mesmas deles. Os "Doze", agora reduzidos a onze, acham que é absolutamente essencial a eleição de outro como eles. Eles até mesmo estabelecem exigências na eleição — exigências das quais até alguns deles não se enquadram. Qualquer um que não tenha tido as mesmas experiências que eles tiveram não tem lugar na liderança da igreja. Isso não nos lembra as muitas eleições que acontecem em nossas igrejas? Em vez de nos perguntarmos quem pode melhor contribuir para a missão da igreja em um mundo em constante mudança, buscamos alguém que possa continuar o

---

38 Sobre a diferença entre a eleição dos Doze por Jesus e essa eleição de Matias, as seguintes palavras são dignas de menção: "Lucas teve o cuidado de deixar claro no prólogo de Atos que Jesus escolheu os Doze movido pelo Espírito Santo. Agora, fica claro o motivo para esse esclarecimento, que não aparece em Lucas 6.13: Lucas quer contrastar a escolha dos Doze, feita por Jesus, com a restauração desse número por meio dos 120 reunidos quando Jesus já não estava mais com eles e antes da vinda do Espírito". Rius-Camps, Josep. *El camino de Pablo a la misión a los paganos*. Madri: Cristiandad, 1984, p. 24.

que foi feito antes, alguém que se ajuste bem aos padrões estabelecidos pelas gerações anteriores, alguém que não desafie nem amplie a percepção dos que estão atualmente no comando. Quando isso acontece, na verdade, estamos elevando a estrutura acima da missão e sinalizando claramente que o que parece mais importante para nós não é a missão no mundo, mas salvaguardar as estruturas que serviram até agora — ou, talvez seja mais preciso dizer, as estruturas que têm nos servido. Conforme observaremos nos capítulos seguintes, o Espírito Santo não tolera essas práticas e força constantemente a igreja a ser reformada em fidelidade a sua missão. O próprio fato de Matias nunca mais ser mencionado deve servir como advertência: não tentemos forçar o Espírito a agir de acordo com nossos propósitos!

2 Pentecostes
(2.1-41)[1]

A. O DERRAMAMENTO DO ESPÍRITO SANTO (2.1-13)

Os eventos aos quais o livro de Atos, agora, volta-se aconteceram no dia de Pentecostes. A palavra Pentecostes originalmente quer dizer "quinquagésimo". Era o nome que os judeus de fala grega davam à "Festa das Semanas".[2] Ela era celebrada no fim da sétima semana depois da Páscoa (ou seja, depois de uma "semana de semanas"). A festa era originalmente uma celebração agrícola ligada ao fim da colheita e na qual era apresentado um sacrifício simbólico para Deus consistindo de dois pães feitos com o grão recém-colhido e também de determinados animais estabelecidos pela lei (Lv 23.15-21). Após a destruição do primeiro templo, a festa de Pentecostes evoluiu lentamente até se tornar a celebração da libertação da lei de Moisés do Sinai.

Alguns intérpretes[3] percebem uma relação entre a celebração judaica da concessão da lei no Pentecostes e a concessão do Espírito na data dessa celebração. Nesse caso, pode-se concluir que Lucas pretende nos informar que Deus, da mesma maneira como entregou a lei antiga no monte Sinai no Pentecostes, também entregou a nova lei do Espírito

---

1   A forma de se dividir e esboçar o texto de Atos é uma questão de opinião. Por exemplo, KRODEL, G. "The Holy Spirit, the Holy Catholic Church: Interpretation of Acts 2:1-42". *Dia* 23 (1984), p. 97-103, argumenta que a passagem sobre o Pentecostes continua ante o versículo 42, o que considero o esboço, ou resumo, do que acontece depois de Pentecostes.
2   Êxodo 34.22; Deuteronômio 16.10; Números 28.11; 2Coríntios 8.13.
3   Por exemplo, KNOX, W. L. *The Acts of the Apostles*. Cambridge, U.K.: Cambridge University Press, 1948, p. 75.

no Pentecostes.⁴ Embora essa hipótese seja atraente, ela continua a ser apenas uma possibilidade.⁵

De todo modo, está claro que Lucas localiza esses eventos no dia de Pentecostes porque a festa atraía um grande número de peregrinos judeus de todas as partes do mundo que iam adorar em Jerusalém. É exatamente a presença dessas pessoas de diversos lugares que fornece a oportunidade para o falar em línguas.⁶

O versículo 1 informa-nos que "todos estavam reunidos no mesmo lugar". Esse termo "todos", que aparece mais uma vez no versículo 4, é para ser entendido no sentido de que não só os Doze estão presentes, mas também as mulheres e os outros discípulos que são mencionados em 1.13-15. Foi sobre todos esses, e não só dos Doze, que o Espírito desceu.⁷

Os versículos 2 e 3 descrevem dois fenômenos extraordinários cujo poder tremendo, com frequência, passa desapercebido por nós porque já sabemos que o versículo 4 nos informa que tudo isso foi uma manifestação do Espírito Santo. Se lermos o texto na ordem, como alguém que não sabe o que vem a seguir, a natureza impactante da narrativa fica mais clara. Os discípulos estão reunidos em oração, como aparentemente ficaram por diversos dias desde a ascensão do Senhor (veja 1.14). Eles estão sentados em uma casa. Essa cena, embora seja de expectativa, é tranquila. *De repente*, sem aviso prévio, inesperadamente, veio um som do céu "como de um vento impetuoso". Este encheu a casa toda em que eles estavam reunidos. O texto não diz que, na verdade, houve uma forte ventania, mas só que houve um barulho que o autor compara com o som desse vento, e esse barulho encheu a casa. Imediatamente, ao que é ouvido, junta-se ao que é visto: "Línguas como de fogo, distribuídas entre eles, e sobre cada um pousou uma". O que é descrito até aqui é uma cena amedrontadora.

É no versículo 4 que Lucas finalmente nos informa por que essas coisas estão acontecendo: "Todos ficaram cheios do Espírito Santo e começaram a falar em outras línguas". (Observe o jogo de palavras entre

---

4   Essa conjectura é intensificada ainda mais pela existência de uma tradição judaica de que quando Deus concedeu a lei no monte Sinai, a Palavra de Deus foi manifesta nas setenta línguas de todas as nações. Sobre as tradições rabínicas sobre o Pentecostes veja Strack, H. L. e Billerbeck, P. *Kommentar zum Neuen Testamenta us Talmud umd Midrash*, 6 vols. München: C. H. Beck, 1922-61, 2:597-602.

5   É interessante o fato de Paulo relacionar o dom do Espírito com os primeiros frutos, em vez de com a revelação da lei no Sinai (Rm 8.23).

6   Causse, A. "Le pèlerinage à Jérusalem et la première Pentecôte". *RHPR* 20 (1940), p. 120-41.

7   Farragut, Antonio Salas. "Estaban 'todos' reunidos (Hch. 2.1); Precisiones críticas sobre los 'testigos' de Pentecostés". *Salm* 28 (1981), p. 299-314, interpreta esse ponto com o sentido de que a transmissão plena do Espírito exige a participação da hierarquia e do povo comum, essa participação mútua leva a transmissão plena do Espírito.

2. PENTECOSTES (2.1-41)

as línguas de fogo e as línguas que os crentes falavam. No grego, como no português, a palavra é a mesma.)[8] O verbo grego que a A21 traduz por "falar" é *apophtheggomai*, verbo que, no Novo Testamento, só aparece em Atos (1.4,14; 26.25). Ela representa falar de forma solene, embora não necessariamente de forma extática.[9]

A seguir, Lucas faz um parêntese em sua narrativa (2.5) a fim de nos informar que havia judeus "de todas as nações que há debaixo do céu". Esse parêntese é necessário para que possamos entender o que se segue. Lucas, como bom narrador, diz-nos o que precisamos saber, e não mais do que isso, a fim de não interromper sua narrativa. Muitos comentaristas acham que a maioria desses judeus é formada por peregrinos que foram a Jerusalém para as festividades religiosas[10] — centenas de milhares de judeus.[11] De todo modo, embora houvesse muitos peregrinos nessas ocasiões, também é verdade que havia muitos judeus piedosos da diáspora (ou seja, os que viviam em outras partes do mundo) que iam a Jerusalém a fim de morrer lá (veja adiante, o comentário sobre 6.1-7).

A seguir, Lucas retoma a narrativa informando-nos que "quando o som foi ouvido, a multidão se aglomerou". De algum modo, a cena mudou, pois antes estávamos na "casa" e, agora, parece que estamos em um lugar mais espaçoso, talvez em uma praça em frente da casa.[12] O que muitos de nós imaginamos é que o barulho que atrai a atenção da multidão é o resultado dos discípulos falando em várias línguas. Contudo, é mais provável que o barulho se refira ao som vindo do céu, conforme mencionado em 2.2.[13] Independentemente de qual seja o caso, os que se dirigiram a esse local por causa do barulho estavam "confusos". Isso é interessante porque é comum falarmos do Pentecostes como o reverso da história da torre de Babel, declarando que, enquanto, no episódio da torre de Babel, a humanidade foi dividida por causa das línguas diferentes, no Pentecostes, essa divisão foi superada. O fato é que, de acordo com o texto, a primeira reação da multidão foi de confusão, "pois cada um os ouvia falar na sua própria língua". Poderíamos também observar que isso não é exatamente a mesma coisa que glossolalia que aparece nas epístolas de Paulo, pois

---

8   Cf. RIUS-CAMPS, J. "Pentecostés *versus* Babel: Estudio crítico de Hch. 2". *FilolNt* 1 (1988), p. 35-61.
9   KITTEL, Gerhard. *ThWzNt*, 1:448.
10   Para a posição contrária a essa, ou seja, que eles eram judeus da diáspora que, agora, viviam permanentemente em Jerusalém, veja HAENCHEN, E. *The Acts of the Apostles*. Filadélfia: Westminster, 1971, p. 168.
11   JEREMIAS, Joachim. *Jerusalén en tiempos de Jesús: Estudio económico y social del mundo del Nuevo Testamento*. Madri: Cristiandad, 1985, p. 95-102.
12   Isso levou alguns intérpretes a sugerir que a "casa" era o templo e que, agora, a ação moveu-se para o pátio. No entanto, Lucas não se refere normalmente ao templo como "casa".
13   Embora as palavras gregas para ambos os sons sejam diferentes.

nelas, a língua falada não era entendida pelos que ouviam, mas exigia um intérprete; ao passo que aqui, no evento de Pentecostes, o ato mesmo de falar em línguas tem o propósito de transmitir a mensagem e, por isso, não são necessários tradutores.

Os que ouvem estão surpresos porque todos que estão falando podem ser entendidos pelo restante são "galileus". Essa palavra pode ser entendida de diferentes maneiras. Em alguns casos, ela era usada como um nome pejorativo para os seguidores de Jesus. Se esse for o sentido aqui, a pergunta feita é: "Todos esses que falam não são cristãos?" Contudo, essa pergunta faria pouco sentido nesse contexto, em que os que ouvem não têm motivo para saber que os falantes eram seguidores de Jesus, e a pergunta também não teria nada a ver com a variedade de línguas. Outra possibilidade é que os que ouvem reconhecem o sotaque galileu dos falantes (como em Mt 26.73). Isso também poderia parecer estranho, porque o ponto importante da história é que os que fazem o comentário ouvem cada um na própria língua. Assim, tudo que pode ser dito é que, por algum motivo, os que ouvem reconhecem os falantes como galileus, pessoas desprezadas pelos judeus mais sofisticados de Jerusalém, e que, por isso, o sentido da pergunta é mais algo como: "Esses indivíduos não são todos galileus ignorantes e obtusos? Como, então, cada um de nós os ouve falar na própria língua?"

Há muito tempo, os estudiosos debatem a natureza e a origem da lista de nações de onde vêm os que ouvem. O que está sob discussão é principalmente a relação entre essa lista e outras.[14] O que Lucas quer enfatizar é que eles vinham de todo o mundo conhecido até mesmo da Pártia, muito além dos limites do Império Romano. Os "romanos" mencionados na lista também são judeus vindos de Roma, e não gentios romanos. O texto deixa claro que todos os presentes são judeus, se não de nascimento, pelo menos, por conversão ("convertidos ao judaísmo" em 2.10).

O tema do qual os cristãos falam é das "grandezas de Deus" (2.11). Isso é tudo que Lucas nos informa. Em vista do contexto e do discurso de

---

14   ⁑A mais discutida dessas listas é a de Paulo de Alexandria que, no ano de 378 d.C., escreveu um tratado sobre astrologia no qual ele relacionou os signos do zodíaco com as nações existentes sob cada um deles. A lista de nações que ele usa é muito mais antiga que seu tratado e é semelhante à de Atos, embora não exatamente a mesma. Obviamente, Lucas não inclui gregos e judeus, porque precisa mencionar nacionalidades com as quais os judeus teriam dificuldade em se comunicar. Os "medos" e os "elamitas" não eram mais chamados assim na época, e é possível que Lucas tenha decidido usar esses nomes imitando a Septuaginta, em que eles aparecem como povo existente. Sobre toda essa questão, veja HAENCHEN. *The Acts of the Apostles*, p. 169-70, n. 5; WEINSTOCK, Stefan. "The geographical catalogue in Acts 2:9-11". *JRomSt* 38 (1948), p. 43-46; BRINKMAN, J. "The literary background of the 'catalogue of nations' (Acts 2:9-11)". *CBQ* 25 (1963), p. 418-27. Na lista que aparece em Atos, também a palavra "Judeia" causa algum debate, pois há vários motivos que levam a considerar que o texto original era diferente. Sobre esse ponto, veja BRUCE, F. F. *Commentary on the book of Acts*, 2a. ed. Grand Rapids: Eerdmans, 1954, p. 58, n. 13.

2. PENTECOSTES (2.1-41)

Pedro apresentado a seguir nessa passagem, é de se supor que eles não estavam falando só da morte e ressurreição de Jesus, mas também de tudo que Deus fez ao longo da história.

Também é interessante observar que os que ouvem, embora provenientes de diferentes regiões e falantes de línguas distintas, conseguem, de alguma maneira, comunicar-se entre si, mesmo à parte do milagre de Pentecostes, perguntando uns aos outros qual o sentido do que testemunham (2.12).

Contudo, há outros que zombam (2.13). Mais uma vez, ao ler o texto, imaginamos a cena tradicional segundo a qual eles zombam dos cristãos que estão falando em línguas e que são estes que são acusados de estar bêbados. Porém, o texto também pode ser interpretado de outra forma que, provavelmente, faz mais sentido. Os que zombam são "outros", quer dizer, eles não são os que ouvem os cristãos falando na própria língua deles. Por algum motivo que o texto não explica, esses "outros" não percebem o milagre. Eles estão presentes com a multidão, mas o milagre fica escondido deles. O texto não diz por que isso ocorre. Uma possibilidade seria que eles são judeus da região que esperavam entender o que estava sendo dito e, para os quais, portanto, o fato de que conseguiam ouvir na própria língua não é motivo de espanto. Ao não perceber o milagre, eles zombam. De quem eles zombam? Só dos que falam? Ou eles também zombam dos ouvintes, que agem como se algo grande tivesse acontecido? Possivelmente, as duas coisas. Como eles não podem ver o milagre, decidem que todos os envolvidos, tanto os falantes como também os ouvintes, estão "embriagados com vinho".

A DESVANTAGEM DOS FAVORECIDOS

Há um detalhe interessante na narrativa que acaba de ser estudada: nem todos percebem o que parece um milagre evidente. É um dos milagres mais surpreendentes do Novo Testamento. Uma grande multidão que fala línguas diferentes pode entender o que os seguidores de Jesus estão dizendo depois que receberam o Espírito Santo. Contudo, há alguns que não percebem o milagre, mas, simplesmente, declaram que os que falam (ou talvez os que agem como se estivessem espantados) "estão embriagados com vinho".

Como pode ser? Como é que alguns, em vez de perceber o milagre, veem apenas algo do que zombar? Provavelmente, porque os que zombam falam a língua do país. Porque eles esperam entender tudo que é dito, o fato de eles, agora, entenderem não é motivo para espanto. Se espero que minha língua seja falada, como posso me surpreender quando entendo o que está sendo dito? E se não fico surpreso, não poderia chegar à conclusão de que aqueles que reagem com surpresa estão bêbados ou loucos?

Se for isso que está acontecendo, os que zombam são exatamente os que, de outra maneira, seriam favorecidos. Eles estão em casa. Quando alguém fala, eles esperam entender. Por isso, o Pentecostes não é um milagre para eles.

Se esse for o caso, o que acontece aqui é um exemplo do que Jesus disse tantas vezes em suas parábolas, isto é, que o primeiro será o último, e que os que pensam que o reino de Deus pertence a eles correm o risco de perdê-lo. O Espírito manifesta-se com poder, e os que, via de regra, parecem favorecidos por estarem em casa, estão, agora, em desvantagem precisamente porque não conseguem perceber os eventos extraordinários que estão acontecendo. Na seção seguinte, encontramos Pedro descrevendo o poder "nivelador" do Espírito Santo. Não obstante, as palavras de Pedro não são necessariamente para que vejamos esse poder que se manifesta em muitas passagens da Escritura. Aqui, no próprio evento de Pentecostes e nas várias reações a ele, observamos esse poder nivelador.

Há muitas coisas, pertinentes a nossa situação atual, que podemos dizer sobre essa passagem. Em muitas de nossas igrejas, dá-se grande ênfase à presença e ao poder do Espírito Santo. Muitas igrejas protestantes da América Latina não se surpreendem quando aqueles que os observam de fora afirmam que eles estão "cheios de vinho novo". Nossa resposta entusiástica ao evangelho e, com frequência, nossa reação emocional a ele confundem os observadores. Por que essa alegria e esse barulho? Então somos acusados de ser irracionais, emotivos e ignorantes.

Nesses casos, é possível que o que esteja ocorrendo seja algo semelhante àquilo que acabamos de ver. Os que nos olham e acham que estamos "cheios de vinho novo" são exatamente os que estão acostumados a ser favorecidos na ordem social. Eles parecem achar que o que têm e são é porque eles mereceram essas coisas. Eles são como aqueles judeus que, precisamente por estarem em casa, esperavam entender e, por isso, não ficaram surpresos com o milagre de Pentecostes. Por esperar entender, eles não conseguiam entender! Da mesma forma, muitas pessoas sofisticadas de hoje acham difícil ser surpreendidas pelo milagre da graça de Deus. Como não podem ser surpreendidas, zombam dos que são. Por isso, é possível falar da "desvantagem dos favorecidos".

Por sua vez, é perigoso confiar na nossa vantagem. Os cristãos, precisamente por sermos cristãos, sempre somos tentados a confiar em

2. Pentecostes (2.1-41)

nossa própria vantagem, em nossa experiência religiosa, e não no surpreendente poder do Espírito. Assim, há em muitas de nossas igrejas latinas, além do fenômeno que acabamos de descrever, outro que parece seu oposto, mas que, na verdade, é apenas o outro lado da mesma moeda: declaramos que o Espírito Santo é nosso. Exigimos que o Espírito sempre se manifeste de uma maneira específica, de acordo com aquilo que determinamos. Para alguns, é o falar em línguas. Para outros, é a adoração feita "de forma conveniente e em ordem". Se exigimos que o Espírito sempre aja de acordo com a ordem prescrita por nossos rituais, recusamo-nos a reconhecer a presença do Espírito quando alguém fala em línguas. Ambos negam a liberdade do Espírito que, como o vento, sopra para onde quer, e cuja variedade é sempre surpreendente (1Co 12.8-11 — observe, em particular, o fim do versículo 11: "Um só Espírito realiza todas essas coisas, distribuindo-as individualmente conforme deseja").

A armadilha em cada caso está em anunciar uma vantagem. Qualquer pessoa que acredita estar em vantagem, perde toda vantagem. Qualquer pessoa que afirma saber como o Espírito Santo agirá, pode não ser capaz de ver a ação dele quando ela acontecer. Se há algo que o livro de Atos nos diz com bastante clareza é precisamente que a atividade do Espírito Santo é sempre surpreendente e irresistível.

CADA UM EM SUA PRÓPRIA LÍNGUA

Tornou-se lugar-comum estabelecer contraste entre Babel e o Pentecostes dizendo que enquanto o primeiro resulta em confusão pela multiplicidade de línguas, o segundo leva à união. Isso é verdade até certo ponto, mas também há um grave erro nisso — erro esse que pode ser usado para buscar uma uniformidade na igreja que o Espírito não exige.

Na história de Babel, os homens usaram sua união linguística para liberar seu orgulho, tentando construir uma torre tão alta que alcançaria o céu. Em resposta a isso, Deus produziu uma multiplicidade de línguas da qual resultou confusão.

Contudo, o contraste com o Pentecostes não é absoluto. No Pentecostes, Deus também produziu uma multiplicidade de línguas. Por isso, tem-se afirmado que o Pentecostes não é bem o oposto de Babel, mas, antes, é "uma segunda Babel".[15]

A fim de que a multidão entendesse o que os discípulos de Jesus diziam, o Espírito Santo tinha duas opções: uma era fazer todos entenderem o aramaico no qual os discípulos falavam; a outra era fazer que cada um

---

15 MALCOLM, I. G. "The Christian teacher in the multicultural classroom". *Journal of Christian Education*, 74 (1982), p. 53.

entendesse o que estava sendo dito na própria língua. É relevante que o Espírito escolhe o último caminho. Isso tem consequências importantes para a forma como entendemos o lugar da cultura e da linguagem na igreja. Se o Espírito tivesse feito todos os ouvintes entenderem a língua dos apóstolos, estaríamos justificados em ter uma compreensão centrípeta de missão, uma compreensão em que se espera que todos que a abracem sejam como os que os convidaram. Contudo, pelo fato de o Espírito ter feito exatamente o oposto, isso nos leva a uma compreensão centrífuga de missão, uma compreensão em que, à medida que o evangelho se move em direção a novas línguas e novas culturas, ele está pronto a adotar formas que são compreensíveis nessas línguas e culturas. Em outras palavras, houvera um movimento "só aramaico" na Palestina do século I, o Pentecostes foi um sonoro não a esse movimento. E ainda é um sonoro não a qualquer movimento na igreja que tente fazer que todos os cristãos pensem igual, falem igual e se comportem igual. O primeiro tradutor do evangelho é o Espírito Santo, e a igreja que afirma ter o Espírito Santo deve estar disposta a seguir essa liderança. Por isso, afirma-se corretamente que enquanto Babel era um monumento ao orgulho do homem, a igreja é chamada a ser um monumento da humilhação de todos que tentam fazer que sua língua ou cultura seja predominante.[16]

B. EXPLICAÇÃO E RESPOSTA (2.14-41)

1. O DISCURSO DE PEDRO (2.14-36)

É em resposta à acusação de estar embriagado que Pedro explica o que está acontecendo. Há muita discussão entre os estudiosos a respeito dos discursos de Atos e, em especial, sobre os querigmáticos — ou seja, os que proclamam o evangelho. Grande parte dessa discussão gira em torno da tese de C. H. Dodd de que esses discursos nos permitem reconstruir um esboço dos conteúdos da pregação apostólica, por haver certos elementos constantes nesse esboço.[17] Com o tempo, desenvolveu-se o consenso de que Lucas tem a própria teologia e que seus discursos são uma forma de apresentá-la.[18] Contudo, isso não quer necessariamente dizer que Lucas inventou essas peças com material novo, mas, antes, que ele empregou

---

16   Ibid.
17   DODD, C. H. *The apostolic preaching and its development*. Nova York: Harper, 1936. A mesma tese aparece em BRUCE, F. F. *The speeches in Acts*. Londres: Tyndale, 1942; e em Trocmé, Etienne. *Le "Livre des Actes" e l'Histoire*. Paris: Presses Universitaires de France, 1957, p. 208.
18   WILCKENS, Ulrich. *Die missionsreden der apostelgeschichte*. Neukirchen-Vluyn: Neukirchener VErlag, 1963. Cf. DuPont, J. "Les discours missionaries des Actes des Apôtres". *RevBib* 69 (1962), p. 37-60.

2. Pentecostes (2.1-41)

materiais antigos os quais, de algum modo, tornaram-se parte da tradição da igreja, e a partir deles, ele compôs os próprios discursos. Ao mesmo tempo, há indícios em Lucas de haver, pelo menos até certo grau, uma consciência do fato de que o pensamento cristão evoluiu das origens até a época dele e que ele deve levar isso em consideração. Por isso, nos discursos de Atos há uma combinação de materiais antigos, a própria teologia de Lucas e sua tentativa de descrever um desenvolvimento teológico.

A maneira e a medida que esses muitos elementos são combinados varia de um discurso para o outro. Pode-se perceber isso ao contrastar a fala de Pedro em Atos 2 com o discurso do capítulo seguinte. O discurso de Pentecostes apresenta todo indício de ter sido composto por Lucas, resumindo os pontos essenciais de sua própria teologia enquanto inclui alguns elementos que podem ter origem em Pedro. A fala do capítulo seguinte apresenta um inegável sabor arcaico e, possivelmente, muito mais próximo da pregação primitiva da igreja.[19]

O que parece, acima de tudo, determinar a natureza da fala de Pedro é a citação de Joel que serve como ponto de partida e também o papel que essa fala desempenha em todo o livro, semelhante ao papel desempenhado no evangelho de Lucas pela citação de Isaías e o sermão de Jesus no capítulo 4. Nos dois casos, Lucas apresenta o texto bíblico que resume ou anuncia o que virá a seguir. Assim, o sermão em Atos 2 traz a clara marca do teólogo Lucas, ao passo que, na fala de Atos 3, o historiador Lucas nos oferece materiais mais antigos.

Voltando à fala do capítulo 2, a palavra que a A21 traduz por "pondo-se em pé", em geral, era usada para o ato do orador que ficava em pé para fazer um discurso formal. O verbo para o que Pedro faz ao falar é o mesmo que aparece em 2.4 e, em geral, refere-se ao discurso solene ou formal. As palavras iniciais de Pedro também refletem o início desse tipo de discurso. Por isso, a despeito da imagem que formamos do caráter impetuoso de Pedro nas nossas mentes, Lucas apresenta-o aqui fazendo um discurso formal.

O próprio discurso é dividido em três partes, cada uma das quais começa com um chamado à plateia: "homens judeus" (2.14); "homens israelitas" (2.22); e "irmãos" (2.29). Cada uma dessas três partes do discurso gira em torno de citações bíblicas, a primeira de Joel e as outras de Salmos.

Na primeira seção, Pedro apenas responde ao comentário dos que disseram que os que testemunhavam e participavam do milagre estavam embriagados. A resposta dele é bem simples: são apenas 9 horas da manhã

---

19 Isso é demonstrado em abundantes detalhes por Zehnle, Richard F. *Peter's Pentecost discourse: Tradition and Lukan reinterpretation in Peter's speeches of Acts 2 and 3*. Nashville: Abingdon, 1971.

(fala literal, "a terceira hora do dia"). Houve tentativas de relacionar isso com as horas judaicas de oração ou outras práticas similares. Contudo, o mais provável é que Pedro esteja simplesmente pegando o comentário sobre embriaguez como um ponto de partida e só esteja respondendo que é muito cedo para beber.[20]

A seguir, é apresentada a compreensão de Pedro do que está acontecendo. Como em todos os tipos de discursos, o que Lucas nos oferece aqui é tanto um resumo do que ele diz que Pedro falou para os que o ouviam quanto o que Lucas deseja que "Teófilo" e seus outros leitores entendam. Isso leva a vários anacronismos, dos quais o mais relevante é que o texto bíblico que Lucas põe nos lábios de Pedro não é tirado do texto hebraico nem da tradução aramaica, mas da Septuaginta (a versão grega, já mencionada). Pedro, citando essa versão,[21] explica que o evento que está acontecendo é o cumprimento da profecia de Joel ("*Isto* é o que havia sido falado pelo profeta Joel"; grifo do autor).

É dito que a profecia se refere aos "últimos dias", a vinda do reino de Deus. Isso é de crucial importância para o entendimento não só do discurso de Pedro, mas de todo o livro de Atos. O que está acontecendo lá é que o reino de Deus move-se à frente. Estamos "nos últimos dias", independentemente de quão longos esses últimos dias sejam (como Jesus disse: "Não vos compete saber os tempos ou as épocas"; 1.7). O fato é que, com a morte e ressurreição de Jesus e com o dom do Espírito, o reino de Deus foi inaugurado. Agora, falta o cumprimento final, quando os "últimos dias", por fim, terminarem.

Conforme descrito no texto que Pedro cita, a obra do Espírito nesses "últimos dias" pode ser descrita como niveladora (2.17,18) e como catastrófica (2.19,20). Ela é niveladora porque o Espírito será derramado sobre "todas as pessoas" (quer dizer, não será prerrogativa exclusiva de profetas ou sacerdotes). Todas as pessoas incluem os filhos

---

20 WILLIAMS, David John. *Acts*. Nova York: Harper & Row, 1985, p. 39-40.
21 Na verdade, há muita discussão acadêmica sobre essa citação em particular, pois os textos da Septuaginta preservados não concordam totalmente com o que Pedro cita. A principal diferença é que nenhum desses textos inclui a expressão "nos últimos dias". Assim, o que se debate é se Lucas pegou a expressão de um texto que foi perdido ou, melhor, adaptou a citação para o próprio uso. Cf. ZEHNLE Richard F. *Peter's Pentecost Discourse: Tradition and Lukan reinterpretation in Peter's speeches of Acts 2 and 3*, p. 28-30. Sobre essa discussão, pode parecer melhor seguir a opinião de Edesio Sánchez Cetina: "Quando comparamos o texto hebraico, o texto grego da Septuaginta e o texto grego de Atos, percebemos que Lucas adaptou a citação para que ela correspondesse de forma mais vívida com o evento que está descrevendo. [...] Essa alteração deliberada do texto deve-se à maneira como o autor está usando o texto. Ele não move da Escritura para o evento, mas, antes, move-se na direção oposta. Ele começa do evento e vai para a Escritura a fim de mostrar a ligação entre esse evento e a profecia: Veja! Hoje cumpre-se a profecia prometida"!, "Pentecostés em Joel 2:18-32, em Hechos 2, y em nuestros días". *VyP* 4:1-2 (1984), p. 53.

2. Pentecostes (2.1-41)

e filhas, os jovens e velhos, os servos do sexo masculino e feminino.[22] É catastrófica no fato de que inclui "feitos extraordinários em cima, no céu, e sinais embaixo, na terra". O resultado de tudo isso será a vinda do "grande e glorioso dia do Senhor". Esse dia, conforme todo o restante da tradição profética, produz perigo e temor e, assim, leva à palavra final de esperança e ao convite: "Todo aquele que invocar o nome do Senhor será salvo".

É necessário insistir que essa citação de Joel é central para todo o livro de Atos, no qual desempenha um papel semelhante ao papel que a citação de Isaías em Lucas 4 desempenha em todo o evangelho. Lá, a citação resume a natureza do ministério de Jesus. Aqui, a citação de Joel resume a natureza da obra do Espírito. Em certo sentido, tudo que se segue no restante do livro é o desdobramento do que já estava implícito na citação de Joel.[23]

Em 2.22, Pedro, ao dizer: "Como bem sabeis", parece indicar que seus ouvintes, apesar de que talvez fossem peregrinos em Jerusalém, têm conhecimento do que aconteceu nos últimos meses. As outras citações usadas por Pedro são tiradas de Salmos. No século I, já era comum os exegetas judeus interpretarem em termos messiânicos os Salmos que originalmente se referiam aos reis de Israel. Agora, Pedro faz a mesma coisa. Parece que também era bem comum a igreja primitiva fazer isso, como pode ser observado no uso repetido de um texto como o Salmo 110.1 (no Novo Testamento, a passagem não aparece só aqui em 2.34,35, mas também em Mt 22.43-45; Mc 12.36,37; Lc 20.42-44; 1Co 15.25; Hb 1.13 e 10.13 e outras possíveis alusões).[24]

Por fim, observe que em 2.32, quando Pedro diz: "E todos somos testemunhas", isso parece indicar que esse é o começo do cumprimento da promessa que Jesus fez ao contar a seus seguidores que, por meio do poder do Espírito Santo, eles seriam testemunhas. Agora, no exato momento em que eles acabam de receber esse poder, eles já estão testemunhando.

---

22 Atos diz: "Meus servos" e "minhas servas" (grifo do autor). O pronome possessivo não aparece no texto hebraico nem na Septuaginta. Isso quer dizer que Atos "espiritualiza" a condição de servo ou de escravo da mesma maneira como falamos hoje de alguém como "servo do Senhor" ou isso, antes, quer dizer que Deus eleva a categoria de servos ao torná-los de Deus? O texto não esclarece isso.

23 Veja, por exemplo, TALBERT, C. H., ed. *Perspectives on Luke-Acts*. Edinburgh: T. & T. Clark, 1978, p. 195.

24 Foi provavelmente em reação a essa exegese cristã que os exegetas judeus posteriores recusaram-se em interpretar esse ou outro Salmo em termos messiânicos, algo bem comum antes da controvérsia deles com os cristãos.

2. A RESPOSTA DA MULTIDÃO (2.37-41)

Lucas continua a nos informar que aqueles que ouviam[25] "ficaram com o coração pesaroso". A A21 traduz o grego de forma bem literal aqui, pois o sentido é uma dor muito profunda. A maneira como eles, agora, tratam os apóstolos, chamando-os de "irmãos" — não mais apenas de "galileus" — é um sinal de sua atitude favorável. A resposta de Pedro inclui um convite e uma promessa. O convite é ao arrependimento e ao batismo. Embora a A21 não deixe isso totalmente claro, a expressão "cada um de vós" refere-se ao arrependimento e ao batismo. A promessa também tem dois elementos: o perdão dos pecados e o dom do Espírito.

O versículo 39 ajuda a eliminar algo da impressão antijudaica que pode ser dada à fala de Pedro. Ele acusa seus ouvintes de ser cúmplices na morte do Senhor, mas, imediatamente, ele lembra-os que são os herdeiros particulares da promessa. Não se deve entender que a expressão "para todos os que estão longe", como acontece com uma expressão similar em Efésios, refere-se aos gentios. Ao contrário, Lucas, em toda a narrativa de Atos, mostra claramente que há progresso na compreensão que os apóstolos têm em relação ao escopo e ao alcance da promessa. Para Pedro, o ponto de conversão nesse sentido será no capítulo 10. Portanto, aqui, Pedro, antes, refere-se aos judeus do mundo todo, incluindo os da diáspora, cujos representantes constituem a maior parte de sua plateia. Lucas introduziu o versículo 40 a fim de nos informar que as citações da fala de Pedro que ele apresenta são apenas um resumo de tudo que o apóstolo disse e pensava.

Por fim, o versículo 41 informa-nos o resultado do discurso e do convite de Pedro: cerca de três mil pessoas foram batizadas. De acordo com o que Pedro lhes prometeu em 2.38, pode-se esperar que eles também tenham recebido o dom do Espírito Santo, embora não sejamos informados que este veio acompanhado de sinais extraordinários como o falar em línguas. Em geral, no livro de Atos, o batismo e o dom do Espírito andam juntos, apesar de também haver algumas exceções (8.16; 10.44; 19.2-6).

A COMUNIDADE DO ESPÍRITO

A passagem sobre o Pentecostes molda o livro todo, fornecendo-nos um vislumbre de como o Espírito opera e de como a igreja, a comunidade do Espírito, tem de viver. Por isso, o estudo dessa passagem e de suas implicações para hoje é crucial se quisermos entender o que o livro de Atos

---

25   O Códice Beza, aparentemente a fim de não dar a impressão de que todos eles eram convertidos, diz: "Alguns dos que ouviam".

2. PENTECOSTES (2.1-41)

nos diz em nosso contexto. Seguindo essa ideia, há diversos elementos nessa passagem que merecem atenção.

1. OS ÚLTIMOS DIAS

O primeiro desses é que, como diz Pedro, os "últimos dias" começaram com a ressurreição de Jesus e o dom do Espírito. Embora seja importante que observemos nosso contexto social, cultural, político e econômico, devemos também observar esse contexto na ordem do tempo de Deus. Os dois não são mutuamente excludentes, pois, na verdade, a compreensão de cada uma dessas duas dimensões do nosso contexto esclarece a outra.

Na ordem do tempo de Deus, já estamos vivendo "nos últimos dias". Esses dias podem bem durar mais alguns segundos ou vinte mil anos; mas, em ambos os casos, ainda estamos vivendo "nos últimos dias". O que isso quer dizer não é que há tantos dias para a consumação da História. O que isso representa é que essa consumação já começou, que o reino de Deus não está só no futuro, mas também está entre nós, independentemente de quão difícil possa ser para percebermos isso na vida diária. Quer o mundo dure mais um milênio quer não dure nem mesmo um segundo, neste momento vivemos "entre os tempos" (entre o início do fim e o final do fim), assim, vivemos em dois reinos, o reino de Deus que foi inaugurado e o reino antigo que ainda permanece.

É importante esclarecer isso, pois a compreensão errônea da relação entre esses dois "reinos" leva ao entendimento errôneo da mensagem cristã e da nossa responsabilidade na presente ordem. Pode-se explicar isso dizendo: (1) que o contraste bíblico entre os dois reinos é temporal, em vez de espacial; e (2) que tem a ver com o relacionamento entre as criaturas, em vez de com a própria natureza dessas criaturas.

Temporal, em vez de espacial. Pensar nos dois "reinos" em um sentido espacial leva-nos a pensar em termos de um reino que é o mundo em que vivemos e outro a ser encontrado em outro lugar, no "além". Contudo, o mundo que procuramos, como filhos de Deus, não é assunto de um "além", mas, antes, de um "dia do Senhor", de um futuro que vem de Deus. A diferença entre o que temos e o que esperamos não é mais bem expressa em termos de um "além", mas, antes, de "ainda não". Dessa perspectiva, o dom do Espírito é um "agora" ou "finalmente". É isso que Pedro diz aos seus ouvintes. O poder do Espírito prometido em 1.8 é precisamente o poder de testemunhar de Jesus e de seu reino enquanto vivendo no presente reino como aqueles que possuem os primeiros frutos da ordem por vir.

O contraste entre esses dois reinos tem a ver com a relação entre as criaturas, em vez de com a própria natureza dessas criaturas. Quando se fala de "dois reinos" ou de "dois reinados", pensamos, com muita frequência, que há coisas que pertencem a um deles e outras coisas que pertencem ao outro. Em vários momentos da história da igreja, tem havido conversas sobre um reino da alma e um reino do corpo em que se afirma que o evangelho tem de governar sobre um, e a lei civil, sobre o outro.[26] Todavia, não é isso que se pretende com o contraste entre o reino presente e o reino por vir. O contraste não se baseia na natureza das coisas nem na matéria de que são feitas, tampouco em se são físicas ou espirituais. O contraste tem a ver com a ordem em cada um desses dois reinos. Em um deles, o poderoso governa, todos buscam o próprio interesse, e aqueles que não têm ninguém para os defender são oprimidos. No outro, Deus reina, por isso, o padrão é a lei do amor, a qual leva à verdadeira justiça. Portanto, viver no presente reino como cidadãos do reino de Deus não quer dizer de maneira alguma ignorar a realidade física, mas, antes, pôr todas as coisas, tanto físicas quanto espirituais, sob o governo da vontade de Deus, que é uma vontade de paz, justiça e equidade.

Retornando, então, à passagem de Atos e ao texto de Joel citado por Pedro, observamos que o que Pedro proclama é precisamente que estamos vivendo "nos últimos dias" e que um sinal disso é a ação niveladora do Espírito, derramado sobre todas as pessoas, homens e mulheres, jovens e velhos e servos e servas. Como ficará claro em todo este comentário, uma parte importante da mensagem de Atos refere-se ao fato de os cristãos terem de viver como súditos do Reino por vir mesmo enquanto estão no meio de um reino presente que não reconhece essa nova ordem.

2. Dupla cidadania

Para complicar mais as coisas, é importante destacar que tudo isso não quer simplesmente dizer que a nova ordem pode ser encontrada na igreja, entre os que têm e reconhecem o poder do Espírito, e a antiga ordem em todo o restante. No próprio caso de Pentecostes, a nova ordem manifesta-se na comunicação que se torna possível por meio do poder do Espírito. Ouvintes de várias partes do mundo entendem o que é dito na própria língua.

---

26   Essa é a maneira em que, com frequência, Lutero é interpretado e empregado quando fala de "dois reinos". No século XIII, o papa Inocêncio III disse: "Da mesma maneira como Deus, o Criador do universo, estabeleceu duas grandes luzes no firmamento, a maior para comandar o dia e a menor para comandar a noite, Deus também estabeleceu duas grandes autoridades no firmamento da igreja universal. [...] A maior governa as almas como dias, e a menor governa os corpos como noites. Estas são a autoridade pontifical e o poder real". *Reges*. 1.401.

2. Pentecostes (2.1-41)

No entanto, isso não exclui o fato de que já havia certa medida de comunicação entre essas pessoas, mesmo à parte da extraordinária manifestação do Espírito. Conforme o texto deixa claro, os que ouvem conseguem se comunicar entre eles. Eles conseguem se comunicar porque fazem parte de um vasto império que facilita essa comunicação. Mais adiante em nossa história, os cristãos farão uso das estradas romanas, dos meios de comunicação que resultaram do imperialismo romano, a fim de se comunicarem entre eles e também de propagar o evangelho. Portanto, mesmo à parte da união que é o resultado do dom pentecostal, há a união resultante do imperialismo romano. Assim, o problema é como afirmar essa união sem afirmar o imperialismo que a produziu. Por sua vez, não se pode dizer que a vida da igreja sempre é um sinal do reino de Deus nem que viver na igreja sempre representa que vivemos de acordo com a nova ordem. Mais adiante, Lucas deixa claro que a antiga ordem ainda existe na igreja e que parte do trabalho constante do Espírito consiste em revelar, desafiar e destruir a antiga ordem.

Então, como os cristãos tinham de viver no Império Romano como cidadãos do reino de Deus? Esse é um dos temas centrais do livro. Isso é parte da difícil situação em que os cristãos de Atos se encontram. Às vezes no livro, essa situação vem à tona e leva a grandes dificuldades e a decisões difíceis.

Essa é precisamente uma das questões mais incendiárias para o cristianismo atual. A ordem existente opõe-se à ordem do reino de Deus de diversas formas. Vivemos sob vários poderes que oprimem o pobre e exploram o fraco. Isso é verdade na ordem social das nações e também na esfera internacional, onde países pobres, já sobrecarregados pelas dívidas que não têm nenhuma condição de pagar, são obrigados a participar de sistemas econômicos que continuam a empobrecê-los, enquanto os recursos econômicos fluem em direção às nações mais poderosas. Ao mesmo tempo, é importante reconhecer que a ordem existente também produz elementos positivos: estradas, escolas, meios de comunicação, avanços médicos e assim por diante. Todos esses elementos positivos podem ser vistos como sinais da vida abundante que Deus deseja para todos, da mesma forma que o mesmo deve ser dito dos muitos aspectos da vida sob o Império Romano. Dadas as circunstâncias, o problema é como avaliar a ordem em que vivemos, o quanto devemos participar dela, como tentar mudá-la e assim por diante. Essas questões têm de ser colocadas em relação à ordem geral da sociedade e em relação à ordem e estrutura da igreja.

O problema não é novo. Os cristãos primitivos já tiveram de enfrentá-lo, encontrando-se sujeitos ao império mais avançado e poderoso que o mundo mediterrâneo já conhecera, mas um império que, de muitas maneiras, representava a antiga ordem e sua oposição à nova ordem, inaugurada "nos últimos dias" da ressurreição e do Pentecostes.

Por não ser um problema novo, os cristãos de que Atos fala tiveram de enfrentá-lo. Pelo mesmo motivo, em todo este estudo, é importante que tentemos discernir os sinais do reino de Deus enquanto vivemos "entre os tempos", nesses "últimos dias" que começaram com a ressurreição de Jesus e o dom do Espírito.

3. O Espírito nivelador

Por enquanto, a história do Pentecostes e a fala de Pedro já nos forneceram uma importante orientação: esse Espírito Santo, primeiro fruto da nova ordem, manifesta-se como um poder nivelador que destrói privilégios. Conforme o texto de Joel diz, o Espírito é derramado "sobre todas as pessoas", os filhos e filhas, os jovens e velhos, os servos e servas.

A própria história do Pentecostes testemunha isso. Pode-se ver isso em, pelo menos, dois pontos. O primeiro é a possibilidade de que os que não percebem o milagre — os que declaram que os outros estão embriagados — não o percebem porque não achavam que houvesse nada de extraordinário em conseguir entender o que estava sendo dito. Eles eram indivíduos da região. Nessa situação, eles eram privilegiados. Eles esperavam que a língua deles fosse falada. E, precisamente por serem privilegiados e esperarem entender, eles conseguiram entender o que era dito, mas não conseguiram ver o milagre. O privilégio, exatamente pelo fato de ser isso, transformou-se em desvantagem. Para os cristãos atuais que vivem em regiões do mundo em que outra cultura é predominante, isso é particularmente importante. Esse é o caso dos hispânicos nos Estados Unidos ou dos povos nativos em vários países da América Latina. Contra o preconceito de cultura e língua que, com tanta frequência, persiste na igreja, alguém declarou com acerto que o milagre do Pentecostes "deixou muito claro que na comunidade cristã nenhuma língua deve ser mais importante que as outras".[27]

O mesmo é verdade para todos os outros meios que a sociedade emprega para medir o valor ou o prestígio da pessoa. O espírito nivelador trabalha de uma maneira na qual é muito mais difícil para o poderoso, o rico e o sábio apreciarem seu poder que para o fraco, o pobre e o analfabeto. Isso não quer dizer que devemos tentar ser ignorantes, famintos ou oprimidos para perceber a obra do Espírito; mas, com certeza, quer dizer que estamos errados se pensamos que nossa erudição nos torna mais capazes de

---
[27] Yrigoyen, Charles. *Hechos para nuestro tiempo: Un estudio de los hechos de los Apóstolos.* Nova York: Junta General de Ministerios Globales de la Iglesia Metodista Unida, 1986, p. 18.

2. Pentecostes (2.1-41)

perceber essa obra. Esse fato é bem conhecido de todas as igrejas da América Latina e também das igrejas latinas dos Estados Unidos, nas quais constantemente se vê como o Espírito se manifesta livremente em meio ao pobre e ao oprimido.

Tudo isso também tem a ver com os relacionamentos na igreja e com a ordem que reina nela. A igreja sempre tem sido tentada a aceitar em seu interior a ordem do mundo. Houve tempos em que era costume os bispos pertencerem a famílias ricas e poderosas. Embora boa parte disso tenha mudado, boa parte ainda permanece inalterada. O mesmo acontece em muitas igrejas protestantes em contextos latinos. Pelo fato de termos sido um grupo pequeno e marginalizado por muito tempo, quando descobrimos que entre nós há pessoas de poder, prestígio ou dinheiro, imediatamente achamos que elas devem ocupar lugares especiais na igreja. Em outros momentos, quase exigimos que o Espírito atue por meio dos canais e sistemas que criamos e das pessoas que designamos para estarem em posições de liderança. Todavia, isso não funciona. O Espírito Santo é um poder nivelador, destruidor de privilégios.

A América Latina oferece muitos exemplos disso. Na Igreja Católica Romana, a resistência de grande parte da hierarquia às Comunidades Cristãs de Base (*Comunidades de Base*) e à liderança leiga deve-se em grande parte ao medo de que estas possam ameaçar o tradicional controle da igreja exercido por meio da hierarquia. Também em muitas igrejas protestantes, o inesperado trabalho do Espírito, com frequência, colide com as autoridades eclesiásticas que tentam controlar a igreja. O resultado é que, com bastante frequência, essas estruturas não conseguem responder aos desafios de sua época. Em algumas das mais tradicionais igrejas protestantes, a "desordem" dos que afirmam ter recebido o Espírito é criticada, supostamente por motivos teológicos, mas, na verdade, por temor de que as estruturas de controle percam sua autoridade ou que o restante da sociedade menospreze a igreja, considerando-a um grupo de pessoas ignorantes e emotivas. Em algumas congregações e denominações pentecostais, há líderes que tentam usar o "poder" do Espírito Santo a fim de estabelecer seu governo e domínio sobre os outros. O mesmo temor parece estar presente nas muitas tentativas, tanto no protestantismo como no catolicismo, de limitar o papel das mulheres. Mas permanece o fato de que tudo isso se opõe ao poder nivelador do Espírito conforme manifesto em Atos, em que o Espírito é derramado sobre "todas as pessoas" e sobre "filhos e [...] filhas".

O segundo ponto que vale mencionar é a maneira como os que ouvem se referem aos que falam. No princípio, a despeito do milagre, eles veem neles alguns "galileus", ou seja, pessoas que não eram tão importantes, tão valiosas nem tão fiéis quanto os verdadeiros habitantes da Judeia.[28] Depois do versículo 37, eles referem-se a esses "galileus" como "irmãos". E finalmente, no versículo 42, as mesmas pessoas, agora, aceitam esses "galileus" — como líderes em cujo ensinamento eles perseveram.

Lucas, no início de seu evangelho, põe nos lábios de Maria um cântico no qual, entre outras coisas, ela diz que Deus "dispersou os que eram arrogantes nos pensamentos do coração; derrubou dos tronos os poderosos e elevou os humildes. Aos famintos encheu de bens, e de mãos vazias mandou embora os ricos" (Lc 1.51-53). Agora, no início de Atos, ele relata a história que corrobora o cântico de Maria.

Para a igreja de língua hispânica, tanto na América Latina quanto nos Estados Unidos, em sua maioria constituída de pessoas que foram marginalizadas e que frequentemente sofrem pressão e, até mesmo, perseguição por causa de sua oposição a muitos elementos da ordem existente, essas palavras são um conforto e um desafio.

---

28 Os sujeitos da Galileia, tanto como sinal de mistura étnica e cultura quanto como de marginalidade, são fundamentais no desenvolvimento da teologia hispânica nos Estados Unidos. Veja ELIZONDO, Virgilio. *Galilean journey: The mexican-american journey*. Maryknoll, N.Y.: Orbis, 1983; COSTAS, Orlando. "Evangelism from the periphery: The universality of Galilee", *Apuntes* 2 (1982), p. 75-84.

3 | A igreja em Jerusalém
(2.42 - 8.3)

À medida que a história de Atos se desenrola, agora, chegamos à maneira como os discípulos, pelo poder do Espírito Santo, tornam-se testemunhas em Jerusalém. Aqui, encontramos descrições da vida na igreja primitiva, como também de alguns incidentes selecionados dessa vida. Depois dessa seção, é dito muito pouco sobre a igreja de Jerusalém. Atos relata, de fato, a história da igreja ou a história dos apóstolos? Temos motivo para reclamar que Lucas nos deixa na mão sem nos contar a história posterior da igreja nem da vida de seus vários líderes. Mas como o propósito desse livro não é fornecer um relato da história primitiva da igreja, mas, antes, mostrar como o Espírito Santo permite que a igreja descubra e redescubra sua missão, tão logo o limite dessa missão se move de Jerusalém, o autor perde o interesse na igreja dessa cidade.

A. UM RESUMO (2.42-47)

Em todo o livro de Atos há diversos "resumos" que provocam muita discussão entre os estudiosos (além desse aqui, os mais extensos são 4.32-35 e 5.12-16; mas há muitos mais breves: 6.7; 9.31; 19.20; 28.31 etc.).[1] Grande parte dessas discussões giram em torno das fontes que Lucas pode ter usado para esses resumos e, por isso, têm pouco a ver com a

---

1   Veja a bibliografia em HAENCHEN, E, *The Acts of the Apostles*, p. 190. A esse deve-se acrescentar: LACH, J. "Katechese über die Kirche von Jerusalem in der Apostelgeschichte 2, 42-47; 4, 32-35; 5, 12-16". *CollTheol* 52, suplemento (1982), p. 141-53; ZIMMERMANN, H. "Die Sammelberichte der Apostelgeschichte". BZ 5 (1961), p. 71-82.

interpretação do texto para a nossa situação. Quanto à função do resumo, deve-se ser claro: Lucas procura o equilíbrio entre simplesmente contar exemplos particulares e uma visão panorâmica mais generalizada do que está, de fato, acontecendo.[2]

O primeiro desses resumos descreve a vida diária dos cristãos primitivos. O tema enfatizado aqui é a perseverança, uma forte conotação do verbo que a A21 traduz por "eles perseveraram". Esse era um assunto muito importante na época de Lucas, pois, naquela época, começava a ficar cada vez mais claro que os cristãos teriam sérios conflitos com o restante da sociedade. No versículo 42, somos informados que os cristãos "perseveraram" em quatro coisas: (1) no ensino dos apóstolos; (2) na comunhão; (3) no partir do pão; e (4) nas orações. Em um sentido, essas quatro coisas são um resumo do restante do resumo.[3]

Perseverar no "ensino" dos apóstolos não quer só dizer que eles não se desviaram das doutrinas dos apóstolos ou que permaneceram ortodoxos. Quer dizer também que eles perseveraram na prática de aprender com os apóstolos — que eram alunos, ou discípulos, ávidos por conhecimento sob o comando dos apóstolos. Esse "ensino" apostólico não estava limitado à instrução verbal, pois, no versículo 43, somos informados que os apóstolos continuavam a fazer "sinais e feitos extraordinários". Para entender completamente esse assunto a respeito do "ensino dos apóstolos", é importante lembrar que "apóstolo" quer dizer "enviado", por isso, a doutrina "apostólica", por definição, é doutrina missionária, uma doutrina aberta e flexível orientada para missão. Contudo, também fica claro que uma importante parte do ensino dos apóstolos consistia na narração e repetição dos fatos e dizeres de Jesus, a quem os novos convertidos não tinham conhecido pessoalmente.

A "comunhão" requer atenção especial. A palavra traduzida por "comunhão" na A21 é *koinonia*.[4] Poucas palavras gregas são tão comuns entre os cristãos de hoje como *koinonia*. Em alguns círculos, todos alegam conhecer o sentido de *koinonia*, "comunhão". Contudo, essa tradução reflete

---

2   Escrevi, como historiador, vários livros sobre a história da igreja e de sua teologia. Nesse processo, encontrei-me repetidamente na mesma situação que levou Lucas a incluir esses resumos: de um lado, a narrativa de alguns pontos tem de lidar com indivíduos e incidentes específicos; de outro lado, de vez em quando é necessário incluir generalizações que ajudam o leitor a perceber o quadro geral.

3   A relação entre a perseverança e esses quatro elementos é tão grande que P. H. Menoud organiza seu estudo desse texto em torno de quatro temas: perseverança no ensino dos apóstolos, perseverança na comunhão, perseverança no partir do pão e perseverança na oração. Ele conclui: "Toda a vida do fiel não é nada além de constante perseverança". *La vie de l'eglise naissante*. Neuchatel: Delachaux & Niestlé, 1952.

4   Sobre essa palavra e outras com raiz semelhante, veja *ThWzNT* 3:789-810. Veja também CARR, Arthur. "The fellowship of Acts 2:42 and cognate words". *Exp* series 8, 5 (1913), p. 458-64.

3. A IGREJA EM JERUSALÉM (2.42–8.3)

apenas uma das muitas nuanças do sentido dessa palavra e talvez nem mesmo a mais importante. *Koinonia*, em seu uso comum na vida diária do século I, não se refere apenas a um sentimento bom ou irmandade entre amigos. Ela também tinha o sentido de "corporação", "empreendimento comum" ou "companhia", semelhante à forma como hoje podemos dizer que Pedro e João possuem uma "companhia", são "sócios" ou têm uma "corporação".[5] Sem dúvida, essa *koinonia* é comunhão, mas também é solidariedade e o compartilhamento de sentimentos, de bens e de atos.

Assim, os versículos 44 e 45 são uma explicação dessa *koinonia*. Isso consistia exatamente em que eles "tinham tudo em comum" — a palavra traduzido por "comum" tem a mesma raiz de "comunhão" ou *koinonia*.[6] Isso não quer dizer, como se pensa com frequência, que eles simplesmente vendiam todos seus recursos e punham a quantia apurada em um fundo comum, para que ninguém nunca mais não tivesse nenhum bem pessoal. Nesse versículo, os verbos estão no tempo imperfeito, e isso quer dizer que eles costumavam vender e distribuir os recursos. Isso sugere uma ação contínua feita "segundo a necessidade de cada um". Isso será discutido de novo quando lidarmos com o resumo de 4.32-35 e também com a história de Ananias e Safira (4.36—5.11).

O "partir do pão" não quer dizer apenas que eles comiam junto. Refere-se à celebração da comunhão, que desde o início e por muitos séculos, é o centro da adoração cristã.[7] Por isso, no versículo 46, no qual Lucas retorna ao mesmo assunto, junta-se ao comparecimento no templo. De acordo com esse versículo, os cristãos perseveraram no comparecimento ao templo (sua adoração como judeus, o que todos eles eram) e no partir do pão (a nova forma de adoração cristã que estava se desenvolvendo).[8] No mesmo versículo, somos informados que isso era feito com "alegria e

---

5   Em Lucas 5.10, em que a A21 informa-nos que Tiago e João eram "sócios" de Simão, o que o texto grego diz é que eles eram *koinonoi* — quer dizer, eles possuíam o barco em conjunto. Da mesma forma, sempre que, no Novo Testamento, há menção à *koinonia* do Espírito ou à *koinónia* de Jesus, isso deve ser entendido não só no sentido de que há amor e comunhão entre os cristãos por causa do Espírito ou da presença de Jesus, mas também no sentido de que os cristãos são proprietários, herdeiros, participantes em conjunto em Jesus ou no Espírito. Em *Amnherst Papyri*. Eds. GRENFELL B. P. e HUNT A. S., 100, 4, há um caso em que um pescador chamado Hermes faz de outro pescador seu *koinonos* ou sócio.

6   Veja MEFFERT, Franz. *Der kommunistische und proletarische charakter des urchistentums*. Recklinghausen: Bitter, 1946.

7   CABANIS, Allen. "Liturgy-making factors in primitive christianity". *JR* 23 (1943), p. 43-58; ORLETT, R. "The breaking of bread in Acts". *BibTo* 1 (1962), p. 108-13. Encontra-se um bom resumo do que é conhecido sobre comunhão no Novo Testamento em JONES, C. P. M. e outros, eds. *The Study of Liturgy*. Nova York: Oxford University Press, 1973, p. 148-69.

8   MONTAGNINI, F. "La comunità primitiva come luogo cultuale. Nota da t. 2, 42-46". *RivBib* 35 (1987), p. 477-84, interpreta toda a passagem de tal maneia que ela culmina na vida de culto da comunidade.

simplicidade de coração". Originalmente, a eucaristia era uma celebração na qual era lembrada não só a morte de Jesus, mas também e, particularmente, sua ressurreição e futura vinda em glória. Foi depois, por meio de um processo que levou séculos, que a ênfase caiu na crucificação e que a eucaristia assumiu traços solenes e, em alguns casos, até mesmo fúnebres, ainda observado em muitos círculos.

Pouco é dito sobre as "orações", em parte porque, depois, teremos um quadro da igreja e da oração. Por ora, tudo de que somos informados no versículo 47 é de que estavam "louvando a Deus". É também nesse versículo que somos inteirados de que eles contavam "com o favor de todo o povo".[9] À medida que a história se desenvolve, do começo ao fim dos capítulos iniciais de Atos, o "povo" ou apoia a pregação dos discípulos ou, pelo menos, não se opõe a ela. A oposição vem dos líderes, que, com frequência, moderam sua atitude por medo do "povo".

A IGREJA ENTRE O TEMOR E A ALEGRIA

Depois do breve esboço do versículo 42, esse resumo da vida da igreja começa com as acachapantes palavras: "Em cada um havia temor". Isso também poderia ser traduzido de forma a transmitir o sentido de que o "temor veio sobre cada um". A seguir, perto do fim do resumo, somos informados que eles "comiam com alegria e simplicidade de coração". Entre o temor e o respeito do início da passagem e a alegria e simplicidade do fim, permanece a realidade da vida em comunidade e em obediência. O texto também nos informa, com tal brevidade que quase se assemelha à taquigrafia, que essa vida em comunidade e obediência consiste em ter perseverança em quatro aspectos.

O primeiro é o ensino dos apóstolos. Conforme vimos, esse ensino não é mera ortodoxia. Não é simplesmente acreditar em tudo que os apóstolos acreditavam. O que o texto sugere é a perseverança no aprendizado, no estudo, no aprofundamento da fé e do entendimento. Não é uma questão dos primeiros cristãos serem convertidos e, depois, permanecerem como rochas imóveis. Antes, o fato é que eles foram convertidos e, a partir daí, perseveraram no aprendizado, enquanto os próprios apóstolos também perseveraram ensinando-os mais e mais do que tinham aprendido com Jesus.

A perseverança no estudo e no aprendizado deve se tornar uma das marcas da igreja, se ela for verdadeiramente fiel e se for capaz de mover do

---

9   O texto grego também poderia ser traduzido com outras palavras: "Tendo a graça [de Deus] diante de todo o povo"; ou: "Dando graças [a Deus] diante de todo o povo" (WILLIAMS, David John. *Acts*. Nova York: Harper & Row, 1985, p. 46). Contudo, a forma como a A21 traduz o texto provavelmente é o sentido pretendido pelo autor.

3. A IGREJA EM JERUSALÉM (2.42–8.3)

temor para a alegria. Em algumas de nossas igrejas latinas, somos ensinados que "basta ter fé" — o que em determinado contexto é verdade. Mas não somos ensinados que aquele em quem cremos é um Senhor que tem riquezas abundantes a oferecer a cada passo do caminho, se apenas pedirmos.

O "ensino dos apóstolos" não é a mera repetição do que os apóstolos ensinavam. É acima de tudo o ensino e o estudo que nos permite levar adiante nosso apostolado, nossa missão atual. A igreja vive em um mundo em constante mudança. Como a missão é a ponte entre a mensagem do que acontece em Jesus Cristo e a realidade em que os destinatários dela vivem, os missionários ou o estudo apostólico sempre devem levar em consideração o mundo no qual a igreja vive. Por isso, não é suficiente repetir o que sempre foi dito da mesma maneira como foi dito antes. É necessário estudar a Palavra e o mundo para o qual ela deve ser transmitida. Hoje, a perseverança nesse tipo de estudo é o equivalente da igreja primitiva na perseverança no ensino dos apóstolos.

Em algumas das nossas igrejas, há círculos em que as pessoas temem que esse estudo (exceto talvez o estudo da Bíblia) leve à descrença quando, na verdade, o estudo motivado pela fé leva-nos a ter uma fé mais profunda e madura; e qualquer crença ameaçada pelo estudo não é fé verdadeira. Vivemos em uma época que apresenta problemas urgentes e complicados. Para respondermos a esses problemas com fidelidade e alegria, sem sermos levados pelo temor, devemos ser equipados para isso pela perseverança no estudo, pelo aprofundamento ainda maior na Escritura, pela análise dos problemas que a sociedade contemporânea apresenta com os melhores instrumentos disponíveis.

Por sua vez, se os cristãos têm de perseverar no aprendizado, seus mestres devem perseverar no ensino e em seu próprio aprendizado. Há sermões demais em que a mesma coisa é repetida vez após vez. Há muitas classes de escola dominical em que não há compromisso sério com o estudo cuidadoso do texto bíblico.

O segundo aspecto dessa perseverança que leva do temor para a alegria é a "comunhão" ou, melhor ainda, o compartilhamento e a solidariedade. Lucas descreve uma comunidade na qual o amor assume forma concreta. Logo depois da época de Lucas — ou talvez até mesmo por volta da mesma época — um cristão anônimo escreveu: "Se compartilhamos das coisas imortais, será que não devemos compartilhar das coisas mortais?"[10] Se chamamos uns aos outros de "irmão" e "irmã", não devemos nos comportar como tal? Em um mundo de injustiça social como este

---

10　Didaqué 4.8. O texto grego diz, ao pé da letra, que se temos *koinonoi* em coisas imortais e, portanto, devemos também ter naquelas que são mortais.

em que vivemos, sempre há a tentação de permitir que essa injustiça entre na igreja e, até mesmo, determine sua vida e estrutura. Contudo, o amor deve assumir forma concreta, e o mesmo é verdade em relação ao anúncio do reino de Deus. Se proclamamos a justiça e se falamos da necessidade de haver justiça em nossa sociedade, devemos fazer um esforço especial para que a própria vida da igreja possa ser uma imagem, embora imperfeita, da ordem que proclamamos. (O que isso representa em nossa sociedade atual será discutido mais adiante quando estudarmos 4.32 - 5.11.)

O dom do Espírito, disse-nos Pedro em uma passagem anterior, é um sinal de que estamos vivendo "nos últimos dias"; de que o reino de Deus se aproxima; de que de uma maneira, precisamente por termos o Espírito, já temos os primeiros frutos do reino. Essa é a mensagem de alegria. A prática de koinonia na igreja, embora ainda em meio ao reino antigo, é uma das formas em que vivemos hoje como os que já estão provando o reino futuro.

O terceiro aspecto da perseverança desses primeiros cristãos era na adoração. Isso quer dizer tanto a adoração no templo, que eles, como bons judeus, continuavam a praticar, quanto a celebração da eucaristia, lembrança do evento sem paralelos da ressurreição de Jesus, e o anúncio do igualmente grande evento do retorno dele no cumprimento da promessa. Talvez esse seja um dos mais fortes traços em muitas das nossas igrejas latinas. Somos uma igreja adoradora. Em outros círculos, a adoração, às vezes, é eclipsada pela indiferença ou por um ativismo que logo perde seu ímpeto. Até hoje, a grande maioria da igreja de fala hispânica não se permitiu ser varrida por essas correntes, e, por isso, encontramos, com frequência, em nossas igrejas uma alegria que não encontramos em outros lugares. Ademais, se temos de ser fiéis e perseverar na busca de justiça, devemos ter, na adoração, a fonte da nossa força.

Essa adoração acontece na comunidade. Isto é verdade para cultos no templo e para a eucaristia. É importante que não esqueçamos que o cristianismo é uma fé comunal. Com certeza, ele tem sua dimensão profundamente pessoal. Contudo, uma fé puramente privada, independentemente como aparentemente pareça ortodoxa, não é cristã!

Aqui também a igreja latina pode contribuir com algo. A maioria da Bíblia foi originalmente escrita para ser lida em público no meio da comunidade de fé. Isso é verdade no Antigo Testamento e na maioria do Novo Testamento. Talvez a principal exceção seja a epístola para Filemom. Em espanhol e português, isso fica constantemente aparente pelo uso da segunda pessoa do plural: *vosotros* ou *ustedes* e *vós* e *você*, respectivamente. A língua de muitos dos que trouxeram a fé protestante para nós, o inglês,

3. A IGREJA EM JERUSALÉM (2.42–8.3)

não faz essa distinção. Tu é "you" e vós também é "you".[11] Portanto, errar ao ler a Bíblia em termos puramente individualistas é muito mais fácil de ser cometido pelos que a leem em inglês que para os que a leem em espanhol ou português. No entanto, como muitos que nos ensinaram a ler a Bíblia a leem em inglês, às vezes, eles transmitem-nos, com a mensagem bíblica, um individualismo que não faz parte dela.

Graças à importância da adoração pública entre nós, estamos, aos poucos, deixando para trás muito dessa infeliz herança individualista. Por isso, achamos importante cultivar a adoração pública, na esperança de que isso possa nos ajudar a proporcionar uma contribuição relevante para os que trouxeram originalmente a Bíblia para nós.

O quarto aspecto da perseverança que Lucas descreve é a oração (2.42) ou louvor (2.47). Descrevendo essa oração em termos de louvor, somos informados que a igreja atribuía a Deus tudo que ela era e tudo que tinha. Esta é a natureza do louvor: "Obrigado, Deus por..." Se o temor tem de dar lugar à alegria, é necessário perseverar no louvor. Se o que somos e o que temos é resultado da graça de Deus, não precisamos ficar constantemente ansiosos com medo de perder isso. Isso é verdade para os outros três elementos, já discutidos, de nossa perseverança. O estudo deve ser feito em louvor. A justiça e a equidade têm de ser buscadas e praticadas em louvor. A adoração está centrada no louvor. Em tudo isso, glória seja dada a Deus. Se realmente *acreditarmos* nisso e *vivermos* isso, que temor pode obscurecer nossa alegria?

Lucas termina seu resumo declarando que "o Senhor lhes acrescentava[12] a cada dia os que iam sendo salvos". Em muitas de nossas igrejas há muita conversa de "evangelismo", a ponto de se transformar até mesmo em obsessão: "Temos de ser mais evangelísticos"; "Precisamos conquistar mais almas para Cristo"; "Precisamos descobrir novos métodos de evangelismo". Em meio a essa obsessão, corremos o risco de perder a "alegria e simplicidade de coração" de que o texto fala.

Lucas apresenta as questões de forma diferente. É o Senhor que acrescenta à igreja. A igreja, sem dúvida, deve testemunhar, e os vários aspectos de sua perseverança, que acabamos de examinar, são parte de seu testemunho. Porém, no fim, é o Senhor que acresenta para a igreja.

Muitas de nossas igrejas vivenciam isso. Enquanto em outras partes do mundo e, em especial, no tradicionalmente cristão Atlântico

---

11 O plural *ye* (vós) que aparece nas primeiras versões como a KJV tem um aroma tão arcaico que sua forma plural não é entendida com toda clareza.
12 Alguns manuscritos dizem "para a igreja". Embora provavelmente seja esse o sentido pretendido, o texto comum diz apenas: "O Senhor lhes acrescentava a cada dia os que iam sendo salvos".

Norte haja preocupação em relação à diminuição da filiação da igreja, a igreja latina, na América Latina e na América do Norte de língua inglesa, continua a crescer rapidamente. Por quê? Porque é uma igreja na qual as pessoas vivenciam algo da alegria e simplicidade de coração de que Lucas fala.

A igreja que Lucas descreve mantinha o crescimento porque, graças ao Espírito Santo, ela contava com "o favor de todo o povo". Isso não quer dizer que ela estava constantemente preocupada com suas relações públicas, com tentar conseguir a simpatia do povo ou em não ser uma comunidade "controversa". A fim de entender o que isso quer dizer, temos de passar para a próxima parte do livro de Lucas.

B. UM MILAGRE E SUAS CONSEQUÊNCIAS (3.1 - 4.31)

Depois do resumo recém-estudado, Lucas conta-nos uma história que ilustra o resumo e, a seguir, conta-nos algo da consequência dela. Esse é um artifício que ele emprega repetidamente. Por exemplo, na seção imediatamente seguinte a essa (4.32 - 5.11), ele oferece primeiro um resumo da vida dos cristãos e de como eles empregam seus bens a fim de, depois, contar-nos especificamente os incidentes protagonizados por Barnabé, Ananias e Safira. No caso que estamos estudando agora temos uma ampliação e um esclarecimento do sentido da frase encontrada no resumo: "Contando com o favor de todo o povo" (2.47).

1. O MILAGRE (3.1-10)

A narrativa é clara[13] e basta ler a história para entendê-la. Portanto, essa seção do nosso comentário só esclarecerá alguns detalhes. O que a NVI traduz por "três horas da tarde" é o mesmo que a "nona" hora de outras traduções, a última tradução é mais literal, mas não transmite o sentido tão bem. Conforme veremos adiante (4.3), é precisamente por causa do tardio da hora que o conselho é convocado para o dia seguinte.

A porta chamada "Formosa" apresenta algumas dificuldades, pois, que saibamos, não havia uma porta com esse nome. Alguns acham que é a porta de Nicanor que Lucas chama de "Formosa" porque era de bronze polido. Outros sugerem várias alternativas.[14] Em todo caso,

---

13 FILIPPINI, R. "Atti 3, 1-10: Proposta di analisis del racconto". *RivBib* 28 (1980), p. 307-17.
14 CORBETT, S. "Some observations on the gateways to the Herodian temple in Jerusalem". *PalExQ* 84 (1952), p. 7-15; STAUFFER, Ethelbert. "Das Tor des Nikanor". *ZntW* 44 (1952-53), p. 44-66; WISENBERG, E. "The Nicanor gate". *JJewSt* 3 (1952), p. 14-29.

o que interessa a Lucas não é a geografia do templo, mas o milagre e suas consequências.

A frase: "Olhe para nós" de 3.4 contrasta com 3.12, passagem em que Pedro pergunta ao povo: "Por que ficais olhando para nós?" Quando o homem aleijado olha para eles, Pedro pronuncia as palavras mais conhecidas de todo o episódio: "Não tenho prata nem ouro. Mas o que tenho, isso te dou: Em nome de Jesus Cristo, o Nazareno, anda".[15]

O "nome" de Jesus Cristo é digno de atenção especial, pois aparece repetidamente nessa seção. A respeito de seu sentido, veja o comentário sobre 4.7-12. Por fim, o "salto" do homem aleijado (3.8) lembra a profecia de Isaías 35.6: "Então o coxo saltará como o cervo".

2. A EXPLICAÇÃO DE PEDRO (3.11-26)

Lucas leva-nos imediatamente para onde Pedro faz um discurso no qual explica o que aconteceu. Pedro e João, agora, moveram-se para o "chamado Pórtico de Salomão".[16] O homem aleijado não os deixa ir e, quando alcançaram esse pórtico, há uma multidão reunida (em um exagero, o texto diz que "todo o povo correu perplexo para junto deles").

Nesse versículo e meio, que servem de introdução para a fala de Pedro (3.11,12a), há duas ocorrências da palavra "povo" — laos.[17] Isso é importante, pois quando vamos para 4.1,2a, observamos que Lucas está estabelecendo um contraste entre o "povo" e sua liderança. (Lembre-se também que no último versículo da seção anterior, 2.47, somos informados que os cristãos contavam com "o favor de todo o povo".)

A fala de Pedro tenta deixar claro que o crédito pelo que acontece é de Jesus, e não de Pedro ou de João. Pedro diz aos que estão ouvindo que não os devem olhar como se fossem eles que tivessem curado o homem aleijado. O verbo usado aqui é o mesmo usado em 3.4, passagem em que se diz que Pedro fixou "nele [no homem] o olhar". Pedro diz a seus ouvintes para não fazerem com ele o que ele fez com o aleijado. A diferença está no fato de que Pedro fixou o olhar no homem necessitado a fim de

---

15 IGLESIAS, E. "No tengo plata ni oro...". *Christus* 4 (1937), p. 661-65, 745-50; JAGGI, Paul. *Was ich aber habe, das gebe ich dir: Eine Deutung der Heilung des Lahmen ver der schönen Tempelpforte nach Apostelgeschichte 3 and 4*. Bern: Christliches VErlagshaus, 1953.

16 Como não sabemos exatamente qual era a porta "Formosa", também é impossível traçar os passos dos apóstolos no templo.

17 Lucas emprega duas palavras que podem ser traduzidas por "povo": *laos* e *ochlos*. Ambas podem se referir às "pessoas comuns", mas a segunda tem conotação mais de "multidão", ao passo que *laos* também se refere ao povo como nação — por exemplo, na expressão "o povo de Deus". Nesses primeiros capítulos de Atos, Lucas só usa o termo *laos* e reserva o outro termo para o capítulo 14, no qual fala sobre a multidão desorganizada em Listra, e para 17.8, passagem em que fala de uma agitação em Tessalônica. Veja adiante, 4.1-6.

ver sua necessidade e responder a ela; enquanto essas pessoas não fixam o olhar em Pedro a fim de ver sua necessidade, mas em sinal de admiração ou quase de adoração.

Duas vezes em 3.16, Pedro declara que o homem aleijado foi curado "pela fé"; mas ele não nos diz se é a fé do aleijado (embora aparentemente ele não tenha ouvido falar de Jesus antes) ou é a fé de Pedro e João. Em todo caso, o que Pedro diz é que o Deus do povo a quem fala, o Deus de Abraão, Isaque e de todos os outros profetas é o mesmo Deus que glorificou a Jesus.[18] Esse é o mesmo Jesus a quem eles negaram. A tragédia dessa situação atinge seu ponto culminante no contraste de 3.15: "Matastes o Autor da vida".

Contudo, esse não é o fim da história. Deus ressuscitou Jesus da morte (3.15b), por isso agora, o *nome* de Jesus é poderoso — ao que devemos retornar ao lidar com 4.7-12 — e é pela fé nesse *nome* que o aleijado foi curado. A história não tem um fim trágico porque Deus é poderoso para superar o mal perpetrado pelos seres humanos. Além disso, mesmo para aqueles que mataram o Autor da vida, a porta do arrependimento e da conversão ainda permanece aberta (3.17-26). Pedro diz-lhes que eles fizeram isso por ignorância, deles mesmos e de seus governantes (3.17),[19] e também que era necessário que Cristo tivesse sofrido (3.18). Por isso, ele convida-os a se arrepender e a se converter, aceitando Jesus Cristo, que foi anunciado por "todos os profetas" (3.24).

O caráter literário e o estilo dessa fala diferem muitíssimo da fala de Pedro no Pentecostes, conforme Richard Zehnle[20] demonstra amplamente. Pode-se observar isso nos títulos que Pedro usa para se referir a Deus ("Deus de Abraão, de Isaque e de Jacó, o Deus de nossos pais" [3.13]), a Jesus ("Autor da vida" [3.15]; "Filho" de Deus [3.13,26; ARC];[21] o "Santo", o "Justo" [3.14]) e aos seus ouvintes ("filhos dos profetas e da aliança" [3.25]). Zehnle também menciona que aqui há várias palavras que não são típicas do vocabulário de Lucas. Isso poderia parecer indicar que Lucas, ao escrever essa fala, usava materiais anteriores, talvez da igreja primitiva. No entanto, Zehnle chega ao ponto de afirmar que a origem dos termos é Pedro mesmo.

---

18   Isso pode ser entendido como referência à glorificação de Jesus em sua ressurreição e ascensão ou como referência ao próprio milagre que também glorifica a Jesus.

19   Todavia, veja Freire. Escudero C. "Kata agnoian (Hch. 3.13): ¿Disculpa o acusación?" Comm 9 (1976), p. 221-31.

20   Zehnle, Richard F. *Peter's Pentecost discourse: Tradition and Lukan reinterpretation in Peter's speeches of Acts 2 and 3*, p. 44-60.

21   A A21 e outras versões traduzem a palavra aqui por "Servo". A palavra que aparece no texto grego é pais. Ela quer dizer "filho" e não é a mesma coisa que *huios*, termo que geralmente Lucas usa para se referir ao Filho de Deus.

3. A IGREJA EM JERUSALÉM (2.42–8.3)

3. A REAÇÃO DO PODEROSO (4.1-22)

a. A intervenção (4.1-6)

Pedro dirige a fala toda ao povo que estava atônito com o milagre a que assistira. Todavia, agora, as autoridades entram na cena e reagem de forma bem negativa. A motivação delas fica evidente em 4.1,2. Pedro e João[22] ainda estão falando para o povo quando "chegaram os sacerdotes, o capitão dos guardas do templo e os saduceus, muito incomodados porque os discípulos ensinavam o povo e anunciavam em Jesus a ressurreição dentre os mortos".

O tema do "povo" (*laos*) é muito importante para Lucas tanto no seu evangelho como no livro de Atos. No evangelho, há 29 ocorrências da palavra e, em apenas duas delas, há uso paralelo nos outros evangelhos. Em Atos, há 48 ocorrências da palavra. Na maioria desses casos, há conotações positivas (as principais exceções são 6.12 e 12.1).[23] Ao estudar a maneira como Lucas usa essa palavra, fica aparente que há duas dimensões: de um lado, ela aponta para a importância da comunidade para a vida de fé; de outro lado, quando é usada em contraste com os "governantes" ou outras pessoas importantes, ela aponta para o caráter "popular" da mensagem cristã e para a oposição daqueles cujo poder é ameaçado por essa mensagem.

Lucas deixa evidente que há duas motivações na ação empreendida contra Pedro e João. Uma é de natureza teológica: os saduceus não acreditavam na ressurreição da morte, e a pregação de Pedro e João, claramente, opunha-se às doutrinas deles. Mas o texto também mostra que essa não é a verdadeira causa para a intervenção das autoridades. A verdadeira causa é que eles ficaram "muito incomodados porque os discípulos ensinavam o povo" — em outras palavras, com o fato de eles estarem usurpando e subvertendo a autoridade dos sacerdotes e dos outros líderes. O "capitão dos guardas do templo" — ao pé da letra, "general do templo" — era capitão da guarda, totalmente composta por levitas. Os saduceus, embora fossem uma facção religiosa mais que uma estrutura de autoridade oficial, eram, em sua maioria, representantes dos mais altos escalões da sociedade judaica. Por isso, Lucas reconhece aqui que há estruturas oficiais de poder, como o capitão dos guardas do templo, e outras que, embora não oficiais, são igualmente poderosas, como os saduceus; e ele também

---

22   Embora no capítulo anterior só haja menção à fala de Pedro, somos, agora, informados que João também está falando. Mais uma vez, Lucas não tenta nos fornecer um relato palavra por palavra do que foi dito nem de todos que falaram, mas apenas enfatizar os pontos mais importantes.

23   Veja ZEHNLE, Richard F. *Peter's Pentecost discourse: Tradition and Lukan reinterpretation in Peter's speeches of Acts 2 and 3*, p. 63-66, que enfatiza a dimensão de comunidade no termo Laos, em vez de seu contraste com os líderes e poderosos.

reconhece que estes se juntam quando seu controle sobre o povo está em risco. Esse é o caso aqui, Lucas deixa claro quando diz que "muitos dos que ouviram a palavra creram, e o número dos homens que creram aumentou para quase cinco mil" (4.4).

É o imenso temor por seu poder e prestígio que aprisiona Pedro e João até o dia seguinte, pois é muito tarde para levá-los a julgamento (veja 3.1).[24]

O versículo 4 soa estranho, quase como uma interrupção no meio da narrativa. Os apóstolos acabam de ser aprisionados, e Lucas, em vez de continuar a relatar os eventos referentes à prisão e julgamento deles, informa-nos que "muitos dos que ouviram a palavra creram, e o número dos homens que creram aumentou para quase cinco mil". O texto grego, na verdade, diz que os *homens* chegavam a esse número. O fato de contar apenas os homens é um sinal do caráter patriarcal daquela cultura e está implícito que o restante da família deles os acompanha, é a mesma coisa que falarmos hoje de uma igreja ter "cinquenta famílias". Mas o mais surpreendente no texto é que, precisamente em um momento de grande ameaça e, até mesmo, de derrota iminente, Lucas informa-nos a respeito desses milhares de conversões. João Crisóstomo, um dos maiores pregadores de todas as eras, ressalta a surpresa que Lucas provoca aqui:

> Como pode ser isso? Eles os viram honrados? Antes, eles não os viram em cadeias? Como, então, eles creram? Isso não manifesta o poder de Deus? Era de esperar que mesmo os que tinham crido antes vacilassem em sua fé ao ver os apóstolos presos. Mas acontece justamente o contrário disso, porque o sermão de Pedro semeou a semente tão profundamente neles e esta se fixou bem na mente deles. Por isso, os inimigos ficaram ainda mais ressentidos, pois passaram a ter medo deles.[25]

Crisóstomo está argumentando que Lucas põe esse versículo exatamente nesse ponto da narrativa a fim de indicar que a fé não deve ser desse tipo só durante os tempos bons, e que prestígio e poder não são necessários para que as pessoas creiam. Ao contrário, é exatamente quando os poderosos demonstram sua desaprovação, fazendo isso por intermédio

---

24 Naquela época, não era comum usar o aprisionamento como punição. Antes, costumavam deter o acusado até que fosse levado a julgamento. A maioria das punições era corporal — morte, açoitamento e trabalho forçado — e também multas e remoção de posições de autoridade e responsabilidade. De acordo com a mixná (*Sanh.* 4.1), os julgamentos sobre assuntos fundamentais deviam ser completados no mesmo dia em que começavam.

25 *Hom. X in Act.*

de atitudes extremas contra a pregação do evangelho, que o número de cristãos explode.

No dia seguinte, os que se reúnem para julgar os apóstolos são membros da mesma classe social que os prendeu: "Reuniram-se em Jerusalém as autoridades, os líderes religiosos e os escribas e também o sumo sacerdote Anás, Caifás, João, Alexandre e todos os parentes do sumo sacerdote" (4.5,6).[26] Anás não era mais o sumo sacerdote; mas era costume que quem tivesse possuído o título continuasse a usá-lo — da mesma maneira que costumamos fazer hoje com senadores e governadores. Caifás, o sumo sacerdote naquela época, era genro de Anás. Não se sabe nada mais sobre João e Alexandre do que diz esse texto — a menos que o texto ocidental esteja correto em chamá-lo de "Jônatas", em vez de João, pois Jônatas sucedeu seu cunhado Caifás no posto de sumo sacerdote no ano de 36.

b. A fala de Pedro (4.7-12)

O julgamento acontece diante do conselho, ou Sinédrio.[27] Este era composto principalmente pela aristocracia judaica e os principais doutores da lei. Como a maioria dos aristocratas judeus era de saduceus, e grande parte dos doutores da lei, fariseus, os debates no próprio conselho, com frequência, eram acalorados. Aparentemente, o conselho era dominado pelos saduceus até o início da era cristã, quando os fariseus começaram a tentar tirar algum poder deles. Na época das guerras judaicas e da destruição de Jerusalém no ano 70, os fariseus controlavam o Sinédrio.[28]

No início do julgamento, não perguntam a Pedro e João o que tinham feito, mas que autoridade eles tinham para fazer o que faziam (4.7). O que está realmente em jogo é poder e controle.

A resposta de Pedro, inspirada pelo Espírito Santo ("cheio do Espírito Santo"), dirigiu-se aos chefes do povo ("autoridades do povo e vós, líderes religiosos"), mas lembra-os que sua resposta também é para todo o povo ("seja do conhecimento de todos vós e de todo o povo de Israel" [4.10]).

O modo como Pedro expressa o milagre que aconteceu é relevante, pois a palavra grega que a NRSV traduz por "doente",[29] na verdade, quer

---

[26] GAECHTER, Paul. "The hatred of the House of Annas", ThSt 8 (1947), p. 3-34; Eisler, Robert. *The enigma of the fourth gospel, its author and Its writer*. Londres: Methuen, 1938, p. 39-45.

[27] HOENIG, Sidney Benjamin. *The Great Sanhedrin*. Filadélfia: Dropsie College for Hebrew and Cognate Learning, 1953; MANTEL, Hugo. *Studies in the history of the sanhedrin*. Cambridge, Mass.: Harvard University Press, 1961.

[28] Sobre o pano de fundo dessa situação, veja Buehler, William Wagner. *The pre-herodian civil war and social debate: Jewish society in the period 74-40 B.C., and the Social factors contributing to the rise of the pharisees and the sadducees*. Basel: Friedrich Reinhardt, 1964; FINKELSTEIN, Louis. *The pharisees: The sociological background of their faith*. Filadélfia: Jewish Publication Society of America, 1940; SIMON, M. *Las sectas judías en el tiempo de Jesús*. Buenos Aires: EUDEBA, 1962.

[29] *ThWzNt*, 1:488-92.

dizer "falta de poder" ou "fraco", e o verbo traduzido por "curar" também tem o sentido de "salvar" ou "libertar".[30] Portanto, Pedro está dizendo que o homem doente foi curado, salvo, libertado e fortalecido.

Os líderes perguntam-lhe em nome de quem ou com que autoridade, ele e João realizaram aquele milagre; e Pedro responde com bastante clareza que isso fora feito em "nome de Jesus Cristo, o Nazareno". Citando o Salmo 118.22, ele declara que Jesus é "a pedra rejeitada por vós, os construtores" (4.11); quer dizer, vocês, os líderes que, conforme se supunha, seriam os edificadores de Israel.

A repetição do termo "nome" em toda essa passagem é importante.[31] Aqui, o nome representa muito mais que o mero som das duas sílabas, "Jesus". O nome é a própria essência de uma coisa ou pessoa. Por isso, o nome de Iavé é sagrado, porque Iavé é sagrado. O "nome" é a autoridade e o poder com os quais uma ação é realizada. Os líderes de Israel perguntam a Pedro e João em "nome" de quem, com que autoridade eles tinham realizado aquele milagre. Pedro conta-lhes que fizeram isso "em nome de Jesus Cristo, o Nazareno". O "nome" de Jesus não é outro senão o próprio Jesus.

É nesse ponto que Pedro chega à conclusão muito citada de sua fala: "Pois debaixo do céu não há outro nome entre os homens pelo qual devamos ser salvos" (4.12). É importante lembrar que o verbo empregado aqui pode se referir à salvação eterna e também à salvação do corpo — ou seja, saúde. No Novo Testamento, não há distância entre salvar e curar existente na mente da maioria de nós. Por isso, o que Pedro declara também pode ser traduzido por: "Debaixo do céu não há outro nome entre os homens pelo qual devamos ser curados".[32] O que Pedro está dizendo aqui é que não só toda "salvação" vem de Jesus, mas também, e de forma muito mais direta no contexto específico dessa narrativa, que toda saúde é concedida por meio do mesmo nome. Isso, ao invés de limitar o escopo da declaração de Pedro do poder de Jesus, o amplia. Ao afirmar que toda saúde e toda salvação (saúde física e espiritual, salvação social etc.) vem de Jesus, Pedro afirma o senhorio universal desse Jesus em cujo nome o aleijado foi curado/salvo/libertado/fortalecido. Isso tem enormes consequências, pois a afirmação do poder universal desse "nome" também é a afirmação de que a suposta autoridade dos poderosos, assentados diante de Pedro e João para julgá-los, é limitada.

---

30   *ThWzNt*, 7:966-1024.
31   *ThWzNT*, 5:242-83.
32   Sobre esse ponto e a inconsistência em traduções, veja FOULKES, W. "Two semantic problems in the translation of Acts 4:5-20." *BibTrans* 29 (1978), p. 121-28.

3. A IGREJA EM JERUSALÉM (2.42–8.3)

c. O veredicto (4.13-22)

Os juízes maravilham-se com a "coragem" de Pedro e de João. Mais uma vez, Lucas, embora ofereça um resumo apenas para a fala de Pedro, indica que ambos falaram. É importante lembrar mais uma vez que Lucas não tenta nos fornecer uma versão literal e taquigráfica de tudo que cada pessoa disse, mas, antes, uma narrativa dos pontos mais importantes, sempre buscando mostrar a maneira como o Espírito Santo opera. A "coragem" (A21), "intrepidez" (ARA) ou "ousadia" (ARC) que os apóstolos falam é a mesma pela qual a igreja ora depois (4.29) e receberá (4.31). O sentido literal das palavras traduzidas por "simples e sem erudição" (*agrammatos* e *idiôtês*) pela A21 é literalmente iletrado e comum ou sem treino.

Talvez a declaração mais surpreendente de 4.13 seja de que os líderes "reconheceram que eles haviam convivido com Jesus". Obviamente, isso não quer dizer que só nesse momento eles reconhecem que Pedro e João são discípulos de Jesus. Provavelmente, eles já soubessem muito bem disso. O que eles reconhecem agora é que, embora tivessem achado que tinham finalmente lidado com Jesus, crucificando-o, ainda não se livraram do problema, pois agora tinham de lidar com os outros que, conforme a percepção deles, pareciam tão obstinados quanto Jesus. O que piora as coisas é o fato de que eles não podem negar o milagre, pois o homem que costumava ser aleijado, agora, está lá "com eles, em pé". Além disso, esses que, agora, ousam argumentar com ele eram "homens simples e sem erudição", quer dizer, pessoas que normalmente não ousariam falar diante de uma assembleia ilustre como o conselho.

O relato tem um toque particularmente realista. Os poderosos estão confusos em relação ao que fazer. O que acontecera está absolutamente claro, e, por isso, eles dizem: "Não o podemos negar" (4.16). A implicação óbvia é que se eles pudessem, de fato, negariam o ocorrido, embora soubessem que era verdade. A única solução que encontram, porque não podem negar a verdade, é escondê-la: "Para que isso não se divulgue mais entre o povo". Mais uma vez, o que está em jogo é o controle sobre o povo, nesse caso específico por meio do controle da informação.

A fim de controlar a informação, é necessário controlar a fonte de informação, o que o conselho decide é ameaçar os apóstolos para que não continuem falando nem ensinando em nome de Jesus. A resposta dos apóstolos, "homens simples e sem erudição", revela a pusilanimidade do conselho, pois eles são informados que, por serem juízes, supostamente mestres da lei de Deus, eles têm de julgar de acordo com o próprio veredicto. A conclusão inevitável é que os juízes são julgados pela própria lei que eles não obedeceram.

Os juízes não encontram nenhuma maneira de punir os apóstolos e simplesmente os ameaçam de novo e os deixam ir. Eles os deixam ir não por causa da justiça, mas "por causa do povo". Portanto, conforme se observa em todo esse episódio, o que está acontecendo deve ser visto como uma luta que diz respeito ao controle e à autoridade.

4. A RESPOSTA DO FIEL (4.23-31)

A seguir, Pedro e João vão e contam a "seus companheiros" (sentido literal, "aos seus"; isso representa toda a congregação ou seus amigos mais próximos?) o que acontecera. Aparentemente, eles contam-lhes, em especial, da ameaça feita contra eles porque a resposta dos cristãos é proferir uma oração que trata precisamente dessa ameaça.

A própria oração é interessante.[33] A primeira parte (4.24-27) apresenta o antigo e difícil problema de como a soberania de Deus, autor de tudo que existe, permite que o grupo seja perseguido e oprimido. A conspiração contra Jesus e seus seguidores é poderosa: Herodes, Pôncio Pilatos, os gentios e o povo de Israel. (Observe que aqui o povo está incluído no lado negativo. O povo permitiu-se ser guiado por seus líderes, mas isso não os isenta de responsabilidade.) Como Deus permite que essas coisas aconteçam? Essa pergunta, com frequência feita em angústia, não tem resposta da perspectiva humana e, por isso, muitas vezes, pode ser paralisante. Todavia, esses cristãos, mesmo enquanto expressam e reconhecem essa dificuldade, no fim, admitem que a resposta final está nos próprios desígnios de Deus (4.28). Então, eles prosseguem para pedir por "coragem" a fim de pregar a palavra e por "sinais e feitos extraordinários" realizados pelo nome de Jesus. O relevante nisso é que os apóstolos estão pedindo o que eles já têm. Sinais e feitos extraordinários aconteceram e foi precisamente por isso que Pedro e João foram levados diante do conselho. Lá, diante desse conselho, eles mostraram a mesma "coragem" pela qual, agora, oram a Deus.

No versículo 31, a oração deles é respondida. Esse é o sentido do tremor do lugar em que estavam reunidos. Tendo recebido o poder do Espírito Santo, eles, mais uma vez, falam a palavra "com coragem".

CONFLITOS DE HOJE

A história contada por Lucas soa particularmente contemporânea para nós. A primeira coisa que percebemos é a diferença marcante entre

---

33 RIMAUD, Didier. "La premiére prière dans le livre des Actes 4.23-31 (Os. 2 et 145)". *LMD* 51 (1957), p. 99-115.

3. A IGREJA EM JERUSALÉM (2.42–8.3)

o "povo" e seus supostos "líderes". O povo está pronto a crer. Eles reconhecem o aleijado e regozijam-se com sua cura. Os líderes estão mais interessados em seu poder e na própria teologia que no bem-estar do homem aleijado; e eles só se preocupam com o povo a fim de ter certeza de que eles continuem aceitando a autoridade de seus supostos líderes. É claro que o mesmo acontece hoje. Há países da América Latina em que o poder está concentrado em "doze" ou "trinta famílias", proprietários de quase toda a terra, donos de praticamente todo o país, e cujos representantes fazem rodízio no governo. No conselho, havia diferenças de opinião, pois os fariseus e os saduceus discordavam em matérias de doutrina e, em geral, representavam diferentes classes sociais; mas, no fim, os dois estão mais interessados no próprio poder e prestígio que no bem-estar do homem aleijado ou do povo. A mesma coisa acontece em muitos de nossos países, quando um Congresso eleito de modo, mais ou menos, democrático e em que, com certeza, há diferenças entre os membros e os partidos, todos os membros ou quase todos concordam em usar o povo como trampolim para obter mais poder.

No texto, é uma questão de estruturas, oficial e extraoficial, de poder. O conselho, o sumo sacerdote e o capitão da guarda do templo são autoridades constituídas oficialmente. Os saduceus, por sua vez, representam um grupo relativamente amorfo de pessoas que, em geral, são influentes e também conservadoras em sua teologia e em sua política. Por serem conservadores em sua teologia, eles rejeitam a noção da ressurreição da morte que, de acordo com eles, é um ensino recente e sem fundamento na fé antiga de Israel. Por serem conservadores em sua política, eles tendem a colaborar com o Império Romano em troca de ganhos econômicos e de outros benefícios.

Seria difícil encontrar uma descrição mais exata do que aconteceu em muitos países latino-americanos. Há estruturas oficiais: presidentes, governos provinciais ou estaduais, senadores e representantes. Há também estruturas semioficiais que, às vezes, até mesmo declaram não existir, mas que, na verdade, têm muito mais poder do que poderiam legalmente. Esse é o caso, por exemplo, de muitos de nossos exércitos, cujo propósito legal é defender o país contra supostas ameaças ou invasões, mas cujo verdadeiro poder, com frequência, é muito mais extenso. Às vezes, esse poder inclui nomear e remover presidentes; e, algumas vezes, eles também se tornam juízes e executores como acontece com muita frequência em nações em que "esquadrões de morte" são organizados ou em que o próprio exército faz "desaparecer" os indivíduos que ficam no seu caminho ou ameaçam seu poder. Outra dessas estruturas semioficiais é o partido político, pois, em algumas das nossas nações, há partidos tão poderosos que os círculos internos deles, na verdade, determinam o resultado de eleições supostamente democráticas. Mesmo nos Estados Unidos, o "sistema bipartidário", que inclui apenas dois partidos muito semelhantes, é de tal modo que a chance de obter sucesso político fora da estrutura é muito pequena.

Depois, há estruturas extraoficiais de poder: famílias ricas que se casam entre si e detêm toda a terra e boa parte do poder; o indivíduo recém-enriquecido que acumulou capital com base no comércio ou na indústria e, agora, certifica-se que toda possível competição seja destruída antes que qualquer competidor se torne muito forte e, assim, acaba por sufocar o desenvolvimento econômico de nossas nações; os que controlam a mídia de massa, por meio da qual também manipulam a informação e a opinião pública.

O texto fala de alguns "construtores" que não constroem bem (4.11) e de alguns juízes que não julgam bem (4.19). Os próprios doutores da lei, às vezes, eram chamados de "construtores". Os que foram postos a fim de edificar e estabelecer o povo rejeitaram a pedra angular da construção. Os que foram postos para ser guardiões da verdade e buscar o bem-estar do povo pronunciam julgamento falso, ordenando que Pedro e João escondam a verdade. Infelizmente, essa também é a prática de muitos de nossos governantes. Há alguns cuja função era defender e desenvolver a economia da nação, mas que, em vez de fazer isso, hipotecam a economia a tal ponto que a dívida externa torna-se uma "dívida eterna". Há os que foram estabelecidos para vigiar a economia e o bem-estar social do cidadão, mas que empregam sua autoridade para abrir caminho para o poderoso, aceitando suborno e participando de empreendimentos que os enriquece, mas não ao povo. Há os que foram estabelecidos para se levantar pela lei e pela justiça, mas que, em vez disso, editam leis que protegem os próprios interesses, nomeiam juízes que decidem falsamente e punem qualquer indivíduo que, de alguma maneira, questione ou ameace seu poder.

O texto também fala dos saduceus como parte da oposição encontrada pelos apóstolos. Os saduceus opunham-se aos apóstolos por dois motivos: a questão de autoridade e da ressurreição. Em 4.2, somos informados que os apóstolos estavam sujeitos à repressão porque ensinavam o povo e porque proclamavam a ressurreição da morte. Assim, talvez o ponto inicial do conflito seja que a doutrina da ressurreição da morte é rejeitada pelos saduceus que, por isso, acreditam que os apóstolos estão ensinando heresia. Contudo, logo a questão doutrinal é esquecida, e o julgamento parece lidar só com a questão da autoridade com a qual os apóstolos ousam

3. A IGREJA EM JERUSALÉM (2.42–8.3)

curar o aleijado e, depois, ensinar o povo. O que temos aqui é um caso típico em que a discordância teológica torna-se uma desculpa que esconde a verdadeira motivação — que está ligada a poder e controle.

O mesmo acontece, muitas vezes, em muitos de nossos círculos. Alguém é acusado de ensinar a falsa doutrina, mas o que realmente está em vista é que o acusado, de alguma maneira, está subvertendo a ordem estabelecida ou questionando os que atualmente detêm o poder. Isso não é nada novo, pois isso acontece uma vez após a outra ao longo da história da igreja. Com certeza, há casos em que as doutrinas que ameaçam o cerne da fé devem ser rejeitadas. Na igreja primitiva, esse era o caso do gnosticismo, que a igreja rejeitou categoricamente. O mesmo é verdade hoje quando é necessário rejeitar e criticar doutrinas como as várias novas formas de gnosticismo, os seguidores de Moon, a dita ciência cristã, as testemunhas de Jeová, a cientologia e muitos outros. Todavia, isso não deveria esconder outra realidade nossa: que, com muita frequência, os cristãos, do passado e do presente, que têm poder, se apegam a ele em defesa dos próprios interesses e afirmam ver grave heresia no que, na verdade, era apenas resistência à autoridade deles.

Podem-se citar muitos casos. Um que faz parte da história da América Latina é o caso do frade dominicano Gil González de San Nicolás que trabalhou no Chile na época da conquista e declarou que guerrear contra os nativos a fim de tomar suas terras era pecado mortal e que, portanto, os que não se arrependessem — o que necessariamente envolvia devolver as terras roubadas — seriam excomungados. Seguindo a orientação dele, muitos outros dominicanos, franciscanos e outros se recusaram a ouvir a confissão dos que detinham terras tiradas ilegalmente dos nativos. Muitos leigos recusaram-se a participar das contínuas guerras de conquista. A causa dos conquistadores estava ameaçada. Como González baseava suas declarações em princípios teológicos e na ética cristã geralmente aceita era difícil refutá-lo. No fim, foi usado o subterfúgio de acusar González de heresia porque ele declarara que o real pecado dos pais era herdado pelos filhos.[34]

Seria fácil imaginar que uma coisa dessas acontecia só no tempo da conquista e apenas na igreja daquele século. Contudo, hoje e em muitos círculos eclesiásticos da América Latina, acontecem repetidamente eventos semelhantes. Como no caso dos saduceus, o conservadorismo político, com frequência, é confundido com conservadorismo supostamente teológico, e um deles é usado como desculpa e apoio para o outro.

---

34   EGAÑA, Antonio de. *Historia de la iglesia em la América española: Hemisferio sur*. Madri: Biblioteca de Autores Cristianos, 1966, p. 209.

O tom realista e contemporâneo dessa passagem continua. O conselho quer controlar e manipular a informação. Gostariam de poder suprimir a notícia sobre a cura do homem aleijado. Mas como o milagre é bem conhecido e inegável, eles buscam formas de assegurar que o povo saiba apenas o que os líderes determinam que devem saber e que a informação indesejável não se espalhe demais. O motivo por trás da ação deles não é punir os apóstolos por um crime que possam ter cometido nem mesmo proteger a ortodoxia. O propósito deles é "que isso não se divulgue mais entre o povo" e que se a notícia da cura do homem aleijado se espalhasse, ela não fosse ligada ao nome de Jesus.

Isso também poderia ter sido escrito em tempos muito recentes. Alguns anos atrás, eu visitava um país no qual as pessoas "desapareciam" diariamente. Como a família, os amigos e vizinhos, com muita frequência, sabiam que elas tinham desaparecido e faziam queixa para as autoridades, os jornais incluíam uma pequena notícia declarando que "não se sabe o que aconteceu com..." Poucos dias depois, apareceria outra notícia: "O corpo de... foi encontrado, aparentemente foi resultado de crime"; ou: "Em tal lago, foi encontrado o corpo de tal pessoa aparentemente vítima de afogamento". Quando essas notícias apareciam, só eram encontradas em um cantinho do jornal, onde se esperava que chamassem pouca atenção. Nesses casos, como não se pode esconder o que aconteceu, é feito um esforço para que pareça menos importante e para que fique difícil o leitor relacionar a notícia que está na página quatro sobre alguém que desapareceu com o que é dito na página quinze sobre um corpo encontrado. Em uma vila do mesmo país, houve um massacre. Quando eu visitava o país, houve uma campanha oficial tentando culpar diversos grupos, mas nunca foi mencionado o exército, o óbvio perpetrador do massacre.

Em outros lugares, acontecem coisas semelhantes, embora de forma menos dramática. Mas neles também há a tendência de subverter ou de manipular a verdade a fim de amparar vários interesses.[35] Às vezes, o que é dito é verdade, mas a maneira como é dito serve a propósitos que não são explicitamente declarados. Temos até mesmo uma palavra recém-cunhada para essas práticas: "distorção". Um caso ligado à população latina dos Estados Unidos deixa isso claro. De acordo com várias projeções da Divisão de Censo dos Estados Unidos, por volta do ano 2080, haverá 150 milhões de latinos nos Estados Unidos. Essa projeção estatística,

---

35 A respeito da maneira como isso acontece nos Estados Unidos veja, por exemplo, HERMAN, E. S. e CHOMSKY, N. *Manufacturing consent: The political economy of the mass media*. Nova York: Pantheon Books, 1988; e SCHILLER, H. I. *Culture, Inc.: The corporate takeover of public expression*. Nova York: Oxford Press, 1989. Esses dois livros oferecem exemplos concretos. Uma obra mais teórica é a de MATTELART, A. e M. *Pensar sobre los medios: Comunicación y critica social*. San José: DEI, 1988.

3. A IGREJA EM JERUSALÉM (2.42–8.3)

que bem pode ser verdade, é usada em artigos que parecem exultar com o "futuro hispânico" da nação, mas cujo verdadeiro propósito é semear o medo e a desconfiança em relação aos hispânicos entre os afro-americanos e outras minorias. O que está sendo dito pode ser verdade; mas é dito de uma maneira que fomenta divisão entre as várias minorias do país. Não é necessário acrescentar que isso serve aos interesses dos que atualmente se beneficiam com a condição inferior dos afro-americanos, dos latinos e de outras minorias.

O conselho procurava formas de subverter a verdade a fim de evitar a possível subversão que os apóstolos poderiam causar. O mesmo tem sido feito ao longo das eras. Quando Lucas escreveu sobre esse episódio, ele já conhecia outro capítulo triste na história da igreja. No ano de 64, houve um grande incêndio em Roma. As casas em que viviam muitos habitantes das classes mais humildes da sociedade queimaram. Logo, as pessoas começaram a dizer que foi o próprio imperador Nero quem ordenou o incêndio. O mais provável é que não houvesse verdade nesses rumores. Em todo caso, Nero, em vez de responder aos rumores tentando descobrir a verdade, espalhou outros rumores que, no mínimo, eram tão falsos quanto os anteriores: foram os cristãos que puseram fogo na cidade. O resultado disso foi a primeira perseguição de cristãos pelas autoridades romanas.

Tudo isso deve servir como um chamado para os cristãos entenderem como a informação é manuseada e manipulada em nossos círculos e sociedades. Diz-se, muitas vezes, que os cristãos deviam segurar a Bíblia em uma das mãos e o jornal na outra. Sobre esse dito, Orlando Costas, falecido teólogo porto-riquenho, comentou que "tudo depende de que jornal". Os jornais, com certeza, manipulam a informação, e o indivíduo tem de estar ciente da tendência específica dos jornais a fim de interpretar o que dizem. Em alguns países latino-americanos, o governo, muitas vezes, controla abertamente a informação estabelecendo sistemas de censura, mais ou menos, oficiais. Em outros lugares, cada jornal pertence aos representantes de determinada ideologia, e a notícia é manipulada de maneira a apoiar essa ideologia. Em muitos mais lugares, os jornais são mantidos privadamente por poderosos setores econômicos cujos representantes controlam não só a mídia, mas também bancos e comércio, indústria e o poder político. Portanto, não é de surpreender que a imprensa tenda a favor dos interesses desse setor da sociedade e os defenda. Por fim, deve-se acrescentar o fato de que a mídia, com frequência, vive da venda de publicidade. Os jornais são sustentados principalmente pelos anunciantes. Se eles publicam alguma coisa que não é do gosto de seus patrocinadores, estes retiram seu apoio, e o jornal vê-se em grande apuro.

O mesmo é verdade para revistas, televisão, rádio e os outros meios de informação. Por isso, quando os cristãos adotam atitudes que não estão de acordo com os desejos dos que controlam os meios de informação, eles são chamados de comunistas, extremistas, reacionários, subversivos ou qualquer coisa que possa comprometer a credibilidade deles.

Infelizmente, às vezes, coisas semelhantes acontecem nos círculos eclesiásticos, em que há pastores que não dizem à laicidade o que sabem com a desculpa de que "eles ficarão escandalizados", quando, na verdade, esse é o meio que encontram para reter seu poder e suposta autoridade. Os ditos "construtores" recusam-se a construir a família de Deus, se isso não for feito sob o controle e a direção deles.

No texto que estamos estudando, como a igreja responde a essas manobras e ameaças? A primeira coisa que faz é reconhecer a própria perplexidade diante do que está acontecendo. Há um tom de santo protesto nos versículos 24 a 26, em que os cristãos clamam a Deus exigindo que se Deus é tão poderoso e fez o céu e a terra, por que é que "os gentios se enfureceram, e os povos imaginaram coisas vãs?" É importante reconhecer essa atitude de protesto santo, que faz parte da fé bíblica, e que, com frequência, reprimimos em nós mesmos e em nossas igrejas. Devia bastar ler Salmos (do qual vem parte dessa oração específica da igreja) a fim de ver que o Deus de Israel não é ofendido porque os cristãos expressam suas dúvidas, sua frustração e, até mesmo, sua rebelião: "Até quando, SENHOR? Tu te esquecerás de mim para sempre? Até quando esconderás o rosto de mim?" (Sl 13.1). "Deus meu, Deus meu, por que me desamparaste? Por que está longe de dar-me livramento, longe das palavras do meu clamor? Meu Deus, eu clamo de dia, mas tu não me ouves; também de noite, mas não encontro sossego" (Sl 22.1,2). "Ó Deus, por que nos rejeitaste para sempre? Por que tua ira se acende contra o rebanho que pastoreias?" (Sl 74.1).[36]

Em muitas de nossas igrejas existe a impressão de que fazer essas perguntas é sinal de falta de fé. Mas a verdade é exatamente o oposto. Fé implica que há um relacionamento com Deus em que podemos tratar com o Senhor de forma aberta e franca. Esconder nossas perplexidades, nossa angústia e nossa dúvida não é sinal de fé, mas, antes, de falta de fé. A igreja descrita em Atos começa expressando livremente sua perplexidade a fim de, no fim, reconhecer que, de alguma maneira, o que está acontecendo deve ser entendido no contexto dos desígnios misteriosos de Deus (4.28) — o que, não obstante, não diminui a responsabilidade das partes culpadas nem o mal do que está acontecendo. Esses cristãos

---

36 GONZÁLEZ, Ingrid. "Salmos de lamentación: Protesta ante el sufrimiento". *VyP* 4 (1984) p. 69-88.

3. A IGREJA EM JERUSALÉM (2.42–8.3)

afirmam firmemente que o que está acontecendo é mal. Eles também afirmam que tudo está nas mãos de Deus, e que o Senhor não deseja o mal. Por fim, eles afirmam que, de alguma maneira misteriosa, não reivindicam compreender que ambas as afirmações são verdadeiras. E em meio a isso, eles continuam acreditando em um Deus que está pronto a ouvir as queixas, as perplexidades e as dúvidas deles.

Mas há mais. A igreja vai de expressar sua angústia a pedir a Deus poder para responder a essa situação. É aqui que temos muito a aprender com o texto. Aqueles cristãos primitivos podiam ter pedido que Deus afastasse as ameaças para libertá-los de futuras dificuldades, para ajudá-los a evitar conflito com os poderosos de sua nação. Mas em vez de fazer isso, eles pedem o oposto. Eles pedem que possam ter "sinais e feitos extraordinários" realizados "pelo nome de teu santo Servo Jesus" (4.30). Eles também pedem poder para continuar falando com "coragem". Eles tinham acabado de ser ameaçados pelas autoridades precisamente por causa de um feito extraordinário realizado em o nome de Jesus. Eles receberam ordem para ficar em silêncio e não continuar a curar e a ensinar em nome de Jesus. O que eles pedem agora é por mais feitos extraordinários como o que provocou as ameaças dos poderosos e que lhes seja concedido poder para desobedecer à ordem do conselho e para continuar a pregar com coragem em nome de Jesus.

Temos muito a aprender com esses irmãos e irmãs na fé da Antiguidade. Em muitas de nossas igrejas, a forma mais comum de fazer que determinada coisa não seja dita nem feita é chamá-la de "controversa". Em muitas de nossas igrejas quando estamos para tomar uma decisão sobre algum programa em particular, uma das primeiras coisas que perguntamos é como isso impactará a maneira como somos vistos na sociedade. Vivemos em um continente cheio de pessoas necessitadas — de pessoas, por assim dizer, fracas e incapacitadas. Vivemos em um continente que precisa da proclamação do nome de Jesus Cristo como o Senhor que nos salva não só da morte eterna, mas também da aquiescência diante de muitas mortes — mortes completas e parciais — que a ordem social perpetra diariamente. No meio de um continente desses e de uma situação dessas, ficamos, com frequência, tentados a dizer: "Senhor, ajude-nos a evitar as dificuldades". Quando vemos os casos de manipulação da informação, já discutidos, ficamos tentados a dizer: "Senhor, ajude-nos a ficar em silêncio". Quando alguém da igreja começa a responder às necessidades do oprimido, e os opressores começam a perseguir a igreja, ficamos tentados a dizer: "Senhor, não permita que esses extremistas criem dificuldades".

Todavia, esse texto convida-nos a dizer exatamente o oposto. Em vez de dizer: "Senhor, ajude-nos a evitar problemas"; o texto convida-nos a dizer: "Senhor, dê-nos mais sinais de seu poder, que foi o que criou o problema inicial". Em vez de dizer: "Senhor, ajude-nos a ficar em silêncio"; o texto convida-nos a dizer: "Senhor, garanta que seus servos falem sua palavra com toda coragem". Em vez de dizer: "Senhor, não permita que esses extremistas criem dificuldades"; o texto convida-nos a dizer: "Senhor, dê-nos mais extremistas".

Às vezes, somos informados de que, se não cuidarmos do prestígio da igreja, nossa missão evangelizadora estará em perigo. Para isso, o texto também fornece uma resposta que pode ser encontrada no versículo 4. No exato momento em que Pedro e João são presos como extremistas controversos, o Senhor acrescenta cinco mil famílias à igreja. No momento mais difícil, exatamente quando a igreja põe em risco o próprio prestígio e seu bem-estar em favor da verdade e do bem-estar do fraco e do oprimido, é que Deus a faz crescer. Já fomos informados em uma passagem anterior (2.47) de que os discípulos de Jesus contavam "com o favor de todo o povo" e que "o Senhor lhes acrescentava a cada dia os que iam sendo salvos". Ter o favor de todo o povo não quer apenas dizer agradar a todos, mas, antes, tomar uma atitude em favor do povo em face dos que o oprimem e dos que tentam controlar o povo falsificando ou distorcendo a informação.

Falar a Palavra de Deus com "coragem" é um dom do Espírito Santo (4.31). Apresentá-la assim e falar com integridade, embora isso possa causar controvérsia e, até mesmo, provocar ameaças daqueles que querem controlar tudo. Essa é uma necessidade urgente da América Latina. A igreja deve conquistar o favor do povo tomando o partido dele, pondo os recursos espirituais, materiais e humanos da igreja a serviço do povo. Quando a igreja permanece à margem das necessidades e das lutas do povo ou quando procura se beneficiar identificando-se com determinado grupo que detém ou busca o poder, a vida e o testemunho da igreja são muito distintos do que Lucas descreve nesses versículos de Atos.

C. O USO DE BENS (4.32 - 5.11)

1. Outro resumo (4.32-35)

Chegamos, agora, a outro desses resumos que Lucas inclui em sua narrativa a fim de oferecer generalizações e comentários que, depois, são ilustrados ou discutidos em circunstâncias específicas. Esse resumo trata da vida econômica da igreja terrena. Como em nossas igrejas os assuntos

3. A IGREJA EM JERUSALÉM (2.42–8.3)

econômicos não são discutidos com a frequência que deveriam ser, é importante o estudo cuidadoso desse texto.

Ao ler esse resumo (como também o mais breve de 2.44,45), muitas vezes, a primeira pergunta feita é se isso realmente aconteceu. É verdade que os primeiros cristãos praticavam esse tipo de propriedade comunal descrito aqui ou isso é uma criação da imaginação de Lucas que projeta a vida da igreja no passado em uma percepção romântica ou idealizada? Temos de apresentar essa pergunta porque alguns estudiosos a apresentaram, argumentando que o que é descrito aqui, na verdade, é a comunidade ideal como concebida entre alguns filósofos gregos e helênicos — especialmente os pitagoristas — e que, portanto, essa é apenas uma tentativa de descrever a comunidade cristã primitiva como ideal. Por exemplo, essa é a interpretação que entende essa passagem como uma tentativa de simbolizar a autoridade dos apóstolos.[37] Para sustentar essa tese, é fornecida uma lista inteira de fontes gregas e helênicas para as ideias de Lucas: Platão, um provérbio citado por Aristóteles, a vida de Pitágoras escrita por Diógenes Laércio, Porfírio e Jâmblico.[38] Em outras palavras, o argumento é que quando Lucas procura descrever a comunidade cristã primitiva, ele inspira-se em fontes helênicas em relação ao valor da união e da fraternidade e, em particular, na maneira como essa união e fraternidade são reveladas na comunhão de bens.

Essa interpretação não leva suficientemente em conta as relevantes diferenças entre o ideal pitagorista e o que é descrito nesse texto. Esse ideal é uma associação elitista de filósofos que compartilham bens porque isso os ajuda a serem devotados à "vida filosófica"; o que temos em Atos é uma comunidade aberta que se regozija com seu crescimento e cuja habilidade em compartilhar é resultado do dom do Espírito e de sua própria expectativa escatológica.

De todo modo, é possível pôr fim a essa discussão se alguém demonstrar que não só na época em que Atos foi escrito, mas também por algum tempo depois disso, o tipo de comunhão de bens descrita aqui ainda era praticada na igreja. Esse certamente é o caso, como será demonstrado logo mais.

Contudo, antes de nos movermos para esse relato histórico, há outra interpretação comum dessa passagem e de sua importância que deve ser discutida e rejeitada. De acordo com essa interpretação, a igreja primitiva,

---

37 JOHNSON, L. T. *The literary function of possessions in Luke-Acts*. Missoula, Mont.: Scholars Press, 1977, p. 189-98. A mesma ideia também aparece em Mealand, D. L. "Community of goods and utopian allusions in Acts II-Iv". *JTS* 28, 1977, p. 96-99; DOWNEY, J. "The early Jerusalem Christians". *BibTo* 91 (1977), p. 1.295-1.303.
38 JOHNSON, L. T. *Sharing possessions: Mandate and symbol of faith*. Filadélfia: Fortress Press, 1981, p. 119.

na verdade, mantinha a comunhão de bens descrita aqui, mas essa prática logo foi abandonada. Frequentemente, essa explicação é ligada à noção — totalmente sem fundamento no próprio texto — de que a pobreza que existiu algum tempo depois na igreja de Jerusalém se devia, pelo menos em parte, a essa prática de dividir os bens e que foi por isso que Paulo teve de trabalhar para coletar ofertas para o pobre de Jerusalém. Essa opinião é expressa em sua forma mais característica na seguinte citação, tirada de um dos comentários mais frequentemente usados nos Estados Unidos até pouco tempo:

> Independentemente de qual tenha sido a extensão dessa experiência "comunitária" em Jerusalém, parece que logo ela foi descartada, primeiro, talvez por conta da dissensão entre "helenistas" e "hebreus" (6.1) e, segundo, por causa dos administradores indicados por causa dessa disputa terem sido expulsos da cidade pelos judeus. É provável também que a expectativa zelosa da parúsia tenha levado à imprudência em relação ao futuro de modo que a comunidade de Jerusalém era sempre assolada pela pobreza.[39]

Essa noção de que a pobreza dos cristãos de Jerusalém era resultado de sua prática anterior de comunhão de bens é relativamente comum. No entanto, não há base para essa interpretação, seja em Atos seja em outros documentos antigos. Ao contrário, Atos fala de uma grande fome e sugere que esse foi o motivo de a igreja de Jerusalém precisar de ajuda de outros (11.27-30). Josefo também se refere à grande fome que aconteceu na Judeia e que atingiu seu ponto culminante no ano de 46.[40] E os historiadores romanos, Tácito e Suetônio, mencionam em seus escritos diversos períodos de fome durante o reinado de Cláudio (que é também a data em que Atos localiza a fome que tornou necessária a coleta para os pobres de Jerusalém).[41]

A fim de responder à interpretação que transforma o texto em uma percepção idílica do passado e a outra interpretação que afirma que a comunhão de bens foi um desastre econômico, o primeiro ponto a ser esclarecido é a natureza da comunhão de bens descrita por Atos. Ao comentar Atos 2.42,44,45, o sentido da palavra *koinonia* foi esclarecido, bem como o fato de que em ambas as passagens e nessa aqui também,

---

39 MACGREGOR, H. C. *The interpreter's Bible*, 9:73; SIDER, R. J. *Rich christian in an age of hunger*. Downers Grove, Ill.: InterVarsity Press, 1977, p. 101, cita uma opinião similar de outro autor moderno, ZIESLER, J. A. *Christian asceticism*. Grand Rapids, Mich.: Eerdmans, 1973, p. 110: "O problema em Jerusalém foi que eles transformaram seu capital em renda e não tinham reserva para momentos difíceis, e os cristãos gentios tiveram de socorrê-los".

40   *Ant.* 20.5.
41   TÁCITO. *Ann.* 12.43; SUETÔNIO. *Claud.* 18.

3. A IGREJA EM JERUSALÉM (2.42–8.3)

os verbos estão no tempo imperfeito. Em suma, o que foi dito lá é que esses verbos no tempo imperfeito sugerem que não era o caso das pessoas venderem tudo que tinham, como acontecia nas comunidades monásticas posteriores, mas, antes, que, quando surgia a necessidade, as pessoas vendiam o que tinham a fim de responder às necessidades da comunidade.

O texto atual acrescenta dois outros elementos ao resumo parecido do capítulo 2:[42] o primeiro, "não existia nenhum necessitado entre eles"; o segundo, "todos os que possuíam terras ou casas, vendendo-as" traziam o valor e "o depositavam aos pés dos apóstolos".

A primeira é uma referência a Deuteronômio 15.4-11, em que Israel é encorajada a obedecer à lei de Deus de maneira a "não haver[...] pobre algum no teu meio" e que, se houvesse, as pessoas compartilhariam com esse indivíduo necessitado. Talvez isso ajude a explicar um fenômeno interessante quando comparamos o evangelho de Lucas e Atos: menciona-se que enquanto o pobre, no evangelho de Lucas, é um tema constante, em Atos a palavra "pobre" não é nem mencionada.[43] Essa é a única passagem em que o assunto do necessitado é mencionado e, mesmo aqui, é usada uma palavra diferente que não transmite a pobreza radical que aparece repetidamente no evangelho de Lucas. Como isso pode ser explicado? Uma possível explicação é que Lucas está nos informando que, em virtude do dom do Espírito, a promessa de Deuteronômio está sendo cumprida na igreja primitiva.

O segundo detalhe que esse texto acrescenta ao que foi dito no capítulo 2 é que o resultado da venda de bens era depositado "aos pés dos apóstolos". Talvez isso deva ser entendido no sentido literal, como se os apóstolos estivessem presidindo a assembleia, e os cristãos depositassem o dinheiro aos seus pés. O mais provável é que simplesmente queira dizer que o dinheiro era posto à disposição dos apóstolos. Em todo caso, o que é acrescentado aqui é que havia um método para a distribuição dos recursos, e que esse método consistia simplesmente em confiar aos apóstolos a distribuição do que estava disponível de acordo com a necessidade de cada um.

Concluindo, o que esse resumo descreve não é um regime em que todos vendem o que têm, põem o resultado da venda em um cofre comum e, depois, vivem desse recurso. Antes, o texto descreve uma comunidade na qual o amor mútuo é tão grande que se alguém tem necessidade, os outros vendem seus bens imóveis a fim de responder a essas necessidades. Além

---

42 Isso também esclarece o que os cristãos venderiam. Em 2.45, as palavras "propriedades" e "bens" são relativamente imprecisas. De acordo com 4.34, o que eles venderiam eram "terras" ou "casas", isto é, bens imóveis.

43 BERGQUIST, J. A. "'Good news to the Poor': Why does this Lucan motif appear to run dry in the Book of Acts?". *BangThF* 18 (1986), argumenta que isso quer dizer que o tema do pobre não é crucial para Lucas como, muitas vezes, imaginamos. De acordo com ele, o importante é a mensagem da salvação que Deus traz em Jesus Cristo.

disso, nesse segundo resumo, a comunidade, aparentemente, cresceu tanto que ficou mais difícil oferecer ajuda direta ao necessitado, por isso foi desenvolvido um sistema por meio do qual os que vendem suas propriedades trazem o resultado da venda para os apóstolos que, por sua vez, ficam responsáveis pela distribuição dos recursos.

Após esclarecer esse ponto, podemos, agora, retornar à questão que deixamos pendente, isto é, se há outras indicações de práticas similares na igreja primitiva além dessas passagens de Atos. A primeira resposta que vem à mente é a coleta feita para os pobres de Jerusalém e que ocupa lugar de destaque nas epístolas de Paulo. Quando examinamos o que Paulo diz sobre essa coleta, fica claro que o que temos lá é a continuação da *koinonia* descrita em Atos, embora, agora, ampliada a fim de incluir a igreja de várias cidades.[44] Atos foi escrito depois das epístolas de Paulo, em um círculo em que a influência de Paulo era forte. Por isso, boa parte do livro trata do ministério de Paulo. Portanto, em vez de sugerir que a comunhão de bens descrita em Atos é resultado de influências helênicas ou da idealização da comunidade primitiva, pode-se argumentar que — embora poucas frases em Atos 2 e 4 encontrem paralelo em frases similares da literatura grega primitiva — o que Lucas descreve é o sentido de *koinonia* que existia no exato cerne do ministério de Paulo. Se for esse o caso, o que Atos descreve aqui não é um momento efêmero na vida da igreja, mas um aspecto fundamental da vida da igreja em sua origem e durante o tempo de Lucas.

Além disso, a comunhão de bens, longe de ser um elemento efêmero na vida da igreja primitiva, continuou por um longo tempo. No Didaquê, documento que bem pode datar do fim do século I ou início do II, somos informados que "vocês não devem negligenciar o necessitado, mas, antes, têm de compartilhar [*synkoinonein*, ou seja, ter *koinonia* conjuntamente] todas as coisas com seu irmão, e não dizer que elas são suas. Por sermos parceiros [*koinonia*] no eterno, como não sermos mais ainda parceiros no que perece?"[45] As mesmas ideias aparecem, talvez cinquenta anos depois, na chamada *Epístola de Barnabé*.[46] Por volta da mesma época, ou seja, quase em meados do século II, a *Address to Diognetus* [*Epístola para Diogneto*] declara que os cristãos "compartilham a mesa, mas não a cama".[47] Provavelmente, essa é uma forma rápida e clara de distinguir a comunhão de bens praticada pelos cristãos da comunhão proposta por

---

44 Em *Faith and wealth: The origin, significance, and use of money in the early church* (San Francisco: Harper & Row, 1990), inclui um estudo da correspondência paulina com essas linhas, mostrando precisamente que a coleta para os pobres é uma extensão da *koinonia* anterior.
45 *Did.* 4.7-8.
46 *Barn.* 19.8.
47 *Diog.* 5.7.

3. A IGREJA EM JERUSALÉM (2.42–8.3)

Platão e outros, que também incluía promiscuidade sexual. Em todo caso, o importante é que a comunhão de bens descrita em Atos continuou até o tempo desse outro escrito. Além disso, asserções semelhantes aparecem nos escritos de Justino Mártir, também de meados do século II,[48] e, depois, nos de Tertuliano, no final do século II.[49]

Por isso, as interpretações que tentam descartar esse texto, afirmando que foi um experimento falho e efêmero da igreja primitiva, são claramente contraditas pelo registro histórico.

2. Casos concretos (4.36 - 5.11)

Lucas entrelaça seus resumos com exemplos concretos. Aqui, ele oferece dois desses casos, um positivo (4.36,37) e outro negativo (5.1-11). (No capítulo seguinte, ele oferece outro exemplo e a maneira como a igreja lidou com isso.)

O primeiro caso é do homem cujo verdadeiro nome era José, mas que os apóstolos chamavam de "Barnabé".[50] Somos informados que Barnabé era levita, "natural de Chipre" e que ele vendera um campo. O texto não esclarece se a propriedade era próxima de Jerusalém ou em Chipre. Lucas informa-nos que o sentido do nome "Barnabé" é "filho da consolação", mas é difícil ligar essa etimologia ao hebraico ou aramaico.

O fato de o texto mencionar o que Barnabé fez não quer dizer que foi um caso extraordinário, o que contradiria o que Lucas acaba de nos relatar.[51] Esse é simplesmente mais um caso em que Lucas, depois de fazer um resumo geral, oferece um exemplo real. Ele também usa a oportunidade para introduzir uma pessoa que será importante para o restante de sua história.

A seguir, vem o caso de Ananias e Safira.[52] Embora o texto não diga isso, a sequência na narrativa e no nome amoroso que os apóstolos deram para Barnabé sugere firmemente que Ananias e Safira foram movidos pelo ciúme ou pelo desejo de ser tão admirados quanto Barnabé.

---

48 *I Apol.* 14.2; 15.10; 67.1,6.
49 *Apol.* 39.
50 As palavras que a A21 traduz dessa maneira também poderiam ser entendidas como "Barnabé dos apóstolos", caso em que eles quereriam dizer que Barnabé era um dos apóstolos. Não haveria dificuldade nisso, pois, na igreja primitiva, o título de apóstolo não era reservado aos Doze (veja, por exemplo, 14.4,14). Contudo, essa tradução exigiria interpretar o texto com uma construção gramatical não usual. BURCH, C. V. "The name Barnabas and the Paraclete". *ExpTim* 27 (1951-56), p. 524.
51 É assim que Haenchen interpreta a passagem. *The Acts of the Apostles*, p. 233. Contudo, Haenchen parece ter decidido desprezar tudo que Lucas diz sobre assuntos econômicos.
52 MENOUD, P. H. "La mort d'Ananias et de Saphira". Em *Aux sources de la tradition chrétienne: Mélanges offerts à M. Maurice Goguel à l'occasion de son soixante-dixième anniversaire*. Neuchâtel: Delachaux & Niestlé, 1950, p. 146-54; RUEF, J. S. *Ananias and Sapphira: A study of the community disciplinary practices underlying Acts 5:1-11*, dissertação de doutoramento, Harvard, 1960; SCHMACHER, R. "Ananias und Sapphira". *ThuGl* 5 (1913), p. 824-30.

Independentemente de qual seja o caso, a própria narrativa é clara. Primeiro, Ananias e, depois, Safira mentem em relação ao valor da venda da propriedade, dando a impressão de que estão entregando tudo para a comunidade e, como consequência de sua mentira, caíram mortos. O uso de um verbo grego incomum, traduzido na A21 por "ficasses com uma parte", relaciona esse episódio com outro no qual o mesmo verbo aparece, o episódio de Acã em Josué 7 (na Septuaginta, tradução que Lucas usa). Contudo, enquanto Acã pegou o que não era dele, Ananias simplesmente ficou com uma parte do que era dele e afirmou ter contribuído para a comunidade com todo o produto da venda.

A própria narrativa apresenta alguns problemas em relação à sequência dos eventos. Ananias morre, e os homens jovens da congregação o carregam para ser enterrado, aparentemente sem contar o ocorrido para sua viúva. Três horas depois, Safira não tem ideia do que aconteceu. Não há explicação em relação à precipitação em enterrar Ananias. O leitor tem a impressão de que Pedro fez isso precisamente para pegar Safira em cumplicidade com a mentira do marido. Alguns observam que havia leis ordenando que o corpo dos mortos deviam ser levados para fora da cidade antes de determinada hora do dia. De acordo com a história, os homens jovens que carregaram o corpo de Ananias levaram três horas para enterrá-lo e retornar. Assim, pode-se imaginar que, tendo de se apressar para enterrar o corpo, não tiveram tempo de contar o ocorrido a Safira. Contudo, tudo isso é mera conjectura, pois o texto simplesmente nos deixa intrigados.

Os "mais novos" que enterraram Ananias não são necessariamente um grupo específico — em contraste, por exemplo, com os "presbíteros" que, na verdade, representavam um cargo da igreja. Os mais novos eram a escolha natural simplesmente porque essa tarefa exige algum esforço físico. De acordo com o costume, é provável que o local usado para enterrar o corpo não fosse um buraco no chão, mas sim uma caverna ou um buraco na rocha, local esse que, depois, era coberto com pedras. Isso também exigiria a força da juventude.

Além desses detalhes que são apenas conjecturas, essa história mesma reafirma que a comunhão de bens à qual o resumo se refere era voluntária e contínua. Não se tratava de uma questão de todos venderem tudo que tinham, mas, antes, tratava-se de um processo contínuo de venda de propriedade quando se tornava necessário satisfazer as necessidades dos menos afortunados. Embora em 4.32, sejamos informados que "todos" que tinham propriedade costumavam vendê-la, isso parece um exagero, pois aqui Pedro diz a Ananias que ele não tinha obrigação de vender o que tinha e que, mesmo depois de vender, ele estava livre para trazer ou não o produto da venda.⁵³ O pecado deles não foi guardar parte do que, de todo jeito, era deles, mas, antes, mentir para o Espírito.

A terrível punição que caiu sobre Ananias e Safira parece estar completamente fora de proporção com seu crime até que percebemos que, como Pedro entende o assunto, o pecado deles foi mentir não só para a igreja, mas para Deus. Pedro vê a situação como um grande conflito entre Satanás e Deus. O que aconteceu com Ananias é que Satanás encheu seu coração, por isso ele mentiu para o Espírito Santo (5.3) ou, o que é a mesma coisa, para Deus (5.4). Safira ouve de Pedro um julgamento semelhante: ela pôs "à prova o Espírito do Senhor" (5.9).⁵⁴

Lucas resume o resultado de tudo isso em 5.11. Nesse caso em particular, não fica claro quem é "toda a igreja" e quem são "todos que ouviram". O texto pode ser entendido com o sentido de que os que estavam reunidos ali souberam imediatamente do evento, e outros ouviram falar dele mais tarde. Também pode ter o sentido de que pessoas de fora da igreja foram dominadas pelo mesmo terror que dominou os cristãos. Uma terceira possibilidade é que aqui temos uma construção semítica paralela típica em que a mesma coisa é dita duas vezes com palavras distintas. Em qualquer caso, o que Lucas quer enfatizar é o temor geral que resultou desses eventos.

A NATUREZA DA IGREJA E SUA VIDA INTERIOR

1. INTERPRETAÇÃO E IDEOLOGIA

As passagens que acabamos de estudar, frequentemente, são interpretadas de forma errônea ou têm seu sentido distorcido. Intérpretes católicos e protestantes parecem fazer todo esforço possível para contornar o sentido do que está sendo dito. Eles fazem isso de várias maneiras: (1) argumentando que aqui temos uma imagem ideal da igreja primitiva conforme descrita por Lucas, mas que isso nunca existiu; (2) afirmando que o que é descrito aqui foi uma tentativa fracassada que durou no máximo

---

53 Veja, nesse ponto, além da dissertação de Ruef mencionada em nota anterior, SCHEIDWEILLER, F. "Zu Act, 5:4". *ZntW* 49 (1958), p. 136-37; CAPPER, B. J. "The interpretation of Acts 5:4". *JStNT* 19 (1983), p. 117-31. O último argumenta que aqui temos a existência de vários estágios de iniciação ou aperfeiçoamento da igreja primitiva. Ananias e Safira não tinham de vender a propriedade nem de trazer todo o resultado da venda para a comunidade porque eles não eram membros plenos da comunidade. O argumento não convence muitos estudiosos.

54 METTAYER, A. "Ambiguité et terrorisme du sacré: Analyse d'um texte des Actes des Apôtres (4:31—5:11)". *StRelScRel* 7 (1978), p. 415-24, enfatiza o paralelismo entre o terror dessa passagem e o de Pentecostes e também entre a função do Espírito nas duas passagens. Há uma boa discussão das várias reações a esse texto em BRUCE, F. F. *Commentary on the book of Acts*, 2ª. ed. Grand Rapids: Eerdmans, 1954, p. 110-12.

poucas semanas ou meses; (3) exagerando o que o texto diz, ignorando os tempos verbais no imperfeito e, assim, sugerindo que as dificuldades econômicas que a igreja de Jerusalém enfrentou depois foram o resultado de terem "queimado suas posses". Contudo, conforme já comentamos, nem o texto nem outros documentos da época sustentam quaisquer uma dessas interpretações. Além disso, o que foi dito anteriormente sobre o sentido da palavra *koinonia* (veja 2.42) indica que o que é descrito aqui pode ser encontrado em todo o Novo Testamento ou que há referência a *koinonia* em documentos cristãos antigos.

O que claramente aconteceu nesse caso é que os intérpretes, incluindo os que mais insistem sobre a autoridade da Escritura, permitiram-se ser levados pelas próprias ideologias e, assim, não levaram o texto mesmo muito a sério.

Isso deveria servir como um aviso para nós. Não é suficiente declarar ou, até mesmo, acreditar que a autoridade final reside na Escritura. É necessário tratar o texto com a seriedade e reverência que essa asserção exige. Muito do que, com frequência, é chamado de "bíblico" é pouco mais que uma interpretação tendenciosa à qual falta respeito e obediência ao texto. O texto diz o que ele diz, independentemente de você gostar ou não. A função de quem interpreta o texto não é tirar o sentido espinhoso do texto, mas esclarecê-lo e relacioná-lo com a nossa situação.

Em 4.2, os saduceus disfarçam seu interesse em controlar a situação sob o pretexto de uma discussão teológica sobre a ressurreição dos mortos. Mais adiante, quando discutirmos 19.23-40, encontramos um caso em que são os pagãos que escondem seus verdadeiros motivos econômicos sob assuntos supostamente religiosos. É relevante o fato de Lucas parecer estar ciente dessa manipulação do discurso religioso — consciência que, com frequência, achamos que é uma descoberta moderna. Mais notável ainda é o fato de que, apesar de a clareza que Atos descreve essas manipulações, ainda as praticamos. Um caso típico é a maneira como intérpretes e cristãos, em geral, distorcem o sentido das passagens que estamos estudando. Por isso, nossa primeira reação a esse estudo deve ser de ter consciência do perigo de interpretações tendenciosas resultantes de nossos interesses econômicos ou de nossas convicções teológicas.

2. MISSÃO E USO DE RECURSOS

O tema evidente de toda a passagem 4.32 - 5.11 é dinheiro, mas por trás desse tema e de tudo que é dito sobre o dinheiro há uma compreensão específica da igreja e sua missão.

3. A igreja em Jerusalém (2.42–8.3)

A história sobre a comunhão de bens não é, como tantos intérpretes afirmam, uma tentativa de aplicar à vida da igreja helênica primitiva noções sobre o que seria uma sociedade ideal. É, antes, o resultado do que Pedro declarou no sermão de Pentecostes: "Acontecerá nos últimos dias". Em outras palavras, o que está acontecendo com a ressurreição de Jesus e o dom do Espírito é que começaram os últimos dias. Os cristãos vivem em dois reinos: o atual de pecado e o reino de Deus por vir. Dessa perspectiva, a igreja é vista como um sinal do reino ao qual ela pertence. Por isso, o derramamento do Espírito sobre "todas as pessoas" e o fato de os filhos e filhas profetizarem, ser visto como um sinal desses últimos dias.

Contudo, o reino de Deus caracteriza-se, acima de tudo, pelo amor, paz, abundância e justiça. As imagens desse reino que aparecem em todo o Antigo Testamento enfatizam um ou outro desses vários elementos da *shalom* de Deus. Por essa razão, quando Lucas informa-nos sobre a igreja como uma comunidade na qual reina o amor ("A multidão dos que criam estava unida de coração e de propósito") e na qual isso era tão real que "ninguém afirmava ser sua alguma coisa que possuísse" com o resultado de que "não existia nenhum necessitado entre eles", ele não está descrevendo a vida de uma comunidade ideal, mas, antes, a vida de uma comunidade que, na verdade, é um sinal e um antegozo da ordem por vir. Como Pedro diria, essa é uma comunidade que vivia "nos últimos dias". Quando lemos a história dessa maneira, ela não nos chama a contemplar o passado como se tratasse de um assunto de tentar reconstruir a igreja ideal de Atos (que nunca existiu, pois Lucas fala de uma igreja muito real, da qual pessoas como Ananias e Safira ainda participam), mas, antes, a contemplar o futuro como aqueles que buscam apontar em direção à comunidade por vir do reino de Deus.

A comunhão de bens não é um fim em si mesma. A missão da igreja não é praticar essa comunhão, mas, sim, praticar o amor. Foi por isso que, mesmo no meio de uma igreja que praticava a comunhão de bens, Ananias poderia manter sua propriedade sem vendê-la nem dar nada do que ganhou com a venda para os apóstolos. Essa não é uma comunhão determinada por lei, antes, é o tipo de comunhão que representa uma expressão do amor do Espírito e da nova vida que ele nos traz.

Portanto, mesmo à parte de qualquer coisa que possamos dizer hoje sobre a comunhão de bens, esse texto diz-nos muito sobre a natureza da igreja. Mais propriamente, ele ilustra o que já foi dito: que a igreja é essa comunidade que, em virtude do dom do Espírito, vive nos últimos dias mesmo em meio ao mundo ainda imerso na antiga ordem.

É nesse contexto que a enormidade do pecado de Ananias e Safira fica evidente. Mesmo um exame rápido nos vários comentários sobre essa passagem revela como é difícil para os intérpretes modernos chegar a uma conclusão sobre o que Lucas quer dizer aqui. O problema não é tanto a natureza milagrosa da morte de Ananias e Safira, mas, antes, a punição aparentemente desproporcional. Ananias não tinha de vender sua propriedade, conforme lhe diz Pedro. Mesmo depois de vendê-la, ele não tinha de entregar o resultado da venda para os apóstolos. Portanto, poderia parecer que Ananias e Safira pagaram com a vida por não fazerem algo que não tinham de fazer.

Mas essa não é a maneira como o texto apresenta a situação. O pecado não está em vender ou não a propriedade, em dar ou não o resultado da venda. O pecado está na mentira. E essa mentira não foi sustentada só diante da igreja, mas também diante de Deus (5.3,4).

Isto está intimamente relacionado com o assunto da natureza da igreja. Como a igreja, em virtude do Espírito Santo, é a comunidade dos últimos dias, mentir para ela é o mesmo que mentir para Deus. Assim, aparentemente, é impossível mentir só para os membros humanos da igreja. O Espírito Santo também está presente na igreja, sustentando-a. Mentir para a igreja é mentir para Deus. Isso não deve ser encarado de forma leviana. Como Pedro diz, é um ato satânico.

Se todos que mentem na igreja hoje caíssem mortos, o nosso rol de membros diminuiria drasticamente! Poucos ousam ser totalmente leais com a igreja. Além disso, pode-se sempre argumentar que a igreja é um dos lugares em que é mais difícil ser absolutamente sincero. Aparentemente, perdemos o costume de falar a verdade na igreja. Por exemplo, se temos dúvidas em relação a um ponto da doutrina, raramente ousamos expressá-las no meio da aula da escola dominical ou pedir ajuda a outros. Se alguns pecados ou tentações corroem nossa vida, raramente ousamos confessar isso diante da congregação e, embora nas comunidades latinas seja costume falar de problemas pessoais com mais franqueza que em outras culturas, quanto mais nos adaptamos à vida urbana moderna ou subimos de classe social, fica cada vez mais difícil para nós falarmos de problemas que podemos ter em casa ou no trabalho.

O principal motivo para ser tão difícil falar a verdade é que os outros também não a falam. Como os outros não falam de suas dúvidas, as minhas parecem exceção. Como ninguém fala de seus pecados, os meus parecem imensos. Como ninguém fala de seus problemas, certamente devo ter causado os meus. Em outras palavras, mentimos para a igreja porque, nela, a mentira e a aparência tomaram o lugar do amor e da verdade.

O trágico nessa situação, como o texto indica, não é só que perdemos o conforto que podemos encontrar nos outros. Antes, a tragédia é que nossa hipocrisia e prevaricação abre o caminho para Satanás, para que terminemos mentindo para Deus e negando a própria natureza da igreja. Se a própria igreja mente, pode-se questionar se ela é realmente a igreja do Espírito Santo.

Em muitas de nossas igrejas latinas há muita conversa sobre a presença do Espírito Santo e seus dons. Isso é bom e acertado. Mas com frequência demais, esquecemos que o Espírito tem de nos guiar a toda verdade (Jo 16.13) e que mais alto de todos os dons do Espírito é o amor (1Co 12.31 - 13.13). Com frequência demais, enquanto afirmamos ter o Espírito de Deus, mentimos uns para os outros declarando ser mais santos do que realmente somos, ter mais fé do que realmente temos ou fazer mais sacrifícios do que realmente fazemos. Ou mentimos uns para os outros com meias-verdades ou manipulamos a verdade sobre as pessoas de quem discordamos para que elas não possam se contrapor a nossas opiniões ou posições. De acordo com o texto bíblico, quando fazemos essas coisas mentimos para o próprio Espírito de Deus. E a pior consequência de tudo isso é que a mentira cresce e, por causa da nossa mentira, os outros não ousam dizer a verdade.

3. O PREÇO DA GRAÇA

Dietrich Bonhoeffer afirma que um problema entre os cristãos é que estamos constantemente procurando a igreja ideal e, ao fazer isso, deixamos de lado a igreja verdadeira. O fato é que não existe essa tal igreja ideal. Lucas descreve uma igreja com uma bela vida espiritual e comunitária, mas, ainda assim, não é a igreja ideal.[55] O que pode ser bem difícil de entendermos, embora seja necessário, é que esse conglomerado de seres humanos fracos e pecadores que somos pode, em verdade, ser a igreja de Cristo na qual o Espírito Santo habita. Essa dificuldade repousa exatamente na raiz do pecado de Ananias e Safira. Conforme Lucas deixa claro, eles não foram os únicos a ter problemas e conflitos na igreja de Jerusalém (veja, por exemplo, 6.1). O pecado deles não foi ser menos perfeitos que o restante. Foi, antes, não serem capazes de discernir, naquela comunidade de pessoas como eles, a presença do Espírito Santo.

Como o texto lida especificamente com dinheiro e propriedade, é importante relacioná-lo com essas questões atuais, pois é justamente em assuntos de dinheiro e finanças que os cristãos, com frequência, ficam bastante tentados a mentir, e a igreja fica tentada a ser desleal com sua missão. A comunhão de bens descrita em Atos é um sinal escatológico;

---

55 BONHOEFFER, D. *El precio de la gracia*. Salamanca: Sigueme, 1968, p. 334s.

quer dizer, é um sinal apontando em direção aos últimos dias quando não haverá mais ninguém passando necessidade, quando haverá paz e justiça perfeitas. Como a igreja é uma comunidade do Espírito ou, o que é o mesmo, uma comunidade dos "últimos dias", parte de sua missão é testemunhar do futuro que Deus prometeu. Esse testemunho deve ser dado não só em obras nem apenas por meio da vida individual dos cristãos, mas também por intermédio da vida comunitária da igreja. A igreja, a fim de ser verdadeira com sua missão, deve buscar ser, na mais alta medida possível, um sinal do reino de Deus por vir.

Isso pode ser esclarecido por meio de uma ilustração. Suponha que um amigo lhe diga que o Japão é o melhor país do mundo, que não existe cultura como a cultura japonesa e que, assim que puder, ele mudará para o Japão, onde espera passar o restante da vida. Depois, suponha que você, o amigo dele, pergunte o que ele está fazendo enquanto espera poder mudar para o Japão. E suponha que finalmente ele lhe conte que enquanto espera mudar para o Japão, ele está estudando italiano! Você riria na cara dele. Seu ato atual é uma negação radical do que ele afirma ser seu plano futuro. Se ele realmente espera viver no Japão deveria começar a praticar agora mesmo para viver naquele país e, portanto, deveria estar estudando japonês. Os cristãos podem passar horas, dias falando sobre o reino de Deus por vir e pregando-o com eloquência; mas se não damos sinais de que nossa esperança é genuína, as pessoas não acreditam em nós. Podemos passar a vida toda proclamando a ordem de justiça e paz por vir, mas se não transmitimos a mensagem como aqueles que realmente creem nesse futuro, não seremos levados a sério.

Esse é um dos motivos pelo qual a ordem interna da igreja é tão importante. No primeiro resumo em que Lucas fala da comunhão de bens, ele acrescenta que "o Senhor lhes acrescentava a cada dia os que iam sendo salvos" (2.47). A comunhão de bens e o amor entre os membros da igreja eram meios de testemunhar. O oposto também é verdade: a igreja que simplesmente aceita as distinções sociais e econômicas da sociedade mais ampla e na qual todos afirmam que o que têm é deles mesmos para usar como acham adequado (em contraste com 4.32) não pode ser uma testemunha fiel de Jesus e do reino por vir.

É verdade que a vida moderna é muito complicada e que a simples comunhão de bens como descrita em Atos apresenta enormes dificuldades. Mas isso não nos isenta da necessidade de buscar modos em que nossa comunidade possa ser um sinal apontando em direção ao reino de Deus por vir, em direção ao dia em que o profeta diz que "cada um se assentará debaixo da sua videira e da sua figueira" (Mq 4.4). Esses meios podem ser encontrados, só precisamos buscá-los. Assim, por exemplo, em

3. A IGREJA EM JERUSALÉM (2.42–8.3)

algumas das comunidades mais pobres da América Latina, as igrejas participam ativamente em "paneladas conjuntas" em que os moradores, às vezes, com a ajuda de organizações eclesiásticas ou paraeclesiásticas juntam tudo que têm, preparam o alimento juntos e tentam, assim, satisfazer a necessidade de todos. Quando essas coisas acontecem, muitas vezes as palavras de Atos 2.47 tornam-se uma realidade, e a igreja se via mais uma vez "contando com o favor de todo o povo". Conheço o caso de uma comunidade pobre de Buenos Aires em que uma igreja protestante prepara e organiza paneladas conjuntas. Um padeiro foi à igreja e ofereceu pão e doces para que os pobres da comunidade pudessem celebrar o Natal. "Mas", disse ele, "por favor, venham buscar as mercadorias assadas na sexta-feira, pois sou judeu e não trabalho aos sábados". Por estar preocupada com as necessidades de sua comunidade, por não anunciar apenas o reino de Deus, mas realmente viver como os que o esperam, por viver realmente a presença do Espírito Santo, aquela igreja desfruta do "favor de todo o povo".

Ananias e Safira mentiram para o Espírito Santo e pagaram com suas vidas. Alguns se sentem desconfortáveis lendo essa passagem, pois lhes parece que a passagem fala de um Deus excessivamente severo. Mas o fato é que o Deus da Bíblia deve ser levado a sério. Não se deve brincar com Deus. E por Deus ser um assunto sério, a igreja de Deus também deve ser um assunto sério. Não se pode "brincar de igreja" como se "brinca de médico". Mentir para a igreja é mentir para Deus. Dizer que tudo que temos é de Deus e, depois, negar isso para os nossos irmãos e irmãs em necessidade é zombar de Deus. O preço de fazer isso no caso de Ananias e Safira foi a morte física. O preço no nosso caso pode ser ainda maior: a morte espiritual.

D. AUMENTO DA PERSEGUIÇÃO (5.12-42)

Essa seção é um ciclo semelhante ao de 4.1-31: milagres levam ao ciúmes que, por sua vez, leva à acusação, ao final do que a mensagem continua a ir adiante.

1. O EVANGELHO CONQUISTA POPULARIDADE (5.12-16)

O ciclo começa com outro resumo, que encontramos repetidas vezes nos primeiros capítulos de Atos. Nesse caso, esse resumo lida quase exclusivamente com os milagres que estavam acontecendo e aumentando a popularidade dos cristãos. Uma vez que o centro da atividade parece o pórtico de Salomão, embora, agora, os que buscam milagre sigam a Pedro, colocando o doente por onde ele passa na esperança de que a mera sombra dele o cure.[56]

Aqui, como antes, o contraste mais uma vez parece entre o "povo" e os poderosos. Muitos milagres eram feitos "entre o povo" por intermédio dos apóstolos (5.12) e, por isso, "o povo os admira[va] muito" (5.13). Contudo, nesse próprio versículo também somos informados que "ninguém" ousava "juntar-se a eles". O texto não diz quem podem ser esses outros, mas todo o contexto parece sustentar a opinião de Martin Dibelius, que sugere que as "autoridades" ou "chefes" do povo são os que não se juntavam a eles.[57] Nesse caso, o que o texto sugere é que a elite social e religiosa pressionava seus membros e, até mesmo, aqueles que gostariam de se juntar aos discípulos a não ousar fazer isso (o que nos lembra o caso de Nicodemos, que foi até Jesus à noite).

Os milagres continuam e se multiplicam e, a despeito da vontade do conselho (4.17: "Para que isso não se divulgue mais entre o povo"), há mais pessoas que creem e vão em busca de cura.

2. Outra tentativa de silenciar Pedro e João (5.17-42)[58]

O versículo 17 afirma explicitamente que os que tentavam silenciar os apóstolos eram movidos pelo ciúme. Na passagem inteira, os que tentam silenciar Pedro e João são o sumo sacerdote (5.17,21,24,27), os principais sacerdotes (5.24) e o capitão dos guardas do templo (5.24,26), enquanto os apóstolos ensinam o *povo* (5.20,25), e os guardas do templo temiam ser apedrejados pelo *povo* (5.26).

Uma intervenção milagrosa para libertar os discípulos da prisão não aparece só nessa passagem, mas também em 12.6-11 (em que Pedro é libertado) e em 16.26,27 (em que Paulo e Silas se beneficiam do milagre). Ao ler aqui a palavra "anjo", não devemos necessariamente pensar em um ser resplandecente, com roupas brancas e asas. Na Bíblia, "anjo" é apenas um mensageiro e, com frequência, os mensageiros não dão indicação de que são diferentes de algum ser humano a ponto de ser possível até mesmo oferecer hospitalidade a eles sem saber que são mensageiros (veja Hb 13.2).

Na manhã seguinte da prisão dos apóstolos, os guardas do templo encontraram a cela vazia e relataram o fato aos seus superiores. De repente, os poderosos ficam perplexos (v. 24); mas assim que ficam sabendo

---

56   Sobre o poder de cura da sombra na religiosidade antiga e a importância desse assunto nesse contexto, veja Bieder, Werner. "Der Petrusschatten, Apg. 5:15". *TZ* 16 (1960), p. 407-9; van der Horst, P. W. "Peter's shadow: The Religio-historical background of Acts v. 15". *NTSt* 23 (1977), p. 204-12.

57   Dibelius, Martin. *Studies in the Acts of the Apostles*. Nova York: Scribner's, 1956, p. 91.

58   Iglesias, E. "El libro de los hechos: Las primeras persecuciones". *Christus* 5 (1938), p. 55-63.

3. A IGREJA EM JERUSALÉM (2.42–8.3)

que Pedro e João estão mais uma vez ensinando no templo, eles os prendem de novo, embora sem usar de violência por medo do *povo*.

É interessante observar que no julgamento que se segue não é nem mesmo mencionado o fato de eles terem escapado da prisão. Talvez isso deva-se, em parte, ao fato de que a prisão, conforme já observado, não era usualmente uma punição, mas apenas um meio de garantir que o acusado estivesse presente em seu julgamento ou estivesse detido para receber sua punição. Como Pedro e João tinham deixado sua cela, mas não tinham tentado fugir, não há motivo para insistir no assunto, e o julgamento continua como se nada tivesse acontecido.

Esse segundo julgamento é quase a continuação do primeiro, pois o sumo sacerdote lembrando os acusados do que tinham feito antes,[59] e estes, por sua vez, respondem como tinham respondido antes "É mais importante obedecer a Deus que aos homens" (5.29; veja 4.19). Além disso, a maneira como Lucas resume aqui o ensinamento dos apóstolos (5.30-32) é semelhante ao que aparece em 4.10-12.

Agora, a resposta do conselho é mais extrema, pois eles querem matar os acusados (5.33). É nesse momento que Gamaliel intervém com seu famoso conselho.[60] Sua referência histórica a Teudas e a Judas, o galileu, trazem algumas dificuldades.[61] O único rebelde chamado Teudas de quem se tem notícia histórica surgiu por volta do ano 45, vários anos depois do incidente que Lucas está narrando. Também há incertezas quanto a data exata da rebelião de Judas, o galileu, (por volta do ano 4). Em todo caso, o que Lucas põe nos lábios de Gamaliel é um conselho sábio, embora baseado em argumento duvidoso: de que Pedro e João não deviam ser mortos porque "se este projeto ou esta obra for dos homens, se desfará. Mas, se é de Deus, não podereis derrotá-los" (5.38,39).[62] O

---

59 A lei exigia que, antes de açoitar alguém, deviam ser feitas claras advertências referentes à conduta da pessoa e que isso devia ser feito na presença de duas testemunhas. Por isso, é possível que o sumo sacerdote, ao lembrar os acusados da ordem anterior, na verdade, estivesse afirmando que a lei tinha sido obedecida, pois os apóstolos foram claramente advertidos no julgamento anterior.

60 Gamaliel também é conhecido por meio de outros escritos da época. Aparentemente, ele, na verdade, era fariseu e líder desse grupo. STRACK, Herman L. e BILLERBGECK, Paul. *Kommentar zum Neuen Testamenta us Talmud und Midrash*. Munich: Beck, 1922-61, vol. 2, p. 636-39.

61 KENNAR Jr., J. Spencer. "Judas of Galilee and his clan". *JQR* 36 (1945-56); CAMPEAU, Lucien. "Theudas le faux prophète et Judas le Galiléen". *ScEccl* 5 (1953), p. 235-45; FARMER, William R. *Maccabees, zealots and Josephus: An inquiry into jewish nationalism in the graeco-roman Period*. Nova York: Columbia University Press, 1956; WINTER, P. "Miszellen zur Apostelgeschichte. I: Acta 5:36". *EvTh* 17 (1957), p. 398-99. Sobre esse assunto, veja o excelente livro de HORSELY R. A. e HANSON, J. S. *Bandits, prophets, and Messiahs: Popular movements at the time of Jesus*. San Francisco: Harper & Row, 1985.

62 BISHOP, W. C. "Was Gamaliel's counsel to the Sanhedrin based on sound reasoning?". *ConcThM* 10 (1939), p. 676-83. O argumento é duvidoso porque levaria ao quietismo absoluto. Em face de qualquer situação difícil, é possível evitar a responsabilidade, pondo-a sobre Deus: tudo que Deus quer acontecerá de qualquer jeito.

conselho é sábio porque o povo está à beira de um tumulto, e, se os apóstolos fossem mortos, o conselho perderia muito do pouco prestígio que ainda tinha. Os outros membros do conselho aceitaram o conselho de Gamaliel, provavelmente, porque isso lhes permitiria praticar a aparente misericórdia de açoitar os acusados, em vez de aplicar uma punição mais severa e também ignorar o fato de que eles não foram considerados culpados de crime algum.

Embora o conselho tenha aceitado o conselho geral de Gamaliel, ele não aceitou o argumento dele, pois antes de deixar os apóstolos irem embora, eles os açoitaram e mandaram mais uma vez que ficassem calados. O número de chibatadas nesses casos, em geral, era 39, número alto o bastante para que, às vezes, o acusado morresse como resultado do açoitamento. Portanto, Pedro e João, embora não tenham sido mortos, foram severamente punidos.

Apesar de tudo isso, Pedro e João saíram dali regozijando-se por "terem sido julgados dignos de sofrer afronta por causa do nome de Jesus" (5.41). Essa atitude de alegria e, até mesmo, de gratidão em face do sofrimento passou a ser características dos mártires cristãos durante os primeiros séculos de perseguição.

Por fim, a passagem termina com um resumo que encerra o incidente.

A QUESTÃO DOS MILAGRES

O livro de Atos é cheio de histórias de milagres, a ponto de ser impossível lê-lo sem levar em conta os milagres. Como essa seção fala de "sinais e feitos extraordinários" realizados pelos profetas, esse é um ponto apropriado para se considerar a questão dos milagres.

A frequência das histórias de milagres no livro de Atos levou muitas pessoas a negar a historicidade do livro. É difícil para muitos até mesmo cogitarem a ideia de milagres devido a nossa visão de mundo moderna onde o universo é fechado, um sistema de causas e efeitos que pode ser explicado pelos princípios mecanicistas. Hoje, quando um dado evento não é totalmente explicado por esses princípios, o motivo para isso é nossa ignorância quanto às causas e às relações, e não na ordem do próprio universo. O universo concebido assim está fechado a qualquer intervenção divina, e funciona com base em leis inalteráveis que nunca podem ser mudadas nem estão sujeitas a outros poderes. Essa percepção do universo como sistema mecânico fechado é um aspecto fundamental da modernidade. Como Rudolf Bultmann diz: "É impossível usar a luz elétrica e o rádio, beneficiarmo-nos dos remédios modernos e

3. A Igreja em Jerusalém (2.42–8.3)

das descobertas cirúrgicas e, ao mesmo tempo, acreditarmos no mundo de espíritos e milagres do Novo Testamento".[63]

Contudo, a verdade é que o que Bultmann declara ser impossível não só é possível, como, até mesmo, acontece com frequência. No mundo todo, incluindo boa parte da comunidade de fé de língua espanhola, as pessoas não só usam a energia elétrica e o rádio, como também usam computadores e a Internet a fim de contar as grandes maravilhas que Deus realizou em suas vidas.

O fato é que há uma dissonância ideológica entre a percepção de mundo de Bultmann e dos que defendem a posição dele e a desses crentes que falam das maravilhas que Deus tem feito. Os que não admitem a possibilidade de haver milagres fundamentam sua descrença na "razão". Porém, na verdade, em que razão? A "razão" não é um princípio universal e constante, mas está, em si mesma, condicionada a nossa perspectiva de vida. Desde os escritos de Emmanuel Kant, estamos cientes da possibilidade de que a mente humana não se adapte realmente ao mundo a fim de conhecê-lo e descrevê-lo, mas, antes, impõe a própria ordem e limites no mundo a fim de, desse modo, concebê-lo. Mais tarde, com a obra de Marx, Freud e seus sucessores, aprendemos também que a "razão" não existe no vácuo, mas está condicionada a fatores históricos, psicológicos, econômicos e sociais. Também aprendemos que a "razão" funciona de tal maneira que é capaz de esconder esses fatores de si mesma. Por isso, quando somos informados que a "razão" exige que acreditemos em um universo fechado, nossa primeira pergunta deve ser: que razão?

A resposta deveria ser óbvia. A definição de razão em termos mecanicistas, para que seja excluída qualquer possibilidade de interrupção ou de intervenção divina, serve aos interesses do *status quo* e parte de seu propósito é desencorajar aqueles cuja única esperança está em uma mudança radical e, praticamente, inexplicável na ordem existente. Se tudo que é para ser for só o resultado do que já é, não há motivo para esperar por uma nova ordem; e, sem essa esperança, a luta contra a presente ordem e a resistência a ela perdem seu ímpeto, seu *momentum*. A compreensão da razão promovida por meio desses interesses é muito semelhante à atitude dos saduceus e dos "construtores" do conselho, os quais queriam saber "em nome de quem" os apóstolos ousavam desorganizar a ordem presente. Todavia, para os que não tinham outra esperança além da mudança radical, uma coisa verdadeiramente nova, uma intervenção do alto, a percepção mecanicista e fechada do universo só é mais um fardo acrescido à opressão que sofrem.

---

63   *Kerygma and Myth*. Nova York: Harper & Row, 1961, p. 5.

Por isso, com muita frequência, nas igrejas latinas (ou, pelo menos, nas igrejas latinas que não sucumbiram à pressão da percepção de mundo mecanicista na sociedade que a rodeia) sempre existiu a crença em um Deus ativo e em um mundo que está aberto à ação de Deus. Como o credo diz, Deus é o Criador "do céu e da terra". O mundo como existe agora, "terra" com seus princípios das leis físicas é, realmente, criação de Deus. Mas essa "terra" não é tudo que Deus criou e governa. Deus também é o Criador e governante do "céu", do que não vemos, do mistério que intervém nesta "terra" de ordens estabelecidas e resultados previsíveis. Os milagres de Atos, longe de o transformar em um livro distante e incompreensível, trazem-nos mais para perto do livro, pois somos uma igreja e uma comunidade que vive pela fé e confiança em um Deus que intervém em nossa vida e em nossa História.

TENHA CUIDADO COM GAMALIEL!

Crer em um "universo aberto" também tem seus perigos. O principal perigo está em pensar que, porque Deus intervém na História, não precisamos levar tão a sério nossa responsabilidade nessa História! É dessa maneira que, às vezes, Gamaliel é usado em nossas igrejas. Se surge uma questão controversa, em vez de analisar a situação e agir de forma responsável, dizemos, como Gamaliel, que se for um assunto de Deus não podemos realmente nos opor a ele, e se for um assunto humano, ele, de qualquer maneira, falhará. Com essa desculpa, evitamos problemas ao não tomar algumas decisões. Com essa desculpa, permitimos que a injustiça continue desenfreada em nossa sociedade.

Contudo, quando usamos o conselho de Gamaliel dessa maneira, esquecemos que isso não foi tudo que ele disse. Parte de seu conselho é que se deve evitar "combate[r] contra Deus". Embora seja verdade que a vontade de Deus deve ser feita, também é verdade que nós, seres humanos, podemos servir a essa vontade ou nos opor a ela. Deus intervém de fato, mas ele também intervém por intermédio da ação humana. O que na seção anterior chamamos "céu" ainda está ativo, e a vontade de Deus será cumprida por causa dessa atividade; mas a "terra", o campo da atividade humana, a esfera na qual as leis naturais reinam, também é criação de Deus, e nossa obrigação é sermos fiéis na terra.

Quando só ouvimos a primeira parte do conselho de Gamaliel, o que fazemos está rodeado de uma percepção fatalista do mundo e da História. Essa percepção não é bíblica; todavia, com frequência, leva nossas igrejas a ignorar o mundo que a rodeia — afinal, se o que está acontecendo não

3. A IGREJA EM JERUSALÉM (2.42–8.3)

for da vontade de Deus, isso será desfeito. Contudo, a segunda parte do conselho de Gamaliel lembra-nos que ele nos pôs neste mundo com uma obrigação e um propósito e não basta acreditar em milagres e esperar por eles. De certo modo, nós mesmos, a igreja, temos de ser o primeiro e mais evidente dos milagres de Deus conduzindo o mundo em direção ao futuro que Deus propõe.

OS QUE TRANSFORMAM A JUSTIÇA EM AMARGURA

Muito do que foi dito a respeito do julgamento anterior diante do conselho (4.7-22) poderia ser repetido em relação a esse outro julgamento. O que está em jogo é o poder dos líderes sobre o povo. Se os apóstolos continuam sua pregação, o sangue de Jesus virá sobre esses líderes (5.28) que também sentem ciúmes de seu poder, o qual os apóstolos parecem subverter (5.17: observe que em 5.13 somos informados a respeito dos apóstolos em que se afirma que "o povo os admira[va] muito"). Como no outro caso, muito do que acontece no julgamento e em torno dele reflete situações e reações muito semelhantes às que existem hoje nas Américas.

O que esse segundo julgamento acrescenta é um exemplo de como a mais escrupulosa observância das leis pode ser usada para manter o poder dos que já dominam. O julgamento é bastante formal. O conselho não menciona nem discute a maneira como Pedro e João foram libertados da prisão, pois essa não é a questão em vista. O sumo sacerdote, cuidadosamente, lembra os acusados da advertência anterior, o que abre caminho para a punição física. Com base no conselho de Gamaliel, eles decidem não matar os acusados, o que também os convence de que estão sendo misericordiosos. Não obstante, no fim eles mandam açoitar Pedro e João, sem ter de julgar se eles são ou não culpados.

Nada disso deve surpreender os cristãos latinos já que vivemos em lugares nos quais a própria lei, que supostamente protege a igualdade e a liberdade, é usada para beneficiar os poderosos. Os exemplos abundam. Em determinada nação da América Central, graças aos novos meios de transporte e refrigeração, a criação de rebanhos e a produção em larga escala de frutas, vegetais e flores tornaram-se negócios importantes e produtivos. Logo os poderosos da nação, com apoio de equipes de advogados, começam a reivindicar a propriedade de terras ocupadas por camponeses há gerações. Se os camponeses tentam proteger suas terras, eles são acusados de ser comunistas subversivos. Se eles ainda insistem nisso, são expulsos à força. Se eles apelam nos tribunais, descobrem que as melhores equipes legais, os tribunais e, até mesmo, o poder legislativo estão nas mãos dos que cobiçam suas terras. O resultado é uma forma de roubo legal muito semelhante ao abuso legal ao qual Pedro e João foram submetidos. A sabedoria popular reconhece essa situação com ditos tradicionais como: *El que hizo la ley hizo la trampa* — quem faz a lei também faz o meio de contorná-la — e: *"El que tiene padrino se bautiza"* — quem tiver um padrinho é batizado.

Há outra dimensão no julgamento de Pedro e João que também merece atenção. Os poderosos do conselho, aqueles que julgam os apóstolos, estão eles mesmos sob outro poder, o do Império Romano. Naquela época, cabia às autoridades romanas determinar quem entre os possíveis candidatos seria o sumo sacerdote de Israel; portanto, quem ocuparia a posição mais importante no templo e em toda a estrutura religiosa judaica. O mesmo era verdade em relação às estruturas econômicas da Judeia. Se os saduceus prósperos colaboravam com Roma, isso se devia, em parte, ao fato de que Roma tinha o poder para enriquecê-los ou arruiná-los. Por isso, os que pareciam poderosos no limitado contexto da Judeia não eram realmente tão poderosos no contexto mais amplo do império. Por essa razão, as políticas deles têm de levar em conta não só as pessoas que tentam controlar, mas também as autoridades romanas que os controlam. Com muita frequência, o interesse deles em controlar o povo está relacionado com seu temor das consequências que as ações do povo podem acarretar, chegando, até mesmo, a ponto de provocar uma intervenção imperial. Em João 11.48 pode-se ver a maneira como isso acontece na Judeia, passagem em que os líderes entre os judeus (incluindo Caifás, que também aparece em Atos) declara: "Se o deixarmos em paz, todos crerão nele; então os romanos virão e tirarão tanto o nosso lugar como a nossa nação". A mesma preocupação pode ser vista no caso das autoridades pagãs de Éfeso em 19.40.

O paralelismo entre isso e a condição da América Latina e de todo o Terceiro Mundo é óbvio. Somos parte do sistema global, e os poderosos de nossas nações só podem reter seu poder se comportarem-se de acordo com as regras desse sistema global. Os ricos capitalistas exploram seus trabalhadores, em parte, para fazer mais dinheiro, mas, em parte, também para competir com outros investidores ricos que exploram outros trabalhadores em outras partes do mundo. Há também ditadores que se mantêm no poder porque têm o apoio de poderes estrangeiros ou de interesses econômicos que se beneficiam com suas políticas. A situação descrita em Atos é muito semelhante a nossa situação.

Os cristãos não devem se surpreender com isso. A igreja cristã tem uma longa e gloriosa história de mártires que morreram precisamente

3. A IGREJA EM JERUSALÉM (2.42–8.3)

porque a lei foi invertida, e a justiça foi transformada em amargura. Infelizmente, essa história inclui, até mesmo, muitos incidentes em que alguns cristãos perseguiram outros porque não aceitavam em sua doutrina, porque eles subverteram seus sistemas ou porque, de algum modo, eles provocaram ciúmes extremados similar ao que os apóstolos despertaram nos saduceus e nos sumos sacerdotes.

Na América Latina, por um longo período, os protestantes foram perseguidos, supostamente, por intermédio de subterfúgios legais. Na Colômbia, vastos territórios foram declarados "terras de missão", o que tornava ilegal alguém pregar ali se não fosse a religião oficialmente reconhecida pelo governo. Naquele tempo e naquelas circunstâncias, muitos sofreram o peso de uma lei injusta e de uma justiça que se transformou em amargura. Em muitos outros de nossos países existiram, por longo tempo, leis que limitavam os direitos civis dos protestantes: leis que tinham a ver com o registro civil, com casamento, com ensino e educação, com cemitérios e assim por diante.

Por todos esses motivos, os cristãos, mais que qualquer grupo, deviam estar muitíssimo conscientes de que é costume do ser humano, por mais pecaminoso que esse comportamento seja, usar sistemas supostamente legais para silenciar aqueles que, como Pedro e João, dizem coisas que os poderosos não gostam. Isso devia nos ajudar a resistir à falácia que confunde a vontade dos poderosos com a vontade de Deus.

Pedro e João estavam pregando o evangelho. Eles não faziam isso a fim de provocar ciúmes, mas simplesmente para ser fiéis ao que o Senhor lhes dissera para fazer. Se isso provocou ciúmes não foi culpa deles, mas, antes, foi culpa dos poderosos que não estavam preparados para ter sua autoridade questionada. Hoje, há muitos Pedros e muitos Joãos — e muitas Marias e muitas Janes — que de milhares de maneiras distintas deram testemunho do evangelho. Alguns pregam do púlpito, outros ensinam em escolas, outros ainda ajudam os camponeses a reclamar suas terras, alguns cuidam dos doentes, e outros ensinam a ler. Em vista do mundo pecaminoso em que vivemos — e como ainda vivemos em meio ao reino transitório da presente ordem — esses sinais do reino de Deus por vir, com frequência, provocam ciúmes e oposição nos que ainda servem ao reino atual. A primeira coisa que esse texto nos informa é o que a história da igreja em seus momentos mais gloriosos também nos conta: não se surpreenda por essas coisas acontecerem. A luta entre o Espírito e Satanás, à qual Pedro se referiu enquanto lidava com Ananias, continua até hoje. O que realmente deveria nos surpreender seria a falta de oposição, todos nos dizerem que nossa mensagem é maravilhosa. Quando isso acontece, é melhor ficar alerta, pois há grande probabilidade de termos abandonado a mensagem dos apóstolos!

Mas há mais. Os apóstolos quando se retiraram "de diante do Sinédrio, [estavam] alegres por terem sido julgados dignos de sofrer afronta por causa do nome de Jesus". A reação normal e natural a uma punição como a que eles sofreram seria a de acabar com a alegria deles. Mas essa estranha comunidade — a igreja, essa comunidade do Espírito — tem o poder, precisamente por meio do Espírito, de se alegrar em meio à tribulação. De acordo com o evangelho de Mateus (16.21-25), era isso que Pedro não conseguia entender quando Jesus começou a falar de seu futuro sofrimento e morte. O caminho da cruz é absolutamente incompreensível da perspectiva natural puramente humana. Porém, agora, era precisamente esse caminho da cruz que Pedro e João, graças ao poder do Espírito Santo, eram capazes de entender. Era esse caminho da cruz que os membros do Sinédrio não conseguiam entender, pois eles acreditavam que, com ameaças e açoitamentos, conseguiriam acabar com a pregação dos apóstolos, a qual consideravam subversiva. Era isso que as autoridades romanas que, mais tarde, condenaram mártires aos leões não conseguiam entender. É isso que jamais será entendido por aqueles que imaginam que a pregação do evangelho e o compromisso de viver a plenitude dele é um movimento como qualquer outro, e que as leis, punições e ameaças bastam para acabar com isso. Afinal, Gamaliel estava certo: isso é obra de Deus, e ninguém pode derrotá-la!

E. HELENISTAS E HEBREUS (6.1-7)

Chegamos, agora, ao momento em que surgiram conflitos na igreja primitiva em relação à distribuição da ajuda para as viúvas e que, em resposta a essa situação, sete homens foram eleitos para supervisionar essa distribuição. Lucas não nos informa exatamente quando isso aconteceu, diz apenas: "Naqueles dias" (6.1). O fato de que já existisse uma "distribuição diária de mantimentos" pode indicar que isso ocorreu algum tempo depois do Pentecostes, pois a ajuda para o necessitado já evoluíra a ponto de ter se tornado uma prática diária.[64] Alguns sugerem que, pelo menos, seis anos separavam o Pentecostes e os eventos narrados por esse texto.[65] Essa cronologia cabe com o restante do livro e com o que sabemos sobre a cronologia de Paulo.

---

64 Há uma interpretação interessante dessa passagem, mas que não foi geralmente aceita, em WALTER, N. "Apostelgeschichte 6.1 und die Anfänge der Urgemeinde in Jerusalem". *NTSt* 29 (1983), p. 370-93. De acordo com Walter, a disputa não aconteceu na igreja, mas na comunidade como um todo, e a resposta da igreja em ajuda das viúvas helênicas ajudou a igreja a entrar na comunidade helênica.

65 GARCÍA, Rubén Dario. *La iglesia, el pueblo del Espiritu*. Barcelona: Ediciones Don Bosco, 1983, p. 21-22, 29.

3. A IGREJA EM JERUSALÉM (2.42–8.3)

Em vista das estruturas e das práticas da sociedade da época, muitos dos necessitados eram viúvas. Em uma sociedade em que as mulheres dependiam dos homens para o seu sustento, as viúvas encontravam-se em difícil condição econômica.[66] Por isso, o Antigo Testamento reafirma constantemente a obrigação de tomar conta das viúvas (Dt 14.29; 24.19; 26.12; Is 1.17 etc.). Na comunidade cristã, à medida que a ruptura entre os que acreditavam em Jesus e os outros judeus se tornava mais ampla, as viúvas cristãs precisavam cada vez mais apelar para a igreja para o seu sustento (veja Tg 1.27).[67] Naturalmente, isso não era verdade em todos os casos, mas só no caso daquelas viúvas que não tinham filhos nem parentes para as sustentar.

O conflito surge porque há dois grupos na comunidade cristã: os "helenistas" e os "hebreus". Aqui a palavra "helenista" não se refere à pessoa com contato especial com a Grécia, mas, antes, a judeus que cresceram na diáspora, longe da Palestina e que, por isso, sentiam-se mais à vontade falando o grego, a língua franca da bacia mediterrânea oriental, que o aramaico.[68] Em contrapartida, os "hebreus" são judeus da Palestina cuja língua é o aramaico — embora naquele ponto essa língua fosse usualmente chamada "hebraico". Se os membros de um grupo ou do outro conheciam o hebraico ou não, isso dependia das instruções religiosas que tinham recebido. De qualquer modo, na própria Palestina, os "hebreus" acreditavam que eles mesmos eram melhores judeus e viam os "helenistas" com desconfiança, pois estes pareciam ter aceitado costumes e tradições estranhos a Israel.

A despeito do preconceito dos "hebreus", a verdade era que muitos dos "helenistas" eram judeus com profunda convicção religiosa. Isso era ainda mais verdade à medida que muitos deles eram pessoas idosas que foram a Jerusalém para passar seus últimos dias e ser enterrados na terra santa. Pelo mesmo motivo, havia muitas viúvas helenistas em Jerusalém e, provavelmente, o mesmo era verdade em relação à jovem igreja.

---

66   Em Jerusalém, como uma forma de aplicar as leis do Antigo Testamento em relação ao cuidado com as viúvas, o costume tinha estabelecido que as viúvas continuariam a viver na casa do marido morto e usando os bens dele, contanto que continuasse viúva.

67   À medida que o tempo passou, essas viúvas que dependiam da igreja receberam funções específicas a ponto de se tornarem uma categoria especial entre os funcionários da igreja (1Tm 5.3-16; Inácio, *Ad smyr.*, 13.1; Policarpo, 4.3; etc.). Nesses vários textos, as viúvas ainda são mulheres que perderam o marido. Depois, o título mesmo "viúva" parece ter ficado ligado à função de uma mulher na igreja, embora ela pudesse simplesmente ser solteira. Sobre a matéria em que as ordens de diácono e viúva se entrelaçam, veja VITEAU, Joseph. "L'institution des diacres et des veuves Actes 6:1-10; 8:4-40; 21:8". *RHE* 22 (1926), p. 513-37.

68   CADBURY, Henry J. "Note 7. The Hellenists". Em JACKSON, F. J. F. e LAKE, K. eds. *The beginnings of christianity*, vol. 5. Londres: Macmillan, 1933, p. 599-74; BLACKMAN, E. C. "The Hellenists of Acts 6:1". *ExpTim* 48 (1936-37), p. 524-25; GRUNDMAN, Walter. "Das problem des hellenistischen christentums innerhalb der Jerusalemer Urgemeinde". *ZntW* 38, 1939, p. 445-73; Moule, C. F. D. "Once more, who were the hellenists?" *ExpTim* 70 (1958-59), p. 100-2.

O conflito irrompe em divisão aberta, mas fica limitado a queixas. Isso é suficiente para que "os Doze"[69] levem o assunto a sério e convoquem uma reunião de toda a congregação. Como as contribuições eram colocadas aos pés dos Doze para ser distribuídas (4.35), esperava-se que as queixas fossem, de fato, contra a administração deles. Agora, são eles que pedem ajuda, requisitando que sete outros sejam encarregados dessa função. A expressão "sirvamos às mesas", empregada para descrever a função desses sete (6.2), pode bem ter o sentido que tem hoje, a saber, servir ou distribuir alimento, talvez em uma refeição comunitária; mas ela também pode ter o sentido de distribuição de dinheiro, pois "às mesas" também eram o lugar em que as transações econômicas aconteciam e, por isso, com frequência, a administração do dinheiro era chamada de servir às mesas.

Os Doze, embora fossem galileus e, por isso, considerados judeus de segunda classe pelos que eram de Jerusalém, eram "hebreus", pois tinham crescido na Palestina e sua língua era o aramaico. Portanto, não é de espantar que as necessidades dos helenistas não fossem entendidas nem satisfeitas de forma apropriada. Ao ouvir as queixas, os Doze pediram à congregação que elegessem sete homens. A única qualificação necessária para esses sete é que fossem "cheios do Espírito Santo e de sabedoria". A função deles seria administrar a distribuição, enquanto a função dos Doze continuaria a ser "pregar" e servir o "ministério da palavra".

É interessante observar que todos os sete eleitos têm nome grego. Tudo que sabemos a respeito de Prócoro, Nicanor, Timão e Pármenas é o nome. De acordo com o texto, Nicolau era um "prosélito de Antioquia".[70] Isso quer dizer que não era nem mesmo judeu de nascimento, mas por conversão. Estêvão, por sua vez, torna-se o principal personagem pelo restante desse capítulo e do seguinte, e a respeito de Filipe e seu ministério aprendemos no capítulo 8 e, muito depois, em 21.8,9.

O fato dos "sete" parecerem helenistas leva alguns estudiosos a sugerir que o que aconteceu de fato foi que havia um grupo de governo separado e organizado para administrar os assuntos da crescente filiação helenista, enquanto "os Doze" continuavam a dirigir os assuntos da comunidade de língua aramaica.[71]

---

69   Esse é o único caso em que Atos se refere aos apóstolos como "os Doze".

70   Sobre a possível história posterior de Nicanor, veja von Harnack, Adolf. "The sect of the Nicolaitans and Nicolaus, the deacon in Jerusalem". *JR* 3 (1923), p. 505-38; Bruce. *Acts*, p. 129-30.

71   Assim, por exemplo, Rius-Camps, Josep. *El camino de Pablo a la misión a los paganos*. Madri: Cristiandad, 1984, p. 27, sugere que o que se criou "uma administração dupla. Os Doze estariam por um tempo no comando da comunidade hebraica; os sete estariam no comando da administração das comunidades da diáspora". O mesmo é sugerido por Gächter, P. *Petrus and seine Zeit*. Inssbruck: Tyrolia-Verlag, 1958, p. 105-54, acrescentando que, depois, outros sete "hebreus" foram eleitos e eram os "presbíteros" mencionados em 11.30.

3. A IGREJA EM JERUSALÉM (2.42–8.3)

Os sete receberam seu ofício pela imposição de mãos.[72] Embora a prática de impor as mãos sobre uma pessoa apareça algumas vezes no Antigo Testamento (veja Nm 27.18), essa é a primeira menção no Novo Testamento da imposição de mão como um sinal de conferir ofício.

Tradicionalmente, os sete são chamados de "diáconos" e o que se pensa é que temos aqui o início do diaconato.[73] É verdade que aqui é dito que eles eram responsáveis pela *diakonia* diária (6.1) e que o verbo traduzido por "servir [às mesas]" (6.2) é *diakonein*. Mas também é verdade que a função que os Doze guardaram para eles mesmos é descrita como *diakonia* da palavra (6.4). Além disso, esses sete, em nenhuma passagem do Novo Testamento, são chamados de "diácono". Por isso, é duvidoso que esse texto realmente se refira à fundação do diaconato.[74]

A passagem termina com um breve resumo (6.7). O que este acrescenta à narrativa antecedente é a conversão de "vários sacerdotes". Até aqui, Lucas falou dos "principais sacerdotes" que se opunham à pregação dos apóstolos. Contudo, estima-se que naquela época havia mais de sete mil sacerdotes em Jerusalém, a maioria dos quais vivia em extrema pobreza[75] e, por isso, muito distantes na hierarquia social dos que acusaram Pedro e João no conselho. Talvez Lucas acrescente essa nota sobre os vários sacerdotes a fim de indicar que os apóstolos que, agora, dedicam-se exclusivamente ao "ministério da palavra" conseguem causar mais impacto entre outros "hebreus".

PLURALISMO NA IGREJA

Essa passagem leva-nos a um dos principais problemas e talvez à maior oportunidade enfrentada pela igreja de fala espanhola dos Estados Unidos e da América Latina. Esses são os problemas apresentados pelo pluralismo na igreja.

Nos Estados Unidos, muitos cristãos latinos pertencem a denominações nas quais a própria cultura é uma minoria e que refletem costumes,

---

72 O texto grego não deixa claro se foram os apóstolos ou toda a congregação que impôs as mãos nos sete. Uma tradução gramaticalmente literal pareceria sugerir que foi toda a congregação, ao passo que a força propulsora da passagem e o fluxo da narrativa levariam à maneira como a A21 traduziu a sentença dizendo que foram os apóstolos que impuseram a mão sobre os sete.

73 Isso foi afirmado nos tempos antigos por Irineu (*Adv. Haer.* 1.26, 3.12, 4.15); Cipriano (Ep. 3.3) e por Eusébio (*Hist. Eccl.* 6.43).

74 Bihel, Stephanus. "De septem diaconis (Act 6:1-7)". *Ant* 3 (1928), p. 129-50; Laurer, Hans. "Die 'Diakonie' im Neuen Testament". *NkZ* 42 (1931), p. 325-26; Iglesias. "El libro de los hechos: Las primeras persecuciones"; Schmidt Karl L. "Amt und Aemter im Neuen Testament". TZ 1 (1945), p. 309-11; Gaechter, P. "Die Sieben (Apg. 6:1-6)". *ZkT* 74 (1952), p. 129-66.

75 De acordo com Josefo, *Ant.* 20.181, alguns até mesmo morreram de fome por causa da exploração e da opressão que sofriam por parte dos principais sacerdotes.

estruturas, práticas de adoração e assim por diante que são estranhas a boa parte da cultura latina. Nesses casos, esses latinos são como os helenistas do nosso texto, pois pertencem a uma igreja que existe tradicionalmente em outra cultura e ainda é dominada pelos representantes dessa cultura — os "hebreus", por assim dizer.

Na América Latina, as questões, com frequência, são apresentadas de outra forma. Em algumas igrejas, os que lideram e governam em sua maioria são pessoas de língua espanhola, membros da cultura dominante, ao passo que aqueles que pertencem à cultura nativa do hemisfério são marginalizados, e a própria cultura deles encontra pouca expressão na adoração e na vida da igreja. Nesses casos, aqueles de nós que falamos espanhol somos os hebreus, e os helenistas são os outros. Não é de admirar que muitas dessas igrejas tenham crescimento limitado — como aconteceria se "os Doze" tivessem se recusado a ouvir as queixas dos helenistas e a compartilhar a autoridade com eles.

Com frequência, nos Estados Unidos e na América Latina, essas situações levam a disputas e divisões. Talvez a primeira coisa a aprender com essa passagem que estamos estudando seja que os líderes da igreja ouçam as queixas dos que sofrem injustiça. Eles não declaram que esses assuntos não são importantes, que é o sentimento de um pequeno grupo de descontentes ou que é manipulação de um grupo específico para conseguir o poder. Há uma injustiça, os Doze ficam sabendo a respeito dela e tentam consertar a situação, mesmo que isso exija reconhecer que a maneira como eles distribuem os recursos não é perfeita e mesmo que isso leve ao compartilhamento do poder.

Como resultado, sete homens foram escolhidos para administrar a distribuição diária, ou seja, administrar os recursos da igreja. É relevante o fato de que todos os escolhidos tivessem nome helenista. Em nossas igrejas, com frequência, tentamos lidar com problemas semelhantes de injustiça estabelecendo em uma posição de relativa autoridade um ou dois membros simbólicos de qualquer grupo marginalizado na esperança de que isso satisfaça os que reclamam. Em outras palavras, há uma tentativa de resolver o "problema" por meio de uma presença simbólica. O que a igreja de Atos faz é muito diferente. Porque os membros do grupo que sofre injustiça são os que melhor conhecem como essa injustiça funciona, são eles que recebem autoridade para administrar os recursos da igreja!

A visão por trás de tudo isso vem diretamente dos eventos do Pentecostes. Em vista do que somos ensinados no capítulo 2, fica claro que o "problema" do pluralismo na igreja não é obra dos helenistas, mas do Espírito Santo de Deus. A igreja é uma comunidade de pessoas representando

3. A IGREJA EM JERUSALÉM (2.42–8.3)

diferentes culturas, tradições e costumes, porque a inclusão é a obra e o propósito de Deus, e não porque alguns novatos juntaram-se a ela. Portanto, se a igreja de fala inglesa dos Estados Unidos acredita realmente no derramamento do Espírito no Pentecostes, então ela não pode considerar a presença hispânica um "problema". Nem a igreja de fala espanhola da América Latina pode considerar que os *quichés*, os *aimarás*, os *quéchuas*, os *mapuches*, os tobos ou outros grupos nativos são um "problema". O "problema", se houver algum, é o resultado da inclusão subversiva do Espírito Santo.

A resposta apropriada a esse "problema" deveria ser óbvia: é preciso dar voz decisiva em todos os assuntos pertencentes à vida da igreja àqueles que, do contrário, não serão ouvidos. É isso que a igreja de Atos faz. É isso que a igreja deve fazer hoje se for para ser receptiva ao que o Espírito Santo faz entre nós.

O mesmo pode ser dito com referência à liderança missionária nas igrejas latino-americanas. Há situações em que uma igreja acha muito difícil se libertar do controle de missionários estrangeiros, que merecem todo respeito devido aos fundadores, mas que não sabem como seguir o exemplo dos "Doze", dando um lugar de autoridade e responsabilidade a seus colegas latino-americanos. Além disso, às vezes, o controle dos recursos econômicos do exterior é empregado para perpetuar sistemas de autoridade estabelecidos nos dias iniciais do trabalho missionário. Nesses casos, o "problema" não se refere aos nativos que reclamam que as estruturas da igreja não se ajustam mais à situação atual. O problema, antes, está nessas próprias estruturas e na sua inflexibilidade. Nesse caso, como no caso das viúvas de Jerusalém, a única maneira de caminhar em direção a uma solução é dar mais autoridade precisamente aos que foram deixados de lado.

Não há dúvida de que é uma solução "perigosa". Na Palestina, havia muito preconceito contra os helenistas. Muitos deles tinham chegado havia pouco tempo, e eles eram vistos com o desdém arrogante que, com tanta frequência, é dirigido aos recém-chegados, muito parecido com o que acontece nos Estados Unidos com os imigrantes da América Latina. Ademais, em geral, achava-se que os helenistas não eram tão bons judeus quanto os "hebreus". Isso levantava as suspeitas dos supostamente mais ortodoxos. Como está claramente atestado na Escritura que o bem-estar da terra depende da fidelidade do povo, as pessoas mais nacionalistas temiam que os helenistas fossem a maior causa das difíceis circunstâncias políticas em que o país se encontrava.

Mas há muito mais. Conforme continuamos a ler o livro de Atos, descobrimos que a decisão em relação às viúvas, tomada aparentemente por uma simples questão de justiça, foi de grande importância para a missão da igreja. Até aquela altura, a igreja fora liderada pelos "hebreus", em especial, pelos que tinham vindo da Galileia com Jesus. Se a igreja não tivesse fugido desse sistema, ela teria permanecido uma das muitas seitas messiânicas produzidas pelo judaísmo do século I. Mas no exato ato de abrir-se para os helenistas, a igreja abriu-se para uma porção da comunidade que serviria de ponte para a missão para os gentios. Observe que, embora os Doze achassem que o "ministério da palavra" ficaria reservado a eles, imediatamente depois dessa história é Estêvão (um dos "sete") quem proclama a palavra e dá o maior testemunho dela com a própria vida. Na verdade, Estêvão, que não deveria estar pregando de maneira alguma, fez o mais longo sermão de todo o livro de Atos! Como consequência da morte de Estêvão, os seguidores de Jesus — em especial, os helenistas — dispersaram-se, e isso levou a mais expansão da missão. Imediatamente após Estêvão, é Filipe, outro dos "sete", quem assume a tarefa de levar o evangelho primeiro para Samaria e, depois, para um eunuco etíope. Tudo isso preparou a missão para os gentios, que será objeto de boa parte do restante do livro.

Isso aponta para uma conexão muito próxima entre justiça e missão. Uma igreja não pode ser verdadeiramente missionária se não faz justiça aos que vêm a ela como resultado dessa missão. Sendo uma comunidade do Espírito, que implica em ser uma comunidade inclusiva, é uma exigência indispensável para ser uma comunidade missionária. Embora os apóstolos não soubessem isso, o futuro da igreja estava naqueles helenistas que a igreja estivera desprezando. Da mesma maneira, é possível e até mesmo provável que o futuro da igreja esteja nas mãos daqueles que até agora foram deixados de lado e, agora, requerem seus direitos na igreja. (E tudo que é dito referente aos que são marginalizados por causa de sua cultura ou língua também deve ser dito dos que são marginalizados por causa de sua classe social, educação, idade, sexo ou limitações físicas.)

Por fim, é importante observar que esse texto aponta para a maneira como temos de ler todo o livro de Atos. Os apóstolos procuram manter para si mesmos o "ministério da palavra"; mas o Espírito tem outros planos, e, logo, Estêvão e Filipe são os que estão desempenhando esse ministério. O que foi feito em 6.1-7 ampliou a missão da igreja e, por isso, foi uma decisão sábia; mas nem tudo que foi feito recebeu o aval do Espírito Santo. A história de Atos é a de um Espírito chamando constantemente a igreja a uma nova obediência de uma maneira que, embora possamos aprender com a obediência dos tempos passados, não podemos nos limitar a ela. O que teria acontecido com a igreja se Estêvão e Filipe tivessem dito: "Não, nosso ministério tem a ver com o servir às mesas, não com a pregação"?

Um exemplo de como isso é relevante hoje é toda a questão do papel da mulher na igreja. Os apóstolos pediram que sete homens fossem nomeados. Mesmo supondo que isso tenha sido a fundação do diaconato, isso quer dizer que apenas homens podem ser diáconos? Certamente que não, pois já, no Novo Testamento, há o caso de mulheres detendo essa função (veja Rm 16.1). Ou, se hoje estamos tentando responder a questões e resolver aquela que diz respeito à opressão das mulheres, a história de Atos quer dizer que hoje devemos nomear um comitê de homens, sem mulheres, a fim de representá-las? Certamente que não, pois o mesmo Espírito que corrigiu aquele aspecto da decisão dos apóstolos que impedia Estêvão e Filipe de pregar pode, hoje, estar corrigindo a decisão de ter apenas homens eleitos.

F. ESTÊVÃO (6.8 - 8.3)

1. A prisão dele (6.8-12)[76]

Sem nenhuma indicação de quanto tempo se passou depois da eleição de Estêvão para servir às mesas, a primeira coisa que Lucas nos diz é que Estêvão "realizava feitos extraordinários e grandes sinais entre o povo" e que debatia com alguns dos outros judeus. Observe que não foi Estêvão quem começou a disputa. Talvez isso indique que Estêvão não decidiu pregar por conta própria, contra o que fora decidido pelos Doze, mas que foram seus oponentes que o forçaram a isso. O versículo 9, em que esses oponentes são citados, é ambíguo, pois não fica claro se existia apenas uma sinagoga chamada "dos libertos" que incluía cireneus, alexandrinos e outros — que é como a NRSV traduz a passagem — ou se havia mais de uma sinagoga envolvida — talvez até mesmo cinco delas.[77]

Em qualquer caso, o relevante é que os que se opõem à liderança de Estêvão não são os "hebreus", mas pessoas que os locais chamariam de

---

[76] Iglesias. "El libro de los hechos: Las primeras persecuciones", *Christus* 5, p. 1115-25, *Christus* 7 (1939), p. 175-77; Simon, Marcel. *Stephen and the hellenists in the primitive church*. Nova York: Longmans Green & Co., 1958; Foerster, W. "Stephanus und die Urgemeinde". Em Jansen, K. *Dienst unter dem Wort*. Gütersloh: Bertelsmann, 1953, p. 9-30.

[77] Um problema adicional é que quatro dos grupos mencionados têm a ver com lugares e que, por isso, "dos libertos" não parece se encaixar. Alguns sugerem que, na verdade, o original diz "líbios", e que a palavra que a substituiu foi um erro do copista. A única base para essa conjectura é a antiga versão armênia que diz "líbios". Uma possível solução é que os "libertos" podiam ser judeus de Roma, que tinham sido levados para lá como cativos quando os romanos conquistaram a região e que, agora, retornaram de Roma depois de serem libertados.

"helenistas". Agora, a oposição não vem mais do templo e dos poderosos escribas e saduceus, mas, antes, de outros judeus helenistas. Então, essa oposição trabalha com base em mentiras e subornos "incitando o povo, os líderes religiosos e os escribas". Em Atos, essa é quase a primeira vez que "o povo" se opõe aos cristãos e toma o partido dos líderes religiosos. (O exemplo anterior é 4.27, em que o assunto é a morte de Jesus.) É esse povo revoltado que apresenta Estêvão diante do Sinédrio que, aparentemente, já está reunido por algum motivo. As acusações contra Estêvão são essencialmente duas, pois ele é acusado de blasfêmia contra o templo e a lei. Em 6.11, as testemunhas dizem: "Nós o temos ouvido proferir blasfêmias contra Moisés e contra Deus"; em 6.13, acrescentam que Estêvão "não para de proferir palavras contra este santo lugar e contra a lei"; e em 6.14, insistem que "o temos ouvido dizer que esse Jesus, o Nazareno, destruirá este lugar e mudará os costumes que Moisés nos deu". É interessante mencionar que as palavras sobre a destruição do templo, que os outros escritores do evangelho incluem na paixão de Jesus (Mt 26.61; 27.40; Mc 14.58; 15.29; veja Jo 2.19), Lucas não inclui em seu evangelho, mas, antes, reserva-as para as acusações contra Estêvão. Em todo caso, fica claro que a oposição ao templo de Jerusalém durante o século I não era um tema exclusivo de cristãos, mas algo que existiu de forma muito mais abrangente na comunidade judaica da época.[78]

Também é interessante observar que na prisão de Estêvão há uma combinação de formalidades legais com outros elementos que têm mais características de tumulto. Os inimigos de Estêvão subornaram falsas testemunhas, que aparecem e o acusam diante do Sinédrio. Mas eles também incitam o povo, os líderes religiosos e os escribas (ou seja, o povo comum e seus líderes mais respeitados) e são eles que levam Estêvão diante do Sinédrio. A relevância disso é que agora que o povo está predisposto contra Estêvão, o Sinédrio não precisa agir com a cautela empregada anteriormente contra Pedro e João, uma vez que esses dois desfrutavam do favor do povo.

2. O JULGAMENTO (6.13 - 7.56)

Os versículos 13 e 14 resumem as acusações formais contra Estêvão. Conforme já observado, essas acusações são duas: blasfêmia contra o templo declarando que Jesus o destruirá e blasfêmia contra a lei declarando que Jesus mudará "os costumes que Moisés nos deu".

Quando os membros do Sinédrio olharam para Estêvão "viram que o seu rosto era como o de um anjo" (6.15). É possível que Lucas, ao incluir

---

78 CULLMANN, Oscar. "L'opposition contre le temple de Jérusalem, motif commun de la théologie johannique et du monde ambiant". *NTSt* 5 (1958-59), p. 157-73.

3. A IGREJA EM JERUSALÉM (2.42–8.3)

essa declaração, esteja estabelecendo um paralelismo entre Estêvão e Moisés, cuja face resplandeceu quando ele desceu do Sinai (Êx 34.29,30). O historiador judeu Flávio Josefo, escrevendo aproximadamente na mesma época, diz que a face de José resplandeceu como sinal da presença do Espírito nele.[79] Estêvão fala com autoridade porque ele, como Moisés e José, está com Deus.

À pergunta do sumo sacerdote, Estêvão responde com um longo discurso sobre a história de Israel.[80] Esse é o mais longo discurso de todo o livro de Atos, ocupando aproximadamente 5% do livro. Não é necessário parar para examinar cada um dos eventos da história de Israel a que Estêvão se refere, mas é importante observar a maneira como o próprio Estêvão interpreta essa história.

Os versículos 2-8 contam a história de Abraão. Sobre essa história, Lucas tem pouco de novo a dizer.[81] Abraão é o protótipo que estabelece o caráter do povo escolhido como povo peregrino, o que será um tema central de todo o discurso. Essa é a relevância das palavras: "E aqui não lhe deu herança, nem sequer o espaço de um pé" (7.5).[82]

Após um rápido resumo da história dos patriarcas no versículo 8, os versículos 9-16 lidam com a história de José. O principal ponto enfatizado por Estêvão aqui aparece no versículo 9, no qual somos informados que os patriarcas, por ciúmes, venderam José, mas que Deus estava com este. Com o tema do povo peregrino, esse outro tema de ser rejeitado pelos seres humanos, mas aprovado por Deus é central em todo o discurso. (A respeito do enterro dos irmãos de José em Siquém, o Antigo Testamento não fala nenhuma palavra. De acordo com Josefo,[83] eles foram enterrados na caverna de Macpela.) Os versículos 13-43 são o cerne do discurso, em que Estêvão conta a história de Moisés. Ele quer enfatizar o paralelismo entre Moisés e

---
79   *Ant.* 14.8-9.
80   Há muita discussão em relação à estrutura desse discurso e também às fontes dele. Veja como bibliografia básica: FOAKES, J. F. J. "Stephen's speech in Acts". *JBL* 49 (1930), p. 283-86; MENCHINI, C. M. *Il discorso de Kingsbury, structure [Estrutura] Stefano protomartire nella letteratura e predicazione cristiana primitiva*. Roma: Servi di Maria, 1951; KILN, A. F. J. "Stephen's speech—Acts 7:2-53". *NTSt* 4 (1957-58), p. 25-31; SCHARLEMANN, M. H. "Acts 7:2-53, Stephen's speech: A Lucan creation?". *Conc* 4 (1978), p. 52-57; DUPONT, J. "La structure oratoire de discours d'Etienne (Actes 7)". *Bib* 66 (1985), p. 153-67. Sobre o propósito do discurso e a relação entre esse propósito e sua estrutura, veja BRUCE, *Acts*, p. 161; MARSHALL, I. Howard. *The Acts of the Apostles*. Leicester: Inter-Varsity Press, 1980, p. 131-32.
81   Há pouca diferença entre o que Estêvão diz e o que pode ser lido em Gênesis. De acordo com Estêvão, Deus chamou Abraão "quando ele estava na Mesopotâmia, antes de habitar em Harã". Em Gênesis 12.1, o chamado acontece em Harã. Todavia, essa mudança na história não parece ter origem em Estêvão, em Lucas nem na comunidade cristã primitiva, pois também pode ser encontrada em Filo de Alexandria, *De mig.* 62.66 e em Josefo, *Ant.*, 1.154.
82   Isso não é exatamente verdade, pois em Gênesis 23 somos informados que Abraão comprou a caverna de Macpela para enterrar Sara.
83   *Ant.* 2.198-99.

Jesus, pois Estêvão está acusando os próprios antepassados de ter feito com Moisés o que mais recentemente os líderes do povo fizeram com Jesus.[84] A história de Moisés mostra como o povo de Israel rejeita repetidamente os que são enviados a eles. Rejeitado, Moisés teve de fugir para Midiã quando matou o egípcio. Contudo, conforme Estêvão entende o assunto, "a este Moisés a quem eles rejeitaram [...], Deus o enviou como líder e libertador" (7.35). Após essa alusão velada ao caso de Jesus, Estêvão continua sua narrativa, apontando que o povo de Israel sempre viveu entre a fé e a apostasia. E mais, o próprio povo que foi libertado por Moisés continuou rejeitando-o, pois "desejavam voltar para o Egito" (7.39) quando pediram a Arão que fizesse deuses a quem pudessem adorar. (A citação de Amós 5.25-27 que aparece em 7.42,43 é tirada da Septuaginta, por isso, não é exatamente igual ao que aparece nas atuais traduções do Antigo Testamento.)

No versículo 44, o discurso toma um novo rumo, o qual levará ao martírio de Estêvão. Nele, ele começa a atacar o templo e sua religião.[85] Tudo que Israel tinha no deserto era a tenda do testemunho, construída de acordo com as instruções dadas por Deus a Moisés. O que Davi pediu para construir (7.46) ainda não era um templo, mas uma "habitação" ou tabernáculo.[86] Depois, chega o momento em que, de acordo com Estêvão, Israel perdeu o seu caminho: "porém foi Salomão que construiu a casa de Deus" (7.47). De acordo com Estêvão, o Deus de Israel é um Deus peregrino, sempre marchando adiante do povo, que não pode ficar circunscrito a um único lugar. Acima de tudo o mais, Estêvão está convencido de que Deus "não habita em templos feitos por mãos humanas". A religião do templo afirma exatamente o oposto: ela tenta confinar Deus ao templo feito por mãos humanas.

Tudo isso fornece a base para as duras palavras de 7.1-53 que o discurso termina. Deus deu a circuncisão a Abraão como sinal da aliança, mas esses filhos de Abraão são "incircuncisos de coração e ouvido". Eles, como seus ancestrais, resistem ao Espírito Santo e perseguem os profetas.[87] É aqui no versículo 52 que encontramos a única referência

---

84 LORENZI, L. de. *Mosè e Il Cristo Salvatore nel discorso di Stefano*. Roma: Pont. Univ. Lateranensis, 1959.

85 PINDHERLE, A. "Stefano e il templo 'manufatto'". *RicRel* 2 (1926), p. 326-36; SIMON, M. "Saint Stephen and the Jerusalem Temple". *JEH* 2 (1951), p. 127-42. SIMON, Cp. M. "Retour du Christ et reconstruction du Temple dans la pensée chréstienne primitive". Em *Mélanges Goguel*, p. 247-57.

86 Esse versículo envolve um difícil problema contextual. A maioria dos manuscritos (e os melhores entre eles) diz que Davi tinha de prover uma habitação para "a casa" de Jacó (TB). Outros manuscritos, poucos em número e de qualidade inferior, dizem que a habitação era para "o Deus" de Jacó. A TB segue a maioria da tradição dos manuscritos. A A21, a NVI e outras dizem "o Deus de Jacó". Em todo caso, o ponto que Estêvão deseja apresentar é que Davi, falando estritamente, não queria construir um templo, mas, sim, um tabernáculo ou uma moradia temporária.

87 Sobre o assunto da perseguição dos profetas, veja SCHOEPS, H. J. *Die jüdischen prophetenmorde*. Tübingen: J. C. B. Mohr, 1950.

3. A IGREJA EM JERUSALÉM (2.42–8.3)

cristológica explícita em todo o discurso: os profetas mortos foram "os que anteriormente anunciaram a vinda do Justo, do qual agora vos tornastes traidores e homicidas". Contudo, embora essa seja a única referência a Jesus, fica claro que todo o discurso foi construído a fim de mostrar um duplo paralelismo: (a) José/Moisés/profetas = Jesus; (b) irmãos de José/Israel no Egito/os que mataram os profetas = plateia de Estêvão.

No fim desse discurso, alguém poderia perguntar se Estêvão tinha realmente respondido às acusações contra ele. Essa pergunta, que alguns exegetas respondem de forma negativa, levou a uma longa discussão sobre a origem do discurso. Alguns sugerem que Lucas o pegou de alguma fonte que originalmente não tinha nada a ver com o julgamento de Estêvão. Outros sugerem que o discurso em si mesmo tem a ver com o julgamento, mas que Lucas incorporou materiais de outras fontes.[88] Contudo, nada disso é relevante. De acordo com Lucas, Estêvão foi acusado de atacar o templo e de criticar Moisés. Seu discurso aceita a primeira acusação e rejeita a segunda. O templo "feito [...] por mãos humanas" levou Israel a abandonar o Deus da "tenda do testemunho" do deserto, o Deus peregrino que guiou o povo. Isso não é surpreendente, pois, já na época de Moisés (e mesmo antes, no caso de José e, depois, na perseguição dos profetas), os filhos de Israel agiram de modo semelhante. Os que realmente rejeitam Moisés não são Estêvão e os que se agarram às crenças dele, mas, antes, os que o acusam. Moisés — rejeitado pelo próprio povo, mas levantado por Deus para se tornar líder e libertador — anunciou e, em sua vida, prefigurou Jesus, o "Justo, do qual agora vos tornastes traidores e homicidas".

A reação inicial dos que ouvem é descrita vividamente no versículo 54 como um tipo de raiva muda: "Eles se enfureciam no coração e rangiam os dentes". Mas Estêvão não parece prestar nenhuma atenção neles, pois tem uma visão da glória de Deus com Jesus a sua direita e, simplesmente, continua falando e dizendo o que vê. Ao declarar: "Vejo o céu aberto, e o Filho do homem em pé, à direita de Deus", Estêvão está afirmando o que o restante de seu discurso já indicou: que Jesus, exatamente como Moisés, foi levantado por Deus a fim de ser "líder e libertador".

3. A MORTE DE ESTÊVÃO: COMEÇO DA PERSEGUIÇÃO (7.57 - 8.3)

Isso é simplesmente demais. Os que ouvem Estêvão tapam o ouvido e gritam com ele. Isso pode nos parecer estranho hoje, pois tapar o ouvido quando alguém fala é reação de criança mimada. Todavia, naquela época, essa era a reação prescrita quando alguém ouvia blasfêmia, pois a pessoa,

---

88 HAENCHEN, *Acts*, p. 286-89, oferece um bom resumo e discussão das várias teorias propostas.

ao tapar o ouvido, impedia que as blasfêmias entrassem em sua mente. O que isso quer dizer é que, sem mais discussão, é decidido que Estêvão é, de fato, culpado de blasfêmia.

O texto diz que todos eles "lançaram-se juntos contra ele". Não há veredicto formal nesse julgamento. Havia leis precisas e claras sobre como se supunha que o Sinédrio emitisse veredictos. Isso era particularmente verdade em casos de pena capital. E mais, naquela época, o Sinédrio não tinha autoridade para decretar a pena de morte. Por isso, o que Lucas descreve não é um julgamento culminando em um veredicto, mas um julgamento que começa com um tumulto, inclui um discurso, antes, antagônico por parte do acusado e termina com outro tumulto. Embora Estêvão seja apedrejado até a morte, conforme prescrito nos tempos antigos, e embora haja "testemunhas" (7.58), o que está acontecendo não é uma execução, mas um linchamento.[89]

Independente de qual seja o caso, a morte de Estêvão é exemplar, pois, de acordo com o próprio Lucas, ele imita a maneira como Jesus morre encomendando seu espírito a Deus (Lc 23.46) e orando por aqueles que o matam (Lc 23.34).

Na cena do martírio de Estêvão, como na passagem (7.58), ouvimos falar pela primeira vez de um "jovem chamado Saulo", que se tornará importante personagem no restante da narrativa. A palavra "jovem" não quer dizer que ele era quase uma criança, pois esse termo era empregado para se referir a todo homem que ainda não alcançara a maturidade plena. Portanto, Saulo (Paulo) podia, até mesmo, já ter 30 anos. Embora esse Saulo não pareça mais que um espectador da morte de Estêvão (7.58 e 8.1), ele torna-se uma figura predominante na perseguição subsequente. Talvez seja relevante observar que entre os que planejaram contra Estêvão estavam as pessoas da Cilícia (6.9). A capital da Cilícia era Tarsus, de onde Saulo era proveniente. Por isso, é bem possível que a participação de Saulo em todo o processo tenha sido maior do que geralmente se admite.

Em 8.1-3, a ordem da narrativa é um tanto confusa, pois, primeiro, somos informados da perseguição que irrompeu e da dispersão dos cristãos, a seguir (8.2), de que houve muito pesar pela morte de Estêvão e, por fim, de que Saulo perseguiu a igreja. Se contássemos a mesma história hoje, a ordem seria diferente, mencionando primeiro o pesar pela morte

---

[89] Além do mero fato de que o Sinédrio não podia impor a pena de morte, há muitos detalhes que indicam que o que aconteceu não foi a aplicação dessa penalidade como a lei judaica a entendia. O que Lucas descreve aqui é uma cena em que Estêvão, aparentemente em pé, é apedrejado por várias pessoas até que ele cai ajoelhado e, finalmente, morre. A maneira como se prescrevia a pena de morte era muito diferente disso, pois o acusado era atirado de um penhasco e, depois, uma pesada pedra era atirada ou colocada sobre o seu peito, para que se ele não tivesse morrido da queda, morresse sufocado. Veja Haenchen, *Acts*, p. 296.

de Estêvão e, depois, os assuntos ligados à perseguição. Nos tempos antigos, as histórias, com frequência, eram contadas como Lucas faz aqui, introduzindo um assunto antes de terminar o outro, como se para manter a atenção do leitor. Em todo caso, há vários elementos aqui dignos de menção. Em primeiro lugar, que "todos, exceto os apóstolos, foram dispersos" é uma hipérbole, pois Lucas declara (8.3) que Saulo ia de casa em casa prendendo os que não fugiram; e em seguida (9.26,27), ele conta sobre a comunidade cristã que teve continuidade em Jerusalém. Aparentemente, a perseguição irrompeu principalmente contra os cristãos helenistas, e não contra os "hebreus", por isso os apóstolos, bem como Barnabé e outros, puderam permanecer em Jerusalém. Em segundo lugar, o versículo 2 confirma que a morte de Estêvão não foi uma execução formal, mas um linchamento, pois era proibido enterrar ou lamentar qualquer um que tivesse sido apedrejado até a morte,[90] mas Estêvão foi enterrado e pranteado. Por fim, deve-se observar que o que Saulo fazia não era matar os cristãos, mas levá-los presos — como uma forma de garantir a presença deles no julgamento.

QUANDO O INIMIGO NOS CHAMA À OBEDIÊNCIA

A seção anterior informou-nos como a congregação elegeu sete (aparentemente) helenistas entre seus membros, com a clara indicação de que a função deles não era pregar, mas, antes, administrar. A presente passagem mostra que, embora a decisão de eleger esses sete tenha sido sábia, o Espírito Santo tinha desígnios para eles diferentes do que os pretendidos pelos Doze, pois, imediatamente após a história da eleição dos sete, somos informados que um deles está testemunhando e, no fim, pregando.

Há muito a aprender com essa passagem. Primeiro, que a igreja é uma realidade histórica. Ser uma realidade histórica quer dizer que ela evolui com a história, de modo que o que era sábio e correto na época deve servir como um trampolim para o futuro, e não como uma cadeia prendendo a igreja ao passado. Se algo tem limitado a missão da igreja ao longo de sua história é exatamente a dificuldade em entender isso. Quando, hoje, as tradições boas se tornam uma desculpa para não sermos obedientes, elas deixam de ser boas. Esse foi um dos temas centrais da Reforma protestante e, mais recentemente, tornou-se importante na reforma católica desde o Segundo Concílio do Vaticano e, por isso não devia ser necessário dizer muito a respeito disso. Contudo, na prática é necessário insistir nesse ponto, pois, em muitas de nossas igrejas protestantes latinas, desenvolve-se

---

90 Mixná, *Sanh.* 6.5-6.

uma tradição — às vezes, a tradição é bem recente do que aconteceu nos últimos cinquenta anos ou o que nos foi ensinado por quem pregou o evangelho para nós — que torna difícil respondermos aos desafios do dia. Quando surge um assunto controverso, dizemos: "Essa não é a missão da igreja", e, com isso, achamos que resolvemos o problema. Se Estêvão estivesse em nosso lugar, talvez tivesse dito: "Não fui escolhido para pregar, mas para administrar. Não tenho nada a ver com esses assuntos".

No caso de Estêvão, algo muito interessante acontece. Não são seus irmãos cristãos que discutem com ele, mas seus oponentes que acabam impelindo-o a testemunhar e a pregar. De acordo com a igreja, a função dele era puramente administrativa, mas o desafio dos de fora da igreja força-o a ampliar essa função. A vocação, o chamado de Estêvão vem a ele da igreja apenas até certo ponto, sua vocação final vem a ele por intermédio dos de fora da igreja.

Além disso, aqueles de "fora" têm algumas coisas em comum com ele. Estêvão foi eleito como líder a fim de responder à crise interna da igreja por causa da presença de helenistas que não eram suficientemente entendidos pelos "hebreus". Ele foi eleito para fazer justiça e representar os helenistas. A eleição dele e dos outros seis é um sinal de que a igreja está se tornando mais receptiva aos helenistas. Porém, agora, os que discutem com Estêvão e chegam a ponto de subornar outros para dar falso testemunho contra ele são helenistas — ou seja, eles são judeus da diáspora, de Cirene, Alexandria e outros lugares. É possível entender isso quando nos lembramos que, em Jerusalém, os helenistas eram vistos com desconfiança e que, por isso, helenistas não cristãos poderiam estar particularmente interessados em provar que não permitiriam ser "contaminados". Quanto mais a igreja é receptiva com os helenistas, tanto mais outros helenistas que não se tornaram cristãos tentam demonstrar sua ortodoxia judaica, principalmente pela oposição ao cristianismo. Isso é o que está na raiz das discussões e das acusações contra Estêvão.

Por sua vez, esses oponentes, mesmo inconscientemente e sem querer, são usados como instrumento do Espírito Santo a fim de chamar Estêvão a sua vocação. Os Doze e o restante da igreja parecem ter acreditado que tudo que o Espírito queria de Estêvão era que ele fosse um bom administrador, servindo às mesas. Não obstante, o Espírito tinha outros planos e, por intermédio desses oponentes, chamou Estêvão para a gloriosa distinção de ser o primeiro mártir cristão — o primeiro a proclamar o evangelho não só pela palavra, mas também pelo derramamento de seu próprio sangue.

3. A IGREJA EM JERUSALÉM (2.42–8.3)

É possível que o Espírito Santo esteja agindo de forma parecida hoje? Todos nós conhecemos os desafios que são apresentados para os cristãos e a igreja pelo mundo contemporâneo. Às vezes, os desafios e os chamados chegam a nós de pessoas e grupos que veem a igreja com simpatia e apoiam nosso trabalho. Às vezes, os desafios e chamados chegam a nós por pessoas e grupos que desejam atrapalhar nossas obrigações. Nos dois casos, a pergunta que devemos fazer não é qual é a motivação dos que nos desafiam a empreender novas formas de missão, mas, antes, qual pode ser a vontade de Deus. Quem sabe se Deus, como no caso de Estêvão, está usando até mesmo inimigos a fim de nos guiar para a nossa vocação!

Vejamos alguns exemplos. Em uma grande cidade dos Estados Unidos, três ou quatro dependentes químicos começam a visitar uma pequena igreja latina. O pastor e os membros da igreja lhes dão as boas-vindas, pois o evangelho os ensinou a fazer isso, mas eles não se preocupam em saber quem são eles nem de onde vêm. Contudo, os vizinhos ficam preocupados. Alguns deles que sempre se opuseram à igreja começam a dizer que, agora, a igreja está sendo usada para o tráfico de drogas. A polícia intervém. Há investigações. O pastor é levado para a delegacia e é interrogado. Durante todo o processo, o pastor e diversos membros da igreja começam a questionar sobre o tráfico de drogas no bairro e, em especial, sobre a vida dos três ou quatro cuja presença na igreja levantou a suspeita inicial. Aos poucos, eles ficam cada vez mais interessados na questão. No fim, como resultado de um conflito muito doloroso, eles têm na igreja um centro para recuperação de viciados em drogas e compram uma casa vizinha na qual fornecem abrigo para alguns de seus clientes. Por meio desse ministério, essa pequena igreja recebe nova vida e torna-se um centro de renovação e de esperança em sua comunidade. Muitos dos que apresentaram a acusação inicial ainda demonstram hostilidade em relação à igreja, mas mesmo inconscientemente, eles foram usados pelo Espírito Santo para ajudar essa igreja a descobrir a vontade de Deus.

Outro exemplo: em certo país sul-americano, um evangelista com pouca instrução, mas grande devoção, começa a visitar uma pequena vila todas as semanas, viajando a cavalo pelas florestas. Seu único propósito é organizar uma igreja nessa comunidade. Aos poucos esse propósito começa a ser realizado. Contudo, naquele país há muito conflito social e político. Os camponeses estão sendo organizados a fim de reclamar suas terras; e, em resposta a isso, esquadrões da morte matam eles e seus líderes. Nessa vila específica, alguns camponeses temem que a visita do pastor e a pequena igreja que começa a se reunir todos os fins de semana sejam vistas como subversivas, e que a culpa caia sobre toda a vila. Eles visitam as autoridades que, por sua vez, visitam a igreja para se certificar de que ela se "mantém na linha". Durante essa visita, algumas das autoridades governamentais, em termos duros e até mesmo abusivos, inquiriram sobre a pregação do pastor: "Você prega sobre o que vocês revolucionários chamam de 'justiça social'? O que você diz a eles sobre Amós e os profetas? O que você lhes conta sobre a vida aqui na terra?" No exato processo de interrogatório, o pastor fica convencido de que o Espírito Santo o está chamando a ampliar seu ministério e sua mensagem. Ele decide se mudar para a vila, viver com os camponeses e organizar uma cooperativa agrícola. É bem possível que sua história termine como a de Estêvão, mas está claro que os que tentaram silenciá-lo, na verdade, chamaram-no a ampliar sua mensagem e seu programa de serviço.

Um elemento interessante desses dois exemplos e também da história de Estêvão é que, de forma curiosa, os que se tornam inimigos são os que deveriam ser mais próximos daqueles que eles acusam. No caso da cidade dos Estados Unidos, eles são todos latinos do mesmo bairro. No caso da vila da América Latina, eles são camponeses da mesma vila. Há um ditado em espanhol que diz: "Não há cunha pior do que a retirada da mesma madeira". O que acontece muitas vezes, como aconteceu com os helenistas que perseguiram Estêvão, com os vizinhos que acusaram o pastor do bairro e com os camponeses que chamaram a atenção das autoridades para o pastor, é que essas pessoas também são oprimidas pelos outros. Por trás da elite judaica — mesmo dos mais poderosos entre eles — estava o Império Romano. Da mesma maneira, muitos que oprimem os outros são, por sua vez, eles mesmos oprimidos. Por isso, não é de admirar que a oposição, com frequência, venha dos que deveriam ser aliados. E, todavia, Deus, de maneira impressionante, usa essa oposição para nos guiar para a nossa vocação.

Por fim, não esqueçamos que Estêvão viu o céu se abrir e Jesus à direita de Deus e que orou por aqueles que o mataram. A visão quer dizer que, mesmo em meio a todos esses conflitos e muitos outros que podem surgir, sabemos que a vitória final é nossa. Jesus, de quem testemunhamos e por intermédio de quem fazemos tudo o que fazemos, já está à direita de Deus. Ele é o Todo-Poderoso, Senhor dos senhores e Rei dos reis. Ninguém que se oponha a nós tem mais poder do que ele. É precisamente por isso que Estêvão pode perdoar seus inimigos. Ele vê Jesus à direita de Deus e, por isso, sente compaixão por aqueles que o apedrejam, que enfrentarão o julgamento desse Jesus: "Senhor, não lhes atribuas este pecado". Perdoar os inimigos — incluindo aqueles que Deus usa para nos chamar à obediência — não é só uma ordem de Jesus, também é o

3. A IGREJA EM JERUSALÉM (2.42–8.3)

resultado da profunda convicção de que o Jesus que morreu na cruz, e que orou da cruz por aqueles que o crucificaram, está à direita de Deus e, por isso, nossos inimigos já estão derrotados.

4 | Novos horizontes
(8.4 - 12.24)

Agora, a narrativa segue nova direção. Como resultado da perseguição desencadeada em Jerusalém após a morte de Estêvão, o testemunho dos cristãos alcança outras partes da Judeia e de Samaria. O esboço de 1.8, em geral, está sendo seguido — "Em Jerusalém como em toda a Judeia e Samaria" — mas essa ordem não é estritamente seguida, pois Lucas, primeiro, conta-nos sobre Samaria e até mesmo Etiópia para, depois, chegar à conversão de Saulo e, perto do fim dessa seção, ao testemunho dos cristãos na Judeia.

De certa forma, toda essa seção é uma ponte entre o texto que a precede e o restante do livro. Até esse ponto, o foco da atenção esteve em Jerusalém. Na eleição dos sete, encontramos nova liderança, agora, composta principalmente de judeus helenistas. Agora, devemos ser informados sobre como essa crescente igreja helenista levou a mensagem além dos limites de Jerusalém e, até mesmo, da Palestina. Na seção seguinte, o centro da narrativa se moverá para a Antioquia e para a missão dela, o que ocupará o restante do livro.

A. FILIPE (8.4-40)

Os Doze pediram à congregação para eleger sete homens para servir às mesas, enquanto eles guardavam-se para o ministério da pregação. Já no caso de Estêvão, o Espírito Santo contradisse o desejo dos Doze de manter esse ministério para eles mesmos. Agora, no capítulo 8, Filipe é quem proclama o evangelho — o que, mais uma vez, levanta a questão de que os Doze (cuja autoridade não é negada, mas, antes, afirmada) erraram ao pensar que poderia caber só a eles pregar a palavra.

1. Em Samaria (8.4-25)[1]

A passagem começa com um daqueles resumos que encontramos reiteradamente em Atos. Nesse caso em particular, o resumo é muito breve, pois está limitado ao versículo 4, mas é importante porque, como os outros resumos, informa-nos que o que vem a seguir é apenas um exemplo específico de tendências e princípios mais gerais.

Lucas não afirma que Filipe foi o único que foi de um lugar para outro pregando. Ao contrário, Filipe é um exemplo concreto do fato afirmado nesse versículo, e Samaria é um caso específico do que estava acontecendo "por toda parte". Como Joseph Kurzinger comenta:

> Gostaríamos muito de saber os detalhes dessa primeira missão cristã que se estendeu para a Fenícia, Chipre e Antioquia (11.19). Gostaríamos de saber o nome dos exilados que introduziram essa fase muito importante da história da igreja. Pensamos primeiro em todos do grupo do qual Estêvão fazia parte e cujos nomes são fornecidos em 6.5. Logo nos familiarizamos com um deles: Filipe. Contudo, deve ter havido, ao mesmo tempo, muitos outros que se tornaram porta-vozes do evangelho. Qual era a natureza da mensagem que eles pregavam? Àquela altura ainda não havia evangelho escrito. A palavra e os atos do Senhor eram compartilhados pela tradição oral e expostos e aplicados conforme já vimos nas falas anteriores de Atos. O que esses "ministros da palavra" (Lc 1.2) falam sobre Jesus, o que eles ponderam e descrevem com um sentido teológico de salvação, depois, poderia encontrar o caminho que, por meio de uma maior compreensão da mensagem, orientou os escritores do evangelho que extraíram dessas palavras faladas o material para escrever os evangelhos.[2]

Lucas não afirma que está nos contando toda a história da expansão do evangelho, mas está apenas tentando ligar essa história a "Teófilo" e ao restante de seus leitores. Portanto, o que eles nos conta é como uma série de estágios sucessivos por meio dos quais a mensagem alcança sua plateia. Isso é semelhante ao que, com frequência, é feito no estudo do

---
1   Bazán, F. García. "En torno a Hechos 8, 4-24: Milagro y magia entre los gnósticos". *Revis-Bib* 40 (1978), p. 27-38; Coggins, R. J. "The samaritans and Acts". *NTSt* 28 (1982), p. 423-34.
2   Kurzinger, Joseph. *Los hechos de los apóstoles*. Barcelona: Herder, 2 vols., 1979, p. 1:209.

4. Novos horizontes (8.4–12.24)

que chamamos história "universal": muito pouco é dito sobre o Oriente Distante, e focamos nossa atenção na Mesopotâmia e na bacia mediterrânea. Depois disso, ficamos interessados na civilização ocidental e estudamos pouco a respeito das civilizações bizantina e islâmica. Depois disso, ficamos particularmente interessados na Grã-Bretanha, Espanha, França, Itália e Alemanha e muito pouco na Polônia, Escandinávia e assim por diante. Estamos cientes de que todas essas nações e civilizações têm sua história, mas, por essa história não estar ligada diretamente à nossa, prestamos pouca atenção a ela. Da mesma maneira, Lucas oferece-nos vislumbres daquela história toda diferente da Galileia, Fenícia e outros lugares, mas só lida em detalhes com alguns episódios que, por alguma razão, são de interesse específico para a sua narrativa e seus propósitos.

A "cidade de Samaria", para onde Filipe vai (8.5), pode bem ser a própria Samaria (que, na época, chamava-se Sebaste) ou Siquém,[3] que também ficava em Samaria.[4]

Sebaste era uma cidade principalmente gentia, ao passo que Siquém era principalmente samaritana. Por esse motivo, muitos estudiosos sugerem que a história refere-se a Siquém. O que Filipe faz lá é pregar e fazer "sinais", ou milagres. As pessoas ouvem e veem (8.6). Aparentemente, "ouvindo", nesse versículo, refere-se aos gritos dados pelos espíritos imundos quando deixavam os que estavam endemoninhados; e o "vendo" refere-se ao homem aleijado e outros que foram curados (8.7). Contudo, a ênfase na passagem não é tanto nesses sinais como na pregação. A principal função de Filipe não é realizar feitos extraordinários, mas pregar. No versículo 8, aparentemente, a "grande alegria" refere-se aos que são curados e à própria mensagem, as boas-novas que Filipe pregava. Quanto ao conteúdo dessa mensagem, Lucas informa-nos que ele "prega[...]-lhes Cristo" (8.5); quer dizer, o ungido. Isso pode ser relevante, pois havia uma forte expectativa messiânica entre os samaritanos, que também chamavam o ungido de *Taeb*, "aquele que restaura". É possível que tudo isso também esteja relacionado com os milagres que acontecem — sinais de restauração. Também sabemos que os samaritanos se opõem à adoração no templo de Jerusalém (veja Jo 4.20,21). Isso é interessante, pois já vimos no discurso de Estêvão que ele criticou firmemente o templo feito por

---

[3] Às vezes, Siquém, que aparece muitas vezes no Antigo Testamento, era identificada com a vila de Sicar de João 4.5.

[4] Alguns manuscritos não dizem "a cidade de Samaria", mas "uma cidade de Samaria". Nos tempos do Antigo Testamento, a capital do reino de Israel era Samaria, mas Herodes, quando a reconstruiu, deu-lhe o nome de "Sebaste", o equivalente grego do latino "Augusta", em honra de Augusto César. Samaria era uma cidade muito helenizada com grande número de pagãos. O próprio nome de "Sebaste" era considerado blasfemo por muitos judeus e samaritanos. Por isso, não seria de surpreender que Lucas preferisse o nome antigo de "Samaria".

mãos humanas. Agora, Filipe, outro dos sete e, por isso, provavelmente membro do mesmo círculo de Estêvão, estará trabalhando entre os samaritanos que também rejeitam a adoração no templo.[5]

No versículo 9, conhecemos Simão,[6] conhecido na história posterior como Simão, o Mago,[7] e Lucas informa-nos a respeito do prestígio e autoridade dele, tão marcantes a ponto de os samaritanos dizerem: "Este é o Poder de Deus que se chama Grande Poder" (8.10).[8] Esse Simão está entre as muitas pessoas convertidas pela pregação de Filipe. Ele é batizado e segue Filipe nessa região e circunvizinhanças. Embora tradicionalmente seja dito que Simão era hipócrita, o texto não dá nenhuma indicação disso. Por isso, parece que Roloff parte do texto e declara que "Simão concordou em se juntar à comunidade na esperança de descobrir o segredo do poder de Filipe de realizar feitos extraordinários; por isso, ele não o deixa sozinho, a fim de observá-lo de perto enquanto ele desempenha suas atividades".[9]

Por isso, os Doze intervêm (8.14) enviando Pedro e João a Samaria. Ao chegar, os dois descobrem que os cristãos de lá ainda não tinham recebido o Espírito Santo, pois "haviam sido apenas batizados em nome do Senhor Jesus" (8.15,16). Os apóstolos impõem as mãos sobre eles, e eles recebem o Espírito Santo (8.17). Essa passagem específica foi usada várias vezes na história da igreja de maneiras muito distintas, pois há vários aspectos dela que não estão totalmente claros. Às vezes, ela é usada pelos que afirmam que, originalmente, o batismo era só em nome de Jesus e que ainda devia ser assim. O mesmo texto é usado pelos que insistem na fórmula trinitária no batismo, afirmando que esse texto mostra que o

---

5 CULLMANN, O. *Des sources de l'evangile à la formation de la théologie chrétienne*. Neuchatel: Delachaux et Niestlé, 1969, p. 18.

6 Há extensa literatura acadêmica sobre Simão. Há dois resumos dessa literatura: MEEKS, W. A. "Simon Magus in recent research". *RelStudRev* 4 (1977), p. 137-42; e RUDOLPH, K. "Simon—Magus oder Gnosticus? Zur Stand der Debatte". *ThRund* 42 (1977), p. 279-359. Dois estudos posteriores devem ser acrescentados: BERGMEIER, R. "Die Gesttalt des Simon Magus in Act 8 in der simonischen Gnosis-Aporien einer Gessamtdeutung". *ZntW* 77 (1986), p. 267-75; e LUDERMANN, G. "The Acts of the Apostles and the beginnings of Simonian Gnosis". *NTSt* 33 (1987), p. 420-26. O último argumenta que a gnose que, depois, tomou o nome de Simão, na verdade, está ligada a ele, e que Lucas se refere a ela ironicamente quando, em 8.22, fala da *epinoia* de Simão.

7 Na literatura patrística, Simão, com frequência, é acusado de ser o pai do gnosticismo. Com certeza, isso é um exagero, mas há motivos para pensar que, na verdade, existe uma ligação entre Simão e o gnosticismo primitivo.

8 No século II, Justino Mártir, oriundo da mesma região, conta-nos sobre Simão que "quase todos os samaritanos, embora poucos entre as outras nações, adoram-no como o primeiro Deus; e a determinada Helena, que o acompanhava na época em sua perambulação e que, antes, fora prostituta, chamavam de a primeira mente [*ennoian*; por isso, a referência de Ludemann à epinoia mencionada na nota 6] nascida dele" (Apol. I, 26.3). Em outra passagem, Justino mesmo diz: "Sobre os samaritanos, eu disse ao imperador que são iludidos por seguir o mágico Simão, do meio deles mesmos, e a quem declaram ser deus acima de todo princípio, poder [*dynamis*, a mesma palavra que aparece em Atos 8.10: 'O Grande Poder' de Deus] e potência" (*Dial*. 120.6).

9 ROLOFF, Jürgen. *Hechos de los apóstoles*. Madri: Cristiandad, 1984, p. 186.

4. Novos horizontes (8.4–12.24)

batismo só no nome de Jesus é deficiente. Depois, outros usam esse texto para insistir na existência de dois batismos: um com água e outro que acontece depois, com o Espírito Santo. Por fim, também é fundamentado nesse texto que alguns afirmam que, embora o batismo possa ser administrado por qualquer cristão, a confirmação é função exclusiva de bispos, como era, na época, prerrogativa dos apóstolos. Portanto, esse texto em particular merece cuidadosa discussão.

Primeiro, qual é o sentido de eles terem "sido apenas batizados em nome do Senhor Jesus"? Claramente, está faltando alguma coisa; mas o texto não nos informa qual é a deficiência. Uma interpretação poderia ser que a deficiência consistia em terem sido batizados apenas "no nome do Senhor Jesus", e não em nome do "Pai, do Filho e do Espírito Santo". O problema é que em outras passagens de Atos, o batismo "em nome de Jesus" é praticado sem nenhuma deficiência nem problema aparente. Em 2.38, Pedro diz aos seus ouvintes no dia do Pentecostes: "Arrependei-vos, e cada um de vós seja batizado em nome de Jesus Cristo [...] e recebereis o dom do Espírito Santo". Em 10.48, Pedro, mais uma vez, ordena que Cornélio e os que estavam com ele sejam batizados "em nome de Jesus Cristo". Por fim, em 19.1-6, Paulo encontra alguns cristãos de Éfeso que só receberam o "batismo de João". Então, Paulo batiza-os "em nome do Senhor Jesus", impõe as mãos sobre eles, e eles recebem o Espírito Santo. Portanto, o mero fato de que o batismo que os samaritanos receberam ter sido "em nome do Senhor Jesus" não parece ter sido o problema.[10]

Do que foi dito antes, infere-se que o que faltava a esses discípulos era o dom do Espírito Santo. A pergunta óbvia depois disso é: por quê? E a única resposta possível é que não sabemos. No já citado texto, 2.38, Pedro parece indicar que o dom do Espírito virá sobre todos que estão ouvindo logo que se arrependerem e forem batizados. Na história sobre Cornélio, mencionada no capítulo 10, o Espírito vem sobre Cornélio e seus amigos antes de eles serem batizados, e é porque o dom já fora concedido que Pedro ordena que sejam batizados. No episódio em Éfeso, as coisas são ainda mais complicadas, pois esses crentes só receberam o batismo de João Batista. É depois de os batizar em nome de Jesus que Paulo impõe as mãos sobre eles, e eles recebem o Espírito. Por conseguinte, tudo que pode ser dito é que, de acordo com Atos, o Espírito

---

10 Como isso pode ser enquadrado na outra fórmula batismal que aparece no Novo Testamento — "em nome do Pai, do Filho e do Espírito Santo" (Mt 28.19) — que, no fim, torna-se a fórmula clássica de batismo? Aqui pode ser útil mencionar que a fórmula mateana não recomenda o batismo "nos nomes", mas em um único nome. Se lembrarmo-nos que no uso bíblico, o "nome" não é apenas o som da palavra, mas também o poder por trás dela, pareceria que o "nome de Jesus" e o "nome do Pai, do Filho e do Espírito Santo" são, na verdade, o mesmo nome.

é absolutamente livre para decidir onde ser derramado e onde se manifestar, seja antes do batismo, seja depois dele, seja no próprio batismo, seja na imposição de mãos, seja em qualquer momento. Uma coisa fica clara, se algum desses textos for entendido como uma norma rígida que o Espírito deve seguir ou como prática absoluta e essencial na vida da igreja, isso contradiz a compreensão mais ampla que Lucas tem da liberdade do Espírito.

Também é importante observar que o texto não diz uma palavra sobre o dom do Espírito Santo ser acompanhado de manifestações extraordinárias como o falar em línguas ou, de qualquer modo, como se reconhecia o fato de que eles tinham recebido o Espírito Santo. Depois, nos episódios de Cornélio e de Éfeso, a glossolalia aparecerá, mas não nesse texto.

Nem somos informados se Simão, o mago, estava entre os que receberam o dom do Espírito quando os apóstolos impuseram as mãos sobre eles. Podemos ficar inclinados a pensar que não foi assim, pois é difícil entender como o dom do Espírito poderia coexistir com o obscurecimento espiritual de Simão. Contudo, o texto não nos informa nem uma coisa nem outra. Por isso, não podemos afirmar que Simão não recebeu o Espírito porque ele era "um candidato inaceitável para o batismo do Espírito Santo".[11] Além do fato de que o texto não nos informa se Simão recebeu ou não o Espírito, esse julgamento pareceria indicar que o Espírito é recebido com base no mérito humano — o que, por sua vez, implicaria graves dificuldades para a teologia cristã.

De todo jeito, Simão, o Mago, pede para comprar esse dom específico do apóstolo (não o dom de realizar milagres, que ele vira antes em Filipe, mas, antes, o dom de ter pessoas recebendo o Espírito Santo pela imposição das mãos).[12] A resposta de Pedro é uma maldição e um convite ao arrependimento (8.20,21). No texto grego, aquilo com o que Simão não tem parte é esse *logos*, cujos muitos sentidos incluem "palavra", "mensagem", "doutrina", "razão", "matéria", "assunto". A NRSV não se compromete e, por isso, traduz por: "Você não tem parte nisso nem compartilha disso". A A21 diz: "Tu não tens parte nem responsabilidade neste ministério". Como a resposta de Simão está no plural, pedindo que "vocês" (NVI) orem por ele, poderia parecer que Lucas, embora só mencione as palavras de Pedro, está sugerindo que João também usa palavras severas. De todo jeito, a resposta de Simão parece indicar arrependimento, embora o texto

---

11   EARLE, Ralph. *Hechos*. *Kansas City*: Casa Nazarena de Publicaciones, 1985, p. 364.
12   Sobre o que Simão realmente queria, veja DERRETT, J. D. "Simon magus". *ZntW* 73 (1982), p. 52-68.

4. Novos horizontes (8.4–12.24)

não diga explicitamente que ele se arrependeu, mas só que ele pediu aos apóstolos que orassem por ele.[13]

O texto termina com o retorno de Pedro e João a Jerusalém, e, no caminho de volta, eles usam a oportunidade para pregar nas vilas de Samaria que visitam.

Poucos personagens bíblicos causaram tão má impressão como Simão, o Mago. Na igreja antiga dizia-se — e ainda é repetido em muitos livros de história, que ele foi o fundador de quase toda heresia de origem incerta. Em algum ponto, por volta do século III ou IV, um escritor anônimo com muita imaginação escreveu a literatura *pseudoclementina*, na qual Simão, o Mago, é o vilão que vai a todo lugar tentando desfazer o trabalho de Simão Pedro. Durante a Idade Média, os cristãos, que desejavam a reforma da igreja e que lamentavam a prática de comprar e vender posições eclesiásticas, deram a essa prática o nome de "simonia" por causa de Simão, o Mago, que quis comprar o dom do Espírito Santo. E, no século XX, Hollywood, como não podia ficar aquém dos demais, produziu um filme (*O cálice de prata*) no qual Simão, o Mago, é um charlatão que usa truques de mágica para tentar ultrapassar os milagres dos apóstolos. Mais comumente, diz-se que Simão, o Mago, era um hipócrita que tentou usar o evangelho para o próprio benefício financeiro.

Contudo, o texto não diz isso. O texto simplesmente fala que Simão acreditava e estava "admira[do]" com as coisas que via acontecerem à volta de Filipe. O texto também diz que ele era um homem poderoso. Ele era tão poderoso que as pessoas diziam o seguinte a respeito dele: "Este é o Poder de Deus que se chama Grande Poder". Esse prestígio incrível de Simão é confirmado pelo testemunho de Justino Mártir, que procede da região de Samaria. Simão, esse homem poderoso e prestigiado, é convertido. Mas ele, ao ver que os apóstolos têm o poder de conferir o Espírito Santo, deseja ter o mesmo poder e deseja receber esse poder em troca de dinheiro. Ele sempre foi poderoso e, agora, deseja trocar dinheiro, símbolo de seu poder em Samaria, pelo dom dos apóstolos a fim de ser tão poderoso e prestigiado na igreja como é em Samaria. É a isso que Pedro responde com palavras duras, dizendo-lhe que está "cheio de amargura e em laços de maldade", e que, por isso, o dinheiro dele perecerá com ele. A isso, Simão responde com palavras que parecem indicar, pelo menos, o início de arrependimento.

Quando lido assim, o texto não é sobre sinceridade ou hipocrisia, mas sobre como o poder afeta a vida cristã. Por esse assunto ser de

---

13 Alguns manuscritos do texto ocidental e também da versão siríaca acrescentam que Simão "chorou por muito tempo".

grande importância para as nossas igrejas, ele deve ser examinado em grande detalhe.

Simão, o Mago, está acostumado a ser poderoso e, por isso, é difícil para ele ver a diferença entre o poder que conta na sociedade samaritana — dinheiro e operação de milagre — e o poder que conta na igreja. Simão Pedro é um humilde pescador da Galileia a quem Jesus e a obra do Espírito transformou em um pescador de almas. Simão, o Mago, acostumado a ser chamado de o "Grande Poder" de Deus, não pode experimentar o poder de Deus como Simão Pedro testemunhou no Pentecostes, o Espírito como o grande nivelador derramado sobre "todas as pessoas" e que faz os filhos e filhas profetizarem.

Entre eles, há Filipe. Não somos informados exatamente sobre o que ele pensava nem podemos dizer isso com base no texto porque os atos dele de batismo tiveram de ser seguidos da imposição de mãos de Pedro e João. Mas o texto indica que, por algum motivo, Filipe não sabia como ou não podia fazer Simão, o Mago, ver a diferença entre o poder do dinheiro e o poder de Deus, entre o poder que fazia as pessoas dizerem sobre ele: "Este é o Poder de Deus que se chama Grande Poder" e o poder que transformou Simão Pedro em apóstolo de Jesus Cristo.

ENTRE SIMÃO, O MAGO, E SIMÃO PEDRO

Essa tipologia tripartite — Simão, o Mago, Simão Pedro e Filipe — descreve bem a situação em muitas de nossas igrejas. Nossas igrejas, como Simão Pedro, vêm de condições sociais relativamente obscuras. Embora a história do protestantismo na América Latina geralmente foque a atenção no trabalho de visionários com relevante apoio externo, a verdade é que a maioria do crescimento protestante no continente deve-se a uma multidão de testemunhas anônimas, a maioria delas pobres e com pouco treino acadêmico. Nos obscuros cantos da floresta andina, o evangelho transformou aqueles que, antes, eram meras estatísticas de pobreza e analfabetismo em apóstolos. O mesmo acontece nas igualmente violentas selvas das nossas favelas. O primeiro culto de adoração da maioria das nossas congregações não aconteceu em igrejas bem construídas e respeitadas, mas na casa humilde com parede de papelão e teto de palha de alguma irmã ou irmão. A "boa" sociedade estigmatizava-os com epítetos como *simpatizante*, *praticante* e *fanático*. Eles eram atacados e perseguidos de milhares de maneiras. Na Colômbia e outros países, havia perseguição pública e feroz. Em todo o continente, muitas igrejas eram apedrejadas ou queimadas pelas multidões fanáticas. Em escolas públicas, diziam a muitos de

4. Novos horizontes (8.4–12.24)

nossos filhos que eles não eram cristãos de verdade, mas "hereges". Nas burocracias civis, os protestantes só estavam presentes nos escalões mais baixos, porque as posições de mais prestígio, em geral, estavam fechadas a qualquer um que pudesse falar abertamente de sua fé protestante. Havia pouco acesso por intermédio da imprensa, do rádio ou de outros meios de comunicação. Éramos como aqueles cristãos de Corinto para os quais Paulo escreveu: "Não foram chamados muitos sábios, segundo critérios humanos, nem muitos poderosos, nem muitos nobres" (1Co 1.26).

O mesmo é verdade em relação às igrejas protestantes de fala espanhola dos Estados Unidos. Poucas foram fundadas por imigrantes da classe média que trouxeram sua fé da América Latina. Outras foram estabelecidas em comunidades de classe média pelas igrejas da cultura predominante. Mas a grande maioria localiza-se nas vizinhanças mais pobres das grandes cidades, como Nova York e Los Angeles (onde hoje há mais de mil igrejas hispânicas protestantes) ou nas pequenas comunidades camponesas do Texas e do Novo México. Elas não são igrejas com grande prestígio justamente porque elas trabalham entre pessoas pobres com poucas oportunidades de adquirir instrução.

É nesse ponto que o texto que estamos estudando se torna relevante. Às vezes, estamos tão acostumados a ser poucos, a ser marginalizados, a ser considerados ignorantes e sectários que, quando uma pessoa de prestígio se junta a nós, imaginamos que, de alguma maneira, isso aumenta nosso poder e nos torna melhores. Em vez de desafiar essa pessoa a entender o contraste entre o poder que ela tem na sociedade e o poder do Espírito, damos a impressão de que esse poder nessa sociedade pode se transformar direta e automaticamente em poder e autoridade na igreja. Em algumas igrejas, se um *doutor* — advogado — entra, dizemos: "Seja bem-vindo, *doutor*, por favor, sente-se aqui, *doutor*". Em outras igrejas, fazemos a mesma coisa com atletas famosos, com pessoas ricas e até com ditadores. Esse problema não é único nem novo, pois existia também na igreja primitiva — como pode ser constatado em Tiago 2.1-3. Mas a verdade é que tudo isso reflete um poder similar ao de Simão, o Mago, que "não te[m] parte nem responsabilidade neste ministério".

Contra esse poder levanta-se o de Simão Pedro: um pobre pescador que tinha alguma dificuldade em entender a mensagem de Jesus e que nem sempre foi fiel, a despeito de suas boas intenções, mas que descobriu, na presença do Espírito, o poder para enfrentar pessoas como Simão, o Mago, e, no fim (de acordo com uma tradição muito antiga), a própria morte. Esse poder ainda existe em nossas igrejas. Como no caso de Simão Pedro, com bastante frequência, os que percebem esse poder mais claramente são os que são impotentes na sociedade e, por isso, conseguem ver o contraste entre os dois tipos de poder. Mais de meio século atrás, isso foi claramente colocado em seu estilo único por Alberto Rembao, filósofo, teólogo e poeta mexicano:

> Assim, uma pessoa analfabeta ou um homem com pouca instrução será mais bem cultivado que um doutor em ciências ou filosofia, se essa pessoa analfabeta souber como receber o dom livre do refinamento divino, que não é uma questão de intelecto e escolaridade, mas de emoção e conduta. O primeiro chefe da comunidade cristã de Jerusalém, sem nenhuma preparação, recebe a ciência que o eleva ao patamar de um grande transformador do curso da história.[14]

A partir de seu início, o poder da igreja protestante de fala espanhola está precisamente nisto: em ser a igreja que, como Simão Pedro, não recebe o próprio valor e direção da escala de valores sociais circundante, mas do Espírito Santo.

Filipe permanece entre Simão Pedro e Simão, o Mago. O texto não nos diz exatamente o que ele ensinou a Simão, o Mago. Mas a própria narrativa parece indicar que Filipe, embora tenha pregado o evangelho para Simão, não transmitiu o contraste entre os valores dessa boa-nova e os valores da sociedade samaritana — entre os valores do evangelho e o valor do dinheiro. Filipe pregou para Simão e o batizou, aparentemente, sem muitos rodeios; e Simão, embora o tenha seguido por todo lugar, nunca foi confrontado com o contraste e a contradição existente entre esses dois poderes.

Nós, os protestantes latinos, também somos tentados com essa atitude. Os tempos mudaram. Hoje, pessoas de prestígio, dinheiro e posição social vêm a nós. Muitas delas não necessariamente com má vontade, mas porque estão acostumadas com isso, tomam como garantido que, na igreja, serão tratadas com a mesma deferência e privilégio que no restante da sociedade. Elas, como Simão, o Mago, não veem dificuldade em empregar seu dinheiro, símbolo de poder na sociedade, para conseguir respeito especial na igreja. Claramente, o evangelho também é para essas pessoas. Contudo, estamos prontos a chamá-las ao arrependimento como fazemos com todas as pessoas? A fazê-las ver as exigências radicais do evangelho? Ou tornamos as coisas mais fáceis para que elas não se aborreçam e nos abandonem? Um líder protestante da América Latina expressou essa preocupação de forma bastante concreta:

---

14   REMBAO, Alberto. *Discurso a la nación evangélica*. Buenos Aires: La Aurora, 1949, p. 17-18.

4. Novos horizontes (8.4–12.24)

"Cafés da manhã presidenciais" passaram a ser a moda, bem como todo tipo de reuniões com as autoridades. Os protestantes já levantaram sua voz profética neles? Estamos realmente tentando cultivar a riqueza e o privilégio do coração impenitente entre os poderosos, garantindo-lhes que o evangelho produz trabalhadores que não fazem greves, estudantes que cantam canções religiosas em vez de grafitar chamados à ação social, guardiões da paz ao preço de injustiça?[15]

Em tudo isso, vemos um processo muito semelhante ao de Simão em Atos: uma igreja composta principalmente de dissidentes, de pessoas que não se ajustam totalmente à estrutura social, agora, tentadas pela mudança que a adição de pessoas como Simão, o Mago, pode trazer. A alternativa continua a ser a mesma: capitular diante de Simão, o Mago, vender o dom do Espírito, perder o poder missionário e evangelizador ou dizer a todo Simão, o Mago, que vier impenitente a nós: "Que tua prata siga contigo para a destruição, pois pensaste em adquirir com dinheiro o dom de Deus"!

2. O etíope (8.26-40)

Filipe, personagem central do início do episódio anterior, mas, depois, eclipsado pelo encontro entre os dois Simões, ocupa, mais uma vez, o centro da narrativa. Um anjo (o que, lembre-se, não quer necessariamente dizer um ser-espírito alado como, hoje, pensamos, mas um mensageiro de Deus) diz-lhe para pegar a estrada para Gaza. Diferentes possibilidades foram sugeridas para o lugar em que Lucas posiciona Filipe antes dessa visita angelical. A referência ao deserto pode ser a própria Gaza, que foi reiteradamente abandonada; mas parece, antes, referir-se a uma das duas estradas que levavam de Jerusalém a Gaza, assim, a referência ao deserto é uma indicação de qual dessas duas estradas Filipe deve pegar.[16] Se esse é o sentido dessa frase, poderia parecer que Lucas localiza Filipe em Jerusalém. Mas também é possível ler essa passagem como a continuação da anterior, como se Filipe ainda estivesse em Samaria. Porque muito adiante (21.8), Lucas informa-nos que Filipe vivia em Cesareia, esse lugar também foi sugerido como ponto de partida para essa jornada. Embora não sejamos informados onde Filipe estava, somos instruídos que se supõe que ele vá para o sul (o texto diz ao pé da letra "à tarde", mas o

---

[15] Escobar, Samuel. "Responsabilidad social de iglesia". Em *Acción en Cristo para un continente en crisis*. Miami: Caribe, 1970, p. 35.
[16] Jaquier, E. *Les Actes des Apôtres*. Paris: V. Lecoffre, 1926, p. 269.

sentido parece indicar que isso não tem a ver com o horário, mas com a direção, da mesma maneira que, hoje, o termo espanhol *mediodía* pode ser à tarde ou sul, e o termo francês *midi* também pode ter os dois sentidos).

Nessa jornada, Filipe encontra um "eunuco etíope". Em alguns textos antigos, "eunuco" não quer necessariamente dizer um homem que foi emasculado, mas um alto funcionário do governo. O fato de Lucas nos informar que ele era "um eunuco etíope, administrador" poderia parecer indicar que, na verdade, ele era um eunuco, pois, do contrário, seria uma grande redundância.

"Candace" não é o nome de uma rainha em particular, mas o título que era dado à rainha de Núbia, no sul do Egito.[17] Era a essa rainha que esse eunuco servia como tesoureiro. A região chamada, na época, de "Etiópia" não era a mesma do país que, hoje, recebe esse nome. Antes, era a região de Núbia, cujos territórios faziam fronteira com o Nilo no sul do Egito, e ficava próxima do que, hoje, é o Sudão. No Antigo Testamento, seu nome é Cuxe. Sua capital, presumivelmente para onde ia o eunuco, era Meroe.[18]

O fato de o eunuco ter ido a Jerusalém para adorar nos diz que ele era um dos "tementes a Deus" que, embora acreditasse no Deus de Israel, não se submetia completamente à lei nem à circuncisão.[19] Não é inacreditável que alguém de um país tão distante fosse a Jerusalém para adorar, pois seis séculos antes de Cristo já havia uma colônia judaica muito forte na ilha de Elefantine, na primeira catarata do Nilo, ou seja, exatamente na fronteira entre Egito e Núbia.

Esse funcionário civil da corte de Candace "lia o profeta Isaías" (8.28). Filipe ouve-o, portanto ele deve estar lendo em voz alta, o que era costume nos tempos antigos; ou tinha alguém lendo em voz alta para ele, o que também era costume entre os ricos.

A citação que aparece em 8.32,33 é de Isaías 53.7,8.[20] Isso não quer dizer que o eunuco estava lendo apenas esses dois versículos. Na época, não havia outra maneira de fazer referência bibliográfica (pois não havia capítulos e versículos), portanto, o que Lucas faz é citar uma parte bem

---

17   Veja PLINY, Hist. *Natur.* 6.35.
18   Para algumas pessoas, a Etiópia era o fim do mundo conhecido e, com base nisso, é sugerido que todo o oitavo capítulo de Atos segue o esboço de 1.8: "Judeia" (8.1-4); "Samaria" (8.5-25); "e até os confins da terra" (8.26-39). Thornton, T. C. G. "To the end of the earth: Acts 1:8". *ExpTim* 89 (1978), p. 374-75.
19   Sobre esse ponto, veja o comentário sobre 10.2.
20   Sobre a maneira como esse texto era interpretado na Antiguidade cristã, veja DECOCK, P. B. "The Understanding of Isaiah 53:7-8 in Acts 8:32-33". *Neot* 14 (1981), p. 111-33. De acordo com Decock, não era enfatizado o sacrifício do servo sofredor pelos outros, mas, antes, o contraste entre a humilhação e a exaltação dele. Como tal, esse tema era a continuação da tradição apocalíptica judaica e se tornou importante para os cristãos durante os primeiros anos de perseguição.

4. NOVOS HORIZONTES (8.4–12.24)

conhecida do texto a fim de indicar que o eunuco lia, mais ou menos, o que conhecemos hoje como Isaías 53. Filipe pergunta-lhe se ele entende o que lê,[21] e o eunuco convida-o a entrar na carruagem e lhe explicar o que o profeta está dizendo.[22] "A passagem da Escritura" — quer dizer, Isaías 53 — que Filipe anuncia para o eunuco é a das boas-novas sobre Jesus. Observe que o texto não diz que ele só explicou a passagem de Isaías, mas que esta foi seu ponto de partida.

É nesse momento (talvez depois de várias horas ou, até mesmo, dias, pois Lucas não nos informa) que, vendo a água, o eunuco pergunta a Filipe se pode ser batizado. A frase empregada aqui faz paralelo com frases similares de 10.47 e de 11.17. Aparentemente, essa era a fórmula empregada antes de aceitar batizar alguém. O versículo 37 não aparece nos melhores manuscritos, por isso, muitos estudiosos acham que ele foi acrescentado depois a fim de refinar a ação citando a resposta de Filipe.[23] De qualquer forma, a narrativa indica que Filipe lhe disse que não havia impedimento para o batismo dele.

"Desceram ambos à água" e, depois, do batismo, eles "saíram da água". No grego, as formas gramaticais empregadas aqui indicam que eles realmente entraram na água e foi em pé na água que o batismo aconteceu. Essa era a forma normal de batismo como se pode ver em Romanos 6.4; Colossenses 2.12 e outras passagens do Novo Testamento.[24]

Depois disso, o Espírito levou Filipe, colocando-o, aparentemente, em Azoto, onde ele continuou pregando até que foi para Cesareia (onde o encontramos de novo em 21.8). O eunuco seguiu seu caminho regozijando-se.[25]

Essa passagem, com frequência, é interpretada como o início da missão para uma nova terra. A Igreja da Etiópia, uma das mais antigas

---

21 A pergunta: "Entendes o que estás lendo?", no grego, é um jogo de palavras: *ginôskeis ha anaginoskeis*.

22 A construção grega que o eunuco emprega aqui é muitíssimo refinada e destaca-se do estilo do restante da obra de Lucas. Com um toque de mestre, Lucas apresenta o eunuco falando de maneira que sugere o modo como um alto funcionário de uma corte real falaria.

23 Esse acréscimo, se realmente foi isso, deve ter sido relativamente cedo, pois, perto do fim do século II, Irineu já cita um texto que inclui o versículo 37. Todos os manuscritos incluindo-o refletem o texto ocidental. HEIMERDINGER, J. "La foi de l'eunuche éthiopien: Le problème textual d'Actes 8:37". *EtThRel* 63 (1988), p. 521-28, defende a autenticidade — ou, pelo menos, a grande antiguidade — dos textos oriental e ocidental com essa edição.

24 A referência sobrevivente mais antiga ao batismo só por meio do derramamento de água sobre a cabeça está no *Didaquê*, documento cristão escrito entre os anos 70 e 120: "Se não tiver água corrente, batize em outra água; se não puder fazer isso em água fria, faça em água quente. Você não tiver os dois, derrame água sobre a cabeça três vezes em nome do Pai, do Filho e do Espírito Santo" (*Did*. 7.2,3).

25 O texto ocidental acrescenta poucas palavras a 8.39, entre "Espírito" e "do Senhor", assim, ele diz: "O Espírito Santo caiu sobre o eunuco, e o anjo do Senhor arrebatou Filipe". Embora normalmente o texto ocidental não seja considerado digno de confiança, nesse caso em particular, diversos estudiosos sugerem que ele pode estar bem mais próximo do original do que os textos comumente mais aceitos.

do mundo e que tem milhões de membros, afirma que sua origem está precisamente nesse encontro entre Filipe e o eunuco etíope.[26] Além disso, essa passagem pode ser lida como representando o começo da missão para os gentios antes mesmo de a igreja como um todo a autorizar.[27] Seria só depois do episódio de Pedro e Cornélio que os líderes da igreja de Jerusalém chegariam à conclusão de que "Deus concedeu também aos gentios o arrependimento para a vida" (11.18).

Mesmo à parte desses assuntos, é importante considerar a própria conversa entre Filipe e o eunuco e o que ela pode representar para hoje. Para esse fim, deve-se perceber que o eunuco, embora seja um "temente a Deus", não pode se converter ao judaísmo, pois isso é estritamente proibido pela lei de Israel (Dt 23.1). Embora a lei possa nos parecer obscura hoje, ela devia ser bem conhecida pelo etíope, que estava suficientemente interessado no judaísmo a ponto de ir a Jerusalém para adorar, embora soubesse que a entrada para o povo de Deus estava para sempre proibida para ele porque era eunuco. E ele também, pelo mesmo motivo e por sua própria condição, devia estar ciente da promessa que aparece no livro de Isaías apenas três capítulos depois daquele que ele lia (Is 56.3-5), de que viria o dia em que haveria, na casa de Israel, um lugar para o estrangeiro e também para o eunuco.

Começando com Isaías 53, Filipe anuncia-lhe o "evangelho de Jesus". O que são as boas-novas para o eunuco estrangeiro além de que, com o advento de Jesus e o dom do Espírito, os "últimos dias" já começaram e de que a promessa de Isaías começa a ser cumprida? Depois de ouvir sobre as boas-novas desses últimos dias é que o eunuco, ao ver a água, pergunta a Filipe: "Que me impede de ser batizado?" Com base na lei que vigorou em Israel por séculos, a resposta seria clara: "Sua condição de eunuco". Mas com base nas boas-novas que Filipe acaba de proclamar para ele de que o reino de Deus foi inaugurado, a resposta é diferente: não há nada que impeça isso!

Ao batizar o eunuco, Filipe está fazendo muito mais do que pensamos. Ele não está apenas batizando um novo convertido nem só está abrindo o caminho do evangelho para toda uma nação ou um continente inteiro. Ele faz tudo isso, mas também faz muito mais. Ele declara que

---

26 Afora esse texto, o dado histórico mais antigo que temos sobre uma missão cristã à Etiópia é do século IV, quando dois irmãos náufragos, Frumêncio e Edésio, levaram a mensagem cristã para essa região. Frumêncio retornou à Alexandria, onde foi consagrado bispo da Etiópia por Atanásio.

27 A menos que Lucas, como alguns autores sugerem, não siga estritamente a ordem cronológica, mas, antes, complete os "atos de Filipe" antes de mudar para outro assunto. Nesse caso, embora a conversão do etíope apareça no capítulo 8 e a de Cornélio no capítulo 10, a última precedeu a anterior.

4. Novos horizontes (8.4–12.24)

chegou o dia do cumprimento das promessas do reino. Ele reafirma e aplica o que Pedro disse no Pentecostes: "Isto é o que havia sido falado pelo profeta Joel: [...] nos últimos dias"! Exatamente porque a igreja vive "nos últimos dias", a promessa de Isaías está sendo cumprida, e o eunuco e o estrangeiro também têm um lugar na casa do Senhor (Is 56.3-5).

Ao dar esse passo, Filipe está passando adiante do restante da igreja, a qual só descobrirá essas implicações do evangelho três capítulos adiante de Atos. Se Filipe pode passar adiante dos Doze é porque, embora eles sejam "hebreus", ele é "helenista" (conforme foi explicado no comentário sobre 6.1-7). Filipe, como uma pessoa que fora marginalizada no meio do povo de Israel, consegue perceber que as margens ficaram mais amplas e, por isso, começa a missão para os gentios até mesmo antes que os verdadeiros líderes da igreja a sancionem.

QUANDO A PROMESSA É CUMPRIDA

O que tudo isso tem a ver conosco? Um bom bocado — pois também somos uma comunidade do Espírito vivendo no início do fim. Também vivemos, por virtude do Espírito, "nos últimos dias". Também somos chamados a testemunhar, como fez Filipe, do cumprimento das promessas de Deus.

Filipe era um entre os judeus helenistas. Como tal, ele poderia ter pensado que sua missão era repetir e dizer as mesmas coisas que os apóstolos, os "hebreus", e aqueles que conheceram o evangelho antes dele diziam e faziam. Por sua vez, precisamente por ser helenista, ele pôde começar a abrir portas para os ainda mais marginalizados que ele.

Ao estudar a história da igreja e seu progresso missionário, observamos repetidamente que os grandes movimentos, as mais notáveis descobertas de dimensões insuspeitadas do evangelho e da obediência a ele, em geral, não aparecem no centro, mas nas margens, na periferia. Filipe, como helenista, é um dos marginalizados na comunidade até esse momento dominada pelos "hebreus". Quando essa comunidade lhe concede um pouco de poder, elegendo-o um dos sete, ele bem podia ficar contente com isso e continuar a fazer o que sempre fora feito antes. Mas não é isso que acontece. Pela virtude do Espírito Santo, que usa a condição de Filipe de helenista com experiência de ser marginalizado. Filipe amplia os horizontes e ousa dizer ao eunuco que nada o impede de ser batizado.

Muitas latinas, latinos e outras minorias da igreja têm muita experiência semelhante à dos helenistas. Somos membros da igreja e somos aceitos como tal. As igrejas mais antigas que enviavam e, com frequência, continuam a enviar missionários orgulham-se de seu "trabalho", quer dizer, de nós. Espera-se que continuemos esse trabalho, e que o empreendamos com entusiasmo. Contudo, o que é claramente esperado é que o continuemos exatamente como fomos ensinados pelos "hebreus", por aqueles que nos precederam na fé. No entanto, precisamente por estarmos na periferia, onde o cristianismo enfrenta constantemente novas situações, é bem possível que o Espírito esteja nos chamando, como chamou a Filipe antes, a novas formas de obediência e a novo entendimento do evangelho.

Isso acontece muitas vezes na história do protestantismo na América Latina. Por exemplo, em alguns de nossos países, houve igrejas fundadas por norte-americanos brancos do sul que trouxeram não só a mensagem de Jesus Cristo, mas com a mensagem muito dos preconceitos raciais que haviam sido tão predominantes em sua terra de origem. Como consequência disso, houve igrejas na América Latina nas quais, por muito tempo, os negros não eram bem recebidos. Foram alguns líderes latino-americanos que, conscientes do conflito entre o caráter inclusivo do evangelho e o que os missionários ensinaram, deram passos definitivos para mudar essas atitudes.

Em outros casos, os que pregaram primeiro entre nós rejeitaram todos os elementos das culturas nativas, achando que elas eram anticristãs ou, até mesmo, demoníacas, sem se dar ao trabalho de estudar o verdadeiro significado e valor delas. Por isso, em muitos casos, por exemplo, fomos ensinados que só música "religiosa" podia ser cantada na igreja, sempre acompanhada por um piano ou, em ambientes mais ricos, por um órgão. Eles faziam isso, embora ignorassem que, em muitos casos, as músicas que chamavam de "religiosas", com frequência, tinham origem "mundana" como algumas de nossas cantigas. Ao seguir essas práticas, não só éramos alienados de nossas raízes culturais, mas também perdíamos contato com uma relevante parte da nossa população, que não entendia por que nossos instrumentos e estilos musicais tradicionais não tinham espaço na adoração divina. Hoje, há toda uma nova geração de líderes latino-americanos que compõem música e escrevem letras que são profundamente teológicas e muito ligadas à nossa cultura.

Em praticamente todos os nossos países, há igrejas que parecem ter sacralizado a forma de governo legada a elas pelos missionários, defendendo, com frequência, a tese de que essa forma de governo é a única justificada pela Escritura. A verdade é que toda forma atual de governo em qualquer igreja é o resultado de um processo histórico que aconteceu em terras e culturas muito diferentes das nossas e, por isso, devem ser todas examinadas à luz da nossa missão e das nossas circunstâncias e devem ser corrigidas quando for necessário.

Aprendemos todas essas várias formas de exclusão de pessoas às quais temos motivo para ser agradecidos e cuja memória devemos respeitar. Essas mesmas pessoas trouxeram-nos a mensagem de um reino de Deus ao qual todos nós somos convidados, brancos e negros, hispânicos e asiáticos, todos com as próprias contribuições culturais, alguns com piano e outros com seus violões. Negar essas contribuições é uma forma de exclusão e, portanto, é uma negação do reino de Deus que proclamamos.

O eunuco perguntou a Filipe: "Que me impede?" Filipe podia ter respondido com uma longa preleção teológica sobre o que a lei tinha a dizer sobre eunucos. Ele podia ter-lhe dito que a liderança "hebraica" da igreja não autorizava o batismo de gentios, muito menos de eunucos. Mas sua resposta foi simplesmente que nada o impedia de ser batizado. Hoje, novas gerações e novas circunstâncias perguntam-nos repetidamente: "O que me impede?" Qual será nossa resposta?

B. CONVERSÃO DE SAULO (9.1-31)

1. A CONVERSÃO (9.1-19)

Passamos, agora, para uma das mais emocionantes e extraordinárias passagens de toda a Escritura. É a conversão de Saulo, que Lucas descreve não só aqui, mas também em 22.4-16 e em 26.12-18. Como todas essas passagens tratam do mesmo episódio, estudaremos aqui as três versões que aparecem em Atos.[28] Até aqui, tudo que Lucas nos disse sobre Saulo é que ele estava presente na morte de Estêvão e que, depois, começou a perseguir cristãos. Mais tarde, também ficamos sabendo que ele era fariseu (23.6), educado pelo famoso professor Gamaliel (22.3) e que era cidadão romano de nascimento (22.28). Além disso, nas epístolas do próprio Paulo, há diversas passagens que se referem a sua conversão e a outros eventos de sua vida.

Essa é a primeira vez que Atos fala da fé cristã como o "Caminho" (9.2). Esse nome só aparece de novo em 19.9 e, depois, em 19.23; 22.4; 24.14 e 24.22. Diversas dessas referências aparecem no contexto da conversão de Paulo e todas elas estão relacionadas com a carreira e o

---

28 Há muitos estudos comparando as três narrativas. Um dos mais recentes, e também relativamente breve, é o de HEDRICK, C. W. "Paul's conversion/call: A comparative analysis of the three reports in Acts". *JBL* 100 (1981), p. 415-32.

ministério dele. Isso é interessante porque, em suas epístolas, Paulo nunca se refere à fé cristã como o "Caminho".[29]

Todas as três histórias afirmam que Saulo tinha obtido cartas das autoridades religiosas de Jerusalém para procurar e prender cristãos de outros lugares e que esse era seu propósito ao ir para Damasco (9.2; 22.5; 26.12). Isso levanta algumas questões históricas, pois não fica claro que autoridade o sumo sacerdote ou outro líder judeu tinha para emitir ordem de prisão contra pessoas de outras cidades.[30] O mais provável é que Saulo não levasse realmente ordens de prisão, mas, antes, cartas de apresentação para os líderes da sinagoga de Damasco. Ele esperava que, com essas cartas, esses líderes tomariam as providências para prender os cristãos, pois, àquela altura, os cristãos eram judeus, portanto, estavam sujeitos às leis da própria comunidade deles, como, com frequência, era o caso com várias minorias no Império Romano. Também se sugere que, por Damasco ser um lugar pelo qual muitos peregrinos passavam a caminho de Jerusalém, as autoridades judaicas de Jerusalém tinham interesse especial em advertir suas contrapartes de Damasco a respeito do perigo da nova heresia ou talvez, até mesmo, de que a notícia já chegara a Jerusalém, indicando que a nova fé já alcançara algum progresso em Damasco.[31]

A extraordinária experiência de Saulo acontece "aproximando-se de Damasco" (9.3; confirmado por 22.6) e ao meio-dia (22.6 e 26.13; a narrativa do capítulo 9 não indica a hora do dia). Assim, ele foi rodeado por uma luz,[32] caiu no chão[33] e ouviu a voz do Senhor. Tudo isso é contado em palavras muito semelhantes nas três versões. As primeiras palavras de Jesus em cada uma das versões são praticamente as mesmas:

---

29 Nos evangelhos, Jesus fala do "caminho" que leva à vida, em contrapartida com o que leva à perdição (Mt 7.13,14; uma fala de Jesus que não aparece em Lucas). No evangelho de Lucas, são os inimigos de Jesus que lhe dizem hipocritamente que ele ensina "o caminho de Deus segundo a verdade" (Lc 20.21). E, no evangelho de João, Jesus chama a si mesmo de o caminho (Jo 14.6). Também em dois documentos cristãos muito antigos, o *Didaquê e a Epístola de Barnabé*, há um contraste entre dois caminhos, um que leva à vida, e outro, à morte. Por isso, o assunto do "caminho" parece ter sido importante na pregação cristã primitiva.

30 Há uma sugestão interessante em SABUGAL, Santos. *La conversión de Pablo*. Barcelona: Herder, 1976, p. 163-224. Sabugal sugere que, nesses textos e também nas epístolas do próprio Paulo, "Damasco" não se refere à cidade síria, mas, antes, é um nome simbólico dado à extremidade noroeste do mar Vermelho. Nesse caso, isso poderia resolver algumas das dificuldades cronológicas e políticas apresentadas em relação à história da conversão de Paulo. A principal dificuldade em aceitar essa sugestão é que a base sobre a qual Sabugal constrói seu argumento não é persuasiva.

31 Essa é a tese de MANN, C. S. "Saul and Damascus". *ExpTim* 99 (1988), p. 331-34.

32 A referência a essa "luz resplandecente" acrescenta interesse à referência ao meio-dia, o que tornaria a luz mais brilhante, a fim de competir com a luz do sol.

33 Diz-se frequentemente que Paulo "caiu de seu cavalo" e, com frequência, é assim que o evento é retratado na arte. O texto não diz nada sobre o grupo estar indo a cavalo, embora, em vista da distância entre Jerusalém e Damasco (cerca de 250 quilômetros), esse possa ser o caso.

4. Novos horizontes (8.4–12.24)

"Saulo, Saulo, por que me persegues?" De acordo com a versão do capítulo 26, Jesus acrescenta: "É inútil resistires ao aguilhão". Essa frase é um provérbio grego clássico, em geral, aplicado a todo esforço inútil.³⁴

Na resposta de Saulo, a palavra "Senhor" não tem necessariamente de ser interpretada no sentido em que é empregada nas epístolas paulinas. Nelas, ela é um título indicando a dignidade suprema de Jesus. Aqui, é a forma normal de se dirigir respeitosamente a um desconhecido — equivalente a "senhor".

Em todas as três narrativas, com pequenas variações, a resposta é a mesma: "Eu sou Jesus, a quem persegues". É relevante o fato de que essas palavras de Jesus estabeleçam uma relação íntima entre ele e a igreja. Saulo não estava perseguindo a Jesus, só à igreja. Contudo, o que Jesus sugere é que a relação entre ele e a igreja é tal que o perseguidor, na realidade, está perseguindo a ele — o que nos lembra do que foi dito antes, comentando o episódio de Ananias e Safira, de que mentir para a igreja era mentir para o Espírito Santo.

Assim, Jesus dá a Saulo as mesmas instruções. De acordo com o texto ocidental, Saulo pede essas instruções: "O que queres que eu faça?" Nas versões do capítulo 9 e do 22, Jesus apenas lhe diz para prosseguir até a cidade, onde lhe será dito o que fazer. Saulo vai para Damasco, onde ele finalmente tem a entrevista com Ananias. Na terceira narrativa (cap. 26), não há referência a Ananias e, aparentemente, Saulo recebe suas instruções na própria estrada para Damasco. Também nessa terceira versão, Saulo recebe instruções mais detalhadas sobre seu futuro ministério (26.16-18). O motivo parece ser que, no terceiro caso, Paulo está contando a história da sua conversão para o rei Agripa e o importante é o resultado de sua conversão, e não como ele chegou a esse resultado. As instruções que Saulo parece receber em 26.16-18 são, de fato, um reflexo do ministério e da vocação que, de acordo com a narrativa de Atos, ele mesmo descobriu e aprendeu em vários passos progressivos.

Sobre a experiência dos que acompanhavam Saulo, há relevantes diferenças entre a narrativa do capítulo 9 e a do 22: em um caso, eles ouvem a voz, mas não veem ninguém; no outro caso, eles veem a luz, mas não ouvem a voz. Outra diferença é que em 9.7, "os homens que viajavam com ele, ouvindo a voz, caíram emudecidos", ao passo que em 26.14, Paulo declara que todos eles caíram no chão. Se eles estivessem a cavalo, as duas narrativas podem se complementar, sendo a imagem de que os cavaleiros caíram de seus cavalos e, quando levantam, estão espantados. Em todo caso, esses companheiros de Saulo na estrada de Damasco são relevantes para a narrativa. Embora eles,

---

34 Eurípedes, *Bacchae*, p. 795; Ésquilo, *Agamemnon*, p. 1624; Terêncio, *Phormion*, p. 7,8.

com frequência, sejam descritos como soldados que o acompanham e estejam sob suas ordens, o mais provável é que sejam apenas outras pessoas que se juntaram ao mesmo grupo ao qual o próprio Saulo se ligara, como era muitas vezes o costume em viagens de longa distância.

Saulo fica cego (não necessariamente como punição, mas apenas por causa da própria luz; 22.11), e seus companheiros têm de levá-lo pela mão para Damasco. Isso marca um contraste contundente entre o Saulo anterior, orgulhosamente "respirando ameaças e morte contra os discípulos do Senhor", e o Saulo atual, que tem de ser guiado pela mão. Esse evento é seguido de três dias de jejum total.

No versículo 10, Lucas leva-nos a outra cena a fim de introduzir Ananias, a quem Deus enviara a Saulo. Esse Ananias não deve ser confundido com o do capítulo 5, que já está morto. Ananias é cristão. Assim, a desconfiança de Saulo de que já havia cristãos em Damasco estava bem fundamentada, embora Lucas não nos informe como o evangelho chegou àquela cidade. Ananias está temeroso de ir até Saulo, já bem conhecido pela perseguição que lidera. Mas o Senhor insiste, e Ananias, por fim, vai. (Em Damasco, ainda existe uma rua chamada Direita que bem pode ser a mesma rua; mas a casa, com frequência, apontada como a de Judas, onde Saulo se hospedou depois de sua experiência, é pouco mais que uma atração turística.) Ananias vai ao encontro de Saulo, ora com ele, e a cegueira desaparece. A mesma história, embora omitindo a conversa entre o Senhor e Ananias e com mais ênfase no que Ananias diz a Saulo, aparece também em 22.12-16. Na história do capítulo 9, a futura missão de Paulo é anunciada na visão de Ananias: "Vai, porque ele é para mim um instrumento escolhido para levar o meu nome perante os gentios, reis e israelitas; pois eu lhe mostrarei quanto lhe é necessário sofrer pelo meu nome" (v. 15).

É, nesse momento (aparentemente depois de receber o Espírito Santo; 9.17) que Saulo é batizado — depois do que ele quebra o jejum absoluto que manteve por três dias desde seu encontro com o Senhor.

2. Saulo como discípulo (9.20-31)

Lucas informa-nos que "logo" Saulo começou a pregar nas sinagogas. A seguir, ele foi para Jerusalém. Isso apresenta o problema de coordenar essa informação com o que o próprio Paulo fala em Gálatas 1.15-21. Lá, ele diz que logo após sua conversão, sem ir a Jerusalém, ele foi à Arábia e, três anos depois, foi a Damasco e, depois, a Jerusalém. Muitos estudiosos concluem que Lucas não sabia sobre a viagem à Arábia, por isso ele

4. Novos horizontes (8.4–12.24)

pensou que as visitas a Damasco e a Jerusalém aconteceram logo após a conversão de Paulo.[35]

Para tratar desses assuntos, é importante primeiro olhar o que Atos diz, depois, ver se isso está de acordo com o próprio testemunho de Paulo. De acordo com Lucas, Saulo começou a pregar nas sinagogas, e isso provocou a inimizade dos judeus de Damasco, que decidiram matá-lo. Eles estabeleceram vigilância nas portas da cidade a fim de fazer isso. Para ajudá-lo a escapar, outros cristãos o desceram em uma cesta por uma abertura, ou janela, no muro da cidade. (Para entender isso, é necessário lembrar que nas cidades antigas, muitas vezes, havia casas que eram apoiadas nos muros da cidade com janelas dando para fora da cidade.)

Assim, Saulo foi para Jerusalém, onde teve dificuldade para estabelecer contato com os crentes, que desconfiavam dele. Parece estranho que depois de Saulo ter pregado Cristo em Damasco por "muito tempo", os cristãos de Jerusalém ainda não soubessem nada a respeito disso. Pode-se conjecturar que, com base em seu zelo anterior contra eles, eles temessem que isso fosse uma armadilha. Por fim, é Barnabé quem apadrinha Saulo e o apresenta para o restante da igreja. A essa altura, Saulo torna conhecido que é cristão, permitindo-se ser visto na companhia de cristãos. Pode-se questionar por que ele discutia especificamente com os helenistas, e não com os outros judeus. Aparentemente, porque ele também era helenista, e foi esse mesmo grupo que desencadeara a perseguição, era da mesma fonte que, agora, vinha a maior oposição. Em vista dessa situação, é que os cristãos organizaram para Saulo ir para a Cesareia e, de lá, para sua cidade de Tarso.

Finalmente, a passagem termina com o versículo 31, que é mais um dos frequentes resumos de Lucas. Esse, em particular, informa-nos que, agora, a igreja desfruta de paz "em toda a Judeia, Galileia e Samaria".[36] Na verdade, Lucas não diz nada sobre as igrejas da Galileia e muito pouco sobre "toda a Judeia" ou sobre Samaria além da história de Filipe e Simão, o Mago. Portanto, esse resumo é a forma usada por Lucas para nos lembrar que está apenas narrando alguns episódios ilustrativos dos eventos daqueles primeiros anos da igreja. Esse resumo, por sua vez, logo após a conversão de Saulo, quase dá a impressão de que com essa conversão a perseguição acabou. Isso não fica assim tão claro a partir do fato de que o próprio Saulo teve de fugir primeiro de Damasco e, depois, de Jerusalém.

---

35   Essa é a opinião de HAENCHEN, E. *The Acts of the Apostles: A Commentary*. Filadélfia: Westminster, 1975, p. 334-43, e muitos outros estudiosos, a maioria deles alemães, a quem Haenchen cita.

36   Foi sugerido que um dos motivos para as igrejas desfrutarem de paz era que os judeus, em geral, estavam envolvidos em um conflito mais amargo com Calígula, que tentava colocar uma estátua dele mesmo no templo (Josefo, *Ant.* 18.2, 2.9). Os líderes do judaísmo, enfrentando essa terrível ameaça a própria religião, tinham pouco tempo para dispensar aos cristãos. TURRADO, Lorezo. *Hechos e los Apóstoles y Epístola a los Romanos*, p. 109.

Não obstante, Lucas, embora não explique o motivo para isso, informa-nos que houve um período de paz para as igrejas após a conversão de Paulo.

Como tudo isso se compara com o que Paulo nos diz? Em Gálatas 1.17-23, o esboço dos eventos é assim:

a. Após sua conversão, Saulo não vai para Jerusalém, mas para a Arábia.

b. Mais tarde, ele retorna a Damasco.

c. A seguir, depois de três anos, ele vai a Jerusalém.

d. Lá, ele passa quinze dias, e os únicos líderes que ele viu foram Pedro e Tiago, "irmão do Senhor".

e. Finalmente, ele vai "para as regiões da Síria e da Cilícia".

f. Durante todo esse tempo, ele "não era conhecido pessoalmente pelas igrejas de Cristo na Judeia", embora obviamente elas tenham sido informadas de sua conversão e pregação.

Por sua vez, de acordo com Atos:

a. Depois de sua conversão, Saulo passou "muito tempo" em Damasco, pregando nas sinagogas e "provando que Jesus era o Cristo".

b. No fim, os judeus tentaram matá-lo, e os cristãos salvaram-no descendo-o pelo muro em um cesto.

c. A seguir, Saulo foi para Jerusalém, onde Barnabé acreditou nele e o levou para se encontrar com os Doze.

d. Lá, ele pregou e debateu com os judeus helenistas, que resolveram matá-lo.

e. Para salvá-lo, os cristãos arranjaram para ele ir para a Cesareia e, depois, para Tarso.

Ao mesmo tempo em que o problema é esclarecido, fica ainda mais complicado porque Paulo, em 2Coríntios 11.32,33, menciona o episódio de sua fuga de Damasco, sendo descido pelo muro em um cesto, embora ele dê um motivo diferente para a fuga: não foi por causa dos judeus, mas por causa do governador de Damasco que, sob a autoridade do rei Aretas, vigiava a cidade para prendê-lo.[37] Aretas IV, a quem Paulo se refere, foi

---

[37] Essa divergência é um dos argumentos usados pelos que afirmam que Atos foi escrito a fim de convencer as autoridades romanas de que o cristianismo não era subversivo. Eles afirmam que, nessa passagem, Lucas não quer dizer nada sobre Paulo ser um fugitivo da autoridade e que, por isso, ele culpa os judeus por tentar matá-lo, quando, na verdade, ele estava fugindo da autoridade estabelecida.

4. Novos horizontes (8.4–12.24)

rei dos nabateus de 9 a.C. a 40 d.C. Até relativamente pouco tempo não se sabia muito sobre os nabateus, pois as inscrições deles não haviam sido decifradas, e tudo que se sabia deles era encontrado em autores como Josefo, nos livros de Macabeus e em alguns autores clássicos. Durante o século XX, a escrita deles foi decifrada, e com trabalho histórico e arqueológico redescobriram muito da história e civilização deles. Graças a essa pesquisa, sabemos que, por volta do ano 37, o imperador Calígula cedeu o governo de Damasco para Aretas IV, que o manteve até o reinado de Nero. Além disso, nos tempos antigos, o nome "Arábia" não representava o mesmo que representa hoje, mas, antes, referia-se a um extenso território que incluía a atual província da Arábia e também o Sinai e boa porção da Transjordânia. O principal povo que habitava a região era exatamente os nabateus, por isso, com bastante frequência, quando se pretende falar do rei dos nabateus ele é chamado de "rei dos árabes".[38] Assim, quando Saulo foi para Damasco depois de sua experiência com o Senhor, ele pode ter estado em territórios pertencentes ao rei Aretas, mas não necessariamente pertencentes à Arábia.

Com base nisso, é possível ver a conexão entre o que Lucas nos conta em Atos e o que Paulo diz em Gálatas e em 2Coríntios. Observe que, de acordo com Atos 9.19, Saulo passou algum tempo em Damasco e, de acordo com Atos 9.23, ele teve de fugir após bem poucos dias. Portanto, é concebível e, até mesmo, provável que Saulo, após sua conversão, passou algum tempo em Damasco e que, quando deixou a cidade, ele permaneceu no reino de Aretas por "três anos"[39] para, enfim, retornar a Damasco. Lá, ele teve conflitos, aparentemente, com judeus (conforme Atos nos informa) e com as autoridades representando Aretas (2Co) e teve de ser descido em um cesto por uma janela.

Nesse caso, a viagem a Jerusalém mencionada em Atos 9 seria a mesma viagem a que Paulo se refere em Gálatas 1. A principal diferença está no fato de que Atos não nos informa quanto tempo Paulo ficou em Jerusalém, ao passo que Paulo indica que ficou quinze dias. A outra diferença seria que, enquanto Lucas diz que Barnabé apresentou Saulo aos apóstolos, Paulo não menciona Barnabé (o que, de maneira alguma, seria relevante para o seu argumento em Gálatas) e deixa claro que só viu Pedro e Tiago.

---

38 Veja Josefo, *Ant.* 14.15-17.
39 A expressão "três anos", como Paulo a usa, não quer necessariamente dizer 36 meses, mas um ano inteiro e, pelo menos, parte de dois outros anos, um antes e outro depois do ano inteiro. Por exemplo, de acordo com essa maneira de contar o tempo, os quinze meses entre 1º de novembro de 2000 e 1º de fevereiro de 2002 poderiam ser "três anos". É pelo mesmo motivo que da crucificação, na tarde de sexta-feira, à ressurreição, na manhã de domingo, passaram-se três dias (parte da sexta-feira, o dia todo de sábado, e parte do domingo).

Foi depois dessa visita que Saulo passou algum tempo em Tarso e na região vizinha da cidade (9.30) ou, o que é aproximadamente a mesma coisa, nas "regiões da Síria e da Cilícia" (Gl 1.21).

ESTRADAS DE DAMASCO

Esse episódio é tão conhecido que, muitas vezes, acrescentamos elementos a ele que não aparecem na narrativa bíblica. Por isso, por exemplo, imaginamos Saulo como o vimos em pinturas famosas, vestido como um soldado romano deitado no chão ao lado de seu cavalo. Na verdade, o texto não diz nada sobre se Saulo e seus companheiros estavam a cavalo ou a pé, e o traje de soldado não é nada além do resultado da imaginação de um artista tentando deixar sua pintura mais colorida.

Contudo, há outra importante consequência de nossa familiaridade com o texto: perdemos muito do impacto dramático da conversão de Saulo. Claramente, é uma conversão surpreendente. Até esse ponto, Lucas apresenta Saulo como o arqui-inimigo do cristianismo. Se lêssemos Atos como lemos um romance pela primeira vez, ao chegar em 9.2, ficaríamos convencidos de que o restante do livro lidaria com o conflito entre Saulo e os cristãos. Porém, de repente, tudo muda. Aquele que parecia um inimigo poderoso e inflexível levanta fraco e cego do chão. Alguém que não conheça o fim dessa história decidiria que Deus o puniu com a cegueira. O mesmo Deus a quem Lucas já descreveu curando o doente e matando Ananias e Safira, agora, golpeia esse Saulo que estava "respirando ameaças e morte contra" os cristãos. Se estivéssemos lendo essa história pela primeira vez, depois de vê-lo passar três dias cego, diríamos: "Ele teve exatamente o que merecia"!

Mas a história não termina aí. Deus tem outros planos para Saulo e envia o relutante Ananias até ele. Este, em vez de ir com recriminações, trata-o por "Saulo, irmão" (9.17). A essa altura, tudo que temos é um vislumbre dos planos adicionais que Deus tem para esse Saulo. No entanto, pelo menos, somos informados, com bastante clareza, que o Jesus que orou por aqueles que o crucificaram ainda está disposto a perdoar e a receber os inimigos da sua igreja — aqueles que, como Saulo, ao perseguir a igreja perseguem a ele.

Essa é uma percepção muito diferente das relações humanas da que encontramos nos filmes ou nos programas de televisão. Neles, os "camaradas bons" lutam contra os "camaradas ruins" e, em geral, a vitória dos "camaradas bons" consiste em esmagar e destruir os maus. Também é uma percepção muito diferente da que, às vezes, reina em nossas igrejas, em que nos vemos como "bons" e o restante como "maus". Essa é, antes,

4. Novos horizontes (8.4–12.24)

uma percepção do poder transformador do Senhor que transformou e continua a transformar os que já são discípulos, mas também pode transformar, até mesmo, seus mais amargos e determinados inimigos.

Antes, observamos o contraste entre o "povo" e seus líderes. Em Atos, em geral, são os últimos que perseguem e oprimem os cristãos não só por motivos religiosos, mas também por questões que têm a ver com poder e controle. No início do capítulo 9, Saulo é o representante dessa esfera. O que ninguém nunca imaginara é que ele logo se tornaria um dos que recentemente perseguira. No entanto, é exatamente isso que acontece. O que isso representa é que os cristãos devem sempre ver, até mesmo, seus inimigos mais determinados como potenciais irmãos e irmãs em Cristo. Por isso, quando os mártires dos primeiros séculos enfrentavam seus juízes, eles faziam todo esforço para fazer isso, para não condenar esses juízes, mas chamá-los para a fé. E não esqueçamos que Paulo mesmo depois de sua fala para o rei Agripa, em Atos 26, na qual reconta a própria história de conversão, termina expressando seu desejo de que os que se levantam em julgamento contra ele seguissem seu caminho de conversão: "Quisera Deus que, por pouco ou por muito, não somente tu, mas também todos os que hoje me ouvem, se tornassem iguais a mim, com exceção destas algemas" (26.29).

A situação que Lucas descreve nos primeiros capítulos de Atos ainda é a situação de muitos de nós hoje. Ainda há países em que os poderosos perseguem os cristãos que questionam seu poder exigindo uma justiça que eles não querem. Em outros lugares, embora os cristãos não sejam perseguidos até a morte, são encontrados meios de silenciar a voz deles. Cristãos organizando os moradores de um de nossos bairros, logo, têm de lidar com os senhores das favelas, com bancos, políticos e, com frequência, também com a polícia. Os que pregam contra o vício, especialmente os que organizam programas eficientes de luta contra o vício, logo se confrontam com os que ficaram ricos explorando o vício. Nessas situações, não é de admirar que fiquemos tentados a pensar que essas pessoas são inimigas irreconciliáveis em relação a quem não temos alternativa a não ser destruí-los antes que eles nos destruam. Para essas pessoas — abusivas, exploradoras, descrentes, blasfemas, assassinas — não temos outra palavra que não a cabal condenação.

É nesse ponto que o capítulo 9 de Atos invade nosso conjunto de atitudes estabelecidas. Quando menos se espera, esse Saulo que estava respirando ameaças e morte contra os discípulos do Senhor se torna um irmão para Ananias e para os mesmos discípulos que, até ali, perseguia. Da mesma maneira, aquele descrente que, agora, nos desdenha, aquele imoderadamente rico que vive à altura de sua riqueza enquanto o povo sofre, aquele jornalista que mente sobre nós porque alguém lhe paga para fazer isso e, até mesmo, o sargento que tortura um de nossos irmãos e irmãs — todos eles, um dia, podem cair no chão na "estrada para Damasco". Nesse caso, embora nossa inclinação natural, como a de Ananias, possa ser exatamente a oposta, não temos alternativa a não ser chamá-los de "irmão" ou "irmã" e tratá-los de acordo com esse novo laço que nos une.

Essa é uma palavra dura, pois nas situações polarizadas de extremo sofrimento em que se encontram muitos do nosso povo, o natural é odiar os que são maus e nos convencer de que não há esperança de salvação para essas pessoas perversas. Todavia, se rejeitarmos essa palavra, também estamos rejeitando o poder transformador do evangelho, o qual nos alcançou e também pode alcançar a esses.

A natureza e as consequências imediatas da conversão de Paulo devem ser consideradas nesse contexto. Como vimos no caso de Simão, o Mago, há poderosos que querem se tornar cristãos sem desistir de seu poder e que, até mesmo, acreditam que seu poder deve lhes dar alguma vantagem em sua nova vida. Também há ditadores e presidentes de grandes nações que afirmam ser nascidos de novo, mas usam isso só como uma estratégia política para conseguir dividendos imediatos. Há ditadores na América Latina que usam seu poder para oprimir outros e que, quando o exército mata ou "faz desaparecer" alguém, ignoram o fato. Há políticos que, como Simão, o Mago, querem empregar sua "fé" a fim de aumentar seu poder. Mas a verdadeira conversão vira tudo de cabeça para baixo. Saulo levanta cego e incapacitado. Quando ele cai no chão, também seu senso de importância e de autoridade cai por terra. Saulo tem de tornar-se discípulo de Ananias, e este comparado com o recém-convertido é um joão-ninguém.

Da mesma maneira, embora mantenhamos a porta aberta para a conversão daqueles que, hoje, usam seu poder para oprimir o povo ou se opor à fé, quando essa conversão acontecer, temos de convidá-los e insistir para que isso seja realmente um novo nascimento, uma transformação radical como a de Saulo, que se viu pedindo força e orientação para o mesmo que, três dias antes, ele tentava matar. A outra opção, uma "conversão" sem mudança é uma imitação barata da coisa verdadeira.

CHAMADO RENOVADO

O versículo 6 convida a outra reflexão. Quando Saulo pede orientação ao Senhor, a resposta do Senhor é simplesmente: "Levanta-te e entra na cidade; lá te será dito o que precisas fazer". Uma vez em Damasco,

4. Novos horizontes (8.4–12.24)

ele tem de esperar três dias antes de sua entrevista com Ananias. Em Atos 9, Ananias diz a Saulo apenas poucas palavras sobre o propósito de Deus de transformá-lo em pregador do evangelho. Em 22.14,15, ele diz um pouco mais; e faz o mesmo em 26.16-18. É apenas quando lemos o restante do livro de Atos, conforme a ação acontece, que vemos uma série de novos chamados de Deus para Saulo, que a cada passo descobre uma nova dimensão de seu ministério ou um novo lugar para onde é enviado. Em Antioquia, o Espírito dará instruções para que Barnabé e Saulo sejam separados para uma tarefa especial, mas sabemos pouco sobre a natureza dessa tarefa. Depois, virá a visão do jovem macedônio, convidando Paulo e seus companheiros a novos campos de testemunho. E a história continua.

O que isso quer dizer é que quando Deus nos chama, raramente nos é dito mais do que precisamos saber no momento. Se Deus concede-nos uma visão do que temos de fazer, essa visão é esclarecida com precisão à medida que a cumprimos. A conversão ou o chamado a um ministério específico não é normalmente o último chamado de Deus, mas, antes, descobrimos dia a dia, passo a passo, o que Deus deseja de nós.

É importante lembrar-se disso porque, com frequência demais, recusamo-nos a responder ao chamado de Deus até que sejam esclarecidos todos os detalhes e todos os passos que teremos de tomar. Se esses passos não estão claros, não fazemos nada. Com bastante frequência, usamos essa falta de clareza como desculpa para não responder a situações que parecem difíceis ou controversas. Contudo, todas as grandes figuras da história da igreja receberam chamados parciais e responderam a ele, e o sentido desse chamado foi esclarecido ao longo do curso de sua própria obediência: Saulo, a caminho de Damasco; Agostinho, no jardim de Milão; Lutero, estudando a epístola para os Romanos; Las Casas, na libertação dos nativos que haviam sido confiados a ele; Wesley, em Aldersgate e assim por diante. Hoje, o chamado de Deus para nós pode parecer irrelevante (como "levanta-te e entra na cidade"), mas pode bem ser o começo de uma aventura de fé inesperada.

C. OBRA DE PEDRO (9.32 - 11.18)

Agora, a narrativa leva-nos de volta a Pedro, a quem deixamos em seu retorno a Jerusalém após o episódio de Simão, o Mago (8.9-13). O que se segue é uma série de eventos em que vemos o evangelho se expandir geograficamente enquanto também faz grandes incursões entre os gentios. Esses eventos começam com dois milagres.

1. Dois milagres (9.32-43)

a. A cura de Eneias (9.32-35)

Pedro está cuidando de visitar todos os "santos". Essa é outra das frases que Lucas assinala que não está prestes a nos informar tudo que Pedro fez, mas está prestes a dar apenas alguns exemplos. Pedro anda em torno pregando e ensinando. Em uma dessas ocasiões, ele visita Lida (em hebraico "Lod"). Uma pequena cidade cerca de 40 quilômetros de Jerusalém, no caminho para Jope. Hoje, é uma cidade de tamanho razoável, na qual está situado o principal aeroporto internacional de Israel. Embora o nome de Eneias seja grego, o mais provável é que ele fosse um judeu helenista. O texto não diz explicitamente que ele era crente, mas o contexto da atividade de Pedro em Lida poderia parecer indicar que era esse o caso. Ele estava visitando os "santos que habitavam em Lida" quando se encontrou com Eneias. A frase que a A21 traduz por "havia oito anos" também poderia ter o sentido de que Eneias estava paralisado desde que tinha oito anos. Da mesma maneira, o que a A21 traduziu por: "Arruma a tua cama", também poderia ser uma forma de dizer a alguém para arrumar a mesa. Dado o contexto, a tradução da A21 faz mais sentido. Por fim, Sarona é uma planície que se estende ao longo da costa de Lida e Jope até o monte Carmelo. Em 9.35, claramente, a expressão "todos os que habitavam" é um exagero, pois Lucas não quer dizer que todos os habitantes de toda a área foram convertidos.

b. A ressurreição de Dorcas (9.36-43)

Jope é a atual Haifa, à beira-mar, cerca de 15 quilômetros de Lida. O nome "Dorcas" é a tradução grega de "Tabita" e quer dizer "gazela". O texto não diz se os discípulos foram enviados para Pedro para que este pudesse acompanhá-los em seu pesar ou se para que fizesse alguma coisa por Tabita. As viúvas mencionadas em 9.39 eram mulheres empobrecidas para quem Dorcas fornecia roupa.[40] Agora, elas vestem as roupas que Dorcas providenciou e as mostram a Pedro como sinal das boas obras de Dorcas.

Pedro ordena que todos saiam do quarto. O milagre que está para acontecer não é um espetáculo. A frase que Pedro usa em 9.40 — "Tabita, levanta-te" — é muito semelhante à que Jesus disse em aramaico em Marcos 5.41: *"Talita cumi"*.[41] Por isso, alguns estudiosos sugerem que talvez seja a mesma história que, algumas vezes, é atribuída a Jesus, e

---

40 Depois, aparecerá na igreja o ofício de "viúva". Esta era uma mulher consagrada ao serviço do Senhor (veja 1Tm 5.9,10). No caso da narrativa de Atos, as mulheres parecem viúvas no sentido literal da palavra, quer dizer, mulheres cujo marido morreu e que, por isso, ficaram sem sustento e proteção.

41 Na passagem paralela de Lucas 8.54, a frase aparece em grego. Em Marcos 5.41, Jesus dirige-se à menina em aramaico.

4. Novos horizontes (8.4–12.24)

outras, a Pedro. De todo modo, é importante observar que aqui, como acontece com tanta frequência em Atos, Lucas une uma história sobre um homem e outro sobre uma mulher.

Finalmente, Lucas informa-nos que Pedro permaneceu em Jope "muitos dias", hospedado na casa de certo Simão, curtidor de peles. Esse será o endereço que o anjo dará a Cornélio no próximo capítulo, para que ele possa enviar os homens até Pedro (10.6). Também é relevante o fato de a ocupação de curtidor de pele ser considerada impura por muitos judeus, porque os curtidores tinham de lidar com animais mortos (veja Lv 11.39); e o fato de que foi justamente na casa desse Simão que Pedro teve de enfrentar a visão dos animais impuros.

2. Pedro e Cornélio (10.1-48)

Os capítulos 10 e 11 englobam um dos pontos mais críticos de toda a narrativa, pois é aqui que os cristãos de Jerusalém chegam à conclusão de que o evangelho também é para os gentios, e essa é uma tese fundamental ao longo do livro de Atos.[42]

a. A visão de Cornélio (10.1-9a)

Embora Pedro ainda esteja em Jope, na casa de Simão, a cena muda. Agora, encontramo-nos em Cesareia, a grande cidade construída em estilo romano por Herodes, o Grande, em homenagem a César Augusto (daí o nome de "Cesareia"). Embora houvesse judeus ali, a cidade, em geral, desagradava aos judeus mais ortodoxos e nacionalistas, pois era a sede do governo romano, e muitos de seus habitantes praticavam costumes pagãos. O nome "Cornélio" era muito comum, pois, no ano 82 a.C., Sula libertou dez mil escravos que adotaram o nome da família de Sula, Cornélio. O fato desse Cornélio ser um centurião quer dizer que ele era cidadão romano, exigência para possuir esse posto. A "coorte Italiana", ao que parece, era um corpo auxiliar de arqueiros.[43] Uma das dificuldades que os historiadores apresentam é que só houve tropas romanas estacionadas em Cesareia depois da morte de Herodes Agripa no ano de 44, e os eventos narrados por Lucas parecem ter acontecido

---

42   Algumas pessoas sugeriram que Lucas, aqui, trabalha com duas tradições distintas que ele mesclou para formar uma única história: a visão de Pedro e a conversão de Cornélio. Essa teoria foi habilmente discutida por Haacker, K. "Dibelius und Cornelius: Ein Beispiel formgeschichtlicher Überliefierungkritik", *BibZeit*, 24 (1980), p. 234-51.

43   Há indicações de que o "segundo regimento Italiano de voluntários romanos" estava estacionado nessa região durante o século I. Eles não eram legionários, mas tropas auxiliares. Os legionários tinham de ser cidadãos romanos e lutar no tradicional estilo romano, ao passo que as tropas auxiliares eram armadas de várias maneiras de acordo com suas origens e tradições (arqueiros, cavalaria leve etc.) e tornavam-se cidadãos assim que completavam seu turno de obrigações militares.

antes dessa época. Isso quer dizer que é necessário localizar o episódio de Cornélio mais tarde que o usual? Cornélio estava na cidade sob alguma comissão especial sem própria coorte? Lucas está enganado em sua data? Tudo que se pode dizer a respeito dessa questão é simplesmente que não sabemos.

De todo jeito, Cornélio é um "homem [...] piedoso e temente a Deus". O que isso quer dizer é que ele, como o eunuco do capítulo 8, era um gentio que acreditava no Deus de Israel, mas não estava pronto para ser circuncidado e obedecer à lei.[44] Já no capítulo 6, encontramos "prosélitos" na igreja de Jerusalém — ou seja, gentios que se converteram ao judaísmo e, depois, ao cristianismo, como Nicolau (6.5). Também em 8.2-13, somos informados da conversão de muitos samaritanos. Porém, até aqui, com a única exceção do eunuco etíope, não há menção a nenhum gentio convertido ao cristianismo.

Cornélio tem uma visão. Lucas informa-nos que ele "viu claramente". Isso pode querer dizer apenas que ele estava acordado quando teve a visão, que ela não foi um sonho. Mas é mais provável que seja uma maneira de contrastar a clareza da visão de Cornélio com a ambiguidade da visão de Pedro e como ele ficou perplexo. De qualquer forma, essa visão aconteceu no meio da tarde, em uma das horas determinadas para as orações judaicas, por isso é possível que Cornélio, homem temente a Deus, estivesse orando quando teve sua visão. O que o anjo lhe diz é absolutamente claro, dando-lhe orientações precisas do que fazer e do endereço onde encontrar Pedro.

Em resposta à visão, Cornélio envia até Pedro, em Jope, dois servos e um soldado temente a Deus, que, como ele, pertencentes ao grupo de gentios que estiveram se aproximando do judaísmo. Sua confiança nesses mensageiros é manifestada no fato de que lhes conta tudo que viu (10.8).

b. A visão de Pedro em Jope (10.9b.-23a)

É no dia seguinte que Pedro tem uma visão paralela, que lhe ajudará a responder corretamente a Cornélio. Em contraste com a visão de Cornélio, a visão de Pedro é confusa e acontece enquanto ele está em transe. Lucas parece até mesmo estabelecer uma relação entre a fome de Pedro no momento da visão e o fato de ele ver comida. É sugerido que há uma conexão entre as velas dos barcos que Pedro via do terraço e o "grande lençol" no qual os animais da visão desceram para a terra.[45] Independentemente de

---

44   OVERMAN, J. A. "The God-fearers: Some neglected features". *JStNT* 32 (1988), p. 17-26, sustenta essa compreensão tradicional dos "tementes a Deus". Há uma interpretação diferente em WILCOX, M. "The God-fearers in Acts: A reconsideration". *JStNT* 13 (1981), p. 102-22. De acordo com ele, os "tementes a Deus" obedeciam à lei mais rigorosamente do que se supõe.

45   Neil, William. *The Acts of the Apostles*. Grand Rapids, Mich.: Wm. B. Eerdmans, 1973, p. 138.

4. Novos horizontes (8.4–12.24)

qual seja o caso, Pedro vê todo tipo de animais, puros e impuros, e a voz lhe diz para comer todos eles.[46] Pedro recusa, e a voz insiste três vezes antes que "o objeto" — é exatamente assim que o texto chama aquilo que Pedro viu — seja recolhido ao céu.

Assim, termina a visão de Pedro. Essa visão, em contraste com a de Cornélio, é confusa e indeterminada. Sua interpretação estará no restante do livro. Mas Pedro não a entende e está simplesmente perplexo quando os mensageiros de Cornélio chegam à casa de Simão, e o Espírito diz a Pedro para recebê-los e ir com eles.[47]

O fato de a visão acontecer em Jope é relevante. Foi em Jope que Jonas, quando Deus o chamou para ir a Nínive, tomou um navio para a direção oposta, para Társis (Jn 1.3). O verdadeiro nome de Pedro é Simão, filho de Jonas (Mt 16.17). Agora, esse Simão, filho de Jonas, como o Jonas anterior e na mesma cidade de Jope, ouve o chamado enviando-o além dos limites do povo de Israel.[48]

Um detalhe interessante é que, no versículo 23, Pedro age como se a casa fosse dele. Talvez isso seja uma indicação de sua própria autoridade pessoal ou um sinal da maneira como os cristãos punham suas posses a serviço de outros.

c. Os eventos de Cesareia (10.23b-48)

No dia seguinte, Pedro vai para Cesareia com os dois mensageiros, o soldado e "alguns dentre os irmãos". Mais adiante (11.12), Lucas nos informará que estes eram seis. Alguns sugerem que Pedro levou-os com ele para servir como suas testemunhas, pois ele estava indo visitar um gentio e pode ter sentido necessidade da presença de alguém para atestar seu comportamento como bom judeu. No fim, essa acaba, de fato, sendo a função deles, embora em um contexto diferente. Todavia, da maneira como Lucas conta sua história, em especial, se a lermos como alguém que não sabe o que se segue, fica evidente que Pedro não faz ideia da razão por

---

46 Pedro recusa-se a comer porque nunca comeu nada "profano" (*koinos*) ou "impuro" (*akathartos*). Tecnicamente, há uma diferença entre os dois. O profano é aquilo que não foi consagrado. O impuro é aquilo que pode contaminar o crente. Na época do Novo Testamento, a distinção tinha quase desaparecido. É interessante observar que no versículo 15, a voz combina as duas coisas para dizer a Pedro que "não chames de profano o que Deus purificou". Veja HOUSE, C. "Defilement by association: Some insights from the usage of *koinos/koinov* in Acts 10 and 11". *AndUnivSem* 21 (1983), p. 143-53.

47 Em 10.19, diversos manuscritos antigos muito confiáveis dizem "dois homens", em vez de três. É possível que, originalmente, Lucas tenha escrito "dois", referindo-se aos dois servos que eram verdadeiramente mensageiros de Cornélio, pois o soldado veio como escolta, e que, depois, um copista vendo o contraste entre os versículos 7 e 19, tenha posto "três", no lugar do original trazia "dois". Por isso, algumas versões dizem "três homens", outras, "dois", e ainda outras, "alguns".

48 Veja TALL, R. W. "Peter, 'Son' of Jonah: The conversion of Cornelius in the context of canon". *JStNT* 29 (1987), p. 79-90.

que está indo para Cesareia nem do que o aguarda lá. Por isso, parece não haver motivo para ele achar que precisaria de testemunhas e, aparentemente, leva esses seis irmãos simplesmente como companhia.

Cornélio, por sua vez, tem certeza que Pedro virá e o está esperando com "seus parentes e amigos mais chegados". O primeiro encontro deles não foi muito bem-sucedido, pois Cornélio adora a Pedro, e este o repreende (10.25,26).[49]

Pedro entra na casa e não mostra muito tato. Seu interesse não é conquistar a boa vontade dos presentes. Ao contrário, sua primeira declaração é que, de sua perspectiva religiosa, "não é permitido" que ele visite Cornélio, mas que concordou com isso apenas porque teve uma visão na qual Deus lhe dizia "que a nenhum homem devo chamar profano ou impuro" — em outras palavras, "se dependesse de mim seria exatamente assim que o chamaria!"

A resposta de Cornélio parece surpreender Pedro.[50] Nesse ponto, Pedro declara que, agora, entende "que Deus não trata as pessoas com base em preferências. Porém, em qualquer nação, aquele que o teme e pratica o que é justo lhe é aceitável". Até esse ponto, sua interpretação da visão que teve em Jope foi simplesmente que ele devia ir com os mensageiros e devia até mesmo entrar na casa do gentio. Contudo, agora, depois de conhecer a visão de Cornélio, ele chega à conclusão de que Deus, de fato, falou com Cornélio.

Assim, Pedro começa sua fala — se poderia quase dizer, sua rotina habitual — sobre o que Deus fez em Jesus. No entanto, de repente, ele é surpreendido pelo resultado: o Espírito Santo desce sobre aqueles que estão ouvindo, e eles começam a falar em línguas e a exaltar a Deus. Isso deixa os judeus cristãos de Jope admirados, pois eles não acreditavam que fosse possível o Espírito descer sobre gentios. "Os crentes que eram da circuncisão, todos os que tinham vindo com Pedro, admiraram-se de que o dom do Espírito Santo também se derramasse sobre os gentios."

É aí que chega a surpresa final. Pedro, que dois dias antes jamais sonharia em fazer tal coisa, pergunta-se, agora, se existe algum motivo para não batizar esses crentes. A pergunta é muito semelhante à que o

---

49 Contudo, o que Cornélio faz não é estritamente adorar a Pedro. O *proskynein*, que Lucas emprega aqui, quer dizer prostrar-se diante de outra pessoa como sinal de respeito. Com certeza, isso era feito diante dos deuses, mas também diante dos superiores e, especialmente, das autoridades. Portanto, o episódio não deve ser entendido como se Cornélio tivesse se tornado um idólatra, mas, antes, no sentido de que Pedro não é superior a ele e não espera essas cerimônias.

50 Os "quatro dias", como no caso dos "três anos" de Paulo na Arábia, referem-se a dois dias completos e porções de outros dois dias. Os mensageiros deixaram a Cesareia no primeiro dia, chegaram a Jope no segundo, começaram sua jornada de retorno no terceiro e chegaram com Pedro no quarto dia.

4. Novos horizontes (8.4–12.24)

etíope fez a Filipe em 8.36 e pode até mesmo refletir antigas práticas rituais. A resposta, em termos práticos, é a mesma: "Ordenou que fossem batizados em nome de Jesus Cristo" (10.48).

E, mais surpreendente ainda, que não parece algo surpreendente para nós, mas que seria uma atitude espantosa para qualquer judeu ortodoxo praticante da época para quem o contato com gentios seria persistentemente evitado; Pedro fica com Cornélio "durante alguns dias" (10.48).

3. Relato à igreja de Jerusalém (11.1-18)

É exatamente o último ponto que mais perturba alguns dos crentes de Jerusalém.[51] A frase que a A21 traduziu por "os crentes que eram da circuncisão" também pode ser entendida com o sentido de crentes que insistem na circuncisão. No último caso, Lucas estaria começando a falar de um grupo da igreja que se formou como uma reação à crescente receptividade em relação aos gentios. Esse grupo, às vezes chamado de "judaizantes", insistia na necessidade de obedecer à lei e, no caso dos homens, de ser circuncidado para ser cristão. Como esse grupo só aparece em cena mais tarde e como, em 10.45, Lucas refere-se aos cristãos que estão em Jope como "crentes que eram da circuncisão", é mais provável que ele esteja simplesmente se referindo a judeus cristãos, como a A21 traduz o texto.

De todo modo, essas pessoas chamaram Pedro para prestar contas, embora, aparentemente, não tanto por pregar para gentios nem por os ter batizado, mas por ter entrado na casa deles e feito uma refeição com eles.

A resposta de Pedro é recontar o que já vimos no capítulo 10, exceto que nos versículos 16 e 17, ele diz-lhes algo do que pensou quando viu o Espírito Santo sendo derramado sobre os gentios. Ele lembrou-se da promessa de Jesus sobre o batismo com o Espírito Santo e perguntou-se: "Quem sou eu, para que pudesse me opor a Deus?" A reação dos presentes foi de surpresa positiva. Eles estão surpresos: "Então, Deus concedeu também aos gentios o arrependimento para a vida"! E eles são positivos: "Eles se tranquilizaram e glorificaram a Deus". Nesse ponto, os sentimentos parecem tão positivos que, se não conhecêssemos o restante da história, imaginaríamos que esse foi o fim do debate sobre o lugar dos gentios na igreja.

---

51 O versículo 11.2 é muito longo em alguns manuscritos do texto ocidental. Alguns estudiosos argumentam que esse texto mais longo pode vir das próprias mãos de Lucas; Delebecque, E. "La montée de Pierre de Césarée à Jérusalem selon le Codex Bezae au chapître 11 des Actes des Apôtres". *EphThLov* 58 (1958), p. 106-10.

O QUE DEUS PURIFICOU, VOCÊ NÃO DEVE CHAMAR DE PROFANO

A enormidade do que Pedro fez nos escapa, pois pensamos como os gentios e é difícil, para nós, ver o assunto da perspectiva de Pedro. Para nós, é natural ver o evento através das lentes de quase vinte séculos de missão entre os gentios. Mas para entender o que realmente está acontecendo, precisamos olhar isso através das lentes de muitos séculos anteriores de insistência na obediência absoluta à lei, pois essa era a perspectiva de Pedro. Ele estava convencido de que o contato com os gentios devia ser evitado. Juntar-se aos gentios, como ele mesmo diz, "não é permitido" (10.28). A última coisa que Pedro esperava no dia em que abandonou suas redes de pesca às margens do lago da Galileia era que, como resultado disso, ele, algum dia, visitaria um gentio e se hospedaria em sua casa. Contudo, agora, como resultado de sua longa jornada da Galileia para Jerusalém, depois, para Lida e, por fim, para Jope, Pedro aceita esses gentios como seus irmãos e irmãs e batiza-os.

A enormidade de todo o episódio fica ainda maior quando nos lembramos que esse gentio em particular era um centurião romano. Não sabemos nada sobre as opiniões políticas de Pedro, mas sabemos que entre os judeus mais piedosos era costume caminhar o mais longe possível dos romanos, pois esses gentios, em particular, tinham conquistado praticamente todo o mundo conhecido e agradeciam a seus deuses por isso, enquanto, ao mesmo tempo, convidavam seus súditos a mesclar suas religiões. Era justamente por causa dessa profunda aversão dos judeus em relação aos romanos — em especial, em relação às tropas romanas — que os representantes do império tinham sua sede em Cesareia, e não em Jerusalém.

Embora todo esse episódio, em geral, seja chamado de "a conversão de Cornélio", ele, na mesma medida, trata exatamente da conversão do próprio Pedro. Observe que a visão de Cornélio é clara, fornecendo-lhe orientações detalhadas, ao passo que tudo que Pedro tem é uma visão confusa e obscura que o deixa perplexo. Nesse caso, como em muitos outros, Deus não fala com mais clareza, nos pontos em que mais esperaríamos, com os "de dentro", mas até mesmo chama o próprio apóstolo Pedro à obediência por meio da visão de um pagão.

Pedro, sem saber por que e talvez, até mesmo, de má vontade, vai até Cornélio. Ele não tem o menor interesse em conquistar a boa vontade de Cornélio e sua família. Na verdade, no primeiro encontro, ele rejeita Cornélio (10.28). Se dependesse dele, ele diria que Cornélio e seus

4. NOVOS HORIZONTES (8.4–12.24)

parentes eram impuros; mas Deus lhe dissera para não os chamar assim, e ele obedeceu à ordem de Deus.

Depois, no meio de uma situação que, para ele, devia ser, no mínimo, desconfortável, aconteceu o inesperado: Deus, ao derramar o Espírito Santo, mostrou a Pedro e, depois para a igreja de Jerusalém, que "concedeu também aos gentios o arrependimento para a vida".

O tempo passou, e, graças a Deus e à experiência que Pedro teve, nós e outros que, do contrário seríamos distantes, fomos feitos próximos (Ef 2.13).[52] Contudo, agora, somos aqueles que têm leis, regras e princípios que, independentemente de quão bons possam ser, às vezes, correm o risco de ser obstáculos para a nossa missão. Não é mais uma questão de não entrar na casa de um gentio. Agora, é uma questão de nos mantermos puros ao não participar de determinados tipos de celebrações e de determinadas atividades sociais, ao não nos juntarmos a pessoas que estejam bebendo ou a qualquer coisa que as várias igrejas enumeraram como normas de conduta. A fim de salvar essa pureza, com frequência, limitamos nosso círculo de contatos para que sempre estejamos entre cristãos e evitemos conviver com aqueles que não acreditam no que acreditamos. Com certeza, há algum valor nisso, pois a comunidade de fé tem um papel muito importante na vida cristã, fortalecendo-nos quando estamos fracos e ajudando-nos a descobrir a vontade de Deus. Porém, quando levamos isso a extremos, corremos o risco de nos limitar tanto a essa comunidade que esquecemos que Cristo morreu não só por nós mesmos, mas também por todas aquelas outras pessoas cuja companhia evitamos: o irresponsável, o imoral, o amoral, o descrente e assim por diante.

Nessas circunstâncias, devemos lembrar-nos que, como Pedro declara: "Deus não trata as pessoas com base em preferência", e que Cristo morreu pelos pecadores. Se servimos a um Cristo que veio nos buscar em nossa condição de perdidos, será que não estamos obrigados a ir e procurar outros, independentemente da condição em que estejam? Não esqueçamos que Pedro foi à casa de um *centurião*. Ele foi à casa de um oficial do exército que ocupava sua terra natal e era do império que oprimia sua nação com impostos pesados. Ele não foi porque desejava conquistar o apoio desse homem poderoso, mas porque Deus mandou que fizesse isso. Será que estamos igualmente preparados para empreender uma missão igualmente arriscada e sem precedentes?

---

52   Há um estudo do episódio de Pedro e Cornélio de um ponto de vista missionário: LOTZ, D. "Peter's wider understanding of God's Will: Acts 10:34-48". *IntRevMiss* 77 (1988), p. 201-7. Sobre sua aplicação ao contexto latino-americano com vários exemplos e reflexões valiosas, veja o capítulo "Mirad los campos", em COOK, G. *Profundidad em la evangelización*. San José: Publicaciones INDEF, 1975, p. 68-84.

De uma forma, esse episódio é semelhante ao da conversão de Saulo, embora, agora, da perspectiva oposta. Lá, vimos como alguém que, até o momento perseguia cristãos, é convertido, e Deus usa-o para grandes obras. Agora, vemos como uma igreja obediente, na pessoa de Pedro, vive esse evangelho que é as boas-novas mesmo para pessoas como Saulo, quando perseguia cristãos, ou esse oficial de um exército de ocupação. O resultado é que toda a igreja de Jerusalém é convertida a uma percepção mais ampla do evangelho.

Vivemos em um mundo cheio de corrupção, vício, injustiça e opressão. Temos, como cristãos, de condenar tudo isso com voz clara e profética. Porém, ao mesmo tempo, temos de ser cuidadosos para não cair na armadilha de agir como se a igreja fosse só para pessoas "como nós". Quando as pessoas são rejeitadas em alguma de nossas igrejas porque "elas não são decentes", ou porque "têm vícios", ou porque não compartilham de nossa ideologia política, está na hora de pararmos e refletirmos sobre esse episódio de Pedro e Cornélio e nos perguntarmos qual é o sentido para nós hoje quando declaramos que "Deus não demonstra parcialidade em relação às pessoas". Não há dúvida de que, em nossas igrejas, há muita conversa sobre evangelização e a necessidade de levar as "boas-novas" para o restante do mundo. Não nos esqueçamos que as boas-novas incluem precisamente a proclamação de que os que estavam distantes foram feitos próximos. As "boas-novas", como remédio, não são para os que estão saudáveis, mas para os doentes.

D. A IGREJA DE ANTIOQUIA (11.19-30)

Embora o que é informado nessa seção pareça um parêntesis na narração de uma série de atos de Pedro, o interesse de Lucas não se volta para os atos de Pedro ou de algum dos apóstolos, mas para como o Espírito chama a igreja a novas formas de obediência. Por isso, agora, ele informa-nos que Pedro batizou Cornélio e seus amigos — ou seja, que havia uma igreja de origem gentia em Cesareia — ele segue em frente para nos informar sobre uma igreja semelhante, dessa vez em Antioquia. A ordem cronológica dos eventos não está clara, pois em 11.19, voltamos ao que foi dito em 8.4 e, por isso, pode parecer que esses eventos aconteceram ao mesmo tempo em que os outros relatados no capítulo 8.[53] Alguns comentaristas sugerem que a narrativa segue uma ordem cronológica, pois a lógica dessa parece indicar que o que Lucas nos diz sobre Antioquia aconteceu

---

53 A construção gramatical desse versículo no grego, muito semelhante a 8.4, sugere que Lucas, na verdade, quer que o leitor relacione os dois episódios.

4. Novos horizontes (8.4–12.24)

depois da conversão de Cornélio, à medida que só depois disso a igreja de Jerusalém está preparada para aceitar a existência de uma igreja parcialmente gentia como a de Antioquia. Parece que 11.19 se refere a eventos que aconteceram logo depois da morte de Estêvão e que o que nos é dito em 11.20 aconteceu depois da conversão de Cornélio ou, praticamente, ao mesmo tempo em que ela. Isso explicaria por que os cristãos de Jerusalém não ficaram escandalizados quando souberam que havia gentios na igreja de Antioquia. Por sua vez, talvez seja melhor não insistir demais na natureza linear de uma cronologia como essa, pois é possível que o que Lucas esteja tentando dizer aos seus leitores é que a missão para os gentios foi obra do Espírito Santo, que estava atuando na mesma linha por intermédio de vários eventos paralelos: a conversão do eunuco etíope pelo testemunho de Filipe, a conversão de Cornélio e sua família pela pregação de Pedro e, agora, a fundação de uma comunidade em Antioquia que é parcialmente gentia.

Antioquia era uma cidade grande, a terceira maior de todo o Império Romano. Ela foi fundada às margens do rio Orontes por Seleuco Nicátor, por volta do ano 300 a.C., e recebeu o nome de "Antioquia" em homenagem a Antióquio, pai de Seleuco. Por volta do século I, tinha cerca de quinhentos mil habitantes. Essa cidade era um centro para troca de ideias, culturas, costumes e religião. Ali, a comunidade judaica era numerosa e tinha uma bonita sinagoga, que atraía muitos pagãos.[54] Por isso, o contraste entre a atmosfera, tanto a cultural quanto a religiosa, de Antioquia e a de Jerusalém era contundente. Não é de surpreender que em Antioquia houvesse um número relevante de pagãos interessados em ouvir o evangelho e, tampouco, que a igreja de lá estivesse disposta a pregar para eles.

A narrativa de 11.19,20 é resumida. Somos informados que alguns que fugiram após a morte de Estêvão foram diretamente para Antioquia, e outros foram para a Fenícia e Chipre. Essa lista não pretende estar completa, pois, exatamente no versículo seguinte, Lucas fala de outros que vieram de Cirene. De todo modo, a Fenícia é uma estreita planície litorânea que se estende de Samaria ao Orontes, por isso, faz sentido imaginar que alguns dos que se dispersaram depois do início da perseguição foram de Jerusalém para a Fenícia e, depois, para Antioquia. Contudo, Lucas não nos informa que entre esses que pregaram primeiro em Antioquia estavam pessoas vindas da Fenícia. Chipre é uma ilha próxima que tinha comunicação marítima com o porto de Cesareia, com a passagem para Jerusalém e Antioquia. Barnabé, que logo reaparecerá em cena, era de Chipre (4.36), e foi para essa ilha que Barnabé e Paulo foram primeiro em

---

54   Josefo, *War*. 7.3.3.

sua jornada missionária. Por isso, no fim do versículo 19, tudo que nos foi informado é que, pelo menos, na Fenícia, Chipre e Antioquia, o evangelho foi pregado, embora exclusivamente entre judeus.

No versículo 20 é que algo radicalmente novo aparece. "Alguns [...] de Chipre e de Cirene" foram para Antioquia e começaram a pregar para os gregos.[55] Cirene era uma cidade de Lida na costa norte da África, onde havia uma forte comunidade judaica. Os judeus cireneus são mencionados no episódio do Pentecostes (2.10) e entre os helenistas que se opõem à pregação de Estêvão (6.8-15; 7.1-60). O próprio Lucas, em seu evangelho, menciona Simão, cireneu, que carregou a cruz de Jesus (Lc 23.26; veja Mt 27.32 e Mc 15.21). Mais adiante, em 13.1, ouvindo os líderes da igreja de Antioquia, Lucas menciona "Simeão, chamado Níger" (ou seja, "Simão, o Negro") e Lúcio de Cirene. É possível que esses dois estivessem entre os que pregaram pela primeira vez o evangelho entre os gentios em Antioquia.

De todo modo, o que é radicalmente novo é que essas pessoas de Chipre e Cirene começam pregando também para os gentios. Lucas afirma que "a mão do Senhor era com eles", como uma maneira de nos informar que a proclamação para os gentios foi abençoada por Deus. Enfatizar isso é importante para ele, pois a conversão de gentios era um dos assuntos que ainda era amargamente discutido em sua época. Lucas rejeita a opinião dos "judaizantes" de que gentios convertidos deviam obedecer a toda a lei (e, no caso dos homens, ser circuncidados). Os gentios de Antioquia tornaram-se cristãos sem antes se tornar judeus, e Deus abençoou esse desenvolvimento.

Barnabé, enviado pela igreja de Jerusalém a Antioquia, é um dos personagens mais atraentes de todo o livro de Atos. Já fomos informados que os apóstolos o chamavam de "filho de consolação" e que ele era generoso com seus bens (4.36,37). Também fomos informados que, após a conversão de Saulo, foi ele quem recebeu Saulo em Jerusalém e o apresentou para o restante da comunidade cristã (9.27). Por fim, Barnabé é um personagem importante de 12.25 a 15.39. Apenas em Gálatas 2.13 é que Paulo diz algo negativo sobre Barnabé e faz isso em tom que demonstra surpresa, como se Barnabé fosse a última pessoa de quem esperaria tal comportamento. No texto que estamos estudando, Lucas diz-nos que a igreja de Jerusalém enviou Barnabé para Antioquia. É interessante observar que Barnabé recebe sua comissão da igreja de Jerusalém, não dos Doze. Os Doze não estavam na cidade santa? É impossível saber. O texto

---

55 A NRSV traduz por "helenistas". Nesse caso em particular, fica claro que Lucas se refere a verdadeiros gentios, por isso, a tradução melhor, menos provável de causar confusão, seria "gregos".

4. Novos horizontes (8.4–12.24)

também não nos informa se Barnabé foi enviado para inquirir sobre o que estava acontecendo e, depois, trazer um relato para a igreja de Jerusalém ou se, antes, foi enviado para apoiar os de Antioquia. Independentemente de qual seja o motivo para ele ter sido enviado, o fato é que ele permaneceu em Antioquia sem retornar a Jerusalém por um bom tempo.

Ao chegar a Antioquia, Barnabé alegrou-se com o que viu[56] e exortou os fiéis. (A NRSV não dá o sentido de uma ação contínua de exortação conforme aparece no texto grego. O que Lucas diz não é que ele exortou a congregação uma vez, mas que ele continuou a exortá-la.)

A seguir, Barnabé "partiu para Tarso, em busca de Saulo". Isso parece indicar que Barnabé já passara algum tempo em Antioquia e que, naquele momento, já era um dos líderes daquela igreja. Parece, desse modo, que Barnabé foi em busca de Saulo para ajudá-lo nesse trabalho. Isso parece ter acontecido durante o tempo em que, de acordo com o testemunho do próprio Paulo, ele estava pregando nas "regiões da Síria e da Cilícia" (Gl 1.21). Tarso era a capital da Cilícia. O texto grego dá a impressão de que Barnabé procurou ativamente por Saulo, até encontrá-lo.

De volta a Antioquia, eles passaram um ano inteiro trabalhando lá. Lucas conta-nos pouco sobre esse ano, que deve ter sido crucial para a história do cristianismo, pois podemos imaginar que foi lá e nessa época que as características fundamentais da igreja gentia, à qual a maioria dos cristãos pertence hoje, foram modeladas.

Nessa época, uma indicação do entusiasmo existente na Antioquia é o fato de que foi lá que, pela primeira vez, os discípulos de Jesus foram chamados de "cristãos". Há diversas teorias sobre o sentido original desse termo. A mais comum é que foi dado zombeteiramente aos discípulos pelos pagãos, talvez em imitação ao nome dado aos seguidores fanáticos de Nero.[57] Outros sugerem que a palavra quer dizer "escravos de Cristo" e que foram os discípulos que adotaram o título como um sinal de quem eles eram.[58] A última teoria, talvez a mais provável, afirma que os discípulos adotaram esse nome a fim de indicar que eram agentes do Rei ungido, do "Cristo" — o que lhes fazia se sentir dignos em sua difícil atual situação e no reino de Deus por vir. Talvez também seja importante mencionar que

---

56   Aqui há um bonito jogo de palavras em grego, dizendo-nos que quando viu a graça (*charis*), Barnabé regozijou-se (*echare*).

57   MATTINGLY, H. B. "The origin of the name 'christiani'". *JTS* 9 (1958), p. 26-37. A principal dificuldade com essa teoria é que a maioria dos exemplos que Mattingly oferece são posteriores ao nome "cristãos".

58   BICKERMAN, B. J. "The name of christians". *HTR* 42 (1949), p. 109-24; e MOREAU, J. "Le nom des chrétiens". *Nouvelle Clio* (1950), p. 190-92. A forma verbal empregada no texto grego pode ser traduzida como voz passiva ("foram chamados cristãos") e como verbo reflexivo ("chamaram-se cristãos").

a primeira pessoa conhecida a empregar a palavra "cristianismo" para se referir à nova fé foi um bispo de Antioquia, Inácio, no início do século II.

Embora Barnabé e Saulo estivessem trabalhando juntos em Antioquia, alguns profetas chegaram de Jerusalém. Isso não é extraordinário, pois está claro que, na igreja antiga, havia pregadores itinerantes que visitavam as igrejas exortando e edificando os crentes e, assim, servindo como uma ligação entre as congregações em uma época em que a igreja não tinha muitos outros meios de comunicação.[59] Um desses profetas, Ágabo, anunciou que cairia uma grande fome sobre os habitantes da terra (todo o *oikoumene*, ou seja, o mundo habitado ou, pelo menos, todo o Império Romano).[60] Ágabo também é mencionado em 21.10,11, em que ele prediz a prisão de Paulo. A história registra, pelo menos, cinco diferentes fomes durante o reinado de Cláudio (41-54 d.C.), quando houve colheitas ruins em várias partes do império. O reinado de Cláudio, como um todo, foi um período de fome e carência. Contudo, é difícil ir além dessa afirmação genérica. Josefo fala de uma fome na Palestina no ano de 47 e 48, quando Cúspio Fado e Tibério Alexandre eram procuradores romanos.[61] Se considerarmos ao pé da letra as palavras de Atos 12.1 — "Naquela mesma ocasião, o rei Herodes" — temos de localizar os eventos de Antioquia na mesma época da perseguição de Herodes Agripa, fato ocorrido entre 41 e 44 d.C.[62]

Os cristãos de Antioquia fizeram uma coleta e enviaram para Jerusalém por intermédio de Barnabé e Saulo, embora o texto não nos informe se a oferta foi em resposta à profecia de Ágabo ou em resposta à própria escassez. É interessante observar que, embora Atos não mencione a coleta para os pobres de Jerusalém, que ocupou importante lugar nas epístolas de Paulo, Atos afirma que Paulo, desde muito cedo, esteve envolvido nos esforços para fornecer apoio para os discípulos de Jerusalém.

Não fica claro quem são os "presbíteros" ou "anciãos" de Jerusalém para quem a oferta foi enviada. Na época em que Lucas estava

---

59   Veja Núñez, M. de Burgos. "La comunidad de Antioquia: Aspectos históricos y papel profético en los Orígenes del cristianismo". *Comm* 15 (1982), p. 3-26. Não demorou para a existência desses profetas itinerantes criar dificuldades, pois era necessário distinguir entre os verdadeiros e os falsos profetas. Isso pode ser observado no *Didaquê*, que tenta oferecer orientação sobre o assunto. *Did*. 11.6-9.

60   Nesse ponto (11.28), o texto ocidental diz: "Enquanto estávamos reunidos, um deles, cujo nome era Ágabo". Esse é o primeiro lugar em que a primeira pessoa do plural (nós) aparece no livro de Atos. Se fizer parte do texto original, poderia indicar que o mesmo muito debatido "nós" inclui um dos crentes de Antioquia ou um dos profetas de Jerusalém. No entanto, o mais provável é que seja um acréscimo posterior por parte do copista, que estava convencido de que o "Lúcio" de 13.1 era Lucas, o autor de Atos.

61   *Ant*. 20.101.

62   Veja Tormes, A. M. "La fecha del hambre de Jerusalém aludida por Act 11,28-30". *EstEcl* 33 (1959), p. 303-16.

escrevendo, havia, em cada igreja, essas pessoas que serviam como pastor e líderes da congregação. O problema é que Lucas não menciona nenhum "presbítero" em Jerusalém. Com certeza, eles não são os apóstolos. Alguns intérpretes sugerem que esses são os "sete" eleitos em Atos 6, ou seus sucessores, argumentando que a função deles era administrar o que era coletado para o pobre, e a função desses "presbíteros" parece a mesma.[63]

Essa passagem, como muitas outras de Atos que se referem à carreira de Paulo, apresenta, mais uma vez, o problema de como coordenar a data apresentada aqui com o que Paulo diz em suas epístolas.[64] Resumidamente, o problema é que em Gálatas 1 e 2, Paulo, ao resumir a própria carreira, só fala de duas viagens a Jerusalém, a segunda delas para comparecer ao chamado "concílio apostólico", descrito em Atos 15. O que podemos, então, fazer dessa "viagem de oferta"? Alguns estudiosos sugerem mudar a ordem em que Lucas apresenta os assuntos e alegar que essa viagem, em particular, aconteceu depois do concílio apostólico. Outros sugerem que talvez Lucas tenha se enganado, e Paulo não foi a Jerusalém com a delegação que levou a oferta de Antioquia. Provavelmente, a solução mais aceitável é que Paulo, na epístola aos Gálatas, não menciona essa viagem muito breve apenas porque não tem nada a ver o assunto em pauta e porque, na época, ele nem mesmo conversou com os Doze e, em todo caso, ele foi apenas para fazer companhia para Barnabé (cujo nome, portanto, aparece em primeiro lugar em 11.30).

A GRANDEZA DO PEQUENO

Se não conhecêssemos o restante da história de Atos, poderíamos especular por que Lucas agora nos informa sobre a igreja que acaba de ser fundada a quase 500 quilômetros de Jerusalém. Ele não menciona o nome dos que fundaram essa igreja nem dos que deram o gigantesco passo de começar a pregar para os gentios. A verdade é que ao ler esses versículos tendemos a ficar entediados: o fato de haver mais uma igreja não é surpreendente depois que Lucas nos contou tanto sobre tantas novas comunidades e sobre os cristãos espalhados por toda a Galileia, Samaria, Chipre, Fenícia e por outros lugares. Queremos que ele volte a Jerusalém, o centro da ação, e nos conte mais sobre o que os apóstolos estão fazendo.

---

63 Veja TURRADO. *Hechos de los apóstoles y Epístola a los Romanos*, p. 123.
64 O problema que essa passagem apresenta, bem como as várias soluções sugeridas, estão muito bem resumidas em WICKENHAUSER, Alfred. *Los hechos de los apóstoles*. Barcelona: Herder, 1973, p. 200-203.

Lucas colocou esses versículos aqui porque, mais adiante, conforme a narrativa se desenvolve, o centro da ação muda de Jerusalém para Antioquia. Após essas breves palavras, ele leva-nos de volta a Jerusalém, mas, depois disso, ele não diz quase mais nada sobre essa primeira igreja. A ação não será mais concentrada ali mas em outra igreja, até então bem periférica, bem distante do centro, que agora será o foco da atenção e da ação.

Isso faz sentido. A igreja de Jerusalém teve seu momento e sua missão. Agora, irrompe um novo tempo. Será necessário responder ao desafio da missão para os gentios. Quem pode responder melhor a esse desafio que essa igreja em Antioquia, ela mesma no limite da primeira igreja judaica? Começando no capítulo 13, Lucas lida quase exclusivamente com a igreja de Antioquia, e seu trabalho missionário, não por ela ser a mais antiga, a mais rica ou a mais poderosa, mas porque foi ela que respondeu aos novos desafios da época.

O mesmo acontece em toda a história da igreja. Aqueles que até determinado momento estiveram na periferia, em parte, precisamente por estarem na periferia, são os que, com mais frequência, provam estar preparados para responder aos desafios da nova era. Como Paulo diz em 1Coríntios 1.27,28: "Deus escolheu as coisas absurdas do mundo para envergonhar os sábios; e escolheu as coisas fracas do mundo para envergonhar as fortes. Ele escolheu as coisas insignificantes do mundo, as desprezadas e as que nada são, para reduzir a nada as que são".

A igreja de fala espanhola, católica e também protestante, está na periferia há muito tempo. Isso pode nos desencorajar ou criar em nós um sentimento de inferioridade, levando-nos a acreditar que o melhor sempre vem do norte, da Europa, de outra cultura e que nossa tarefa é simplesmente receber o que esses outros centros e essas outras culturas nos dão. Sem dúvida, com frequência demais, essa tem sido a atitude de muitos de nós.

Mas há outra possibilidade. Justamente porque estamos na periferia do mundo ocidental — periferia cultural, religiosa e econômica — é bem possível que nossa igreja esteja particularmente preparada para responder aos novos desafios do dia.

Peguemos um exemplo. Em todo o mundo há muita conversa sobre a necessidade de evangelização melhor e mais intensa. Nas igrejas tradicionalmente ricas da Europa e dos Estados Unidos são desenvolvidos programas ambiciosos com todos os tipos de recursos tecnológicos e econômicos para promover a evangelização. Todavia, em muitos casos, esses programas levam a resultados magros, e as igrejas que ainda estão crescendo são nossas igrejas latinas, trabalhando sem muitos recursos, mas com grande entusiasmo e convicção. Por isso, se é para o trabalho

4. Novos horizontes (8.4–12.24)

de evangelização continuar, o mais provável é que ele não começará nos centros (as Jerusaléms) das igrejas ricas do Atlântico Norte, mas nas Antioquias, nas igrejas como as igrejas hispânicas, que foram fundadas em zonas rurais e urbanas de todo o hemisfério. Hoje, há — no Chile, bem como no Peru e em muitas das vizinhanças mais pobres de Nova York e Los Angeles — igrejas ativas testemunhando o evangelho por meio da palavra e dos atos, praticando amor e justiça. A origem dessas igrejas, provavelmente, é tão pouco conhecida como a origem da igreja de Antioquia. O futuro impacto delas ninguém pode dizer.

No entanto, para que essas igrejas, católicas e protestantes, sejam responsáveis nesse momento, não será suficiente ficar repetindo o que foi recebido de Jerusalém. Esse importante ano do qual Lucas nos fornece apenas um vislumbre, e no qual Barnabé e Saulo passaram trabalhando em Antioquia, tem de ser repetido em nossas comunidades. O que aconteceu durante aquele ano foi que a igreja de Antioquia adquiriu compreensão de si mesma e assimilou o evangelho de tal maneira que foi capaz de compartilhá-lo sob novos termos, mais bem adaptados para a missão que Deus confiara a ela. Da mesma maneira, é necessário que nossas igrejas, por meio da própria reflexão, oração e, até mesmo, administração financeira, descubram a maneira na qual o evangelho fala, hoje, a nós e a nossas comunidades. Talvez os tempos difíceis pelos quais muitas de nossas igrejas estão passando, tempos de debate e de polarização, sejam o processo pelo qual começamos a ser preparados pelo Espírito Santo de Deus para a missão, sem precedentes, como a de Antioquia. Antioquia não repetiu simplesmente o que ouviu de Jerusalém.

MISSÃO DE DUAS VIAS

Exatamente na mesma passagem em que Lucas nos fornece as primeiras notícias sobre a igreja de Antioquia, ele também nos informa que os crentes dessa igreja coletaram uma oferta para a igreja da Judeia. Até esse ponto, o centro da missão parece ter sido Jerusalém, como se impelida por um impulso centrífugo constante. Em Samaria, há alguns cristãos, batizados por Filipe, e a igreja de Jerusalém envia Pedro e João para verificar o que está acontecendo. Outra igreja aparece em Cesareia, graças às visões de Cornélio e Pedro, e o último tem de ir a Jerusalém para prestar contas do que fez. Agora, em Antioquia, apareceu outra igreja e, mais uma vez, os de Jerusalém enviam um emissário — Barnabé.

Contudo, nesse caso, as coisas tomam um rumo diferente. Outros profetas chegam de Jerusalém, e um deles proclama que a igreja-mãe terá dificuldades. O resultado é que a igreja de Antioquia reúne seus recursos a fim de ajudar a igreja-mãe. Antioquia não fica contente em apenas receber de Jerusalém, mas, antes, no momento apropriado, ela também contribui para o antigo centro.

Uma vez que percebemos isso, não é surpresa a igreja de Antioquia tornar-se um centro missionário, enviando Barnabé e Saulo, e possivelmente outros, em uma série de viagens que levaram o evangelho a lugares distantes. Esses cristãos antioquenses não são passivos, não ficam à espera para ver o que vem de Jerusalém, mas, mais propriamente, são cristãos ativos, conscientes da própria obrigação missionária não só em relação aos gentios, mas, até mesmo, em relação aos irmãos e irmãs de Jerusalém.

É evidente o que isso quer dizer para a igreja latina. Muitas de nossas igrejas são resultado de esforços missionários de outras latitudes ou de outras culturas. Algumas estão satisfeitas com receber e estão constantemente pedindo mais ajuda, mais recursos econômicos, mais pessoal. Outras assumiram a responsabilidade por sua manutenção e por seu trabalho e, de vez em quando, tornam-se centros missionários. A diferença não é que algumas têm mais recursos que outras. Na verdade, algumas das igrejas que assumem a própria responsabilidade missionária mais seriamente têm entre seus membros as pessoas mais pobres de nossas comunidades. A diferença, antes, está na percepção que a igreja tem de si mesma e de sua missão. A diferença está em que essas novas igrejas missionárias de hoje, como a igreja de Antioquia, assumem sua responsabilidade com bastante seriedade.

E. PERSEGUIÇÃO DE HERODES (12.1-24)

1. Introdução: Tiago é morto (12.1,2)

Depois de mencionar a delegação de Antioquia, Lucas retorna com eles para Jerusalém, onde ele nos informa sobre a morte de Tiago e a prisão de Pedro. Ele diz que isso aconteceu "naquela mesma ocasião" (12.1). O sentido exato disso não está claro. A interpretação mais simples seria que esses eventos aconteceram na época em que Barnabé e Paulo estavam visitando Jerusalém, mas seria de esperar que Lucas, se ele pensava que Barnabé e Saulo estavam em Jerusalém durante essa época de perseguição, os teria mencionado. Talvez "naquela mesma ocasião" refira-se ao período antes de Barnabé e Saulo serem enviados a Jerusalém. Para complicar essa situação, quando, no fim, em 12.25, Lucas informa-nos mais uma

4. Novos horizontes (8.4–12.24)

vez acerca dos dois enviados de Antioquia para Jerusalém, os manuscritos antigos não concordam, alguns dizem que Barnabé e Saulo retornaram para Jerusalém, e outros, que eles retornaram *de* Jerusalém.

A referência em toda essa seção é a Herodes Agripa I, neto de Herodes, o Grande, e sobrinho de Herodes Antipas, a quem Lucas refere-se no contexto do nascimento de Jesus. Ele recebeu o título de "rei" no ano 37. Dessa época em diante, em parte, por causa de sua habilidade política e, em parte, por causa de sua manipulação as autoridades romanas e judaicas, ele acrescentou territórios ao seu governo que, por fim, incluíam uma área semelhante à que seu avô governou. Contudo, enquanto Herodes, o Grande, tinha conflitos quase constantes com os judeus, Herodes Agripa sabia como conseguir o favor dos líderes judeus e dos principais sacerdotes e, por essa razão, contava com a colaboração deles.[65]

Lucas não nos fornece mais indicação sobre quem eram os "alguns da igreja" que Herodes prendeu nem sobre o que, por fim, foi feito com eles. Lucas, como em muitos outros casos, simplesmente descreve a condição geral e, depois, oferece um ou dois exemplos. O Tiago morto por Herodes foi o irmão de João e não deve ser confundido com o Tiago irmão de Jesus que também teve papel importante na igreja de Jerusalém (veja 12.17).[66] Sua morte "a fio da espada" indica que essa foi uma execução oficial, depois de um julgamento formal.[67] O fato de Herodes escolher esse apóstolo específico como sua primeira vítima indica que ele estava ativamente envolvido na liderança da igreja, talvez pregando ou "perturbando a paz" de alguma maneira. Assim, embora Lucas só nos informe sobre as atividades de dois dos Doze, Pedro e João, isso não quer dizer que todos os outros permanecem inativos. Simplesmente não sabemos o que estavam fazendo.

2. Prisão e libertação de Pedro (12.3-19a)

O que a A21 traduz por "apresentá-lo" (12.4,6) é um verbo grego que tende a denotar apresentação formal diante da corte (*anagagein*),

---

65 Veja Josefo, *Ant*. 18.6-7; 19.5.
66 Esse outro Tiago, ou Santiago, é que a lenda afirma que pregou na Espanha e que seu corpo foi levado para Compostela, onde está enterrado. Embora isso seja apenas uma lenda, ela tornou-se muito importante para a história posterior da Espanha e suas colônias, pois a peregrinação a Santiago de Compostela foi um dos elementos que ajudou a desenvolver o sentimento espanhol de unidade, de nacionalidade e de resistência contra os mouros. De acordo com a lenda, Santiago lutou com cristãos contra os mouros e, depois, nas Américas, contra os nativos. Hoje, há, no hemisfério ocidental, mais de cinquenta cidades que receberam nome segundo Santiago.
67 Eusébio de Cesareia fala de uma tradição sobre a morte de Tiago que já circulava no fim do século II, porque Eusébio tirou-a dos escritos de Clemente de Alexandria. De acordo com essa tradição, a pessoa no comando para levar Tiago à presença da corte ficou tão comovida com o testemunho de Tiago que se converteu, e os dois foram decapitados juntos. *H. E.* 2.9.2-3.

embora a explicação adicional "ao povo" possa sugerir que o propósito desse julgamento fosse buscar popularidade, não justiça. De qualquer forma, o que temos aqui é a perseguição de cristãos não mais pelos judeus — e, em especial, pela liderança deles — mas, agora, por autoridades representando o poder e a autoridade romana — nesse caso, o rei Herodes Agripa. Herodes age dessa maneira para agradar "os judeus" (o que provavelmente deve ser entendido como os líderes judeus), mas sua autoridade vem de Roma e é como autoridade autorizada por Roma que ele executa Tiago e prende Pedro.[68]

Possivelmente, ele quer garantir que, depois da festa dos Pães sem Fermento, o julgamento e a morte de Pedro serão o centro da atenção popular, e que os peregrinos que estão na cidade para as celebrações religiosas, ao retornarem para as suas terras, contem como Herodes defende as crenças judaicas ortodoxas. Até aqui, há diversas frases e circunstâncias na narrativa que fazem paralelo com o que Lucas nos informa sobre a paixão de Jesus, e isso parece intencional. O leitor é levado a esperar que Pedro morra depois do julgamento, alguma hora por volta da festa da Páscoa, no mesmo período do ano em que Jesus morreu.

Herodes toma todo tipo de precaução para evitar que Pedro escape. As esquadras que vigiam Pedro eram incomuns no Império Romano, em que um grupo de quatro soldados faz rodízio em cada posto de vigilância, cada grupo ficando de guarda por um período de três horas antes de ser dispensado.[69] Herodes designa quatro dessas esquadras (*tessarsin tetradiois*, um total de dezesseis homens) para a tarefar de vigiar Pedro. Depois, para ter mais segurança, Pedro é algemado a dois soldados com duas correntes (12.6). Era costume deter ou controlar um prisioneiro perigoso prendendo-o com uma corrente a um soldado (muito semelhante ao que é feito hoje com algemas).[70] No caso de Pedro, essa precaução extra é feita em dobro, pois cada uma de suas mãos fica presa a um soldado. Então, outros guardas (provavelmente mais dois, um de cada uma das duas outras esquadras) guardam a porta.

Há outro poder contra todas essas precauções: a igreja ora sem cessar. A última noite antes do julgamento ("naquela mesma noite"; 12.6), um anjo aparece na prisão. A luz resplandecente é um sinal de presença divina. Pedro ainda dorme, e o anjo tem de acordá-lo. A tradução da A21 da ação do anjo: "Ele tocou o lado de Pedro e o despertou", é muito branda

---

68 Josefo, *Ant*. 19.6-7, mostra como Herodes tentava agradar à liderança judaica.
69 Vegetius, em seu *De re militari*, 3.8, diz que "uma vez que é impossível uma pessoa permanecer alerta toda a noite, o turno da noite é dividido em quatro vigílias para que não seja necessário permanecer desperto por um período maior que três horas".
70 Veja, por exemplo, Josefo, *Ant*. 18.6.6.

4. Novos horizontes (8.4–12.24)

para transmitir o sentido do texto grego. A palavra empregada aqui sugere um tapa forte, e talvez devêssemos entender que esse anjo "o sacudiu para acordá-lo" ou que ele "cutucou" Pedro. Do começo ao fim da narrativa, há um leve tom de humor. Mesmo depois de ser cutucado pelo anjo e durante todo o versículo 10, Pedro ainda está meio dormindo. Ele acha que está sonhando, e o anjo tem de lhe dar instruções detalhadas, em que lhe diz como deve se vestir (12.8). Juntos, eles passam pelos dois outros guardas. Embora o texto não diga isso, deve ser entendido que eles estão dormindo. O anjo e Pedro, finalmente, chegam à porta, a qual se abre para eles por iniciativa própria. É depois, na rua, que o anjo deixa Pedro, aparentemente, sem dar mais nenhuma explicação. A seguir, Pedro "caindo em si" percebe que estava realmente livre.

O leve toque de humor da primeira parte da história, agora, fica mais acentuado. Pedro vai para a casa em que sabe que os cristãos estarão orando. Lucas conta-nos que era a casa de "Maria, mãe de João, também chamado Marcos". O fato de ela ser identificada por meio do filho indica que João Marcos, no fim, se tornaria uma pessoa mais conhecida na igreja primitiva. Tradicionalmente, o segundo evangelho é atribuído a ele. Devemos encontrá-lo de novo em Atos (12.25; 13.5,13; 15.37-39) e também em outras passagens do Novo Testamento (Cl 4.10, em que somos informados que ele é parente de Barnabé; 2Tm 4.11; Fm 24; 1Pe 5.13).[71]

De acordo com a tradição posterior, foi na casa de Maria e seu filho João Marcos que aconteceram a última ceia e o Pentecostes. Parece que era uma casa bem espaçosa não só por causa do número de pessoas que podiam se reunir nela, mas também porque tinha um pátio na frente e um portão externo pelo qual a pessoa tinha acesso à casa. Pedro bate ao portão do pátio, e "uma criada chamada Rode" responde.[72] Ela reconhece a voz de Pedro e, em vez de abrir o portão, ela corre alegremente para dar a notícia aos outros, aparentemente, esquecendo Pedro do lado de fora do portão. Esses outros, embora tenham estado orando fervorosamente pela libertação de Pedro, não acreditam na informação que recebem e lhe dizem que ela está louca. Ela insiste, mas eles dizem-lhe que ela deve ter

---

71 A despeito da importância de João Marcos, parece haver muito exagero e ousadia na tese de Rius-Camps, Josep. "Qüestions sobre la doble obra lucana, II: Qui és Joan, l'anomenat 'Marc'?" *RCatalT* 5 (1980), p. 297-329. De acordo com Rius-Camps, Marcos, o evangelista, é o fiador da verdadeira pregação do evangelho e, por isso, desse ponto em diante em Atos, sempre que Marcos está com Paulo, o trabalho de Paulo está de acordo com a vontade divina; mas, quando Marcos está ausente, essa ausência representa um julgamento negativo a respeito do que Paulo está fazendo.

72 O nome "Rode" é uma adaptação de uma forma diminutiva de Rosa e, por isso, se poderia dizer que o nome dela era "Rosie".

visto um fantasma.⁷³ Nesse meio tempo, Pedro está em pé do lado de fora batendo ao portão. Ele é um fugitivo, sujeito a ser preso a qualquer momento e, enquanto seus amigos discutem quem ele pode ser, ele é deixado do lado de fora. Finalmente, eles abrem a porta, e a primeira coisa que Pedro faz é pedir que fiquem em silêncio — talvez assim eles o ouvissem ou talvez assim não chamassem a atenção das autoridades. A seguir, ele conta-lhes o que aconteceu, envia uma mensagem para Tiago e o restante da igreja e, simplesmente, sai e vai para "outro lugar".

Lucas não nos informa para onde Pedro foi. Tudo que ele diz é que Pedro saiu, aparentemente, para se esconder sem nos dizer onde. Desse ponto em diante, Pedro desaparece da história para só reaparecer brevemente em 15.7 sem nenhuma explicação de onde esteve.

No fim da passagem, Herodes culpa seus soldados pela fuga de Pedro. O texto grego diz apenas que ele ordenou que "saíssem". Mas a A21 traduz corretamente mantendo o sentido original dizendo que ele ordenou que as sentinelas "fossem executadas".⁷⁴

Essa história toda da prisão e libertação de Pedro é escrita com detalhes mais vívidos e até mesmo com mais humor do que encontramos em grande parte do restante da escrita de Lucas. É possível que ele esteja rememorando uma história que ele ouviu circulando entre os outros já com um pouco do mesmo toque de humor.

3. Morte de Herodes (12.19b-24)

A segunda metade do versículo 19 é ambígua, pois o texto grego diz que alguém ("ele") foi a Cesareia. A NRSV diz "Pedro", provavelmente uma tentativa de preencher o vazio deixado pelo versículo 17, em que Lucas diz que Pedro "partiu para outro lugar". Mas o sentido do texto, que está falando das ações de Herodes, parece sugerir que "ele" é Herodes — ainda mais porque Herodes morre na Cesareia. Embora a Cesareia, tecnicamente, ficasse na Judeia, para Lucas ela era uma terra estrangeira e gentia como era para muitos de seus contemporâneos judeus. Por isso, ele diz "descendo da Judeia para Cesareia".

É desconhecida a natureza exata da disputa entre Herodes, de um lado, e Tiro e Sidom, de outro lado. Embora o texto diga, ao pé da letra, que eles pretendem a paz (12.20), com certeza, não podia haver um encontro

---

73   Ao pé da letra, o texto diz: "Seu anjo". Isso se refere à crença entre os judeus, na época, que cada pessoa tem um anjo que é o dublê da pessoa, uma combinação do que, hoje, é entendido como anjo e espírito da guarda. Acreditava-se que, às vezes, o anjo dos mortos aparecia para os vivos. É possível que Marcos 18.10 se refira a isso.

74   O verbo empregado aqui, *apago*, quer dizer "levar, prender", mas em situações como essa, com frequência, ele é usado no sentido de levar para o cadafalso.

4. Novos horizontes (8.4–12.24)

armado entre eles, pois eram todos súditos do Império Romano, o qual jamais permitiria isso. Aparentemente, era um conflito econômico. Independentemente da natureza do conflito, no fim, as cidades fenícias pediram reconciliação "porque a sua terra dependia do país do rei para abastecer-se" (12.20). Isso parece referir-se ao trigo galileu que Tiro e Sidom solicitavam para alimentar sua população. A menção desses eventos e, mais especificamente, de "Blasto, o camareiro do rei" aponta o interesse de Lucas, no evangelho e em Atos, em relacionar sua narrativa com a história geral do império e da Palestina. Infelizmente, não se conhece nada além disso sobre esse Blasto, que parece ter desempenhado um papel importante na corte de Herodes e, com certeza, em suas negociações com Tiro e Sidom.

É enquanto celebra essa paz que Herodes morre. Sua aparência e voz estavam tão impressionantes que o povo continuou a gritar: "É a voz de um deus, e não de um homem"! A narrativa de Lucas é contundente, até mesmo dura. Como Herodes não deu glória a Deus, este simplesmente o abateu. Sua morte, comido por vermes, é uma forma aparente de mostrar que ele estava longe de ser um deus.

Flávio Josefo, historiador judeu, ao relatar esses eventos, confirma e esclarece muito do que Lucas diz.[75] De acordo com Josefo, Herodes estava vestido com roupas de prata pura, e a reação dos que o louvavam, em parte, deveu-se a sua vestimenta. Esta era provavelmente os "trajes reais" a que Lucas se refere. O ano era 44, por essa razão, pensa-se que os eventos da prisão e da libertação de Pedro, conforme Lucas os relata, devem ser localizados por volta da Páscoa de 43.

Por fim, Lucas termina essa seção toda com outro resumo: "A Palavra de Deus crescia e se multiplicava".

FÉ E PERSEGUIÇÃO

Lucas menciona quase de passagem Tiago e outros que Herodes prendeu. Ele nem mesmo nos diz o que aconteceu a esses outros. É importante observar, antes de nos voltarmos para a alegre história sobre Pedro e sua libertação, que Lucas, aqui, informa-nos sobre dois apóstolos: Tiago e Pedro. Um morre, e o outro é solto. Não nos é dito que um tinha mais fé que o outro. Deve-se supor que, durante o período entre a prisão e a morte de Tiago, os cristãos tenham orado por ele com tanto fervor quanto, depois, oraram por Pedro.

É importante nos lembrarmos disso, pois há uma noção comum de que fé e oração resolvem todos os problemas que o indivíduo tem e fazem

---

75 Josefo, *Ant.* 19.8.2.

tudo dar certo. Se alguém está doente e, depois, de orar não é curado, alguns dizem que isso acontece por causa de sua falta de fé. Se alguém dá testemunhos ousados em circunstâncias difíceis e morre por isso, alguns dizem que é porque essa pessoa não tinha fé e que Deus não queria realmente que esse testemunho acontecesse. Há, até mesmo, pregadores que afirmam que para aqueles que têm fé tudo se torna auspicioso e próspero.

Não é isso que a Bíblia diz. A Bíblia diz que o Senhor pode libertar — e, às vezes, liberta — os que confiam em Deus. A Bíblia também diz que a falta de fé leva à destruição, no presente e no futuro. Mas a Bíblia também diz claramente que a fé nem sempre produz os resultados mais agradáveis e, às vezes, o que a fé faz não é aliviar nosso sofrimento e dificuldades, mas faz que fiquem piores. Isso pode ser constatado em Hebreus 11.33-38. Lá, somos informados primeiro a respeito dos que pela fé realizam maravilhas e alcançam vitórias inacreditáveis: "Venceram reinos, praticaram a justiça, alcançaram promessas, fecharam a boca de leões, apagaram a força do fogo, escaparam ao fio da espada, da fraqueza tiraram força, tornaram-se poderosos na guerra, puseram em fuga exércitos estrangeiros"; mas também somos informados sobre "alguns" que, pela mesma fé, obtiveram o resultado oposto: "Foram torturados e não aceitaram ser livrados [...] e outros experimentaram zombaria e espancamento, correntes e prisões. Foram apedrejados e provados, serrados ao meio, morreram ao fio da espada [...]".

A passagem toda de Atos 12 é um claro exemplo disso. Tiago morreu por sua fé. Pedro foi libertado. Isso não quer dizer que Tiago tinha menos fé que Pedro, ou que a igreja orou melhor e com mais firmeza por Pedro que por Tiago, ou que a pregação de Tiago era mais ofensiva a Herodes que a de Pedro. Na verdade, todas as indicações históricas são de que, por fim, Pedro também morreu por sua fé. Se naquele ano de 43, Deus libertou Pedro e, por meio dessa libertação, deu sinal de seu poder divino, mas, depois, no ano de 67 ou 68, Deus não o libertou, e isso também foi uma manifestação do poder de Deus. Os cristãos não devem esquecer nem por um instante que o centro de nossa fé está na cruz de Jesus, que sofreu não porque lhe faltava fé nem porque ele era um pecador, mas exatamente o oposto.

Isso tem enorme importância pastoral entre nosso povo. Nisso reside, primeiro, que essa ideia — de que se Deus não nos dá o que pedimos é porque nos falta fé — pode provocar consequências desastrosas. Imagine, por exemplo, uma menina de 7 anos paralítica a quem é dito que, se ela tiver fé, andará. As pessoas em volta dela oram e até clamam em voz alta; mas ela não é curada. No fim do culto, a menina que entrou com

4. Novos horizontes (8.4–12.24)

uma séria deficiência física sai, agora, também ferida espiritual e mentalmente, pois, depois desse culto, ela acredita que não pode andar por sua própria culpa, pois lhe falta fé. Assim, ela deve carregar o fardo não só de um corpo que não obedece a seus comandos, mas também o de uma alma que, aparentemente, também não lhe obedece, pois ela realmente quer ter fé. Talvez as palavras de Jesus se aplicassem aos que pregam esse tipo de "evangelho": "Seria melhor que lhe pendurassem ao pescoço uma pedra de moinho e fosse jogado ao mar, em vez de fazer tropeçar um destes pequeninos" (Lc 17.2)!

Mesmo à parte desses exemplos extremos, isso é importante porque, às vezes, a noção de que a fé resolve todos os problemas nos impede de atingir uma fé mais madura. Essa fé madura não consiste em ser capaz de manipular a Deus, mas, antes, em pôr o "eu" nas mãos de Deus de tal maneira que possamos estar à disposição divina em todas as circunstâncias. Conforme Amado Nervo, poeta mexicano, disse: "Pastor, bendigo-o por tudo que dás; mas se não deres, ainda o bendirei". Ou como Paulo coloca: "Aprendi a estar satisfeito em todas as circunstâncias em que me encontre" (Fp 4.11).

Por sua vez, ao afirmar isso, a pessoa deve ter cuidado! Isso não quer dizer que os cristãos devem levar uma vida passiva, permitindo que os eventos sucedam uns aos outros sem tentar intervir neles. Já nos referimos ao perigo de usar o conselho de Gamaliel desse modo. Todo o livro de Atos diz-nos como a obediência leva à ação. No próximo capítulo, veremos que Saulo e Barnabé não afirmam simplesmente: "Que a vontade de Deus seja feita", mas colaboram com aqueles que o baixam em um cesto por um buraco no muro. A menina de 7 anos que não está curada por um milagre ainda deve buscar cura por todos os meios possíveis. Os cristãos devem opor-se ativa e eficazmente a tudo que é contra a vontade de Deus. Isso também é fé. A fé verdadeiramente madura entrega-se à obediência ativa, independentemente do custo, confiando na fidelidade de Deus.

O texto também conta-nos sobre a morte de Herodes. De acordo com Lucas, essa morte é um ato de Deus tanto quanto o foi a libertação de Pedro. A maneira como as duas histórias se justapõem leva-nos a entender que Lucas acredita que esses são dois lados da mesma moeda: a intervenção de Deus na História. O que esse texto afirma é o que também foi afirmado por muito tempo pelos profetas e pregadores do Antigo Testamento: Deus não ignora os poderes políticos nem simplesmente os deixa agir. Deus é contra a injustiça e a tirania. Com certeza, no caso de tiranos acontece algo semelhante ao que acontece no caso do justo. Assim como pela fé alguns evitam o fio da espada, e outros pela mesma fé morrem pela espada, também é verdade que, algumas vezes, Deus pune e destrói tiranos, e outras vezes não — pelo menos, não, na presente ordem. Contudo, ainda é verdade que "o Senhor recompensa o caminho dos justos, mas o caminho dos ímpios traz destruição" (Sl 1.6). Da mesma maneira que Deus nos chama à obediência, livrando-nos do fio da espada ou deixando-nos morrer pela espada, também o Senhor chama-nos à obediência em meio ao conflito político e social de nossa época, e se a tirania e a injustiça são destruídas, ou não, isso não deve ser a medida absoluta para a nossa obediência.

Por fim, o texto lembra-nos de algo que é uma experiência comum entre cristãos: aqueles cristãos na casa de Maria oram pela libertação de Pedro e eles, quando sua oração é atendida, não acreditam. Primeiro, eles pensam que a empregada está louca. Depois, dizem que ela viu um fantasma. Apenas quando não podem mais negar o fato é que eles, finalmente, acreditam que Pedro foi libertado. Isso mostra como é necessário ter fé não só para pedir, mas também para receber. Aqui, Deus fez exatamente o que os cristãos pediam, mas, mesmo assim, eles têm dificuldade em acreditar. Quão mais difícil é acreditar quando Deus não faz exatamente o que pedimos ou faz isso de maneira inesperada!

Todas essas questões juntam-se na experiência comum de nossas igrejas e de nosso povo. Estamos pedindo constantemente ajuda a Deus para o pobre e o necessitado. Alguns de nós pedem, mas também agem. Alguns agem participando de programas de assistência direta ao necessitado. Outros agem adotando opções políticas que esperam que ajudará o necessitado. Em muitas das circunstâncias em que a igreja latina se encontra, ambos os grupos correm o risco de marginalização e talvez, até mesmo, de perseguição. Quando essas dificuldades surgem, há cristãos que veem nisso um sinal de que aqueles outros não estão fazendo a vontade de Deus — como se a morte de Tiago fosse uma indicação de que, por algum motivo, Deus não o considerou com favor. Ou exatamente o oposto ocorre em algumas circunstâncias: algumas pessoas ou agências vêm para ajudar o necessitado por quem estamos orando. Raramente, estamos preparados para ver nisso uma resposta a nossa oração. Tudo isso não deve nos surpreender, pois aqueles primeiros cristãos do século I, que haviam visto tantos sinais da ação de Deus e cuja oração Deus respondeu dando-lhes exatamente o que pediam, não estavam mais preparados para acreditar do que nós estamos.

5

A missão é definida
(12.25 - 15.35)

Chegamos, agora, a uma parte bem diferente de Atos. Por uma razão, desse ponto em diante, Pedro e os Doze praticamente desaparecem da narrativa, e Saulo/Paulo torna-se cada vez mais importante. Além disso, o centro da atenção deixa de ser Jerusalém e, agora, claramente é Antioquia e a missão que parte dela. Por isso, no início dessa nova seção, é importante insistir que Lucas não tenta escrever uma história completa da vida e da expansão da igreja em suas primeiras décadas de vida. Como em muitos casos anteriores, ele oferece um resumo e, depois, conta-nos um ou dois incidentes que ilustram esse resumo; agora, o que ele tem a dizer sobre Paulo e seu trabalho deve ser visto como a história de um dos muitos missionários e pregadores que devem ter existido. Lucas não diz uma palavra, por exemplo, sobre como o cristianismo expandiu-se em direção ao sul; todavia, sabemos que, de alguma maneira, a nova fé alcançou Alexandria, capital do Egito. Ele também não diz nada sobre a expansão em direção ao Oriente; no entanto, sabemos que isto aconteceu de forma rápida e extensa e que logo havia igrejas no Império Persa. Da mesma forma, quando Paulo alcança Roma, ele encontra cristãos nessa cidade e, até mesmo, no porto próximo de Putéoli (28.13-15), e Lucas não fornece indício de como a nova fé alcançou a capital. Claramente, Paulo foi o mais importante de todos esses primeiros missionários. Mas isso não foi por ele ser o único nem por ser o mais intrépido. Sua importância repousa em suas epístolas, que vieram a fazer parte do nosso Novo Testamento e, portanto, do impacto causado, ao longo da história do cristianismo, pela interpretação do evangelho apresentada por Paulo e pela missão da igreja. Da maneira como Lucas apresenta a história, Paulo é importante como um exemplo da maneira como o Espírito Santo esclarece progressivamente para a igreja primitiva qual é sua missão; precisamente o principal assunto dessa seção de Atos.

Deve-se também observar que, embora a seção que, agora, iniciamos chame-se tradicionalmente "primeira jornada missionária de Paulo", esse nome não é bem acurado, pois está claro que sua missão às "regiões da Síria e da Cilícia", próximas de sua cidade natal de Tarso, à qual se refere em Gálatas 1.21, deve ter acontecido antes dessa outra jornada. Na verdade, é razoável supor que quando Barnabé foi atrás de Saulo em Tarso e teve de procurá-lo, isso aconteceu porque Saulo estava fora em algum tipo de jornada missionária.

De todo modo, a tendência de ler o restante de Atos como uma série de "jornadas missionárias" de Paulo ocorre não tanto da leitura cuidadosa do texto quanto do interesse de sociedades e movimentos missionários dos séculos XIX e XX em encontrar, em Atos, diretrizes para o próprio trabalho e, em Paulo e suas jornadas, o paradigma a ser seguido pelos missionários modernos. É interessante observar que a noção mesmo de que essa seção do livro pode ser esboçada em termos de três "jornadas missionárias" de Paulo não é encontrada em nenhum comentário antigo nem medieval, mas é, antes, criação do movimento missionário moderno.[1]

A. O ENVIO (12.25 - 13.3)

A narrativa, agora, volta-se para Antioquia (onde estivera em 11.19-30) com o retorno de Barnabé e Saulo para lá, levando João Marcos com eles.[2] O texto não diz quanto tempo se passou entre esse retorno e o envio que acontece no capítulo 13. Deve-se supor que houve tempo suficiente para Barnabé e Saulo relatarem sobre sua missão e conquistar seu lugar como líderes na comunidade de Antioquia.

Em 13.1, somos informados que havia "profetas e mestres" e nos é fornecida uma lista de cinco nomes sem indicação de quem, entre eles, eram os profetas e de quem eram os mestres, e talvez sem fazer distinção entre essas duas funções. Os intérpretes, que acreditam que existe distinção entre os dois, acham que os três primeiros eram profetas, e

---

1 Veja TOWNSEND, J. T. "Missionary journeys in Acts and european missionary societies". *AngThRev* 68 (1986), p. 99-104.
2 Sobre João Marcos, veja comentário sobre 12.3-19a.

5. A MISSÃO É DEFINIDA (12.25–15.35)

os dois últimos, mestres.³ Barnabé encabeça a lista, e Saulo é o último. Sobre os outros três, tudo que se conhece é o que é dito aqui. Foi sugerido que "Simeão, chamado Níger", pode, como Lúcio, ser de Cirene e, com base nisso, alguns acham que ele era o Simão, de Cirene, que foi forçado a carregar a cruz de Jesus (Lc 23.26). A tradução da NRSV, "Manaém, membro da corte de Herodes, o governador", não transmite todo o sentido dessa referência. O texto grego esclarece que esse era Herodes, "o tetrarca", referindo-se a Herodes Antipas, o que executou João Batista. O texto grego também sugere que Manaém cresceu com Herodes, por isso é sugerido que, provavelmente, foi ele quem forneceu a Lucas a informação que ele tinha de Herodes e seus atos.⁴ Por fim, com base na semelhança entre os nomes "Lúcio" e "Lucas", é sugerido que esse "Lúcio" é o autor do evangelho de Lucas e de Atos. Isso não passa de uma conjectura interessante.⁵

A palavra que a A21 traduz por "cultuavam" é a mesma palavra que dá origem a nossa palavra "liturgia" e que, originalmente, era empregada para o serviço público que o império exigia de seus súditos. Por extensão, ela era usada também para o serviço de Deus. Seu uso aqui parece indicar que foi durante o ato de adoração que a palavra veio do Espírito. A urgência da ordem do Espírito não está aparente nas traduções do grego, pois, aqui, Lucas emprega uma partícula grega difícil de ser traduzida, mas que transmite um sentido de energia. Seu sentido é semelhante ao do nosso: "Ei!" Observe também que o Espírito não esclarece qual é a "obra" para a qual Barnabé e Saulo devem ser separados. Isso será descoberto passo a passo à medida que a narrativa se desenvolve.

A imposição de mãos, em 13.3, não é uma indicação de que os outros três — que aparentemente foram os que realizaram esse ato — tinham mais autoridade que Barnabé e Saulo, mas, antes, parece um ato

---

3   RUIS-CAMPS, Josep. *El camino de Pablo a la misión a los paganos*. Madri: Cristianidad, 1984, p. 33, apoia essa distinção baseado nas preposições separando os vários nomes. Contudo, a maioria dos outros intérpretes acha que não havia diferença entre as duas funções ou que, se houvesse, é impossível, com base nesse texto, determinar quem pertence a qual categoria. Sobre "profetas" na igreja primitiva, veja o comentário sobre 11.27,28.

4   Lucas diz que ele foi *syntrophos* com Herodes, cujo sentido literal é que eles cresceram juntos. Esse era, em geral, o nome dado a jovens que eram postos próximos a príncipes a fim de crescer com eles e fazer companhia a eles. Portanto, Manaém devia fazer parte da aristocracia local (HAENCHEN, E., *The Acts of the Apostles: A commentary*. Filadélfia: Westminster, 1975, p. 395; BRUCE, F. F. *Commentary on the Book of Acts*, 2a. ed. Grand Rapids: Eerdmans, 1954, p. 253). Seu nome, que quer dizer "consolador", e é de origem hebraica. Outro Manaém, que podia ser parente desse, profetizou para Herodes, o Grande — quando este ainda era jovem — que ele se tornaria rei (JOSEFO, *Ant*. 15.373-9). É possível que o Manaém, de Atos, tenha sido posto como companhia de Herodes Antipas como recompensa pela profecia de seu parente.

5   Aparentemente, o primeiro a sugerir isso foi Efraim, da Síria (século IV) em seu comentário sobre essa passagem.

por meio do qual toda a comunidade autoriza, abençoa e envia os dois a quem o Espírito chama.

CHAMADO E COMUNIDADE

Agora, talvez seja útil considerar a maneira como Saulo recebe seu chamado missionário. De volta ao capítulo 9, o primeiro anúncio vem a ele, não diretamente na visão que leva a sua conversão, mas por intermédio de Ananias, que é quem recebe a palavra do Senhor de como Saulo tem de servi-lo. Agora, quando vem o chamado para empreender essa jornada missionária, o Espírito Santo não fala com Barnabé e Saulo em particular, mas, antes, conta a todos os "profetas e mestres" (ou talvez para toda a igreja, pois o grego é ambíguo nesse ponto) dizendo: "Separai-me Barnabé e Saulo".

Por causa de uma série de circunstâncias históricas e da maneira como o evangelho nos foi pregado, em muitas de nossas igrejas pensa-se que o chamado sempre vem diretamente para a pessoa. É verdade que a visão do jovem macedônio veio privadamente a Paulo (16.9). Mas também é verdade que, no caso que estudamos agora, o chamado missionário veio por intermédio da igreja. E, para terminar, em 13.45-48, observamos que o chamado mais específico para a missão entre os gentios veio a Paulo e Barnabé por meio de uma série de eventos que acontecem em Antioquia da Pisídia, sabendo-se que um importante agente no próprio chamado deles é a reação negativa dos que não os ouviram.

O que isso quer dizer é que a vontade de Deus nos é revelada, pelo menos, por intermédio de três meios complementares: nosso relacionamento pessoal com Deus e prontidão para ser guiado (o caso do jovem macedônio), o discernimento da comunidade de fé (o caso que estamos estudando) e os eventos externos que nos levam em uma direção ou outra (o que acontece com Barnabé e Paulo em Antioquia da Pisídia).

Como, hoje, tentamos ouvir nosso chamado e cumprir nossa missão, devemos permitir que esses três meios complementares desempenhem o próprio papel. A devoção pessoal e a busca pela vontade de Deus em nossa vida são de importância fundamental. No entanto, a isso se deve acrescentar o discernimento da comunidade de fé que, com muita frequência, pode ver em nós dons ou deficiências que nós mesmos não reconhecemos e cujo julgamento, portanto, deve ser levado em consideração. Finalmente, também precisamos ter clara compreensão e análise do que está acontecendo ao nosso redor. Os desafios de nosso tempo e do nosso hemisfério podem ser para nós um chamado de Deus tanto quanto

5. A MISSÃO É DEFINIDA (12.25–15.35)

os desafios de Antioquia da Pisídia foram um chamado para Barnabé e Paulo. Contudo, isso vem mais adiante em nossa história.

B. CHIPRE (13.4-12)

Embora a igreja de Antioquia tenha "enviado" os missionários (13.3), Lucas enfatiza que eles foram "enviados" pelo Espírito Santo (13.4). Selêucia, onde tomaram o navio, era o porto que servia a Antioquia e ficava cerca de 25 quilômetros de distância. A cidade de Selêucia foi fundada em 301 a.C. por Seleuco Nicator e, na época de Paulo, era uma "cidade livre", de acordo com a estrutura do Império Romano. Sobre a atividade dos missionários em Salamina, onde aportaram em Chipre, Lucas só diz que eles pregaram nas sinagogas. Na cidade havia um bom número de judeus e, por isso, na verdade, podia haver mais de uma sinagoga ali. Havia contatos frequentes entre Chipre e a Judeia. Alguns anos antes, o imperador Augusto tinha garantido a Herodes, o Grande, metade do lucro da famosa mina de cobre da ilha e, como consequência disso, os contatos entre Chipre e a Judeia aumentaram.

De Salamina, Barnabé e Saulo, com João Marcos, foram para Pafos. A palavra traduzida pela A21 por "auxiliar" também pode representar que João Marcos era um secretário ou também que ele era um companheiro trabalhador no empreendimento missionário, talvez instruindo os que eram convertidos.[6]

Nem uma palavra é dita sobre a viagem de Salamina para Pafos, capital romana de Chipre. O verbo empregado aqui parece indicar que eles viajaram por terra, embora pode ter sido de outra forma.[7] De qualquer modo, pode-se perceber, por meio das viagens de Paulo, que seus centros de operação são sempre as cidades, e muito pouco é dito sobre suas atividades enquanto viaja de uma cidade para outra. Isso pode ser resultado do próprio estilo de narrativa de Lucas, focando nos pontos principais. Mas outro motivo pode bem ser que, fora das cidades, as línguas antigas dos vários povos conquistados ainda fossem faladas, e Paulo e seus companheiros não conheciam essas línguas.

O nome do falso profeta, "Barjesus" quer dizer "filho de Jesus". Para contrastar com esse nome, Saulo chama-o "filho do diabo" (13.10). Há muita discussão a respeito de seu outro nome "Elimas", pois esse nome

---

6 Como já comentado (12.12), a tese de Rius-Camps é que João Marcos é o "fiador" do evangelho e que, quando ele e Paulo se separam, o Espírito também deixa Paulo. Dificilmente, essa tese é convincente e não foi bem recebida entre os estudiosos.

7 O texto ocidental, em vez de dizer que eles "atravessar[am] a ilha toda", diz que eles "andaram de um lugar para outro", de Salamina para Pafos.

não é conhecido no grego. Um manuscrito antigo traz "Etoimus", e isso levou a conjecturas tentando identificá-lo com outro mago conhecido, também um judeu de Chipre, cujo nome era "Atomus".[8] Claramente, as palavras de Lucas, "Elimas (pois essa é a tradução de seu nome)", não podem ser entendidas como sendo uma tradução de "Barjesus". Alguns sugerem que, antes, é a tradução de "mago" na língua da região.[9]

Tudo que é conhecido sobre o procônsul Sérgio Paulo é o que Lucas diz aqui, embora tenham sido encontradas algumas inscrições que podem se referir a ele.[10] Lucas, como em muitos outros casos, dirige sua atenção para detalhes históricos ao dar o título de "procônsul" a esse homem, pois, naquela época, Chipre era uma província senatorial, e esse era o título dos governantes romanos dessas províncias.

É em 13.19 que, pela primeira vez, aparece o nome de Paulo: "Saulo, também chamado Paulo". Por esse também ser o nome do procônsul, isso leva a especulações sobre se Saulo adotou esse nome em homenagem ao procônsul.[11] Não há base para essa especulação. O fato é que era costume todo romano ter, pelo menos, três nomes: o seu mesmo, o de seu clã e o nome de sua família.[12] Além disso, os pais, com frequência, davam outro nome a seus filhos, chamado *signum* ou "apelido", usado pela família e amigos. Nesse caso em particular, "Paulo" era seu nome romano de família (hoje, diríamos seu sobrenome) e "Saulo" parece ter sido o "signum" que lhe foi dado em homenagem ao antigo rei da tribo de Benjamim (que também era da tribo de Paulo). Nada é conhecido sobre seus outros nomes. De todo modo, "Saulo" era o nome que ele usava entre judeus e amigos, e "Paulo" era seu nome entre os gentios. É exatamente no início de seu ministério para os gentios e, depois, na escrita de suas epístolas que Saulo usa o nome "Paulo".

Por Barjesus/Elimas tentar impedir que o procônsul ouça Barnabé e Saulo, o último diz palavras duras, e o mago fica cego "por algum tempo". Ao ver isso, o procônsul "creu". Não fica claro se isso quer dizer que ele se converteu ou que acreditou no poder de Paulo. É importante observar que nada é dito sobre ele ser batizado, embora até aqui, o batismo acontecesse imediatamente após a conversão. Talvez isso se deva ao fato de ele ter sido o primeiro gentio convertido que não era nem mesmo um "temente a Deus", quer dizer, um estudante da Escritura. As pessoas, que não tinham

---

8   A quem Josefo menciona; *Ant*. 20.7.2.
9   Yaure, L. "Elymas-Nehelamite-Pethor". *JBL* 79 (1960), p. 297-314.
10 Williams, David John. *Acts*. Nova York: Harper & Row, 1985, p. 215-16.
11 Assim, por exemplo, Rius-Camps, Josep. *El camino de Pablo a la misión a los paganos*, p. 46: "O sobrenome do pagão, Paulo, foi imediatamente adotado por Saulo como seu nome missionário".
12 Veja o estudo em relação a essa maneira de dar nome e também suas implicações para o nome de Paulo, de Harrer, G. A. "Saul who is also called Paul". *HTR* 33 (1940), p. 19-34.

5. A MISSÃO É DEFINIDA (12.25–15.35)

nenhuma noção do judaísmo antes de acreditar em Cristo, precisariam de mais tempo de preparação para o batismo para que pudessem aprender o que distinguia sua nova fé de suas antigas crenças e costumes. Enquanto um judeu ou um "temente a Deus" que se tornava cristão já cria em um único Deus e era instruído nos princípios morais do judaísmo — que também eram os do cristianismo — esse não era o caso com pagãos convertidos que, por isso, não eram batizados imediatamente. Por isso, conforme o tempo passou e a igreja tornou-se cada vez mais gentia, o período de preparação para o batismo foi estendido.

SAULO, TAMBÉM CONHECIDO COMO PAULO

Diz-se, com frequência, que "Paulo" foi o nome que Saulo adotou depois de sua conversão como sinal da transformação radical que ocorreu nele. Isso é ostensivamente falso, conforme já explicado. Lucas continua a chamá-lo de "Saulo" até o exato início da missão para os gentios. A verdade é que Saulo/Paulo é uma personalidade de ligação e que essa função é manifesta em seus dois nomes. Ele é judeu, como ele mesmo diz: "Circuncidado no oitavo dia, da descendência de Israel, da tribo de Benjamim, hebreu de hebreus; quanto à lei, fui fariseu" (Fp 3.5). Mas ele também é cidadão romano, bem como eloquente escritor e orador na língua grega. Ele, como judeu, embora de início perseguisse a igreja, era capaz de entender a mensagem de Jesus e do reino de Deus, que era a culminação das esperanças de Israel. (Como ele mesmo diz em 28.20: "[É] por causa da esperança de Israel" que ele faz o que faz.) Contudo, como judeu da diáspora, como cidadão romano que foi educado na cultura helenista, ele pôde interpretar essa mensagem para os gentios de uma maneira que não poderia ser feita por Pedro ou pelos outros apóstolos. É justamente por ser uma ponte que Paulo pode estar na vanguarda da missão da igreja e abrir o caminho do futuro.

"Saulo, também chamado Paulo", lembra-nos da situação de milhões de hispânicos vivendo nos Estados Unidos, país cuja população de língua hispânica, agora, é a quarta em tamanho em todo o hemisfério. O próprio fato de ter de mudar de nome acontece todos os dias. Um menino que os pais chamam de "Jesus" é informado pelos professores que não pode ter esse nome e é imediatamente "rebatizado" como "Jesse". Todos que entram nos Estados Unidos como imigrantes da América Latina, em seguida, descobrem que é praticamente necessário que abandonem um de seus dois nomes de família. Todavia, tudo isso é um sintoma de uma realidade maior: o povo latino dos Estados Unidos vive em duas realidades. Como Virgil Elizondo diria, ser latino nos Estados Unidos é ser "mestiço".[13] A palavra "mestiço" originalmente referia-se à pessoa de sangue misturado e era usada de forma pejorativa. Elizondo usa-a para descrever a situação de "estar-entre" em que os hispânicos vivem nos Estados Unidos. Nessa situação, eles descobrem que não são latino-americanos nem estadunidenses e, com frequência, são discriminados pelos dois grupos, como também acontecia com os judeus helenistas, discriminados pelos gentios e pelos judeus da Judeia. Não obstante, essa mesma situação dolorosa também permite que os hispânicos dos Estados Unidos sirvam como ponte entre as duas principais culturas que compartilham o hemisfério ocidental. Saulo abriu caminho para o futuro porque também era Paulo. Talvez a igreja latina dos Estados Unidos possa abrir caminho para o futuro precisamente porque se encontra no difícil espaço entre duas culturas — ou, em outras palavras, porque é uma igreja mestiça.

Pode-se dizer o mesmo sobre toda a América Latina, um continente mestiço, quase por definição. Muitos anos atrás, um amigo antigo — depois "desaparecido" na Argentina — afirmou que "nenhuma cultura é chamada a ser uma província". A cultura latino-americana (ou antes, as culturas da América Latina) é o resultado da mestiçagem de diversas culturas, algumas nativas, outras importadas da África e da Europa. As culturas só vivem quando estão engajadas no diálogo umas com as outras e são renovadas.

O que é verdade para as culturas é ainda mais verdade para a igreja. A igreja, sendo a realidade humana encarnada, também deve estar encarnada nesses encontros culturais. A igreja não está aqui para defender culturas "puras" da mesma maneira que não está para promover raças "puras". É apenas quando ela participa desse diálogo — e até mesmo desse confronto — entre culturas que a igreja pode verdadeiramente ser visionária e, por isso, ser verdadeiramente a igreja.

Em nossas igrejas latinas nos Estados Unidos, há alguns que desejam tornar a igreja uma cópia exata das igrejas da cultura dominante; e contra esses estão os que acreditam que a igreja deve ser um instrumento de preservação da cultura hispânica. Todavia, a verdade não está em nenhuma dessas posições. A igreja latina, na circunstância em que se encontra atualmente nos Estados Unidos, precisamente por ter um pé, por assim dizer, em cada cultura, tem oportunidades e responsabilidades específicas, como também teve "Saulo, também chamado Paulo".

Na América Latina, acontece algo semelhante. Há os que acham que a função da igreja é "promover cultura", mas o que eles entendem por

---

13 As duas principais obras de Elizondo sobre esse assunto são *Galilean journey: The mexican-american promise*. Maryknoll, NY: Orbis Books, 1983; ed. rev. 2000, à qual já me referi, e *The future is mestizo*. Bloomington, Ind.: Meyer & Stone, 1988.

isso é promover aquela parte da cultura que é de origem europeia, como se as outras correntes que se juntam para formar nossa identidade não tivessem cultura. Assim, a "melhor música" para a adoração é a composta por Bach e Beethoven, não a *danzón*, nem a *cueca*, tampouco, o *tango* ou o *corrido*. Em vista dessas posições, não é de surpreender que essas igrejas encontrem dificuldade em alcançar as pessoas.

"Saulo, também chamado Paulo", viveu simultaneamente em diversas realidades. Nossa igreja também vive em diversas realidades. A Igreja Evangélica Metodista da Bolívia, por exemplo, é "da Bolívia", mas também é da América Latina; é hispânica e é aimará; é latino-americana e metodista, mas também é parte da igreja universal; é guardiã da fé entregue pelos apóstolos, mas também tem de viver essa fé na Bolívia atual, com problemas e desafios muito distintos dos enfrentados pelos primeiros cristãos. Gostaríamos que tudo fosse claro e simples, por isso imaginamos que essa multiplicidade de realidades e contextos é um fardo, mas a verdade é que, como no caso de "Saulo, também chamado Paulo", isso é uma oportunidade para missão e para obediência ao evangelho.

C. ANTIOQUIA DA PISÍDIA (13.13-51a)

A maior parte do que Lucas conta sobre essa jornada missionária acontece em Antioquia da Pisídia. Para chegar lá, "Paulo e seus companheiros" (daqui em diante, Paulo torna-se o personagem principal) foram para Perge, em Panfília, e de lá para Antioquia. Em Panfília (como somos informados em 15.38), e sem Lucas nos dar nenhuma explicação, João Marcos deixa-os e retorna a Jerusalém. Depois (em 15.37-40), isso causa um desentendimento que leva Barnabé e Paulo a seguir caminhos distintos.

A região de Panfília era na costa sul da Ásia Menor, e Perge fica cerca de 11 quilômetros terra adentro, seguindo contra a corrente ao longo do rio Kaistros. Eles, provavelmente, poderiam ter aportado no porto de Atália, que Lucas menciona em Atos 14.25, quando Barnabé e Paulo estão em seu caminho de volta. O texto não nos informa quanto tempo os missionários permaneceram em Perge — o que deu oportunidade para especulações de que, por ser uma região pantanosa, Paulo ficou doente e, por isso, foi para o interior, para Antioquia, uma cidade muito mais saudável.[14] Essa é uma teoria interessante, mas, dificilmente, é mais do que isso. Dada a maneira como Lucas conta sua história, é muito possível que os missionários tenham permanecido em Perge um bom tempo. No entanto, não há evidência arqueológica ou outros sinais de que houvesse uma sinagoga em Perge.

---

14   RAMSAY, W. M. *St. Paul the traveller and the roman citizen*. Londres: Hodder & Stoughton, 1897, p. 94-97.

Como parece que Paulo e Barnabé, em geral, começavam sua pregação na sinagoga, esse pode ser o motivo por que eles foram para Antioquia.

Antioquia da "Pisídia" não ficava realmente em Pisídia, mas na Frígia. Era comumente chamada "da Pisídia" a fim de distingui-la da cidade maior de mesmo nome, localizada na Síria, na qual os missionários iniciaram sua viagem. Ela era uma cidade importante, pois ficava no coração mesmo da Ásia Menor, e a estrada que levava de Éfeso em direção ao oriente a atravessava. Administrativamente, a cidade fazia parte da província da Galácia, com Icônio, Derbe e Listra, e é bem provável que a epístola de Paulo aos Gálatas seja endereçada aos cristãos dessa região.

A história detalhada da primeira missão em Antioquia da Pisídia começa em um sábado. Os "chefes da sinagoga"[15] convidam Paulo e Barnabé para falar. Talvez isso seja um indício de que eles já estavam em Antioquia havia algum tempo, e que Lucas, como é seu costume, resume sua história sem nos informar quanto tempo se passou entre esses eventos. Essa também poderia ser a primeira visita dos missionários à sinagoga, e talvez eles tenham sido convidados a falar porque Paulo era rabi ou talvez porque ambos tornaram conhecido o fato de que tinham algo a dizer para a congregação.[16] De todo modo, esse convite fazia parte de um culto usual, no qual depois de recitar o resumo da lei (Dt 6.4-9; 11.13-21; Nm 15.37-41), porções da lei e os profetas eram lidos e, depois, havia um sermão ou uma exortação com base na leitura da lei.[17]

Paulo inicia sua fala segundo o modelo de um orador clássico, em pé e com um gesto pedindo silêncio.[18] Embora sua fala seja relativamente longa (13.16-41), o que temos é um resumo da pregação de Paulo de acordo com Lucas. Daqui em diante, sempre que Paulo se encontra em situação similar, falando em uma sinagoga, Lucas será muito breve na descrição do conteúdo da fala de Paulo. Nesse caso em particular, Paulo mostra-se consciente de que na plateia há judeus (por nascimento ou por conversão) e "tementes a Deus" (13.16).[19]

---

15   Na Palestina, só havia um "arcebispo" (*archisynagogos*) em cada sinagoga. O uso do plural por Lucas nesse contexto poderia parecer indicar que, nesse caso, esse título é dado, pelo menos, a mais de um dos membros da sinagoga. Também é possível que o título inclua os que ocuparam anteriormente essa função; da mesma forma que hoje usamos o termo "governador" para todos os que já ocuparam esse cargo.

16   É interessante observar que os chefes da sinagoga pedem aos visitantes uma "palavra de exortação" (*logos parakleseos*) e que quem responde não é Barnabé, o "filho de consolação", mas Paulo. Veja RIUS-CAMPS, Josep. *El camino de Pablo a la misión a los paganos*, p. 52.

17   Foi sugerido, com base na fala de Paulo, que a leitura daquele dia foi Deuteronômio 1 e Isaías 1 (RAMSAY, W. M., *St. Paul the traveller and the roman citizen*, p. 100).

18   Era costume ficar sentado quando se falava na sinagoga (veja Lc 4.20,21). Talvez, aqui, o costume fosse diferente ou talvez Lucas deseje enfatizar a solenidade e formalidade da fala de Paulo.

19   Sobre os "tementes a Deus" veja comentário sobre 10.1-9a.

5. A MISSÃO É DEFINIDA (12.25–15.35)

A primeira parte da fala (v. 16-25) é um resumo da história de Israel, tirada em sua maioria do que, hoje, chamamos o Antigo Testamento. Essa é muito semelhante às falas anteriores de Pedro e Estêvão. Não obstante, Paulo, em contraste com o último, não diz nada sobre a ingratidão ou a desobediência por parte de Israel.[20] A referência específica ao rei Saul (13.21) pode refletir o interesse pessoal de Paulo, pois ele carregava o nome desse rei, que, como ele, era membro da tribo de Benjamim. (Os "quarenta anos" do reinado de Saul não são atestados nas Escrituras hebraicas, mas havia uma tradição que afirmava que Saul, na verdade, tinha reinado por quarenta anos.)[21]

No versículo 23, Paulo introduz um assunto que seria novo para a plateia. Até aqui, ele recontou uma história bem conhecida por todos. Agora, vem a novidade: "Conforme a promessa, Deus trouxe a Israel o Salvador, Jesus". Essa promessa refere-se às promessas antigas e à pregação de João Batista.

Na segunda parte da fala (v. 26-37), Paulo afirma claramente que sua mensagem é para os "filhos da linhagem de Abraão" e para "os que dentre vós temem a Deus" (13.26) — quer dizer, para judeus e gentios. O que se segue é muito semelhante às falas que Lucas já pôs nos lábios de Pedro e Estêvão. Algumas das referências bíblicas são, até mesmo, repetidas (veja, por exemplo, 13.35-37 e 2.27-31). No entanto, nessas circunstâncias distintas, a mensagem também é levemente distinta. O assunto da rejeição de Jesus, agora, não é usado para acusar a plateia, como nas falas diante do Sinédrio, mas, antes, para declarar que, como os líderes do judaísmo de Jerusalém rejeitaram a promessa, agora, as boas-novas eram para essa plateia da diáspora. Observe, nos versículos 26 e 27, a lógica desse argumento: "Foi a nós que a palavra desta salvação foi enviada. Pois, os que habitam em Jerusalém e as suas autoridades não reconheceram Jesus e, condenando-o, cumpriram as palavras dos profetas que são lidas todos os sábados".[22] Depois dessa declaração, os versículos 27-37 ampliam e corroboram o que acabara de ser declarado: Paulo fala sobre a morte de Jesus e, acima de tudo, sobre sua ressurreição, conforme anunciado nas Escrituras hebraicas.

A terceira parte da fala (v. 38-41) convida a plateia a aceitar o que acaba de lhes ser dito. Paulo anuncia a eles o perdão dos pecados e convida-os a crer. Em 13.39, ele expressa o assunto tipicamente paulino da

---

20 O único lugar em que pode haver uma sugestão de repreensão nessas linhas é no versículo 18: "Ele os suportou no deserto por quase quarenta anos". Sobre esse texto, os manuscritos não concordam, pois enquanto alguns dizem *ehrophoresen* (ele foi paciente com eles), outros dizem *etrophophoresen* (ele suportou-os ou alimentou-os).
21 JOSEFO, *Ant.* 6.14.9.
22 Nessa citação, alguns manuscritos dizem: "Para você", ao passo que outros dizem: "A nós", conforme citado e a tradução da A21.

impossibilidade de libertar-se do pecado pela obediência da lei e de que a única opção viável é pela fé em Jesus. Isso é relevante porque, embora seja bem possível que Lucas esteja compondo a maior parte das falas que põe nos lábios de seu orador, ele está tentando ser fiel à ênfase específica da pregação de Paulo.

Os versículos 42 e 43 são interpretados de várias maneiras. Tomados no sentido literal e na ordem cronológica, Lucas parece estar dizendo que Paulo e Barnabé deixaram a sinagoga antes do fim do culto, e que as pessoas que estavam do lado de fora lhes pediram para continuarem a falar a eles no sábado seguinte (13.42).[23] Depois, "quando a reunião acabou", muitos judeus e "gentios devotos convertidos" continuam seguindo os pregadores, pedindo-lhes para falar mais.[24] Para complicar mais o assunto, a frase traduzida por "no sábado seguinte" pela A21, no versículo 42, também pode ser entendia como "entre os sábados" — ou seja, durante a semana. O mais provável é que os detalhes desses dois versículos não devem ser considerados na ordem exata em que eles aparecem. Lucas está apenas contando-nos que, ao deixar a sinagoga, muitos dos judeus e dos gentios tementes a Deus continuaram a ouvir os missionários e que a eles se juntaram outros gentios quando souberam que a mensagem não era só para os judeus, mas para eles também.

Independente de qual seja o caso, no sábado seguinte, "quase toda a cidade reuniu-se para ouvir a Palavra de Deus" (13.44). Os judeus, ao verem o tamanho da multidão, "encheram-se de inveja". O texto não nos informa por que eles ficaram enciumados, mas imagina-se que ficaram agitados porque o que, até esse momento, fora propriedade exclusiva deles (que eles compartilhavam com poucos prosélitos, quando estes se adequavam ao que eles diziam), agora, estava aberto para toda a cidade. Se isso continuasse, eles perderiam o controle da sinagoga e da mensagem dela. Por isso, eles começam a discutir com Paulo "e, blasfemando, contradiziam o que Paulo falava". (O que é traduzido por "blasfemando" também pode ter o sentido de "insultar", embora não sejamos informados se eles insultaram Jesus, Paulo ou outra pessoa.)

---

23   O que tende a reforçar essa interpretação é a leitura de alguns manuscritos indicando que as pessoas, do versículo 42, que lhes pediram para continuar pregando eram "gentios". A NRSV evita essa dificuldade aceitando a, provavelmente, melhor leitura que não inclui a palavra "gentios".

24   A frase "devotos convertidos" também é confusa. Normalmente, os "convertidos" ou "prosélitos" eram os que tinham aceitado completamente o judaísmo de modo formal, ao passo que os "devotos" ou "tementes a Deus" eram os que, embora aceitassem a verdade do judaísmo, não abraçavam a lei, por isso, não tinham sido formalmente convertidos. Portanto, se ambos os termos são empregados no sentido estrito, é impossível ser um "devoto convertido". Alguns sugerem que a palavra "convertido" ou "prosélito" foi um comentário acrescentado depois por um copista. Contudo, os manuscritos existentes não sustentam essa conjectura. O mais provável é que Lucas não está falando aqui de "prosélitos" no sentido técnico do termo. De todo modo, o sentido geral do texto é claro: pessoas de descendência judaica e outros de origem gentia seguiam Paulo e Barnabé.

5. A MISSÃO É DEFINIDA (12.25-15.35)

Em resposta a essa situação, Paulo e Barnabé pronunciam palavras que marcariam cada vez mais o caráter da missão paulina. A mensagem foi, primeiro, para os judeus, mas como eles a rejeitaram, disseram os missionários, "nós nos voltamos para os gentios". Essa é a expressão da narrativa do que, em outras passagens, Paulo expressa em termos mais gerais: "Não me envergonho do evangelho, pois é o poder de Deus para a salvação de todo aquele que crê, primeiro do judeu e também do grego" (Rm 1.16). Não obstante, isso não quer dizer que, desse momento em diante, Paulo e Barnabé se dirigiriam apenas aos gentios. Ao contrário, em todo o restante do livro, constatamos que a prática normal deles ainda seria começar seu ensinamento em cada novo lugar na sinagoga e, depois, abordar os gentios.[25]

Como é usual, Lucas não diz quanto tempo Paulo e Barnabé permaneceram em Antioquia da Pisídia. Pode-se supor que os versículos 48 e 49 resumem, pelo menos, diversos meses e talvez, até mesmo, anos de trabalho. Deve ter sido necessário algum tempo para que "a palavra do Senhor" se espalhasse "por toda a região".

Em reação ao sucesso da missão, "os judeus" — representando os judeus que não acreditavam na pregação de Paulo e Barnabé — promovem ações contra os missionários. No versículo 50, "as mulheres devotas de alta posição" parecem gentias que, todavia, eram "tementes a Deus" — ou seja, que participavam da adoração na sinagoga. Muitos intérpretes acham que essas mulheres poderiam influenciar seus maridos, os "líderes da cidade", a expulsar os missionários da cidade. Observe que, nesse caso, em contraste com outros casos anteriores, embora seus líderes sejam expulsos da cidade e tirem o pó da cidade de seus pés em protesto (veja Lc 10.11), os discípulos que ficam para trás estão "cheios de alegria e do Espírito Santo".

O PODER DO EVANGELHO

Uma expressão muito usada em nossas igrejas, mas na qual refletimos pouco, é "o poder do evangelho". Nessa passagem, vimos esse poder agindo de duas maneiras. Primeiro, o que observamos imediatamente é que esse poder convence e atrai as pessoas. O que Lucas conta é surpreendente: dois missionários chegam a uma cidade, e seu anúncio das boas-novas atrai

---

25 A tese de Rius-Camps, em *El camino de Pablo a la misión a los paganos*, é precisamente que Paulo não via claramente que a prioridade dos judeus fora ab-rogada e que, por isso, sua tática de primeiro se dirigir aos judeus em cada cidade era equivocada. Rius-Camps expressa, sucintamente, essa tese muito duvidosa: "A tática adotada por Paulo de tratar os judeus como um povo privilegiado e só se dirigir secundariamente aos pagãos pesará como uma pedra pesada em toda a missão e levará a consequências desastrosas. O único responsável por esse desvio da missão na direção dos judeus é Paulo" (Rius-Camps, Joseph. *El camino de Pablo a la misión a los paganos*, p. 55).

a maioria da população. Isso se deve, apenas secundariamente, à habilidade oratória de Paulo e Barnabé ou à força de seus argumentos. Isso se deve realmente ao poder do evangelho, que não é outro senão o poder do Espírito Santo, prometido por Jesus em 1.8. No livro de Atos, observamos isso com tanta frequência que não é necessário insistir nisso.

Contudo, há outra dimensão do poder do evangelho (e do poder do Espírito) de que não lembramos com tanta frequência, mas é igualmente importante: esse poder derruba todos os moldes e preconceitos. Não é um poder que podemos manipular ao nosso capricho nem com o qual podemos contar sempre e do modo que queiramos. Isso é o que acontece com os judeus de Antioquia da Pisídia que se recusam a ouvir a mensagem. É importante lembrar que exatamente o fato de que, se havia judeus, era porque eles tinham recebido a revelação dada em tempos antigos por intermédio de Moisés e dos profetas; e que isso aconteceu pelo poder do Espírito. O Espírito que sustenta e fortalece Paulo e Barnabé é o mesmo Espírito que falou pelos profetas. Mas esses judeus de Antioquia, em particular, consideravam-se aparentemente os possuidores exclusivos dessa revelação. Tudo bem alguns "tementes a Deus" virem à sinagoga. Tudo bem alguns deles serem convertidos, submeterem-se à circuncisão e tornarem-se prosélitos. O que não era aceitável era o fato de as portas serem tão amplamente abertas para os gentios entrarem aos borbotões, e os judeus perderem sua antiga posição de privilégio. O texto parece indicar que eles não estavam com ciúmes de Paulo e Barnabé, nem dos poucos "tementes a Deus", mas do enorme número de gentios para quem esses cristãos estavam abrindo as portas. É, nesse momento, que Paulo e Barnabé, impelidos pelo mesmo Espírito Santo que fez surgir o judaísmo, dizem: "Nós nos voltamos para os gentios".

Isso é de extrema importância para nós, pois isso é verdade não apenas em relação aos judeus do século I, mas também para nós hoje. O texto pode ser diretamente aplicado à atual tarefa de evangelização e de crescimento da igreja. Em algumas das nossas igrejas, ouve-se a queixa de que o número de nossos membros não aumenta, e dizem-nos que precisamos ter mais zelo pela evangelização. Isso pode ser verdade, mas devemos também reconhecer que, com muita frequência, só queremos que pessoas "como nós" se juntem a nós. Observamos isso, muitas vezes, em várias denominações dos Estados Unidos, em que se ouvem constantemente queixas sobre como as denominações não são mais tão evangelísticas como costumavam ser, mas em que, ao mesmo tempo, há temor da presença "excessiva" de latinos, outras minorias, estrangeiros ilegais, viciados em drogas e assim por diante. Isso também é observado em todo

5. A MISSÃO É DEFINIDA (12.25–15.35)

o hemisfério, no qual há tantas igrejas falando constantemente de levar as boas-novas para outros, mas, ao mesmo tempo, não querem arriscar a própria condição econômica e social. Com certeza, que venham mais pessoas, contanto que sejam como nós. Deixe outras igrejas servirem os sem-teto, os analfabetos, as pessoas cujo cheiro não é agradável. Mas não nós. Às vezes, escondemos esses sentimentos por trás de argumentos supostamente teológicos, dizendo, por exemplo, que a igreja é para ser uma comunidade especial e que não deve permitir espaço em seu interior para aqueles cujo testemunho não é bom. O problema é que, depois, identificamos o "bom testemunho" com o que a sociedade ao seu redor considera bom e decente. Nesse caso, esse texto de Atos vem a nós como uma palavra de julgamento, da mesma maneira como as palavras de Paulo e Barnabé eram julgamento para aqueles judeus de Antioquia.

Pior ainda, o texto continua. Aqueles judeus que por ciúme não ouviriam nem aceitariam a pregação de Paulo e Barnabé, agora, vão ao magistrado da cidade, a funcionários do mesmo Império Romano que mantém Jerusalém sob sujeição, a fim de livrarem-se desses dois camaradas judeus, cujas palavras eles acham irritantes. Infelizmente, a mesma coisa tem acontecido reiteradamente ao longo da história da igreja, há abundantes exemplos de casos em que um profeta ou pregador também foi incomodado pelas autoridades eclesiásticas. Em vez de tentar convencer a ele ou ela pelo poder da palavra ou de tentar ver se há alguma verdade no que está sendo dito, as autoridades da igreja recorrem ao Estado — para a "arma secular" como era dito na época — para silenciar o profeta irritante. Na América Latina, todos nós conhecemos casos em que isso foi feito e ainda é feito. O exemplo mais conhecido é o que começava com os que declaravam que a fé bíblica exigia que os cristãos se envolvessem com os problemas econômicos e sociais de sua comunidade e, de repente, eram acusados de serem comunistas subversivos por outros cristãos. Não importava o quanto essa pessoa, em particular, citava a Bíblia, nem quão honestamente as palavras dela eram baseadas nas palavras de Jesus, se o que a pessoa diz não é do meu gosto, então ela é subversiva. E se acontecer de o poder político ser representante das nossas frequentes ditaduras, há os que, até mesmo, levam a queixa às autoridades, e o suposto subversivo tem de ir para o exílio ou aparece morto à beira da estrada.

Enquanto esses judeus enciumados faziam planos para conseguir que os líderes da cidade expulsassem Barnabé e Paulo, "a palavra do Senhor divulgava-se por toda a região". Provavelmente, os líderes da sinagoga, quando viram os missionários deixar a cidade, pensaram que estavam livres do problema. No entanto, pelo poder do Espírito Santo, o que havia começado continuou, e, hoje, quando lemos essa história fica claro que os que acabam sendo excluídos não são os que foram expulsos, mas os que promoveram a expulsão deles. Como o futuro lerá a história de nossos complôs, nossos julgamentos e nossas expulsões? Tenhamos cuidado, tenhamos cuidado com o temor e o tremor para que os que silenciamos hoje não se transformem nos mensageiros enviados pelo Espírito a fim de nos chamar à obediência sempre renovada, pois pode bem acontecer que, ao os rejeitar, provoquemos nossa rejeição.

D. ICÔNIO (13.51b - 14.6a)

Os dois últimos versículos do capítulo 13 servem de ponte entre Antioquia da Pisídia e Icônio. O que é resumido no fim do versículo 51 com as palavras "partiram para Icônio" diz respeito a uma viagem de mais de 150 quilômetros. O versículo 52, embora aparecendo depois dos missionários terem deixado Antioquia e alcançado Icônio, parece se referir aos discípulos em Antioquia, pois Lucas não fornece nenhum indício de que o evangelho já fora pregado antes em Icônio.

Icônio, na província da Galácia, era uma cidade rica e próspera. Hoje é chamada de Konya. O que aconteceu lá em relação ao sucesso inicial na sinagoga e à oposição dos que não aceitaram a pregação dos missionários foi semelhante ao que acontecera antes em Antioquia da Pisídia, embora, nesse caso, Lucas resuma isso em dois versículos (14.1,2).[26] A oposição, como em Antioquia, promove a má vontade dos gentios em relação aos "irmãos". Contudo, os missionários, como não foram expulsos, conforme aconteceu em Antioquia, permaneceram "por muito tempo" em Icônio, e o conflito chegou a tal ponto que a população ficou dividida entre os que estavam "do lado dos judeus" e os que estavam do lado "dos apóstolos" (14.4).

Essa é a primeira vez que Lucas chama Paulo e Barnabé de "apóstolos" (veja também 14.14). Isso é historicamente acurado, pois há muitas indicações no Novo Testamento de que, nos tempos antigos, o título de "apóstolo" não estava limitado aos Doze, mas muitos outros também o possuíam. (Também é possível que Lucas use o termo, não como título, mas, antes, no sentido de "enviados" ou "missionários".) No final, tudo levou a um plano para apedrejar os missionários, mas estes fogem antes que isso aconteça.

EVANGELHO E POLARIZAÇÃO

Como essa passagem resume eventos muito semelhantes aos da seção anterior, convido o leitor a rever o que foi dito sobre esse outro texto

---

26 Como esses dois versículos parecem repetidos e resumem a história mais detalhada de Antioquia, pode-se supor que os "gregos", em 14.1, são tanto os "tementes a Deus" quanto os pagãos gentios.

5. A MISSÃO É DEFINIDA (12.25–15.35)

sob o título "O poder do evangelho". Praticamente tudo que foi dito lá sobre os eventos de Antioquia da Pisídia aplica-se igualmente aos eventos de Icônio.

Contudo, a história em Icônio acrescenta outra dimensão, particularmente relevante para a nossa situação atual. Em Icônio, não é apenas uma questão dos judeus que, enciumados pela nova receptividade que os missionários proclamam em relação aos gentios, conspiram contra eles. Aqui, acrescenta-se a polarização da própria cidade, cujos residentes "se dividi[ram]; uns ficaram do lado dos judeus e outros, dos apóstolos".

Esse é um fenômeno bem conhecido entre nós. Quando o evangelho é pregado de forma que ameaça os privilégios existentes, os que desfrutam desses privilégios ficam inquietos (como Lucas diria, eles ficam cheios de ciúmes) e fazem tudo que podem para pôr fim a essa pregação.

Isso aconteceu em tempos passados em diversos países latino-americanos em que os líderes católicos romanos, aborrecidos com a pregação protestante, juntaram forças com os elementos mais conservadores para que, em muitos casos, o conflito entre liberais e conservadores se tornasse um conflito religioso — um conflito que, com bastante frequência, envolvia violência física. As pessoas, como no caso de Icônio, estavam divididas, pois algumas delas perseguiam os protestantes, e outras, embora não chegassem bem a defendê-los, pelo menos, os toleravam.

Situações semelhantes existem hoje, embora, em geral, não seja um conflito entre protestantes e católicos. Uma das notas de destaque nas últimas décadas do século XX foi a polarização. Os antigos conflitos entre partidos liberais e conservadores foram eclipsados pela muito mais violenta confrontação entre a extrema direita e a esquerda radical. Igrejas protestantes que, poucos anos antes trabalhavam em relativa harmonia, hoje, atacam umas às outras e, até mesmo, dividem-se entre si mesmas, por motivos semelhantes aos que dividem a sociedade. Até mesmo a questão de ser "ecumênica" ou não tornou-se uma questão partidária, e aparecem novos movimentos de união e de colaboração com declarações de que não são ecumênicos!

O que se pode dizer a respeito de uma polarização dessas? Sem dúvida, é deplorável. A mensagem do evangelho é sobre reconciliação, e a igreja, dividida e polarizada, dificilmente conseguirá testemunhar fielmente essa mensagem. Todavia, a solução, como alguns sugerem, não é pregar uma mensagem que não seja "polarizadora", que não ameace ninguém. Essa não é a solução de Paulo e Barnabé. A pregação deles é a "palavra da [...] graça" (v. 3). Eles não tentam provocar ciúmes nem polarização. Contudo, a própria palavra da graça é tal que levou a sentir ciúme entre os que viram seus privilégios ameaçados. Em resposta, estes polarizaram a cidade. Portanto, se formos lidar com o problema da polarização em nossa situação, essa passagem oferece as seguintes orientações: (1) nossa mensagem não deve tentar polarizar nem ameaçar, mas simplesmente anunciar a graça de Deus; (2) contudo, como a graça de Deus destrói todo privilégio e reivindicação humanos, não devemos nos surpreender se alguns a ouvirem como uma ameaça; (3) nesse caso, a subsequente polarização também não deve nos surpreender; (4) mesmo em meio à mais aguda polarização, nossa responsabilidade é garantir que nossa mensagem ainda é a "palavra da [...] graça", e não de ódio ou vingança.

E. LISTRA E DERBE (14.6b-21a)

Os missionários "fugiram para Listra e Derbe, cidades da Licaônia, e região vizinha" (14.6).[27] O que isso sugere é que, por um bom tempo, eles pregaram na região, indo de um lugar para outro. É durante esse período que acontece o incidente de Listra.

Ocorre um milagre em Listra o qual deixa a multidão admirada. Para enfatizar o quão extraordinário foi o milagre, Lucas descreve a condição do homem aleijado em três frases que são basicamente iguais: "Um homem defeituoso dos pés, aleijado de nascença e que nunca havia andado" (14.8). O homem estava ouvindo Paulo pregar, e o apóstolo, "fixando nele os olhos" (o mesmo verbo usado na cura de outro homem aleijado em outro momento à porta do templo; 3.4), viu que ele tinha fé e lhe ordenou "em alta voz" que se levantasse.[28] O milagre ocorre, e o homem aleijado "deu um salto e começou a andar" (a ordem dos dois verbos é interessante, pois é a reversa do que seria de se esperar).

Não obstante, a multidão que testemunhou o milagre o interpreta a sua própria maneira. Falando em sua própria língua, que Paulo e Barnabé não entendem, eles comentam que os missionários devem ser deuses. Barnabé deve ser Zeus, e Paulo, que parece o porta-voz, deve ser Hermes, o mensageiro de Deus. Até o sacerdote de Zeus está convencido de que os deuses os estão visitando e se prepara para lhes oferecer sacrifícios.[29] Por isso, não é de surpreender que, agora, o povo identifica Barnabé e Paulo com esses dois deuses. Lucas não nos informa onde Paulo e Barnabé estavam nem

---

27   Marshall, I. H. *The Acts of the Apostles*. Leicester, Inglaterra: Inter-Varsity Press, 1980, p. 235, está correto em apontar que Haenchen não é consistente quando, primeiro, reclama que a narrativa de Icônio é muito breve e que a narrativa sobre Listra é muito detalhada para ser autêntica.

28   O texto ocidental acrescenta: "No nome do Senhor Jesus Cristo, digo a você [...]", cujo propósito parece enfatizar o paralelismo entre essa passagem e a da cura do homem aleijado no templo (veja 3.6).

29   Em alguns manuscritos do texto ocidental, encontramos "os sacerdotes", no plural.

5. A MISSÃO É DEFINIDA (12.25–15.35)

o que estavam fazendo, enquanto o sacerdote faz os preparativos para os sacrifícios. Aparentemente, depois da cura do homem aleijado, levou algum tempo para a notícia se espalhar e aumentar o entusiasmo com a visita dos "deuses".

Os apóstolos,[30] por fim, ficam sabendo do acontecido e rasgam suas roupas em sinal de dor e vergonha, andando em meio ao povo tentando dissuadi-los com gritos. Lucas resume os argumentos deles. Observe que, aqui, eles não recorrem às Escrituras, pois os ouvintes não são judeus. Antes, eles recorrem à ordem da natureza, declarando que o "Deus vivo" é o Criador de tudo que existe e que, embora em tempos passados, esse Deus tenha permitido que os povos "andassem por seus próprios caminhos", isso não queria dizer que não havia testemunho da verdade, de que todas as coisas boas — chuvas no tempo certo, sustento e alegria — vêm da terra de Deus. Mas o ponto mais importante que eles apresentaram, que se destaca como a fundação de todo o argumento deles, é que "também somos homens" (o texto grego diz *homoiopatheis*, de sentimentos semelhantes). Eles, com esses argumentos e com dificuldade, finalmente dissuadiram a multidão.

A seguir, Lucas informa-nos que alguns judeus vieram de Antioquia e Icônio, onde Paulo e Barnabé estiveram pregando, e convenceram a multidão, que antes quisera adorar os missionários, a apedrejar Paulo e deixá-lo para morrer nas cercanias da cidade. Foi lá que os discípulos o encontraram, e ele levantou-se e retornou para a cidade. O texto não indica que o fato de Paulo se levantar tenha tido alguma relevância milagrosa; mas isso, com certeza, ressalta o valor de Paulo em retornar à cidade onde acabara de ser apedrejado. Também é irônico que os que, agora, persuadiram o povo de Listra a apedrejar Paulo compartilhem as mesmas convicções que Paulo defendia antes de sua conversão. Da mesma forma que Paulo, em seu zelo religioso, partira de Jerusalém para perseguir os discípulos de Damasco, esses judeus, agora, deixaram Antioquia da Pisídia e Icônio para perseguir Paulo.

O MENSAGEIRO E A MENSAGEM

Os eventos de Listra descritos por Lucas mostram a tendência humana à idolatria e o perigo sempre presente de que o mensageiro seja confundido com a mensagem. Em duas ocasiões anteriores, vimos, quase de passagem, Pedro enfrentar esse perigo. A primeira foi no pórtico de Salomão depois de curar o homem aleijado na entrada do templo, quando

---

30 Normalmente, Lucas reserva o título "apóstolo" para os Doze. No entanto, na igreja primitiva, o título era usado em um sentido mais amplo, incluindo qualquer pessoa que fora apropriadamente enviada e comissionada pelo Espírito Santo e pela igreja. Aqui, Lucas parece usar o termo nesse sentido mais amplo.

Pedro repreende os que o ouvem por olhar para eles — Pedro e João — como se fosse pelo poder ou piedade deles mesmos que o milagre tivesse acontecido (3.12). A segunda é quando Cornélio sai para receber Pedro e o adora, ao que Pedro responde: "Levanta-te, pois eu também sou um homem" (10.26). No primeiro desses dois casos, os que parecem inclinados à idolatria são judeus. No segundo, é um "temente a Deus". No caso que estudamos agora, eles são pagãos adoradores de Zeus e Hermes. Em todos esses casos, o que acontece é que as pessoas tentam transferir a admiração e a adoração devidas só a Deus para as pessoas que Deus usa como mensageiros ou instrumentos.

    O mesmo fenômeno ocorre muitas vezes em nossas igrejas. Há pessoas que frequentam uma igreja em particular porque gostam do pastor; e se vier outro pastor, é bem possível que elas irão para outra igreja ou simplesmente não irão a nenhuma igreja. Esses são pastores que promovem esses sentimentos e constroem pequenos impérios em que eles governam. Há pregadores de rádio e televisão que atraem seguidores não tanto de Jesus Cristo, mas deles mesmos. Eles falam de seus grandes empreendimentos como "meu ministério" e têm milhares de seguidores que os ouvem com regularidade e enviam suas ofertas. A competição entre esses "ministérios", com frequência, é tão feroz quanto a existente entre quaisquer duas empresas tentando vender o mesmo produto.

    Não é difícil perceber o dano que isso causa. Parte do dano está no fato de que, quando esses ídolos caem, as pessoas ficam desiludidas e sua fé vacila. Outra consequência, às vezes menos dramática, mas muito mais perniciosa é que na competição entre esses empreendimentos muito do amor que deve haver exatamente no cerne do testemunho cristão se perde. Não obstante, o pior de todos os males desse tipo de situação é que um ídolo é posto onde só devia estar o Deus supremo. O motivo por que, primeiro, Pedro e, depois, Paulo e Barnabé recusaram-se ser adorados é que essa adoração é a negação da mensagem que eles pregam. O que é realmente importante não é que as pessoas cheguem a acreditar. O que é importante é que elas acreditem em Deus e em Jesus Cristo. Se elas acreditarem em Pedro ou em Paulo, isso não deve ser entendido como uma vitória, mas como um fracasso. Por isso, Barnabé e Paulo rasgam suas roupas. A tarefa do mensageiro, com certeza, exige ser fiel à mensagem e refleti-la; mas refleti-la de maneira que fique claramente perceptível que entre o mensageiro e a mensagem, o pregador e o Senhor há uma diferença intransponível. Com referência a essa diferença, o maior e mais santo pregador permanece do mesmo lado que o mais humilde e titubeante cristão. Qualquer um que tente esconder essa

5. A MISSÃO É DEFINIDA (12.25–15.35)

verdade, independentemente de quão eloquente seja o pregador, não é fiel à mensagem dos apóstolos.

F. O RETORNO (14.21b-28)

Esses poucos versículos resumem muito rapidamente o retorno da viagem. Antes de tudo, somos informados que Paulo e Barnabé pregaram em Derbe, onde eles fizeram muitos discípulos. Mais tarde, Paulo retornaria a Derbe (16.1-4). Contudo, agora, Lucas guia-nos em uma vertiginosa viagem de volta: Derbe, Listra, Icônio, Antioquia da Pisídia,[31] Panfília, Perge, Atália (que não foi mencionada na viagem na direção oposta) e, finalmente, Antioquia da Síria. Embora a narrativa seja rápida, isso não quer dizer que a jornada de volta foi igualmente rápida. Ao contrário, nos versículos 22 e 23, Lucas informa-nos que os missionários, em cada igreja que visitavam, fortaleceram e encorajaram os discípulos, chamando-os a perseverar. Nessas ocasiões, a mensagem deles, conforme Lucas a resume, dizia respeito à necessidade de sofrer a fim de entrar no reino de Deus (e isto está intimamente relacionado ao que já foi dito nos capítulos anteriores de Atos). Eles também trabalharam na organização das igrejas, nomeando "presbíteros". Estes seriam os líderes da igreja ou seu pastor. Nossa palavra moderna para "presbíteros" vem da palavra grega empregada aqui e em outras passagens do Novo Testamento para se referir a "anciãos" ou "presbíteros". Em relação a como eles eram selecionados, Lucas diz apenas que os apóstolos os "nomear[am]". Todavia, o verbo empregado aqui deixa espaço para eles terem sido eleitos pela congregação.

Os missionários, uma vez de volta a Antioquia, fazem um relato para a igreja que os enviou. O verbo que, no versículo 27, a A21 traduz por "relatar" está no tempo imperfeito, daí, a indicação é que essa era uma atividade em andamento. Provavelmente, o relato durou diversas sessões; em vista disso, é provável que os missionários tenham ficado fora mais de quatro anos. Depois de terminar essa jornada, os missionários ficaram em Antioquia por "algum tempo".

MISSÃO EM ANTIOQUIA

A igreja de Antioquia da Síria foi a que enviou Barnabé e Saulo, como missionários, para Chipre e para a Ásia Menor. Agora, somos informados

---

31 Embora as autoridades tenham expulsado Paulo e Barnabé de Antioquia, era costume, nessas cidades, haver mudança anual dos magistrados. Como, com toda probabilidade, passaram-se diversos anos desde a primeira visita, os missionários, agora, podiam retornar a Antioquia da Pisídia e permanecer na cidade, a menos que os novos magistrados concordassem com os anteriores que eles deviam ser expulsos.

que os missionários, em seu retorno, trouxeram seu relato para a igreja que os enviou. Isso era esperado. No entanto, o notável é que, como resultado dessa missão e, provavelmente, de outras que Lucas não menciona, a igreja de Antioquia também foi enriquecida. Quando Paulo e Barnabé retornaram, suas experiências e descobertas no empreendimento missionário foram compartilhadas com a igreja que os enviou. Por isso, como veremos no capítulo 15, a igreja de Antioquia desempenhou um importante papel em toda a discussão referente à inclusão de gentios e do que devia ser exigido deles. Depois do capítulo 15, Lucas fala pouco da igreja de Antioquia. Mas a história da igreja informa-nos que essa igreja foi um centro de atividade missionária por séculos. Por quê? Em parte, porque ela foi fortalecida por sua própria missão. Se os gentios de Antioquia da Pisídia puderam ouvir o evangelho graças aos esforços dos cristãos de Antioquia da Síria, estes puderam ouvir Saulo e Barnabé relatar "tudo o que Deus havia feito por meio deles e como abrira a porta da fé aos gentios" (14.27). Na missão da igreja, como em todos os outros reinos da vida, a Palavra de Deus nunca retorna vazia.

Hoje, quando dizemos que nossa igreja hispano-americana deve ser missionária, isso é importante não só porque pode levar à fundação de novas igrejas, mas também porque, por meio disso, a igreja já existente — como aconteceu antes com a igreja de Antioquia — é fortalecida na fé e descobre novas dimensões do evangelho. A missão sempre é uma rua de duas mãos, assim, os que dão também recebem.

Por sua vez, é crucial que não limitemos nossa compreensão de "missão" à dimensão puramente geográfica. A missão acontece sempre que, impelidos pela fé, cristãos ultrapassam a fronteira entre crença e descrença e, além dessa fronteira, testemunham de sua fé. A missão acontece quando um estudante, reunido com seus colegas estudantes que não conhecem o evangelho e que vivem de acordo com outros princípios, testemunha de sua fé. A missão acontece quando cristãos, movidos pela dor dos que sofrem, vão aos lugares mais necessitados de seu hemisfério, aos bairros pobres e às vilas remotas com poucos recursos e, lá, vivem sua fé. A missão acontece quando cristãos participam da vida cultural, política e econômica da sociedade e demonstram sua compaixão e o poder de sua fé. A missão acontece onde Deus nos leva porque, afinal, a missão não é nossa, mas do Senhor!

Todos os cristãos que lutam e testemunham de sua fé em todos esses vários ambientes são missionários. Então, o que o restante da igreja deve fazer, como fez antes a igreja de Antioquia, são duas coisas: primeiro de tudo, devemos abençoar todos que assumem o risco da missão —

como Lucas diria, "imp[onham] as mãos" sobre eles. Segundo, devemos ouvi-los quando se reúnem conosco e aprender com eles e sua missão.

Infelizmente, não é isso que é feito em muitas de nossas igrejas. Ao contrário, quando alguns de nossos membros participam de esferas da vida em que todos são não cristãos, como sindicatos, movimentos estudantis, salões culturais, grupos musicais e assim por diante, o que fazemos é criticá-los. "Eles estão se perdendo", dizemos. "Eles foram para o mundo." Às vezes, até mesmo os evitamos; em vez de fortalecê-los nessa missão e exortá-los a testemunhar nesse ambiente. No segundo ponto, nossa reação é até pior. Se eles vão à igreja e nos contam o que Deus está fazendo nesses lugares "mundanos", eles são informados, de uma miríade de maneiras, que a igreja não é o lugar apropriado para falar desses assuntos. Com essas atitudes, os que correm o risco de se perder não são só os missionários, mas também a própria igreja, cuja visão está obscurecida.

G. O CONCÍLIO DE JERUSALÉM (15.1-35)

1. O problema é apresentado (15.1-3)

Lucas não esclarece a relação cronológica entre o capítulo 15 e a narrativa precedente. Embora a tradução da NRSV comece com: "Então", uma tradução mais literal diria simplesmente: "Certos indivíduos". Como o capítulo anterior termina nos informando que Paulo e Barnabé permaneceram por algum tempo com os discípulos, em Antioquia, poderia parecer que o conflito não foi o resultado imediato de suas viagens e pregação, mas que, na verdade, desenvolveu-se algum tempo depois.

Lucas também não nos informa quem "desce[u] da Judeia".[32] Em Gálatas 2.12, Paulo fala de pessoas que vieram "da parte de Tiago" e que também insistiam na necessidade de manter a lei judaica. Se as duas passagens referem-se ao mesmo episódio, poderia parecer que Lucas está aparando as arestas do conflito entre os Doze — em particular Tiago — e Paulo. Esse é um dos muitos pontos sobre os quais os estudiosos debatem a exatidão histórica de Lucas e se parte da programação dele é precisamente para mostrar que havia mais união e concordância entre Paulo e a igreja de Jerusalém do que realmente existia.

De todo modo, fica claro o que essas pessoas da Judeia ensinaram: "Se não vos circuncidardes, segundo o costume instituído por Moisés,

---

32 Alguns manuscritos acrescentam que esses que vêm da Judeia eram fariseus. Lucas usa a expressão *"descendo"* da Judeia", porque Jerusalém fica mais alto que a região vizinha e, assim, era costume falar sobre descer da Judeia ou subir para Jerusalém.

não podeis ser salvos". Com certeza, a circuncisão não era tudo que estava em questão, pois a lei de Moisés também incluía muitas regulamentações sobre dieta, celebrações religiosas e assim por diante.[33] A opinião tradicional, provavelmente a correta, é que esses "judaizantes" eram judeus, possivelmente fariseus, que tinham se convertido ao cristianismo e, agora, desejavam que todos os cristãos se submetessem à lei de Moisés.[34]

Esse ensinamento provocou relevante dissensão e discussão em Antioquia, onde, aparentemente, seus principais oponentes eram Paulo e Barnabé. Como resultado disso, a igreja de Antioquia decidiu escolher "homens dentre eles" para enviar com esses dois a Jerusalém que foram recebidos pelos "apóstolos e presbíteros", para discutir essa questão. O próprio fato de eles terem decidido enviar essas pessoas para Jerusalém para esclarecer o assunto poderia indicar que os judaizantes alegaram ter o apoio da igreja-mãe. Talvez esse seja o motivo de Paulo dizer que eles vieram "da parte de Tiago". Em Gálatas 2.1,2, Paulo conta sobre uma visita a Jerusalém que pode muito bem ser essa a que o livro de Atos se refere, embora Paulo ofereça um motivo distinto para a viagem: "Depois de quatorze anos, subi outra vez a Jerusalém com Barnabé, levando Tito também comigo. Subi por causa de uma revelação". Assim, poderia parecer que Tito estava entre os outros que foram enviados com Paulo e Barnabé a Jerusalém.

No caminho, quando passaram pela Fenícia e Samaria, eles "relata[ram] a conversão dos gentios, levando grande alegria a todos os irmãos". Lucas provavelmente incluiu esse detalhe para nos informar que a posição de Paulo e Barnabé, em relação a admissão de gentios, tinha amplo apoio não só em Antioquia, mas também na Fenícia e Samaria, onde eles não tinham trabalhado.[35]

2. Eventos em Jerusalém (15.4-29)

a. Recepção inicial e dificuldades (15.4,5)

Quando a delegação antioquense chega a Jerusalém, é bem recebida "pela igreja e pelos apóstolos e presbíteros" e conta-lhes o que estava

---

33 Alguns manuscritos do texto ocidental, ao descrever o que o povo da Judeia ensinava, acrescentam: "E seguir o caminho de Moisés". Isso parece uma tentativa de incluir essas questões mais amplas, e não limitar o conflito ao assunto da circuncisão.

34 Embora essa seja a opinião tradicional, a qual ainda é defendida pela maioria dos estudiosos do Novo Testamento, alguns sugerem que esses judaizantes não eram eles mesmos judeus, mas gentios convertidos ao cristianismo que, agora, desejavam não ser menos que judeus e, por isso, insistiam em guardar a lei. Essa opinião é defendida por Munck, J. *Paul and the salvation of mankind*. Londres: SCM Press, 1959.

35 Essa é a interpretação de Haenchen, E. *The Acts of the Apostles: A commentary*, p. 144.

5. A MISSÃO É DEFINIDA (12.25–15.35)

acontecendo — em especial, pode-se imaginar, os resultados da jornada de Paulo e Barnabé. Nesse ponto é que surgem as dificuldades, pois "alguns do grupo religioso dos fariseus" começam a argumentar que as pessoas que foram convertidas devem ser circuncidadas e também devem guardar a lei. Para entender a posição deles, é importante lembrar que o cristianismo, para esses cristãos primitivos, não era uma nova religião. Era, antes, o cumprimento das promessas feitas a Israel, pelas quais esperavam havia muito tempo. Portanto, um fariseu que tivesse aceitado a Jesus como Messias, ou Cristo, não deixava, por essa razão, de ser judeu ou fariseu. Não é, como poderíamos interpretar o texto hoje, que alguns fariseus ainda continuavam presos a suas crenças anteriores, mas, antes, que os fariseus praticantes e sinceros que, embora ainda guardando estrita observância da lei, também eram cristãos. É irônico observar nesse ponto que Paulo, um dos principais promotores da nova receptividade aos gentios, foi ele mesmo fariseu. Seu próprio trabalho missionário, como a narrativa deixou claro, forçou-o a se tornar ainda mais receptivo em relação aos gentios de uma maneira que não era necessária para os fariseus cristãos de Jerusalém.

Alguns intérpretes alegam surpresa em descobrir que a igreja de Jerusalém discute, mais uma vez, a admissão de gentios, quando o assunto já tinha sido discutido depois da conversão de Cornélio e seus amigos e, até mesmo, depois de uma nova igreja ser fundada em Antioquia, pois esta tinha um grande número de gentios em seu meio. Contudo, a realidade humana nem sempre é lógica, e os grupos humanos confrontados com novas ideias, com bastante frequência, vacilam. Nesse ponto, o que Lucas nos diz é muito mais realista do que algumas reconstruções dos eventos que tentam colocá-los em absoluta ordem lógica. De acordo com Lucas, a questão da admissão de gentios foi discutida repetidamente. Embora a discussão em torno da conversão de Cornélio possa ter estabelecido o assunto definitivamente, esse não era o caso. O mesmo pode ser dito sobre a fundação da igreja de Antioquia. E, embora depois desses quinze capítulos, Atos fale quase exclusivamente da missão entre os gentios e não discuta em detalhes o assunto de terem ou não de aceitar a lei de Moisés, o fato é que, por meio das epístolas de Paulo, fica claro que o assunto estava longe de ser resolvido. O que Lucas nos diz aqui, exatamente como o que contou antes, é apenas um de muitos episódios que pouco a pouco abriram a porta para os gentios.

b. A assembleia (15.6-29)

A fim de tratar do debate provocado pela conversão de gentios e da resistência dos "judaizantes", realiza-se uma assembleia. Talvez tenha havido mais de uma sessão, pois apesar de, no início, os que estavam reunidos serem "os apóstolos e os presbíteros" (15.6), mais adiante, somos informados que "toda a multidão" manteve silêncio (15.12); e, por fim, a decisão coube "aos apóstolos e aos presbíteros, com toda a igreja" (15.22). Assim, talvez não devamos pensar em termos de uma única sessão, mas, antes, de todo um processo do qual Lucas escolhe determinados momentos e intervenções que considera particularmente relevantes. Em Gálatas 2.2, Paulo diz que comunicou suas ideias privadamente para os líderes da igreja de Jerusalém. Aparentemente, Lucas está representando o processo todo, condensando-o no que, à primeira vista, parece uma única sessão, mas, aparentemente, durou muito mais.

i. Pedro intervém (15.6-11)

Nesses poucos versículos, Pedro reconta sua experiência ligada à conversão de Cornélio (10.1—11.18). A expressão no versículo 7, "há muito tempo", poderia parecer indicar que já transcorreu algum tempo desde esses eventos. Isso ajudaria a explicar por que é necessário discutir mais uma vez a questão da admissão de gentios. Do ponto de vista dos cristãos de Jerusalém, a conversão e o batismo de Cornélio e dos que estavam com ele podia parecer um episódio notável, mas não algo que tinha acontecido com suficiente frequência para estabelecer a direção em que a igreja tinha de se mover. É agora, por meio do resultado do trabalho missionário de Barnabé e de Paulo (e talvez de outros) que a questão de como os gentios têm de ser admitidos na comunidade e o que tem de ser exigido deles se torna urgente.

Contudo, Pedro, em sua breve fala, dá um passo adiante do que falara no caso de Cornélio. Agora, ele oferece um motivo teológico por que o "jugo" da lei não tem de ser imposto aos gentios: esse é um jugo "que nem nossos pais nem nós pudemos suportar" e, de todo modo, o ponto importante é que todos, gentios e judeus, são "pela graça do Senhor Jesus" (15.10,11).[36] Isso é usado para alegar que aqui não temos as palavras de Pedro, mas uma expressão da teologia de Lucas.[37]

ii. Tiago intervém (15.12-21)

Ao ouvir as palavras de Pedro, "toda a multidão silenciou". Não fomos informados de que houvesse algum ruído ou desordem em especial. O que Lucas indica com essas palavras é que havia uma atitude de atenção

---

36 A própria ordem do versículo 11 é interessante: Pedro não diz que os gentios são salvos, exatamente como os judeus, pela graça, mas diz o oposto: que os judeus são salvos pela graça, exatamente como os gentios.

37 Assim, por exemplo, HAENCHEN, E. *The Acts of the Apostles: A commentary*, p. 446, n. 3: "Essa asserção não corresponde à teologia judaica nem à paulina. Os judeus viam na lei um privilégio e uma ajuda: a ideia de "jugo" (da lei) denotava as obrigações religiosas e não apresentavam queixas de que a lei era dura ou intolerante. [...] Aqui, contudo, temos a lei vista, através de olhos gentios dos helenistas cristãos, como uma massa de ordens e proibições que nenhum homem conseguiria cumprir. Aqui, Lucas está obviamente falando por si mesmo e transmitindo a percepção de sua época e ambiente".

5. A MISSÃO É DEFINIDA (12.25–15.35)

e reflexão. Barnabé e Paulo[38] usaram esse momento para contar mais uma vez (de acordo com 15.4, eles já tinham feito isso) o que acontecera em sua missão entre os gentios. Supõe-se que o que eles disseram era visto como uma confirmação da experiência de Pedro no caso de Cornélio.

Então, Tiago intervém. Em todo o livro de Atos e até esse ponto, esse Tiago, que não era um dos Doze, ganha cada vez mais importância. Em 12.17, a última vez que ouvimos falar de Paulo antes dessa passagem em particular, somos informados de que Pedro, quando se preparou para fugir de Jerusalém, enviou uma palavra a "Tiago e aos irmãos". Agora, que estamos de volta a Jerusalém, descobrimos que Pedro também retornou, embora não sejamos informados como nem quando isso aconteceu, e que Tiago é um dos líderes da igreja.

Tiago começa referindo-se ao que "Simão relatou". O nome "Simão" é a versão aramaica de "Simeão". Por isso, Lucas está sugerindo que Tiago falou em aramaico.[39] A maneira como Tiago resume a fala de Pedro inclui uma notável asserção: Deus "foi ao encontro dos gentios para formar dentre eles um povo dedicado ao seu Nome" (15.14). Lucas, em geral, usa o termo "povo" — *laos* — para se referir ao "povo de Deus". Portanto, o que Tiago diz é que Deus está levantando um novo povo ou uma extensão de Israel.[40] E, a fim de sustentar essa posição, ele, com frequência, oferece um argumento bíblico que parece continuar o que Pedro acaba de dizer. De acordo com um texto de Amós, Deus exporá uma obra de restauração, "para que o restante dos homens busque o Senhor, sim, todos os gentios, sobre os quais se invoca o meu nome". Com base nisso, Tiago oferece sua solução, que, por fim, é adotada.[41]

A citação de Amós apresenta um problema. O texto que Lucas — como, em geral, é o caso — põe nos lábios de Tiago é tirado da Septuaginta — a tradução grega das Escrituras hebraicas que a maioria dos cristãos de fala grega usava. Nessa passagem em particular, o texto hebraico difere da Septuaginta e não podia ser usado para sustentar o argumento de Tiago.[42]

---

38 Deve-se observar que, no contexto de Jerusalém, o nome de Barnabé aparece antes do de Paulo. Barnabé foi um dos primeiros e mais respeitados líderes da igreja de Jerusalém e desfrutava do respeito dos Doze, que lhe deram o nome que carrega.

39 Outra explicação que não é geralmente aceita é que esse Simão não é o mesmo homem conhecido por Simão Pedro. Essa é a opinião de Riddle, D. W. "The Cephas problem and a possible solution". *JBL* 59 (1940), p. 169-80.

40 Dupont, J. "Un people d'entre les nations (Actes 15:14)". *NTSt* 31 (1985), p. 321-35.

41 O que a NRSV traduz por: "Cheguei à conclusão", é um verbo que pode ser interpretado no sentido de determinar o curso que tem sido seguido, e com o sentido de oferecer uma opinião. Dada a ambiguidade do verbo, ele pode ser traduzido como o faz a NRSV, no sentido de que a decisão caiba a Tiago e no sentido de que ele está apenas oferecendo sua percepção.

42 Veja a tradução de Amós 9.12 na A21, na qual é anunciado que o povo de Israel devia possuir "o restante de Edom e todas as nações chamadas pelo meu nome".

Pareceria muito estranho para Tiago, falando em aramaico em Jerusalém, não citar a Escritura do texto hebraico, mas que citasse de acordo com a Septuaginta, e que ele ousasse fazer isso em um caso em que seria muito fácil contradizê-lo simplesmente citando o texto hebraico. Os que insistem na absoluta exatidão histórica das falas de Atos tiveram de desenvolver estranhas teorias para resolver essa dificuldade. Alguns sugerem que o texto da Septuaginta é o original e que, no século I, circulava uma tradução aramaica que Tiago cita.[43] Isso é mera conjectura cujo único fundamento é o desejo de salvaguardar a exatidão histórica das falas supostamente citadas por Lucas. Poderia parecer mais simples dizer que, embora seja provável que Tiago apoiasse a posição de Pedro e talvez, até mesmo, oferecesse um argumento bíblico para isso, o que Lucas está fazendo é pôr nos lábios de Tiago um argumento que, de algum modo, circulou mais tarde entre os gentios, quando a Septuaginta já era a Bíblia comumente usada.

De qualquer jeito, o que Tiago sugere ou decide também se torna a decisão da reunião. A principal força propulsora dessa decisão é que os gentios que "se convertem a Deus" não devem ser perturbados, mas deve-se requisitar que eles sigam quatro pontos. Também há muita discussão sobre essa decisão em termos das verdadeiras palavras do texto e em termos de seu sentido.

A questão textual levanta-se porque, nesse ponto em especial, há diferentes leituras em vários manuscritos. A mais antiga que sobrevive[44] inclui só três coisas das quais os gentios devem se abster: idolatria, carne de animais sufocados e sangue. Contudo, como esse é o único manuscrito em particular que limita sua lista a esses três pontos, a maioria dos estudiosos concorda que o que temos aqui é apenas uma omissão do copista. O texto egípcio, aceito pela maioria dos estudiosos, apresenta o mesmo texto que a NVI e, portanto, refere-se a quatro pontos: "Que se abstenham de comida contaminada pelos ídolos, da imoralidade sexual, da carne de animais estrangulados e do sangue". O texto ocidental omite "carne de animais estrangulados", portanto, sua lista está limitada à idolatria, à imoralidade sexual e ao sangue. O mesmo texto, depois, acrescenta a regra de ouro em sua forma negativa: "Não faça aos outros o que não quer que façam a você".

Essa discussão sobre o texto é importante, pois muito do sentido teológico da decisão depende dessa lista específica de observâncias fornecida. O texto ocidental parece sugerir que as proibições são de caráter moral, ao passo que o texto egípcio, mais provavelmente o original, parece

---

43   Essa é a posição de ZAHN, Th. *Die apostelgeschichte des Lucas*. Erlangen: A. Deichert, 1919-21, vol. I, p. 521.
44   O papiro Chester Beatty.

5. A MISSÃO É DEFINIDA (12.25–15.35)

sugerir que elas são de natureza ritual.[45] Isso fica particularmente claro no caso do "sangue". Qual é o sentido de se abster do sangue? Se, como no texto ocidental, nada é dito sobre a "carne de animais sufocados", abster-se do sangue parecer ter o sentido de não matar nem cometer outra forma de violência.[46] Se o "sangue", por sua vez, aparece ao lado do que é "sufocado", como acontece no texto egípcio, a sugestão é que a proibição se refere à antiga lei judaica de não comer sangue, seja de animais que não foram sangrados ao morrer seja como ingrediente de um prato.

Assim, o problema apresentado é que, se o texto egípcio é o original, Tiago parece se contradizer, pois está dizendo que concorda com Pedro que os gentios não devem estar sujeitos à lei, mas, a seguir, ele diz que, na verdade, há quatro pontos que eles devem observar e que estes incluem não comer sangue nem carne de qualquer animal que não tenha sido sangrado. Esse é o principal argumento em favor do texto ocidental que, do contrário, teria sido rejeitado completamente pela maioria dos estudiosos.

A despeito dessa dificuldade, poderia parecer que o texto egípcio é o original e que, na verdade, as provisões referem-se a assuntos rituais e de dieta mais que a questões morais. O motivo para isso é que essas quatro proibições são exatamente aquelas que, de acordo com a lei de Moisés, eram impostas aos gentios que viviam em Israel (Lv 17.8—18.26).[47] Se lermos o texto dessa forma, então o que Tiago está fazendo não é realmente impondo as regras aos gentios que desejam se tornar cristãos. Antes, ele está informando-os que, para poderem comungar com os judeus e ser como os gentios que, nos tempos antigos moravam no meio de Israel, eles só têm de seguir as mesmas diretrizes que, nos tempos antigos, eram aplicadas aos gentios.

Para entender tudo isso, devemos nos transportar àquele tempo e olhar os assuntos da perspectiva da igreja judaica primitiva. Como eles viam o assunto, o que estava acontecendo não era, como tendemos a pensar hoje, que alguns judeus estavam abandonando o judaísmo a fim de se tornarem cristãos. O que estava acontecendo era, antes, que alguns dos gentios estavam, agora, sendo acrescentados a Israel, graças às boas-novas de Jesus Cristo. Assim, a questão não era, como o é para nós hoje: quanto da lei deve

---

45 Essa é a maneira em que a maioria dos estudiosos contrasta essas opções. Contudo, BARRET, C. K. "The apostolic decree of Acts 15:29". *AusBibRev* 354 (1987), p. 50-59, alega que o contraste teológico não é tão absoluto quanto usualmente se pensa.
46 Foi assim que todo o texto foi interpretado na igreja ocidental. Por isso, ele foi a base para a teoria de que há três principais pecados (pecados que alguns chamariam de imperdoáveis): idolatria, imoralidade sexual e homicídio.
47 Que eu saiba, o estudioso que primeiro mencionou essa relação e, em especial, o fato de que a ordem da proibição em Levítico é a mesma do texto "oficial" do "decreto" de Jerusalém (15.29) foi H. Waitz, em seu artigo "Das problem des sogennanten aposteldecrets". *ZKgesch* 55 (1936), p. 227.

ser obedecida para sermos cristãos? Porém, antes: quanto da lei o indivíduo deve obedecer para viver no meio de Israel? A resposta a essa pergunta estava clara, pois a própria lei estabeleceu-a em Levítico 17 e 18. Esses são os princípios que, agora, Tiago sugere como o fundamento sobre o qual os cristãos gentios podem comungar com os cristãos judeus.[48]

Levando tudo isso em consideração, percebemos que o propósito da decisão não é dizer aos cristãos que a lei não é mais válida a não ser nesses quatro pontos. O propósito é, mais propriamente, encontrar um meio pelo qual os cristãos gentios possam se juntar aos judeus sem violar a consciência destes. Por isso, quando a igreja tornou-se mais gentia e menos judaica em sua filiação, essa proibição perdeu importância. Não era mais necessário pensar constantemente sobre os irmãos e irmãs judeus com quem tinha de se manter comunhão. Por essa razão e com o mesmo espírito de 1Coríntios 8, Paulo diz a seus leitores que, embora, em última análise, comer carne de animal sacrificado a ídolos não os ajudará nem os atrapalhará, mas se houver alguém que se escandalize por eles fazerem isso, então, eles devem se abster de fazê-lo.

Por fim, diante da própria decisão, o versículo 21 não parece se relacionar com o assunto em pauta. Por que essas palavras são incluídas e o que elas representam nesse contexto? Entre as muitas interpretações e explicações,[49] o mais provável é que Tiago quer apresentar dois pontos: (1) os cristãos gentios, embora não estejam na Palestina, vivem no meio de Israel, pois há sinagogas e judeus em todos os lugares e, por isso, a regra de Levítico 17 e 18 aplica-se a eles; e (2) por haver sinagogas em todos os lugares em que a lei de Moisés é lida, os cristãos não são obrigados a testemunhar dessa lei obedecendo a ela.

iii. A decisão (15.22-29)

Os apóstolos (embora não sejamos informados exatamente quais deles estavam presentes),[50] os presbíteros (sobre cuja origem e cuja função não fomos informados) e "toda a igreja" decidem escrever uma carta e enviá-la por meio de Silas e Judas Barsabás. Não se conhece nada mais de Judas Barsabás além de seu nome. (Será que ele pode ser irmão de José Barsabás, o outro candidato ao apostolado quando Matias foi eleito?) Sabemos muito mais sobre Silas por intermédio de Atos e do restante do Novo Testamento. Em Atos mesmo, o encontramos mais uma vez viajando com Paulo em suas jornadas através de Filipos, Tessalônica e Bereia até ele

---

48 PERROT, C. "Les décisions de l'assemblée de Jérusalem". *RechScR* 69 (1981), p. 195-208, sustenta que o que estava em jogo também era a condição legal da nova comunidade como parte de Israel.

49 Resumidas em HAENCHEN, E. *The Acts of the Apostles: A commentary*, p. 450, n. 1.

50 Lucas só menciona Pedro e Tiago — e este não era um dos Doze. Paulo (Gl 2.9) também menciona João.

desaparecer de cena em Corinto (18.1-5), sem que se diga mais nenhuma palavra sobre ele.[51] Sob a forma latina de seu nome, "Silvano", ele também aparece em 2Coríntios 1.19; 1Timóteo 1.1; 2Timóteo 1.1 e 1Pedro 5.12.

A carta, embora breve, tem a estrutura característica das cartas daquela época, que é a mesma que aparece repetidamente, embora de forma mais extensa, nas epístolas de Paulo. Ela começa com a indicação da identidade dos escritores: "Os apóstolos e os irmãos presbíteros", depois, nomeia os destinatários: "Aos irmãos dentre os gentios em Antioquia, Síria e Cilícia". Depois, segue um breve cumprimento ("saudações"), após o que vem o corpo principal da carta e, por fim, uma despedida que, em geral, é uma bênção ou uma expressão de boa vontade ("Fazemos votos de que esteja tudo bem entre vós"). Em relação aos destinatários, é importante observar que a carta não é dirigida só aos gentios de Antioquia, mas também a outros que foram convertidos graças ao trabalho missionário antioquense na Síria e também na Cilícia. Quanto à breve mensagem dessa epístola, em essência, é o que Tiago disse antes: que os gentios não devem ser perturbados por nada além dos quatro pontos já mencionados (três dos quais têm a ver com práticas das leis referentes à dieta) — carne de animais sacrificados a ídolos, sangue, carne de animais sufocados e imoralidade sexual.[52]

3. Retorno a Antioquia (15.30-35)

Essa breve passagem não requer muita explicação. Conforme fora acordado, Judas Barsabás e Silas vão para Antioquia. Os que foram "enviados" pode se referir não só a esses dois, mas também aos que vieram antes de Antioquia para Jerusalém: Barnabé, Saulo e outros (15.2).

A reunião que Lucas descreve parece, antes, ser uma reunião oficial. O verbo que a A21 traduz por "entregar" era usado na época para a apresentação formal de uma carta ou de algum documento. A carta foi lida na congregação e recebida com alegria, aparentemente, porque os cristãos gentios de Antioquia estavam preocupados com a possibilidade de que os cristãos de Jerusalém lhes dissessem que era necessário ser circuncidado e obedecer a toda a lei e com a possibilidade do cisma que isso traria.

Judas e Silas, como profetas que eram, pregaram diante da congregação, e sua pregação encorajou e fortaleceu os cristãos. O "algum tempo"

---

51   Kaye, B. N. "Acts' portrait of Sillas". *NT* 21 (1979), p. 13-26, sugere que o motivo para Silas deixar Paulo em Corinto parece que, a partir daquele ponto, Paulo não continuaria mais com sua prática anterior de fundamentar sua missão na sinagoga de cada cidade.

52   Essa segunda lista oferece as mesmas variações entre o texto ocidental e o egípcio, conforme mencionado na discussão sobre 15.20.

que permaneceram lá pode ter variado de algumas semanas a mais de um ano — o texto não diz. Depois desse tempo, quando eles se preparavam para voltar a Jerusalém, a igreja de Antioquia fez-lhes uma despedida formal, pois esse é o sentido do versículo 33.

O versículo 34 aparece só no texto ocidental. Por isso, a NRSV e outras versões mais recentes o omitem. Os estudiosos sugerem que, possivelmente, ele foi introduzido nesse ponto a fim de evitar a aparente contradição entre os versículos 33 e 40, pois o primeiro parece indicar que Silas retornou a Jerusalém, e o último o coloca em Antioquia quando Paulo começa sua jornada seguinte. Aparentemente, a leitura anterior, que está no texto comum ou egípcio, deve ser entendida no sentido de que a igreja de Antioquia envia de volta os dois delegados de Jerusalém (v. 33), e não como uma tentativa de explicar como Silas voltou para Antioquia antes da jornada seguinte de Paulo.

MISSÃO E VISÃO

Muito pode ser dito sobre esse texto. Contudo, comecemos observando o contraste entre os fariseus, que estão perturbados porque os gentios se juntaram à igreja sem que fosse exigido que se circuncidassem, e esse outro fariseu Paulo, o principal defensor da posição contrária. Por que Paulo consegue ver o que está fazendo entre os gentios e é receptivo a isso, e os outros fariseus não conseguem ver isso? Sem dúvida, não é porque esses outros fariseus da igreja de Jerusalém são menos sinceros que Paulo. Eles, exatamente como Paulo, aceitaram Jesus como o Messias e se juntaram à igreja, provavelmente, até mesmo à custa de grande sacrifício pessoal e comprometendo muitos relacionamentos importantes. Então, onde está a diferença?

A resposta, embora simples, é profunda: esses fariseus receberam o evangelho e o aceitaram; mas Paulo, além de aceitá-lo, juntou-se à missão de Deus no mundo. Pode-se supor que os cristãos fariseus de Jerusalém, como toda a igreja da cidade, "perseveravam no ensino dos apóstolos e na comunhão, no partir do pão e nas orações" (2.42). Paulo e os cristãos de Antioquia fariam o mesmo. Todavia, a igreja de Antioquia e Paulo fizeram mais: eles juntaram-se à missão de Deus no mundo. Os fariseus de Jerusalém não tiveram a experiência de Paulo em Antioquia da Pisídia, em Icônio nem em Listra. O Espírito, com certeza, estava ativo em Jerusalém, mas onde o Espírito estava fazendo novas coisas, abrindo novos caminhos, ampliando horizontes era exatamente nesses mais variados lugares. Paulo e Barnabé aceitaram o chamado do Espírito e, nessas cidades distantes,

5. A MISSÃO É DEFINIDA (12.25–15.35)

juntaram-se ao que Deus estava fazendo. Por isso, quando o problema é apresentado em Jerusalém, os que têm uma percepção do que Deus está fazendo em sua época são precisamente as pessoas como Paulo e Barnabé — ou como Pedro, por causa de seu encontro com Cornélio — que participam da missão do Espírito.

Durante toda sua história, a igreja tem de enfrentar situações parecidas. Os antigos centros, como os cristãos fariseus de Jerusalém, às vezes, parecem inflexíveis e, portanto, incapazes de responder aos desafios do momento. É nas situações críticas, em que os cristãos têm de enfrentar esses desafios continuamente e em que veem a ação de Deus nesses mesmos desafios, que acontecem os grandes reavivamentos, as façanhas de fé, as descobertas de dimensões do evangelho, antes, insuspeitas. Sem dúvida, isso é o que acontece em toda a vida de Paulo, e não só nesse episódio. As epístolas de Paulo, partes importantíssimas do Novo Testamento, não são obras de teologia especulativa, mas, antes, são respostas aos desafios missionários do momento.

A igreja hispânica é resultado das aventuras missionárias do passado. Algumas delas eram mais violentas que outras, e algumas mais benevolentes que outras. Porém, em todas elas, aprendemos a receber. Recebemos missionários. Recebemos doutrinas. Recebemos ideias. Recebemos dinheiro. Em meio a tanto recebimento, ficamos tentados a acreditar que, de alguma maneira, somos inferiores: a igreja importante está em outro lugar, o lugar de onde os missionários vêm; os livros que valem a pena ser lidos são só os que vêm de lá; os modelos que devemos imitar são os que se provaram ser valiosos nesse outro lugar. Nós, pobre povinho, devemos receber para sempre.

Mas não! O caso de Paulo, fariseu dos fariseus (23.6) e seu contraste com esses outros cristãos, igualmente fariseus de Jerusalém, apresenta o assunto de forma distinta. O lugar onde estamos, nessa aparente situação crítica, é onde Deus está fazendo coisas novas. E os que veem diariamente as coisas novas que Deus está fazendo no mundo têm a obrigação, para com Deus e para com o restante da igreja, de voltar aos antigos centros que, com frequência, perderam muito de sua percepção, levando a eles nossa percepção renovada do que Deus está fazendo hoje.

O que é verdade na esfera global também é verdade no círculo mais limitado das nossas nações e condições. Aqui, também encontramos problemas similares aos discutidos em Atos 15. Deus está agindo hoje em nosso hemisfério. Seria fácil — e é fácil — ficar confortavelmente sentado no banco da nossa igreja e, de lá, como os fariseus de Jerusalém, dizer: "Não é assim que as coisas devem ser". Há cristãos — cristãos sinceros como aqueles fariseus de Jerusalém — que desejariam que as coisas não mudassem, que os mesmos hinos sejam cantados, que os mesmos sermões sejam pregados, que as mesmas atividades sejam mantidas e nada mais. Na verdade, todos nós, em maior ou menor grau, sofremos dessa tentação. Mas não é para onde Deus está nos chamando. Deus chama-nos, como a Paulo, não só da igreja — seja ela em Jerusalém, Antioquia, Los Angeles ou Buenos Aires — mas também, como chamou antes Barnabé e Saulo, de todos os outros espaços e lugares em que a fé não reina, mas que a misericórdia divina também alcança. Saulo e Barnabé, por serem instrumentos da obra de Deus naqueles lugares, também puderam ser instrumentos para que Deus pudesse falar para a igreja de Jerusalém. Se for para a igreja de hoje ouvir palavra semelhante, ela ouvirá não de seus próprios centros, mas, antes, daqueles que, como Barnabé e Saulo, prestam atenção ao chamado para se aventurar além dos limites da própria igreja.

6 Missão na Europa
(15.36 - 18.22)

É nesse ponto, após o "concílio" de Jerusalém, que a missão paulina levanta voo. Estamos, agora, exatamente no ponto da vida de Paulo em que suas epístolas lançam mais luz sobre os ensinamentos de Jesus.

A. O CHAMADO (15.36 - 16.10)

1. Separação de Paulo e Barnabé (15.36-41)

A missão para a Europa não é resultado de grande visão ou previsão. Ao contrário, toda ela começa com uma ideia que, em si mesma, não é muito original: "Decorridos alguns dias, Paulo disse a Barnabé: Vamos visitar os irmãos em todas as cidades onde anunciamos a palavra do Senhor, para ver como estão". A expressão "alguns dias" a que Lucas se refere pode ter representado mais que algumas semanas, embora o mais provável é que tenham sido, pelo menos, alguns meses, talvez até mesmo anos, como parece sugerir o versículo 35. De todo modo, o propósito de Paulo não é expandir mais a missão, mas apenas visitar as igrejas estabelecidas anteriormente e observar como estavam caminhando.

A nova missão também não começa em nenhum ponto muito inspirador, mas, antes, começa com uma séria discordância entre Paulo e Barnabé. Lucas informa-nos que a base do desacordo foi que Barnabé queria levar João Marcos com eles de novo, e Paulo se recusa a fazer isso, porque Marcos os abandonara na jornada anterior (13.3). A discórdia foi grave. O termo grego que a NRSV e a NVI traduziram por "desentendimento tão sério" (A21: "Divergência [...] tão grave") é *paraxysmos* do qual deriva a palavra "paroxismo". Das epístolas de Paulo, ficamos sabendo que o assunto foi mais complicado do que Lucas nos diz. Para começar, João Marcos era parente de Barnabé (Cl 4.10). Em Gálatas 2.13, Paulo informa-nos que essa discórdia com Barnabé foi além do mero assunto de levar, ou não, Marcos com eles. Aparentemente, Paulo entendeu a decisão de Jerusalém em termos mais abrangentes que Barnabé. Para Paulo, o que fora decidido em Jerusalém queria dizer que cristãos gentios e judeus podiam comer juntos — ou seja, podiam participar em conjunto da mesa do Senhor. Todavia, quando surgiu a discussão sobre esse assunto em Antioquia, Pedro e Barnabé tomaram o partido dos que insistiam que os judeus deviam comer separados a fim de manter sua pureza ritual. A disputa ficou mais amarga, e Paulo chega mesmo a acusar Pedro e Barnabé de hipocrisia![1]

O resultado dessa discórdia foi que Paulo e Barnabé se separaram. Barnabé e João Marcos partiram para Chipre — terra natal de Barnabé — enquanto Paulo e Silas seguiram por terra através da Síria e da Cilícia. É importante observar que o propósito das duas equipes missionárias ainda é visitar as igrejas fundadas anteriormente, e que Paulo e Silas atravessaram a Síria e a Cilícia "fortalecendo as igrejas".

A ruptura ocorrida em Antioquia entre os dois missionários, por fim, foi superada. Embora os cristãos de Antioquia confiassem Paulo "à graça do Senhor", daquele momento em diante, ele agiu mais como missionário independente que como representante da igreja de Antioquia. Barnabé não aparece de novo em Atos. Contudo, em Coríntios 9.6, Paulo dá indícios de que Barnabé continua seu trabalho missionário e de que, exatamente como Paulo, sustenta-se com o próprio trabalho. Essa referência, como também a de Colossenses 4.10, indica que Barnabé era muitíssimo conhecido e respeitado não só nas igrejas que visitou antes com Paulo, mas também em outras.[2] Marcos aparece depois, em Roma, em companhia de Paulo (Cl 4.10; Fm 24; 2Tm 4.11) e também de Pedro (1Pe 5.13).[3]

---

1   Há um bom estudo desse assunto, tentando esboçar a jornada espiritual de Barnabé: RADL, W. "Das 'Aposelkonzil' und seine Nachgeschichte dargeestellt am Weg des Barnabas". *ThQ* 162 (1982), p. 45-61.

2   De acordo com lendas antigas, Barnabé morreu como mártir em Salamina no ano de 61. Outra lenda alega que ele fundou a igreja em Milão. Tertuliano, no fim do século II, afirma que Barnabé escreveu a epístola para os Hebreus (*On modesty*, p. 20).

3   De acordo com Papias, bispo de Hierápolis, em meados do século II, Marcos era o "intérprete" (*hermeneutes*) de Pedro: "Marcos, intérprete de Pedro, registrava por escrito, de forma cuidadosa, embora não em ordem, todas as coisas que ele lembrava sobre os ditos e feitos do Senhor". Eusébio de Cesareia afirma que foi Marcos quem levou o evangelho para Alexandria: "Diz-se que esse Marcos foi o primeiro a ser enviado para o Egito e que, lá, pregou o evangelho e fundou igrejas, começando com a própria Alexandria" (*C. H.* 2.16.1).

2. Timóteo junta-se à missão (16.1-5)

As três cidades mencionadas aqui — Derbe, Listra e Icônio — já testemunharam o trabalho missionário de Paulo e Barnabé em sua jornada anterior (14.1-21). O versículo 1 começa no singular (A21: "[Paulo] chegou") porque é a continuação do fim do capítulo 15, no qual Paulo é o sujeito. Fica claro que Paulo e Silas estão juntos em Derbe e Listra.

É em Listra que Paulo encontra Timóteo, homem bem conhecido e respeitado entre os líderes de Listra e Icônio. Timóteo devia ser bem jovem, pois, muito mais tarde, nas epístolas pastorais, reflete-se uma tradição de que ele ainda é relativamente jovem, quando Paulo já está bem idoso (1Tm 4.12; 2Tm 2.22).

Timóteo era filho de mãe judia com pai pagão ("grego"). De acordo com a lei judaica, o filho de mãe judia era considerado israelita. Paulo queria levar Timóteo com ele, mas temia que sua condição de ser judeu incircuncidado criasse problema com os outros judeus. A frase: "Todos sabiam que seu pai era grego", sugere que era de conhecimento geral que ele não fora circuncidado. Por isso, Paulo decidiu circuncidar Timóteo. (Compare isso com Gálatas 2.3, em que Tito, pagão de nascimento, não é circuncidado.)

Embora a decisão de Jerusalém em relação a gentios convertidos tivesse tratado estritamente dos "irmãos dentre os gentios em Antioquia, Síria e Cilícia", Paulo parece ter entendido que isso tinha de se aplicar a todas as comunidades cristãs e, por essa razão, ele viaja de um lugar para outro transmitindo as "decisões" (*dogmata*) de Jerusalém.[4]

Finalmente, o versículo 5 é outro "resumo" de Lucas, em que, provavelmente, outras igrejas, bem como um período relevante são condensados.

3. A visão do macedônio (16.6-10)

A direção geral da rota descrita aqui é noroeste. Em poucas palavras, uma longa viagem que deve ter levado, pelo menos, diversos meses, é resumida. A Galácia era uma província do Império Romano e também uma região um tanto menor. A província romana da Galácia, criada por Augusto César, em 25 d.C., incluía, além da própria Galácia habitada por gálatas, outras terras habitadas por frígios, licaônicos e outros. Como, depois, Paulo escreveu uma epístola para os Gálatas, o assunto sobre quais regiões o apóstolo, de fato, visitou está intimamente relacionado

---

[4] Os versículos 3 e 4 são expandidos de modo relevante no texto ocidental. Os detalhes fornecidos aqui, que parecem críveis e historicamente acurados, fornecem argumento para os que sustentam que, pelo menos, aqui e em outras porções do capítulo 16 (16.3,4,9,10,35-40), o texto ocidental reflete a revisão feita por Lucas mesmo. Delebecque, É. 'De lystres à Philippes (Ac. 16) *avec le codex Bezae*". *Bib* 63 (1982), p. 395-405.

com o debate entre estudiosos referente aos verdadeiros destinatários da epístola. Embora Atos não diga isso, Paulo informa-nos que uma doença o forçou a ir à Galácia (Gl 4.13,14).

Talvez essa enfermidade seja aquela a que Atos se refere ao declarar que o Espírito Santo não permitiu que os missionários falassem na Ásia e na Bitínia. Por sua vez, talvez o impedimento do Espírito a que Lucas se refere fosse uma visão, semelhante àquela que chamou Paulo à Macedônia.

A tradução do versículo 8 da A21, "passando pela Mísia", é menos exata que a da NVI "contornaram a Mísia". O grego sugere que eles evitaram essa região e viajaram para Trôade por mar.

É em Trôade, "de noite", que Paulo tem a visão que pode ser uma indicação que essa visão tenha vindo na forma de sonho. Nessa visão, um homem macedônio implora a Paulo: "Vem para a Macedônia e ajuda-nos"; ou seja, que ele atravesse a Europa e vá ajudá-los.[5] O texto grego deixa muito claro que o macedônio era um homem.

É no versículo 10 que, em resposta à visão, aparece pela primeira vez a primeira pessoa do plural em Atos (isto é, sem contar o texto dúbio de 11.28): "Logo procuramos partir para a Macedônia, concluindo que Deus nos havia chamado para lhes anunciar o evangelho". Essas seções em que os verbos estão na primeira pessoa do plural (16.10-17; 20.5-15; 21.1-18; 27.1—28.16) são muito discutidas. Por que em algumas passagens, e apenas nelas, Lucas usa a primeira pessoa do plural, "nós"? Alguns estudiosos acham que na escrita dessa seção do livro de Atos, Lucas usou algum material escrito por um dos companheiros de Paulo — ou talvez até mesmo por alguém sem relação alguma com Paulo — um tipo de diário de viagem.[6] A principal dificuldade com essa sugestão é que ela não explica por que Lucas não se deu ao trabalho — o que seria bem simples — de transpor a narrativa para a terceira pessoa para concordar com o restante do livro. Ele devia estar ciente de que a narrativa, nessas passagens, é apresentada de uma perspectiva diferente, dos olhos de uma testemunha.

Outros sugerem que Lucas usou a primeira pessoa do plural como recurso de estilo a fim de apresentar um ponto em particular. Assim, por exemplo, Haenchen alega que "o 'nós', nessa circunstância, tem o mesmo efeito de um coro de admiração que confirma um milagre ocorrido em

---

5   Bowers, W. P. "Paul's route through Mysia: A note on Acts XVI.8". *JTS* 60 (1979), p. 507-11, menciona que a rota anterior que Paulo seguiu já o estava levando em direção à Macedônia e, com base nisso, declara que Paulo já decidira ir para lá, a visão apenas confirmou essa decisão.

6   Por exemplo, Dockx, S. "Luc a-t-il été compagnon d'apostolat de Paul?". *NRT* 103 (1983), p. 385-400; e Borse, U. "Die Wir-Stellen der Apostelgeschichte und Thimoteus". *StNTUmv* 10 (1985), p. 63-92, sugerem que foi um diário de viagem escrito por Timóteo.

outro lugar".⁷ Esse argumento também não é convincente, pois nem todas as passagens em que Lucas fala na primeira pessoa do plural merecem essa ênfase tão particular.

Ainda outros sugerem que o "nós" é um tipo de chave teológica secreta.⁸ Parece mais simples aceitar que o autor de Atos participou, pelo menos, desses episódios que foram escritos na primeira pessoa do plural e que, se ele não nos informa quando nem como se juntou ao grupo ou o deixou, é simplesmente porque essa é a maneira que sua narrativa sempre prossegue, em que os personagens desaparecem e aparecem de novo sem que o autor sempre nos informe quando eles deixaram o grupo ou quando se juntaram a ele de novo.⁹ Todavia, nem mesmo isso resolve o problema, que é bastante complexo.¹⁰

LIÇÕES MISSIONÁRIAS

A passagem que acabamos de estudar traz diversas lições missionárias que podem ser relevantes para a nossa situação atual.

A primeira é a necessidade de nutrir, supervisionar e admoestar a comunidade da igreja. Ao ler o livro de Atos, muitos têm a impressão de que Paulo passa todo seu tempo correndo de um lugar para outro, sempre procurando pregar o evangelho em novos lugares. O motivo para isso é que, conforme mencionamos reiteradamente, Lucas, com frequência, resume em poucas linhas o que bem pode ter durado meses, até mesmo anos. Nessa passagem, o propósito inicial de Paulo é "visitar os irmãos em todas as cidades onde anunciamos a palavra do Senhor, para ver como estão". Embora o Espírito fosse ampliar essa perspectiva e levar os missionários para novas terras, isso só aconteceria depois que eles tivessem visitado essas igrejas que foram fundadas antes. Em poucos versículos, Lucas resume um longo itinerário, quase o mesmo da jornada anterior de Paulo e Barnabé.

É importante enfatizar esse ponto, pois, em muitas de nossas igrejas hispânicas, com bastante frequência, a leitura deficiente de Atos leva a

---

7   HAENCHEN, E. *The Acts of the Apostle: A commentary,* p. 491.
8   Por exemplo, RIUS-CAMPS, Josep. *El camino de Pablo a la misión a los paganos,* p. 96, alega que é "um procedimento literário-teológico cujo propósito é dizer ao leitor, depois da ruptura entre Barnabé e Paulo, qual é a rota que o Espírito segue e qual ação por parte de Paulo e seu séquito que o Espírito Santo aprova ou desaprova". É difícil acreditar que Lucas escreveria um livro em código de tal maneira que quem não tivesse a chave para o "nós" interpretaria erroneamente o sentido do livro. E é ainda mais difícil acreditar que era necessário esperar até o século XX para que alguém conseguisse decifrar esse código.
9   Por exemplo, HEMER, C. J. "First person narrative in Acts 27—28". *TynByll* 36 (1985), p. 79-109, declara que, pelo menos, nos eventos relatados nos dois últimos capítulos do livro, Lucas estava presente.
10   Os vários aspectos e dimensões desse problema são bem resumidos em PRAEDER, S. M. "The problem of first person narratives in Acts". *NT* 29 (1987), p. 193-218.

estratégias missionárias questionáveis. Imaginamos que o que o Espírito exigia de Paulo, e agora exige de nós, era simplesmente que ele fosse de lugar em lugar pregando e fundando igrejas. O resultado seria um vasto número de igrejas locais com pessoas, recém-convertidas e pouco conhecimento da Escritura ou das implicações da fé para a vida diária nesses tempos complexos, a quem faltaria a ajuda necessária para amadurecer na fé. Em alguns círculos, pensa-se que a vocação do evangelista é mais alta que a do pastor. Há muita conversa sobre como muitas igrejas foram fundadas, quantas pessoas foram convertidas; mas dá-se pouca atenção à tarefa mais difícil — a de nutrir, confortar e desafiar todas essas novas igrejas e novos irmãos. Esquecemos que Paulo, além de, às vezes, passar mais de um ano em uma cidade, retornava com a frequência que podia às igrejas que plantava, e que suas epístolas, tão valorizadas hoje, são o resultado de seu interesse pastoral — desse mesmo interesse que o levou a sugerir a Barnabé que eles empreendessem uma nova jornada para visitar as igrejas "para ver como estão".

Entre os protestantes da América Latina, bem como entre protestantes hispânicos dos Estados Unidos, as consequências de uma leitura errônea do texto, às vezes, são bastante trágicas. Há pessoas que se deixam levar por "toda onda de doutrina" porque ninguém lhes ensinou a testar os espíritos. Qualquer um que apareça com uma nova interpretação da Escritura encontra presa fácil entre esses cristãos. Outros simplesmente aprenderam mecanicamente o que lhes foi ensinado e, embora não se permitam ser levados por toda onda de doutrina, não desenvolveram a maturidade necessária para enfrentar os desafios inesperados de cada novo dia.

Precisamos, com os evangelistas e missionários, os pastores e professores, pessoas que estudam e ensinam a Escritura em congregações e os que se juntam a elas perguntar de que forma, como cristãos fiéis, temos de responder aos desafios de hoje.

A segunda lição está na junção de Timóteo à equipe missionária. Sem dúvida, ele era bem recomendado, mas era jovem e inexperiente. Embora sejamos informados em outras passagens que a mãe e a avó dele eram cristãs (2Tm 1.5; 3.15), também é verdade que ele não fora nem mesmo criado como um bom judeu e que sua inexperiência e juventude poderiam levar Paulo a duvidar se seria acertado levá-lo, especialmente após a triste experiência com João Marcos. Contudo, parte da missão de Paulo consiste em recrutar os que continuarão e expandirão seu trabalho. Em muitas de nossas igrejas latinas, sofremos por causa da tentativa de determinados líderes de controlar tudo. Os que detêm posição de autoridade parecem achar, por algum tempo, que podem deter essa posição para sempre. Por isso, em vez

6. Missão na Europa (15.36–18.22)

de preparar as novas gerações para assumir a responsabilidade e de permitir que ocupem essas posições tão logo estejam preparadas para isso, surgem conflitos em que a geração mais velha tenta manter o controle, enquanto os jovens lutam contra esses presbíteros a fim de participar da liderança ou simplesmente, deixam a igreja e mudam para outras esferas onde são mais bem recebidos.

A terceira lição também está no episódio de Timóteo. Paulo defendeu a posição de que os convertidos entre os gentios não deviam ser forçados a ser circuncidados nem sobrecarregados com as obrigações das leis rituais de Israel. Todavia, Paulo, nesse caso particular, antes de levar Timóteo consigo, decide que este deve ser circuncidado, "por causa dos judeus que viviam na região". A rigidez e a intransigência infestam nossas igrejas e, com frequência, impedem nossa missão. Não estamos preparados para o serviço nem para cooperar com ninguém que não esteja em absoluta concordância com tudo em que acreditamos. Em algumas igrejas, os que ousam orar sem se ajoelhar são excomungados. Em outras, a mulher que usa aliança é muito ostentadora e não é boa cristã. Por sua vez, há igrejas em que se acha que quem não é tão revolucionário quanto o restante é reacionário, ignorante e apóstata. Todos nós temos tanta certeza e firmeza em nossas opiniões e convicções que não encontramos campos de ação em comum nem abrimos mão do mínimo. O resultado é que, enquanto nos envolvemos nessas discussões, a missão fica esquecida.

Há uma fábula antiga em que algumas lebres estão fugindo de um bando de cachorros. Uma das lebres grita: "Corram, os cachorros estão nos alcançando!" A outra responde: "Eles não são cachorros, são sabujos!" E, na discussão sobre se eles eram cachorros ou sabujos (cães farejadores), o grupo de agressores alcançou as lebres e as matou.

Paulo está bem consciente — provavelmente muito mais que a maioria de nós — dos perigos inerentes do legalismo, por isso ele insiste que não é necessário ser circuncidado. Mas ele, quando chega o momento em que tem de escolher entre a missão e a concessão àqueles que não veem as coisas como ele vê, está preparado para fazer essa concessão.

Por fim, o texto fornece-nos algumas percepções referentes às dificuldades encontradas na missão. Além das tensões com Barnabé, que já eram um fardo e tanto, Paulo e seus companheiros, agora, descobrem que não podem pregar na Ásia. A epístola para os Gálatas parece indicar que uma das dificuldades encontradas por Paulo foi uma doença que, de alguma maneira, forçou-o a mudar seu itinerário, mas cujo resultado foi sua missão entre os gálatas. A seguir, por não poder pregar na Ásia, Paulo planejou ir à província de Bitínia, onde havia cidades importantes. Contudo, mais uma vez, o Espírito não permitiria isso. Dizemos com bastante frequência e com bastante acerto que o Espírito vai a nossa frente, abrindo portas para o evangelho; mas o oposto também pode ser verdade. Às vezes, o Espírito fecha portas a fim de nos guiar a rotas que não pensamos em seguir. Nem sempre as dificuldades no caminho da igreja são obra do Maligno. Às vezes, elas são obra de Deus que, como pastor, guia-nos para onde devemos ir. Na verdade, ao ler essa passagem, a imagem vem imediatamente à mente, pois parece que o Espírito está pastoreando Paulo e seus companheiros para Trôade, a fim de lhes garantir uma nova visão.

Quando surgem dificuldades, e as alternativas parecem desaparecer, nossa inclinação costumeira é desistir. Nesses momentos, faremos bem em lembrar como o Espírito guiou Paulo em direção à Europa. Também devemos ter como exemplo William Carey, o famoso missionário que atuou na Índia que, em uma de suas cartas, diz: "Agora, minha posição está insustentável. [...] Há dificuldades em todos os lugares e até mais à frente; portanto, não temos alternativa a não ser continuar".[11]

As igrejas protestantes da América Latina estão enfrentando enormes dificuldades. Algumas dependem há muito tempo de fundos que, agora, não são tão abundantes. Outras começam a perceber que os métodos de pregação e de testemunho que funcionavam poucas décadas atrás se tornam obsoletos rapidamente. Outras estão perplexas com as crises política, econômica e social em seus países. Outras estão em conflito com o governo. Algumas se perguntam como manterão as jovens gerações, com frequência, tentadas por opções que seus presbíteros não têm. Há dúvidas, dificuldades e perigos em todo lugar. Portanto, não temos alternativa a não ser avançar.

B. FILIPOS (16.11-40)

A narrativa continua na primeira pessoa do plural até o versículo 17, no qual o narrador começa a se distinguir de Paulo ("Paulo e a nós") e, finalmente, no versículo 18, retorna para a terceira pessoa.

1. O COMEÇO DA MISSÃO NA EUROPA (16.11-15)

A jornada de Trôade para Neápolis levou dois dias. Naquela época, os marinheiros evitavam viajar à noite, por essa razão, nesse caso em particular, eles pararam na ilha de Samotrácia, aproximadamente, na metade de sua jornada. A distância é de cerca de 250 quilômetros, o que indica

---
11   Citado em OUSSOREN, A. H. *William Carey: Especially his missionary principles*. Leiden: A. W. Sijthoff, 1945, p. 66.

6. Missão na Europa (15.36–18.22)

que os ventos estavam favoráveis. Em outra ocasião, na direção oposta, a mesma jornada levou cinco dias (20.6). Neápolis (que quer dizer "nova cidade") era um porto cerca de 15 quilômetros de Filipos. A frase: "Cidade mais importante desse distrito da Macedônia", pode ser interpretada de várias maneiras. Ela pode simplesmente indicar que Filipos era a primeira cidade na rota que os missionários seguiriam — "a cidade mais importante desse distrito da Macedônia". O Códice Beza, manuscrito representando o texto ocidental, diz que Filipos era "a capital da Macedônia". Isso não é verdade. Outros intérpretes, aventando a possibilidade de uma leve variação no texto e o fato de que a Macedônia era dividida em quatro distritos, sugerem que a frase, na verdade, quer dizer que Filipos estava localizada no primeiro desses distritos. De todo modo, Lucas está bastante certo em chamar Filipos de "colônia romana", pois essa era precisamente a posição legal da cidade.[12]

A expressão "alguns dias" do versículo 12 refere-se ao tempo antes do sábado ao qual o versículo 13 alude, pois é evidente que os missionários permaneceram em Filipos muito mais tempo que isso. De todo jeito, naquele sábado, eles foram à periferia da cidade, perto do rio, onde eles supunham[13] que havia um "lugar de oração". Aparentemente, eles não fizeram contato com os judeus da cidade ou não encontraram ninguém com quem pudessem fazer contato. O termo *proseuxe*, traduzido por "lugar de oração", às vezes, era usado como sinônimo para "sinagoga". Portanto, os missionários procuram um lugar em que os judeus se reúnem para orar ou pela sinagoga.

O que eles encontram é um grupo de mulheres. Esse não era um culto formal na sinagoga, o qual exigiria a presença de dez homens. Mas eles parecem ter encontrado o lugar que procuravam, pois as mulheres estão reunidas ali para orar. Foi lá que eles conheceram Lídia, de Tiatira, uma mulher "temente a Deus" que vendia tecidos de púrpura. Como Tiatira fica na região de Lídia, é possível que "Lídia" não fosse realmente seu nome, mas, antes, uma referência ao seu lugar de origem — da mesma maneira que, hoje, alguém do Texas pode ser chamado "Tex". Alguns especulam que Lídia, na verdade, era uma das duas mulheres a quem, mais tarde,

---

12   O título de "colônia" era conferido pelo imperador a determinadas cidades. Estas eram originalmente lugares em que grupos de cidadãos romanos pobres, com frequência, veteranos de guerra, haviam se estabelecido à procura de terras. Em Filipos, Cesar Augustus havia deixado os veteranos de guerra com Marco Antonio, que terminou no ano 31 a.C. A cidade tinha os privilégios de *jus italicum*, quer dizer, os mesmos princípios legais que os aplicados em solo italiano. BRUCE, F. F. "St. Paul in Macedonia". *JnRyl* 61 (1979), p. 337-54, oferece vários detalhes mostrando que Lucas é bastante preciso em sua descrição das condições geográficas e políticas de cada lugar de que fala. O nome completo de Filipos era "Colônia Julia Augusta Filipense".

13   Essa é uma tradução melhor que a da BJ, que não leva em consideração a expectativa dos missionários.

Paulo refere-se em Filipenses 4.2. A púrpura era uma cor obtida a partir de um saco de tinta de moluscos minúsculos e altamente valorizados. Assim, pode-se supor que uma comerciante de tecido de púrpura tinha recursos econômicos relevantes. A narrativa não deve ser entendida no sentido de que Lídia se converteu quando Paulo e seus companheiros falaram com ela pela primeira vez. Ao contrário, os tempos verbais parecem indicar que o processo continuou por algum tempo e culminou com o batismo de Lídia e sua família. De acordo com o uso da época, o termo "família" ou "casa", em especial no caso de pessoas ricas, incluía todas as pessoas — parentes e também servos e outros — ligados à família de muitas maneiras. Portanto, a "casa" de Lídia bem pode incluir várias pessoas.[14]

Lídia, depois de sua conversão, convidou os missionários para viver em sua casa. Sabemos que Paulo evitava receber dinheiro ou bens materiais de seus discípulos ou convertidos (veja 20.33-35). Por isso, Atos diz: "E nos compeliu a isso". Paulo não esqueceria esse gesto, nem a contínua generosidade dos filipenses, à qual ele refere-se em Filipenses 4.15,16: "Sabeis, ó filipenses, que, no princípio do evangelho, quando parti da Macedônia, nenhuma igreja se comunicou comigo quanto a dar e receber, mas somente vós; pois, enquanto eu ainda estava em Tessalônica, supristes as minhas necessidades, não só uma vez, mas duas" (veja também 2Co 11.9).

MISSÃO, DESAFIO E OPORTUNIDADE

A passagem conta-nos muito a respeito da flexibilidade exigida a fim de ser fiel à missão. Já vimos que Paulo era capaz de ter uma percepção mais ampla que seus irmãos fariseus de Jerusalém, precisamente por causa de sua experiência missionária. Aqui, observamos outra dimensão da flexibilidade que a missão exige e produz.

A primeira coisa a ser observada é que os missionários procuram uma sinagoga ou lugar de oração, aparentemente, na expectativa de encontrar lá alguns homens com quem pudessem compartilhar sua mensagem e o que encontram é um grupo de mulheres em oração. O costume e a estratégia de Paulo eram começar seus contatos em cada nova cidade por intermédio da sinagoga. Agora, ele descobre que não há sinagoga, mas só um grupo de mulheres que se reúnem para orar. O contraste entre isso e o que os missionários esperavam é contundente, se nos lembrarmos de que a visão em Trôade fora de um "homem da Macedônia", e o que eles encontram é um grupo de mulheres. Isso não breca Paulo, que

---
14 Será que as crianças estão incluídas no batismo de Lídia e sua família ou no batismo do carcereiro e sua família? O texto não fornece nenhuma base sobre a qual afirmar ou negar isso.

6. Missão na Europa (15.36–18.22)

compartilha sua mensagem com as mulheres, e o resultado é a conversão de Lídia, cuja família será o primeiro núcleo da igreja de Filipos, e proverá um centro de operações para os missionários.[15]

Lídia não só se converte, mas também traz toda sua casa para o Senhor e, depois, insiste que Paulo e seus companheiros hospedem-se em sua casa. Isso era contrário às práticas missionárias normais de Paulo, pois ele buscava se sustentar com sua atividade de fazer tendas (à qual retornaremos mais tarde) e insistia em não receber ajuda material dos convertidos. A despeito disso, Paulo aceitou a generosa oferta e, desse ponto em diante, contou com o auxílio dos filipenses não só quando estava em Filipos, mas também, depois, no prosseguimento de sua missão.

Essa flexibilidade na missão é urgentemente necessária hoje. As igrejas, com frequência demais, ainda estão amarradas a políticas e estruturas missionárias que eram bastante úteis meio século atrás, mas que não são mais. Em algumas cidades, Paulo começou seu trabalho na sinagoga, mas, em outros lugares, ele começou de outras maneiras. O que funcionou uma vez, não funciona sempre do mesmo jeito. As campanhas evangelísticas, por um tempo, foram bem-sucedidas entre os latino-americanos. No entanto, é importante lembrar que novos métodos podem ser necessários em novas circunstâncias. Como devemos evangelizar estudantes? Trabalhadores de indústria? As massas que foram desarraigadas de suas terras, e muitas dessas pessoas, agora, vivem nas cidades da América Latina e dos Estados Unidos? Os mesmos métodos não se ajustam a todos.

Outro ponto importante é que Lídia, tão logo se converte, põe seus recursos a serviço da missão. Alguns de nós acostumamo-nos a receber recursos de fora e, por meio dessa ajuda financeira, foram criadas igrejas dependentes cuja principal preocupação é saber o que fazer para continuar a receber esses recursos de fora que, agora, parecem necessários para a sua sobrevivência. Assuntos de administração têm de ser reexaminados não só para tratar a respeito de quanto cada indivíduo deve dar, mas também de como nossas igrejas podem se tornar parceiras plenas na missão total da Igreja de Jesus Cristo. Foi isso que Lídia e os filipenses fizeram, pois eles, embora não viajassem com Paulo, participaram com o apóstolo por meio de seus recursos.

---

15 A despeito do que se diz comumente, Paulo parece ter superado muito do preconceito de seu tempo contra as mulheres. Pode-se observar isso em Atos, em que mulheres, como Lídia e Priscila, desempenham um papel importante, e também nas epístolas de Paulo. Isso é particularmente verdade se, conforme é comumente sustentado, Efésios e as epístolas pastorais são deuteropaulinas, e se a passagem, em 1Coríntios, sobre as mulheres manterem silêncio, na verdade, for uma extrapolação das pastorais. Um livro muito valioso em relação à posição de Paulo *vis-à-vis* às mulheres é MacDonald, Dennis R. *The legend and the apostle: The battle for Paul in story and canon.* Filadélfia: Westminster Press, 1983.

2. A menina com espírito de adivinhação (16.16-24)

Esse episódio, provavelmente, acontece logo depois do antecedente, pois leva para o fim do ministério de Paulo em Filipos. Na história sobre Lídia, Lucas informa-nos sobre o início desse ministério. No episódio da menina e em sua sequência, a do carcereiro, ele informa-nos sobre o fim do ministério. Deve ter transcorrido algum tempo entre os dois.

Aparentemente, o lugar para o qual os missionários se dirigiam quando a menina escrava com "um espírito adivinhador" encontrou-os é o mesmo lugar de oração onde haviam se encontrado com Lídia.[16] Lucas entende essa frase com um sentido pejorativo — o espírito de adivinhação é, de fato, um demônio.

Esse demônio, como acontece muitas vezes no Novo Testamento, vê o que o ser humano não consegue ver e, por isso, declara: "Estes homens são servos do Deus Altíssimo. Eles vos anunciam o caminho da salvação". Ela não fez isso uma vez, mas, antes, por muitos dias, seguindo Paulo e seus companheiros. Depois de um tempo, Paulo interveio, dirigiu-se ao espírito em nome de Jesus Cristo, e o espírito deixou a menina.

Poderia se imaginar que pela garota ser curada do que era um caso óbvio de possessão demoníaca, todos se alegrariam. Mas não foi isso que aconteceu. Os proprietários da jovem, que obtinham "grande lucro" com ela (v. 16), ficaram enraivecidos e, como vingança pelo que perderam, eles se apossam de Paulo e Silas (o texto não nos informa nada sobre Timóteo nem sobre o ex-protagonista das porções com "nós") e os acusam. Como não podem acusar Paulo e Silas de ter expulsado um espírito de adivinhação, eles acusam-nos de perturbar a paz (v. 20) e de corromper os bons costumes dos romanos (v. 21).[17]

O julgamento não é realmente um julgamento, mas, antes, um tumulto. Os magistrados não deram a Paulo e Silas nem mesmo uma oportunidade de se defenderem e os espancaram com varas; depois disso, eles foram presos. A prisão deles "na prisão interna" e com os pés presos ao tronco torna a libertação deles ainda mais surpreendente.

---

16 A maioria das versões traduz essa frase ou algo similar por literalmente "espírito de pitonisa". De acordo com a tradição antiga, em Delfos, existiu uma serpente famosa chamada Píton que pronunciava oráculos. Apolo matou-a e tomou seu lugar, por isso ele era chamado Apolo Píton, e a mulher que pronunciava oráculos em Delfos foi chamada de "pitonisa". Às vezes, ventríloquos que, com frequência, usavam sua habilidade para parecer profetas, também eram chamados de *píton*.

17 Com exatidão histórica, Lucas chama os magistrados de *strategoi* (em latim, *duumviri*), que era o título desses magistrados de colônias romanas como Filipos.

6. Missão na Europa (15.36–18.22)

QUANDO O MAL PRODUZ O BEM, E O BEM PRODUZ O MAL

A passagem é bastante interessante, pois aqui temos um demônio testemunhando do evangelho. E, depois, quando Paulo cura a menina, o bem que ele faz, em vez de render admiração e gratidão, faz que seja açoitado e preso. Observemos esses dois elementos em ordem.

(1) O demônio (ou "espírito de *píton*") testemunha do evangelho. Paulo não aceita esse testemunho; antes, repreende o espírito e expulsa o demônio.

Isso contrasta de forma contundente com o que aconteceu na Europa quando Hitler ascendeu ao poder. O papa e a cúria receberam notícias das atrocidades sendo cometidas contra os judeus e contra os inimigos do regime alemão. Porém, para não criar problema para a igreja tendo em vista que, em todo caso, Hitler não estava atacando essa igreja, decidiram permanecer em silêncio.

Todavia, não falemos apenas dos erros do papado. Há situações semelhantes também entre os protestantes. Há entre nós muitos "demônios" que dão testemunho verbal do evangelho. Nunca me esqueço de quando visitei o antigo palácio do último ditador Rafael Leónidas Trujillo e, lá, na parede da sala de jantar, vi uma placa dizendo: "Jesus é o convidado invisível a nossa mesa, testemunha silenciosa de nossa conversão". Jamais esquecerei também que, antes da morte do ditador, ouvi irmãos protestantes falarem de que o tinham visitado e ficado impressionados com aquele "testemunho". Na verdade, era um "testemunho", mas um testemunho do quê? Aceitar esse testemunho simplesmente por uma questão de conveniência ou para justificar dizendo que, afinal, o importante para nós é que as pessoas acreditem, seria um falso testemunho não só da parte do ditador, mas também da nossa parte. Nesse caso, seria muito melhor, diante do exemplo de Paulo, reprovar o espírito maligno, em vez de aceitar um testemunho que, embora verbalmente correto, é arruinado por seu próprio mal.

Há outros "demônios" que dão testemunho semelhante. Em algumas de nossas regiões agrícolas, há grandes empreendimentos que tomam posse de vastas extensões de terra, a ponto de os camponeses que, antes podiam produzir o suficiente para as suas famílias e, até mesmo, guardar uma sobra para vender, não têm, agora, alternativa a não ser trabalhar para a empresa pelo salário que a própria empresa determine e nas condições, quaisquer que sejam elas, que a empresa imponha. Há casos em que essas corporações garantem um pedaço de terra para a construção de uma igreja protestante ou, até mesmo, pagam a própria construção da igreja. E, assim, imaginamos que isso é suficiente para esquecer todo restante, e que a empresa está "testemunhando" de Jesus Cristo. É provável que Paulo dissesse o que disse para o espírito de adivinhação da menina: "Eu te ordeno em nome de Jesus Cristo".

Em suma, nem todo mundo que diz "Senhor, Senhor" entrará no reino dos céus, nem nós temos de aceitar o testemunho de alguém que, como esse espírito de adivinhação, diz: "Estes homens são servos do Deus Altíssimo. Eles vos anunciam o caminho da salvação".

(2) Paulo cura a menina; no entanto, o bem, em vez de trazer-lhe glória e gratidão, trouxe-lhe açoitamento e prisão.

Há um dito popular que diz: "Não há mal que não traga algum bem". Talvez também devêssemos dizer o oposto: "Não há bem que não traga algum mal". Talvez isso seja um tanto exagerado, mas, com frequência, é verdade. Vivemos em um mundo caído que, por essa razão, é dominado pelas estruturas do pecado. Por isso, quando nos opomos ao pecado, estamos nos opondo aos interesses de alguém. Paulo cura a menina; mas, ao fazer isso, ele prejudica os interesses econômicos dos donos dela, que, portanto, acusam-no e conseguem que seja açoitado e preso.

Não entenda que esse ponto pode inibir nossa obediência, pois, de algum modo, imaginamos que a igreja pode ser fiel sem ser controversa. Conforme já afirmado, a palavra "controverso" serve de breque contra muitas de nossas melhores tentativas. Sem ser controverso, é impossível ser fiel. Isso não quer dizer que devemos sair em busca de conflitos só para termos conflitos, mas quer dizer que devemos estar preparados para entender que nossa obediência e fidelidade, inevitavelmente, levam ao conflito e, por isso, devemos estar preparados para não ficarmos desencorajados nem duvidarmos quando esses conflitos ficarem aparentes.

Examinemos dois exemplos. O primeiro vem de uma igreja hispânica dos Estados Unidos. Os líderes dessa igreja tomaram conhecimento de que muitas pessoas do bairro não podiam trabalhar porque o transporte público era inadequado; então começaram a organizar para que uma linha de ônibus passasse pela vizinhança. Eles achavam que estavam fazendo o bem. Porém, logo, descobriram que várias pessoas importantes da vizinhança — incluindo dois membros da igreja — viviam de transportar a preços inflacionados os que tinham urgência no transporte. Logo, a controvérsia eclodiu: "A igreja não tem ingerência nesses assuntos".

O segundo exemplo vem de uma favela em uma cidade latino-americana. A igreja, vendo que muitos de seus membros e vizinhos não ganhavam o suficiente para comer e que os preços nos mercados da vizinhança eram

6. Missão na Europa (15.36–18.22)

altos, organiza uma cooperativa dos consumidores. Duas vezes por semana, eles trazem alimento, mas a preços de atacado e vendem o alimento praticamente sem lucro. Mas a oposição já começa a surgir, pois, entre os comerciantes da vizinhança, há diversos que têm contribuído para os programas da igreja em diversas ocasiões e, agora, declaram que a igreja está minando seu negócio. A igreja deve fechar sua cooperativa dos consumidores que, de repente, tornou-se controversa? Ou sua própria fidelidade ao evangelho exige que ela continue no caminho que tomou?

3. O CARCEREIRO DE FILIPOS (16.25-34)

A passagem é uma das mais conhecidas do livro de Atos. A despeito de terem sido açoitados, de estarem feridos e presos ao tronco, Paulo e Silas cantam à meia-noite. Os outros prisioneiros os ouvem, o que é incluído na narrativa a fim de torná-los testemunhas do milagre que se seguirá. De repente, há um terremoto. Ressalta-se que isso é um milagre, e não um mero fenômeno natural, com a afirmação de que não só as portas se abriram, mas também as correntes se soltaram. Contudo, ninguém fugiu, embora Lucas não nos diga a razão para isso. O carcereiro, acreditando que os prisioneiros escapariam e ele seria desonrado, está pronto para tirar a própria vida, quando Paulo lhe diz que ninguém fugiu.

A seguir, temos a famosa pergunta do carcereiro que, tremendo diante de Paulo e Silas, pergunta: "Senhores, que preciso fazer para ser salvo?" É possível que a pergunta mesmo não tivesse todas as dimensões teológicas que as pregações posteriores lhe atribuíram. O carcereiro fica assustado com o terremoto, uma clara prova da ira divina em relação à maneira como os missionários foram tratados. O que ele deseja é fugir da punição, independentemente de qual seja ela, que um Deus tão poderoso possa ter preparado para ele. Como ele pode ser salvo dessa punição? O versículo 31 registra a famosa resposta dos missionários: "Crê no Senhor Jesus, e tu e tua casa sereis salvos". O fato de que Lucas nos informa que Paulo e Lucas dizem isso é uma indicação de que essa não é uma mera fórmula que ambos repetem em uníssono. Antes, quer dizer que, em resposta à pergunta do carcereiro, os missionários falam a ele sobre o evangelho. Em resposta a essa mensagem, o carcereiro lava as feridas deles e é batizado com "todos os seus".[18]

---

18   Como no caso de Lídia e sua família, aqui também houve muita discussão para saber se esses batizados incluíam crianças ou não. O texto não diz uma palavra sobre isso, e qualquer coisa que determinado intérprete diga em uma ou outra direção é apenas reflexo das percepções preconcebidas desse intérprete.

UMA CONVERSÃO RADICAL

A passagem a respeito do carcereiro de Filipos é bem conhecida. A frase, em geral, ressaltada na pregação dessa passagem é: "Crê no Senhor Jesus, e tu e tua casa sereis salvos". Sem dúvida, essa frase é o centro e o ponto alto da narrativa. Contudo, ao estudar a passagem inteira, percebemos algumas dimensões muitas vezes negligenciadas.

A mais notável é a mudança que ocorre no carcereiro como resultado de sua conversão. Eis aqui um homem cuja carreira e prestígio pessoal são tão importantes que, quando ele pensa que os prisioneiros fugiram, está preparado a tirar a própria vida. Para ele, a vida não tem valor sem o prestígio e o respeito. Agora, depois de sua conversão, ele pega esses prisioneiros que foram confiados a ele com várias recomendações e é ele quem os tira da cela, lava suas feridas e os leva para a sua casa a fim de alimentá-los. Aparentemente, agora, sua carreira e prestígio profissional não têm mais a antiga importância, a ponto de ele arriscá-los para cuidar de Paulo e Silas e oferecer hospitalidade.

Esse é o caráter da verdadeira conversão. Nas igrejas hispânicas de todas as Américas, há muita pregação a respeito da "conversão" sem valor. Com base nesse texto em particular, dizemos: "Tudo que é necessário para ser salvo é crer em Jesus". O que não dizemos e, com frequência, nem mesmo percebemos é que crer em Jesus inclui muito mais que a mera concordância. A conversão também é uma mudança radical não só na maneira pela qual vivemos, mas também nos valores pelos quais medimos o sucesso na vida. Para a pessoa rica acostumada a achar que o dinheiro é tudo, a conversão deve incluir uma nova vida em que seus recursos econômicos são postos à disposição de Deus. Para uma mulher profissional acostumada a achar que sucesso na vida está no prestígio e no respeito que os outros lhe conferem, a conversão deve levá-la a buscar formas em que sua profissão pode verdadeiramente estar a serviço de todos. E, se esses meios não podem ser encontrados, talvez a conversão deva levar à busca de outra ocupação ou meios de serviço. (Nesse contexto, estou pensando em uma mulher jovem que conheci na Argentina, uma violinista de grande potencial que, certo dia, simplesmente disse ao professor com o qual estava estudando no estrangeiro que, como cristã, estava ficando cada vez mais difícil para ela devotar sua vida a "tocar músicas bonitas para os ricos". Ela retornou ao seu país, onde passou a se devotar a procurar emprego para os jovens de uma favela.)

O evangelho inclui as boas-novas de que nossa vida pode ser útil no reino de Deus. Também inclui as boas-novas de que o valor de nossa vida não depende da maneira como a sociedade a avalia. Para o carcereiro de

6. Missão na Europa (15.36–18.22)

Filipos, não era mais necessário medir a vida em termos de se ele cumpriu corretamente sua tarefa de deter os prisioneiros. Para nós, se verdadeiramente recebemos o evangelho, as boas-novas incluem a liberdade para ser obedientes, para ser autênticos, a despeito de tudo que a sociedade possa esperar de nós.

4. Os missionários são absolvidos e expulsos (16.35-40)

No dia seguinte, os magistrados enviam a "polícia"[19] com ordem de libertar Paulo e Silas. O texto não nos informa a razão por que a ordem foi dada. O Códice Beza e, com ele, boa parte do texto ocidental atribuem isso ao terremoto, sugerindo que os magistrados souberam que ele fora causado pelo Deus dos missionários. Alguns sugerem que Lídia, ou algum cristão influente, pode ter intervindo. A partir do texto, fica pelo menos aparente que os magistrados ordenaram o açoitamento e a prisão dos acusados em meio a um tumulto, cedendo à pressão do momento, e que eles, provavelmente, não tinham interesse em seguir com o processo judicial formal contra eles.

É, nesse momento, que Paulo surpreende as autoridades lhes dizendo que ele e Silas são cidadãos romanos. A *Lex Julia*, antigo princípio legal romano, proíbe o açoitamento de um cidadão romano.[20] Os magistrados querem que Paulo e Silas deixem a cidade secretamente, o que pode trazer vergonha para o evangelho que eles proclamam. Por isso, agora, Paulo exige que os próprios magistrados venham e os libertem. Isso causa grande temor entre os magistrados que vão à cadeia pedir desculpas e imploram a Paulo e Silas que deixem a cidade sem criar mais problemas para eles.[21]

Aparentemente, os missionários concordaram, embora eles não abandonem a cidade antes de visitar Lídia e se despedir da igreja. Anos depois, Paulo lembraria o episódio inteiro em 1Tessalonicenses 2.2.

HUMILDADE E DIGNIDADE

Ao ler essa passagem, quase parece que Paulo se comporta como uma criança mimada. Ele reclama que os magistrados, depois de os açoitar

---

19 Aqui, mais uma vez, Lucas emprega o termo correto para os que fazem esse tipo de trabalho em uma colônia romana.

20 De acordo com Cícero: "Qualquer um que amarre um cidadão romano comete uma iniquidade, e qualquer um que o açoite comete crime" (*In Verrem* 2.5.66). Por que Paulo e Silas não invocaram seus direitos antes de ser açoitados? Mais uma vez, o texto não nos diz. Se tudo isso aconteceu no meio de um tumulto, é concebível que eles não tiveram oportunidade de afirmar seus direitos.

21 Logo antes, no ano 44, o imperador Cláudio puniu a cidade de Rodes por ter desrespeitado os privilégios tradicionais de cidadãos romanos, crucificando um deles (Turrado, Lorenzo. *Hecos de los apóstoles y Epístolas a los Romanos*. Madri: Biblioteca de Autores Cristianos, 1975, p. 172).

publicamente, querem se livrar secretamente deles, e ele apela para seus direitos de cidadão romano a fim de intimidar os magistrados e forçá-los a ir em pessoa lhe implorar para deixar a cidade. Contudo, o que está em jogo é muito mais que o orgulho ferido de Paulo. O que está em jogo é a dignidade do evangelho. Se Paulo e Silas simplesmente aceitassem a ordem para deixar a cidade sem nem mesmo se reunirem de novo com a igreja, eles deixariam a impressão de que eram sujeitos escorregadios cuja mensagem não é digna de crédito. Como os cristãos reagiriam? A fé deles vacilaria? Por isso, eles apelam para a sua cidadania romana, forçando, assim, os magistrados a levá-los a sério e também conseguindo a oportunidade de se reunir com a igreja antes de deixar a cidade.

Mais adiante neste comentário (22.25-29), teremos oportunidade de voltar ao uso da cidadania romana por parte de Paulo. No momento, contudo, é importante observar que Paulo não usa a cidadania romana em meio à filiação da igreja a fim de reivindicar maior importância, embora esteja bastante preparado para usá-la além das fronteiras da igreja a fim exigir respeito para Silas e para ele mesmo e, por implicação, para os outros cristãos.

Essa distinção é de grande importância e merece alguma reflexão. Em muitas de nossas igrejas, há cada vez mais pessoas que desfrutam de certo prestígio social. Como esse prestígio deve ser usado? Infelizmente, o uso mais frequente é para garantir que essas pessoas "respeitáveis" recebam tratamento especial na igreja. Em vez de edificar o corpo, isso ressalta distinções que, logo, levam ao ressentimento e à divisão. Aqueles que não são profissionais, que não têm propriedade ou que têm instrução limitada são menos privilegiados que o restante. Seria possível empregar qualquer prestígio social que nossos membros tenham para promover a união e a comunhão que pode ser um sinal para a comunidade a nossa volta, e não para criar distinções na comunidade de fé?

C. TESSALÔNICA (17.1-9)

A narrativa continua na terceira pessoa. Portanto, se o "nós" inclui Lucas, poderia parecer que ele permaneceu em Filipos. O texto não nos diz nenhuma palavra sobre Timóteo ou o que ele fez, pois seu nome não é mencionado de novo até Bereia (17.14). Por sua vez, Lucas, em geral, lida apenas com os personagens centrais de sua narrativa e menciona outros só quando é necessário. Além disso, na saudação das duas epístolas de Paulo para os tessalonicenses, Silas ("Silvano") e Timóteo são mencionados com Paulo, e essas duas epístolas parecem indicar que Timóteo estava

6. Missão na Europa (15.36–18.22)

entre os fundadores da igreja de Tessalônica. Assim, pode-se supor que Timóteo deixou Filipos com Paulo e Silas ou que se juntou a eles logo depois em Tessalônica.

A rota descrita em 17.1 segue a grande via *Egnatia*, uma das mais importantes estradas do Império Romano. A distância entre cada uma das cidades mencionadas (de Filipos para Anfípolis, de Anfípolis para Apolônia, de Apolônia para Tessalônica) é de cerca de 50 quilômetros, portanto, a distância total é de, aproximadamente, 150 quilômetros. A menção a Anfípolis e Apolônia pode indicar que essas eram paradas ao longo da rota seguida a cavalo, pois, do contrário, seria muito distante para viajar de uma cidade a outra em um único dia.[22] Não há indicação se eles pararam para pregar nessas outras cidades não mencionadas novamente no Novo Testamento. Tessalônica era a principal cidade da região e a residência do governador romano — a quem Lucas não menciona. Hoje, nas ruínas dela está a moderna cidade de Salônica.

Há poucas dificuldades no texto. Em Tessalônica, Paulo simplesmente seguiu seu costume de iniciar sua pregação na sinagoga, onde ele apresenta sua mensagem em três sábados. A mensagem é resumida em três pontos (17.3): (1) o sofrimento do Messias; (2) sua ressurreição; (3) o fato de que Jesus é o Messias.

Os que aceitam essa mensagem são descritos no versículo 4. "Alguns deles" referem-se aos judeus que acreditaram. A expressão "gregos tementes" apresenta algumas dificuldades. Como a expressão aparece na A21 e nos manuscritos em que essa versão se baseia, ela parece referir-se aos que, em outras passagens, são chamados de "tementes a Deus", ou seja, gentios que tinham se aproximado do judaísmo. No entanto, há diversos manuscritos do texto ocidental que dizem "gregos e pessoas devotas". Isso é sustentado pela Vulgata. Nesse caso, o texto refere-se a dois grupos distintos: alguns que eram "tementes a Deus" e os outros eram apenas pagãos. A referência a "mulheres de posição" aponta para uma situação que se tornaria permanente na igreja do século I: havia mulheres destacadas que se juntaram à igreja, muitas das quais sem o consentimento ou participação do marido ou pai.

Lucas não nos informa por que os judeus ficaram com "inveja". Em 13.45, parece que esses ciúmes referiam-se ao grande número de convertidos, que parecia superar o número de judeus na sinagoga. Aqui, ouvimos mais uma menção ao "grande número de gregos tementes a Deus e muitas mulheres de posição". Portanto, a inveja pode, mais uma vez, dever-se

---

22 Veja Lake, K. e Cadbury, H. J. *The beginnings of christianity*. Londres: MacMillan and Co., 1933, vol. 4, p. 202.

ao número de gentios convertidos. Não obstante, como não nos é dito que os missionários pregaram além dos limites da sinagoga, pode-se também supor que esses muitos convertidos, na verdade, eram pessoas que frequentavam a sinagoga e, provavelmente, a sustentavam. De todo modo, esses judeus invejosos buscam o apoio da população flutuante que existia em Tessalônica, como acontece em toda cidade, e que, aparentemente, não tem outra ocupação além de se juntar ao mais recente tumulto. Esses são os "homens maus dentre os desocupados".

Até aqui, Lucas nem mesmo mencionou Jasom que, de repente, aparece no versículo 5.[23] É claro que era na casa dele que Paulo e seus companheiros estavam hospedados. A multidão, a fim de encontrar os missionários, agarrou Jasom e alguns cristãos e os arrastaram para apresentá-los diante das autoridades.[24] Os cristãos são acusados de ser subversivos, tendo "agitado o mundo" e contradizendo os decretos do imperador "dizendo haver outro rei, Jesus". Jasom também é comprometido por ter oferecido hospitalidade a eles. Como os principais acusados não aparecem, as autoridades recebem fiança de Jasom e dos outros e os deixam ir. O texto não nos informa o que aconteceu depois com Jasom e o restante, embora Paulo, em 1Tessalonicenses, fale da "tribulação" que os cristãos enfrentaram (1Ts 1.6).

UMA MENSAGEM SUBVERSIVA

À medida que avançamos em nossa leitura de Atos, observamos que as acusações contra os cristãos ficam cada vez mais sérias. De início, elas limitavam-se a debates entre os judeus. Essas acusações permanecem em todo o livro. Depois, em Filipos, os donos da menina curada acusaram os missionários de ensinar "costumes que a nós, romanos, não é permitido acatar nem praticar". Agora, em Tessalônica, eles são acusados de ser desleais ao imperador, proclamando outro rei.

Essas acusações, em parte, são falsas, mas, em parte, também são verdade. Elas são falsas uma vez que não refletem os verdadeiros motivos por trás do fato de terem apresentado os missionários diante das autoridades. Mas elas são verdadeiras porque, na verdade, os missionários estão

---

23 O nome Jasom era relativamente comum. Alguns judeus cujo nome era Josué usavam esse nome como o equivalente grego do seu nome judaico. (Da mesma forma como Saulo usava Paulo.) Em vista da frequência que o nome aparece em documentos antigos, não é certo se esse Jasom é o mesmo parente de Paulo mencionado em Romanos 16.21.

24 Mais uma vez, Lucas mostra seu interesse na exatidão histórica quando chama essas autoridades de *politarchas*. Esse é um título que não aparece em nenhum lugar na literatura antiga. Contudo, várias inscrições mostram que esse era precisamente o título dado, em cidades gregas, a autoridades não romanas.

6. Missão na Europa (15.36–18.22)

chamando seus convertidos a práticas que eram proibidas (por exemplo, recusar-se a queimar incenso diante do imperador ou de deuses) e também porque o absoluto senhorio de Jesus cerceia o senhorio do imperador, que também se declara absoluto.

Depois, quando o Império Romano começa a perseguir os cristãos, existe a mesma situação. De início, a perseguição pode se dever ao entendimento errôneo. Mas conforme o tempo passa, quanto mais os romanos entendem a mensagem cristã, mais violenta e extrema se torna a perseguição.

Não há como negar tanto que, de fato, há um elemento subversivo na fé cristã. Os acusadores estavam certos em dizer que os missionários estavam agitando o mundo. Um aspecto crucial da fé cristã é a afirmação de que há uma diferença radical entre o mundo como é e o mundo como Deus deseja que ele seja. O reino de César não é o reino de Deus. Onde Deus é rei, não há outro governante absoluto. Por isso, toda afirmação absoluta é solapada. Nenhum absolutismo nacionalista, nem o absolutismo ideológico, quer de direita quer de esquerda, nem o absolutismo militar, nem o absolutismo eclesiástico são compatíveis com a fé cristã. Se pregarmos fielmente a mensagem do evangelho, também seremos acusados de agir contra os decretos do mundo atual, anunciando que há outro governante, Jesus.

Infelizmente, em muitas de nossas igrejas, existe a opinião de que é possível pregar ou viver o evangelho de Jesus Cristo sem incluir esse elemento que faz nosso mundo virar de cabeça para baixo, que subverte todo absolutismo, que questiona toda ordem presente, julgando-a com base no reino de Deus por vir, e não com base em uma ideologia preconcebida. Na verdade, a pregação plena do evangelho deve subverter a ordem existente e também deve subverter a própria subversão. Essa é a mensagem que estamos proclamando?

D. BEREIA (17.10-14)

Os missionários, que aparentemente estavam escondidos em Tessalônica, deixam a cidade aquela noite em direção a Bereia. Essa era uma cidade um tanto distante das principais passagens e ficava a, aproximadamente, 80 quilômetros de Tessalônica. É possível que os cristãos de Tessalônica tenham encorajado os missionários a ir para essa cidade porque tinham contatos lá ou talvez porque, sendo afastada das principais rotas de comércio e viagem do império, era um lugar melhor para se esconder dos inimigos.

Lá, mais uma vez, os missionários começaram seu trabalho na sinagoga. Lucas informa-nos que lá, os judeus tinham "mente mais aberta" que os de

Tessalônica — o sentido literal é "de melhor nascimento" ou "mais nobres", como traduz a NVI. Eles foram bastante receptivos ao estudo da Escritura e demonstraram disposição para julgar a verdade que Paulo proclamava.

O sucesso foi notável, como o versículo 12 mostra. Mais uma vez, há menção explícita aqui de que "bom número de mulheres gregas de alta posição". (O adjetivo parece se aplicar apenas às mulheres, em vez de às mulheres e aos homens. Portanto, em vez de traduzir como a RSV: "Não poucas mulheres e homens gregos da alta sociedade", devemos traduzir como a A21: "Bom número de mulheres gregas de alta posição e vários homens".[25]

De alguma maneira, a notícia do que estava acontecendo em Bereia chegou a Tessalônica, e aqueles judeus que tinham incitado a multidão em Tessalônica repetiram seu ato em Bereia. O resultado foi que Paulo teve de partir "imediatamente",[26] enquanto Silas e Timóteo (a quem não fomos informados de que estava com o grupo) permaneceram em Bereia.

O ZELO DA OPOSIÇÃO

Ao ler esse texto, ficamos impressionados pela maneira como esses judeus, que começaram sua perseguição em Tessalônica simplesmente por inveja e que apresentaram falsas acusações diante das autoridades, agora, perseguem os missionários em Bereia, cidade que fica a vários dias de jornada.

Isso é o que acontece, com frequência, quando as paixões vêm à tona. A acusação de que eram subversivos, feita em Tessalônica e que ainda é feita tantas vezes na América Latina, embora, de início, tenha sido feita para encobrir outras motivações, adquire, por fim, o próprio ímpeto e continua mesmo quando os motivos iniciais foram esquecidos. Em determinado país da América Latina, ocorreu uma situação em que um médico que estava amargurado (talvez com razão), porque uma instituição eclesiástica não tinha, muitos anos antes, tratado seu pai com justiça, começou a usar seus recursos econômicos para acusar essa instituição e todos que tinham algo a ver com ela de ser subversivos, embora eles não estivessem presentes quando seu pai foi maltratado. Quando ele publicou sua primeira acusação, estava bem consciente de que fazia isso para vingar seu pai. Porém, com o tempo, ele mesmo foi convencido por suas

---

25 Por algum motivo não explicado, nesse ponto, a NRSV parece a favor do texto ocidental, cujo preconceito antifeminista é evidente e, por isso, tenta diluir a relevância dessas mulheres de alta posição. A tradução do texto ocidental seria: "Alguns deles creram, mas outros não, e entre os gregos e as pessoas de alta posição, muitos homens e mulheres creram".

26 No versículo 14, em que a NRSV diz que Paulo foi enviado "para a costa", alguns manuscritos dizem que ele foi enviado "para a região litorânea", dando a impressão de que isso foi feito a fim de tirar os perseguidores do encalço dele e de que, na verdade, Paulo viajou por terra.

acusações e tornou-se porta-voz de um grupo que estava usando o ressentimento dele para os próprios propósitos. Infelizmente, nesses casos, como também no de Tessalônica e Bereia, o diálogo torna-se impossível.

O que os cristãos devem fazer nesses casos? Provavelmente, o que Paulo e seus companheiros fizeram: continuar pregando, ensinando e vivendo o que eles consideravam ser o evangelho.

E. ATENAS (17.15-34)

Paulo não viajou sozinho de Bereia para Atenas, mas foi conduzido até lá por alguns dos cristãos. Isso sustenta a conjectura de que ele viajou por terra, pois, para ir por mar, essa companhia não seria necessária. Quando esses cristãos retornaram, Paulo enviou instruções para que Silas e Timóteo se juntassem a ele em Atenas logo que fosse possível.

De acordo com o versículo 16, o propósito de Paulo em Atenas não era pregar, mas apenas esperar por seus companheiros. Contudo, enquanto ele esperava, sendo um bom judeu e cristão, ele "sentia grande indignação, vendo a cidade cheia de ídolos".

Atenas já vira tempos melhores. A Grécia, agora, era uma das regiões mais empobrecidas do Império Romano.[27] A população da cidade tinha diminuído. Todavia, muito da antiga glória permanecia. Os mármores da Acrópole ainda brilhavam com seus famosos portais, seu Parthenon — o templo de Atena, a virgem (*parthenos*) — e seus outros templos menores: o Erecteion, o templo de Atena Niké e outros. Nesses templos, e em muitos outros menos famosos, continuava a antiga adoração aos deuses. Por isso, em uma cidade cuja população diminuíra, mas que ainda tinha esses magníficos templos, não é de admirar que Paulo estivesse indignado com a idolatria predominante (v. 16, 17).

Contudo, a fama de Atenas não estava limitada a seus templos. Ainda mais famosos eram seus filósofos e escritores. Lá floresciam pessoas como Sócrates e Platão, Aristófanes, Eurípedes e Fídias, o escultor inigualável. A Academia de Atenas, fundada por Platão, ainda existia e ainda era um centro intelectual com poucos rivais — até ser fechada no ano de 529 d.C. por ordem do imperador Justiniano. Essa atividade intelectual é ao que Lucas se refere quando diz, antes de forma pejorativa, que as pessoas lá "não tinham outro interesse a não ser contar ou ouvir a última novidade" (17.21).

Nessa situação, Paulo estava lutando em duas frentes, pois ele "discutia na sinagoga com os judeus e os gregos tementes a Deus, e todos os

---

27 Veja Rostovtzeff, M. *Historia social y econômica del Imperio Romano*. Madri: Espasa-Calpe, 1981, vol. 2, p. 465-66.

dias na praça com os que ali se achavam". Os "gregos tementes a Deus" da sinagoga também eram os "tementes a Deus" discutidos em outra passagem (veja o comentário sobre 10.1-9a). Provavelmente, a "praça" era o antigo *agora* no meio da cidade, embora também pudesse ser uma das praças menores. Sobre o testemunho de Paulo na sinagoga e a possível conversão de judeus, Lucas não diz mais nada. Ele está interessado em nos contar o que aconteceu em cada lugar que é novo, por isso o restante do capítulo é devotado aos esforços de Paulo entre os gregos.

As duas escolas filosóficas mencionadas no versículo 18, na verdade, eram aquelas que, na época, competiam por hegemonia. As duas buscavam oferecer mais que uma mera metafísica — na verdade, almejavam a apresentar toda uma filosofia de vida. Os estoicos defendiam que a lei deve seguir a lei natural que rege o universo, e que quando a pessoa se conforma a essa lei e atinge o estado de "apatia", no qual não sofre mais nem está sujeita a paixões, ela é verdadeiramente sábia. Os epicuristas, por sua vez, defendiam que o propósito da vida é o prazer; mas não o prazer descuidado, mas, antes, o prazer sabiamente administrado e dirigido para que não leve à dor e ao desespero. São os filósofos dessas duas escolas que demonstram alguma curiosidade nos ensinamentos de Paulo — curiosidade, não respeito. A palavra grega que a A21 traduz por "falador" ("paroleiro", TB; "tagarela", NVI) é *spermologos*, que, originalmente, refere-se a pássaros que perambulam em busca de alimento. Depois, o termo começou a ser empregado para pessoas que viviam vasculhando lixeiras. Por fim, ela foi usada para se referir a qualquer charlatão ou diletante que perambulava coletando ideias e juntando-as umas às outras sem nenhuma sabedoria ou sentido especial. É no último sentido que a palavra foi aplicada a Paulo. A segunda parte do versículo 18 sugere que alguns achavam que Paulo estava pregando dois novos deuses: Jesus e a "ressurreição".

São esses filósofos que, por curiosidade, recebem Paulo no Areópago. Esse era o nome de uma colina ao norte da Acrópole e separada desta por um pequeno rio. Desde os tempos antigos, era o lugar de reunião da corte da cidade, por essa razão, também era chamado de "Areópago". O texto não esclarece se Paulo foi recebido na colina ou na corte, que ainda existia na época romana, embora com autoridade limitada e reunindo-se em outro lugar. Como o motivo para conceder uma audiência a Paulo foi a mera curiosidade e não indício de que houvesse uma acusação ou julgamento, parece que Paulo falou na colina, e não diante da corte.[28]

---

28 Por sua vez, João Crisóstomo, no século IV, e Teofilato, no século XI, defendiam que Paulo falou diante da corte. Essa é a opinião de Ramsay, W. M. *St. Paul the traveller and the roman citizen*. Londres: Hodder & Stoughton, 1897, p. 242-45. Um argumento que poderia parecer favorecer a corte, em vez do lugar para discussão pública, é que um dos convertidos parece ter sido membro dessa corte: Dionísio, membro do conselho do Aerópago (v. 34).

6. Missão na Europa (15.36–18.22)

A fala de Paulo começa como era costume na época, com algumas palavras elogiando sua plateia — como quando, hoje, começamos um sermão na igreja que estamos visitando dizendo que "é um prazer e um privilégio estar com vocês". Na teoria retórica da época, esse tipo de introdução chamava-se *captatio benevolentiae*. Esse é o propósito dos versículos 22 e 23a. Em vez de começar atacando os ídolos deles, Paulo diz aos atenienses que eles são um povo muito religioso, pois ele até mesmo encontrou uma inscrição "AO DEUS DESCONHECIDO".[29]

Essa introdução, com frequência, foi interpretada como se Paulo quisesse dizer que os atenienses já conheciam alguma coisa sobre Deus. Contudo, essa interpretação deixa escapar a fina ironia da fala de Paulo. Ele diz-lhes que vira uma inscrição a um "Deus desconhecido" (*agnostos theós*).[30] Já na segunda parte desse versículo, o tom de Paulo começa a mudar, pois ele, sutilmente, acusa os atenienses, que se acreditavam muito sábios, de serem ignorantes: "É exatamente este que honrais sem conhecer [*agnoountes*, em ignorância] que eu vos anuncio".

Como sinal da ignorância dos atenienses, Paulo, a seguir, passa a descrever a obra de Deus, em parte, baseado em Isaías 42.5. Esse Deus, desconhecido dos atenienses, criou toda a humanidade "de um" (ou como outros manuscritos dizem: "Do sangue de um") com dois propósitos: "para que habitasse sobre toda a superfície da terra" e "para que buscassem a Deus e, mesmo tateando, pudessem encontrá-lo". No versículo 28, ele adoça a pílula com algumas citações levemente alteradas do poeta Epimênedes, de Creta: "Nele vivemos, nos movemos e existimos", e dos filósofos estoicos Cleantes e Arato: "Pois dele também somos geração". No versículo 29, imediatamente, move-se mais para o ataque, rejeitando a ideia de que esse Deus seja "semelhante ao ouro, à prata, ou à pedra esculpida pela arte e imaginação humanas". Isso também não era novo para os atenienses, pois seus filósofos, desde Xenófanes (século VI a.C.), tinham apontado críticas semelhantes à religião tradicional.

No versículo 30, Paulo, por fim, chega ao cerne de sua mensagem: tudo que passara antes fora "os tempos da ignorância (*agnoia*)". Agora, vemos que o *agnostos theós* (Deus desconhecido) a quem os gregos adoravam *agnoountes* (sem conhecê-lo) é um sinal dessa *agnoia* (ignorância). O verdadeiro Deus, que decidiu deixar passar essa ignorância

---

29 Veja Zweck, D. "The exordium of the Areopagus speech. Acts 17:22,23". NTSt 35 (1989), p. 94-103. Esse autor conclui que o que temos aqui é uma fala que segue estritamente os cânones retóricos da época.

30 Sobre o sentido dessas palavras e outras similares na literatura da época, veja Kulling, H. "Zur Bedeutung des Agnostos Theos: Eine Exegese zu Apostelgeschichte 17, 22-23". TZ 36 (1911), p. 65-83.

entre esses gregos que se acreditavam sábios, agora, ordena que todos se arrependam. Aqui, Paulo chega ao cerne do assunto. Não é uma questão de verdades ou teorias estáticas que os filósofos possam discutir. Antes, é um assunto desse momento histórico específico. Acabou o tempo da ignorância. Agora, é o tempo de julgamento (v. 31). A prova disso é a ressurreição de Jesus.

Nesse ponto, a plateia não aceita mais. Alguns zombam abertamente. Outros dizem-lhe: "Sobre isso te ouviremos em outra oportunidade", de um jeito muito semelhante ao que hoje dizemos: "Algum dia", querendo dizer: "Nunca". A sessão termina, e Paulo não conseguiu nem mesmo acabar sua fala.

A despeito do fiasco, alguns se convertem. Entre eles, Lucas menciona dois: o mais famoso deles é Dionísio, do Areópago (ou seja, membro do conselho do Areópago), sobre quem, mais tarde, serão tecidas muitas lendas influentes,[31] e Dâmaris.[32]

PREGAÇÃO E POPULARIDADE

Comparado com muitos de seus outros sermões, a fala de Paulo no Areópago foi um fracasso. Não só teve poucos convertidos, mas também não há registro no Novo Testamento de que a igreja, como resultado da missão de Paulo, tenha se desenvolvido em Atenas.

Talvez Paulo pudesse ter evitado esse fracasso. No início de sua fala, ele deu sinais de conhecer os princípios retóricos da época e, depois, foi capaz de citar alguns poetas conhecidos e respeitados por sua plateia. Tudo que era necessário a fim de evitar o fracasso era ter omitido o que disse nos versículos 30 e 31. Até esse ponto, tudo parecia estar indo bastante bem. Todavia, no que se refere a proclamar o evangelho, será que tudo pode ser medido em termos de sucesso? Com certeza, Paulo sabia que o que estava para dizer nos versículos 30 e 31 não seria bem recebido. Porém, mesmo assim, ele disse, pois se não fizesse isso, sua pregação, embora talvez bem-sucedida, seria falsa.

---

31 No século V d.C., um cristão piedoso com tendências místicas neoplatônicas escreveu uma série de livros que afirmavam terem sido escritos por esse Dionísio. Como os livros foram, logo, considerados genuínos, achou-se que eles tinham sido escritos por um discípulo próximo de Paulo e, por isso, desfrutaram de grande prestígio e causaram profundo impacto na religião, na piedade e na teologia medievais. Ainda durante a Idade Média, acreditou-se amplamente que Dionísio, do Areópago, fora para a França como missionário e que era o fundador do monastério que leva seu nome, localizado nos subúrbios de Paris — St. Denis.

32 De quem não se conhece nada além do nome. O Códice Beza, talvez por engano ou talvez refletindo seu preconceito antifeminista, omite-a. Crisóstomo acreditava que ela era esposa de Dionísio.

6. Missão na Europa (15.36–18.22)

Essa é uma lição muito importante. A verdadeira proclamação do evangelho não deve ser medida só por seus resultados, mas também, e acima de tudo, por sua fidelidade. Na América Latina e também entre os hispânicos dos Estados Unidos, ficou bastante fácil conquistar bastante seguidores pregando um evangelho desencarnado, como se ele fosse apenas uma questão de ir para o céu, e Deus não se importasse com a terra ou como, se em vez de seres humanos, fôssemos anjos flutuando nas nuvens. Há também muita pregação bem-sucedida de um evangelho falso de acordo com o qual a vontade de Deus sempre faz o que os cristãos desejam, e todos os problemas serão resolvidos de acordo com a vontade do indivíduo. Além disso, há muitos que admiram evangelistas que, por meio de sua pregação na mídia, vivem em mansões luxuosas, pois pensam que essas mansões representam a recompensa pela fidelidade do pregador. Tudo isso é evangelho falso. Não obstante, por ser bem-sucedido, ainda é pregado. Contamos os números dos que vão à igreja, ou ao estádio, para ouvir essa pregação e, embora saibamos que a mensagem da Bíblia foi distorcida, alegramo-nos com os números. Desse ponto de vista, um bom pregador é qualquer um que consegue fazer manobras para atrair multidões, independentemente do que eles ouvem.

O exemplo de Paulo é bem diferente. Paulo prega a verdade. Ele tenta conquistar a boa vontade de sua plateia, como é possível observar nos primeiros versículos de sua fala; mas ele não quer conseguir essa boa vontade ao preço de não ser fiel à mensagem. Às vezes, como em Atenas, o sucesso dele é mínimo. Outras vezes, sua pregação leva à perseguição. No entanto, sem essa firmeza no testemunho do apóstolo, as igrejas fundadas por ele teriam sido incapazes de resistir à perseguição que, logo, seguiu-se — é muito provável que as pessoas que se juntam à igreja por causa de seu sucesso não estejam por perto quando a perseguição ou outro sinal de aparente fracasso apontar no horizonte.

É impossível saber o que o futuro reserva para a igreja latina. Há indicações de que será um futuro difícil, em que a igreja terá de responder a desafios inesperados. Haverá imensas convulsões política, social e econômica em nossas terras. É possível e, até mesmo, provável que, em alguns lugares, os cristãos sejam perseguidos. Também é provável que, em alguns lugares, as autoridades tentem cultivar o apoio da igreja. Nessas circunstâncias, a obediência da igreja dependerá do quanto ela estiver preparada, por meio da compreensão profunda e correta do evangelho. Saberemos, como Paulo, como oferecer a nosso povo esse ensinamento e pregação, embora nem sempre eles sejam bem recebidos?

O PROPÓSITO DA CRIATURA HUMANA

Nessa passagem, Paulo também diz que Deus criou a humanidade com dois propósitos: habitar a terra e buscar a Deus (v. 26,27). O fato mesmo de habitar a terra é parte da vontade de Deus para nós. O Senhor não está interessado só em nossa religião. Ele também está interessado em como habitamos a terra. Deus é ofendido quando há idolatria, como no caso dos atenienses e em tantos aspectos da vida religiosa de hoje. Por isso, fazemos bem em atacar a idolatria e a superstição. Isso é o que muitos fazem reiteradamente de nossos púlpitos e em todos nossos ensinamentos. Isso é bom.

Mas Deus também é ofendido quando há concentração de terra e, por isso, alguns não têm terra na qual habitar. Na América Latina atual, não é suficiente atacar a idolatria e a superstição, deve-se atacar também a prática injusta que impede o duplo propósito de Deus para as criaturas humanas — que elas busquem a Deus e habitem a terra.

Por sua vez, habitar a terra não quer dizer só ocupá-la fisicamente, mas também cuidar dela de forma que continue a ser habitável. Um dos maiores pecados coletivos da humanidade em nossa geração é a forma como ofendemos a Deus destruindo a terra. O lago Aral, na ex-União Soviética, que até recentemente era o quarto maior do mundo, está secando rapidamente e o que resta é um mar morto em que quase nenhuma vida é possível, porque a água está altamente contaminada com pesticidas e outros produtos químicos. A floresta da bacia amazônica está desaparecendo rapidamente, e o dióxido de carbono que é produzido quando ela é queimada é um dos principais fatores que levam cientistas a temer um relevante e trágico aquecimento da terra. Os desertos da África estão aumentando em tamanho por vários quilômetros por ano. Nas nações industrializadas, a enorme produção de resíduos tóxicos é uma ameaça para toda a humanidade. Na Cidade do México, o ar é altamente tóxico. Incontáveis espécies animais e vegetais desaparecem todo ano. Claramente, os motivos que levam a essas condições também são sociais e econômicos. Não está na hora da igreja, que acredita que Deus nos pôs aqui para que possamos buscar a ele e habitar a terra, tomar uma atitude firme para salvar a própria terra?

F. CORINTO (18.1-17)

Atenas é uma das poucas cidades das quais Paulo não precisou fugir como resultado de sua pregação. Lucas nem nos informa se a jornada para Corinto foi por terra ou por mar. Porém, por terra, seria um pouco mais de

6. Missão na Europa (15.36–18.22)

80 quilômetros. Por mar, Paulo teria de embarcar em Pireus (porto de Atenas) e aportar em Cencreia, um porto cerca de 14 quilômetros de Corinto.

Corinto era uma cidade rica. Ela dominava o istmo de Corinto, de maneira que todo o tráfego entre o Peloponeso e o restante da Grécia tinha de atravessar Corinto. Além disso, o tráfego marítimo entre o mar Egeu e o mar Adriático, com frequência, evitava circunavegar o Peloponeso ao carregar bens e passageiros por terra entre Cencreia, no Egeu, e o golfo de Corinto, no mar Jônico. Isso economizava uma distância de cerca de 392 quilômetros de navegação.[33] Embora Corinto tivesse prosperado séculos antes, no ano de 146 a.C., a cidade foi completamente demolida pelos romanos como punição pelo importante papel que desempenhou na resistência à ocupação romana. Em 44 a.C., ela foi reconstruída por ordem de Júlio César, que estabeleceu um grande número de colonos italianos ali. Graças a sua grande atividade comercial, a cidade logo atraiu milhares de habitantes cuja principal ocupação era o comércio. Em 27 a.C., César Augusto criou a província senatorial de Acaia, e Corinto passou a ser sua capital.

A nova cidade, que existia havia menos de um século quando Paulo a visitou, vivia alvoroçada por causa da intensa atividade. Como é frequente acontecer nesses casos, muito dessa atividade dizia respeito a viver em licenciosidade. Já nos tempos antigos, a fama de Corinto quanto a esse tipo de comportamento já era proverbial, a ponto de ter sido inventado um verbo, "corintizar", como sinônimo de vida fácil e licenciosa.

Como o próprio Paulo diz (1Co 2.3), ele esteve em Corinto "em fraqueza, em temor e em grande tremor". Talvez isso se refira, pelo menos em parte, à doença que sofrera. Em vista do que sabemos da cidade de Corinto, do século I, não é de surpreender que o apóstolo cristão tenha se sentido esmagado ao chegar à cidade.

Foi em Corinto que Paulo estabeleceu contato com Priscila e Áquila. O texto não nos informa como esse contato começou, mas apenas diz que Paulo "encontrou" Áquila. Este era judeu, originalmente de Ponto (na costa sul do mar Negro), e, pouco tempo antes dessa época, ele e Priscila tinham chegado a Éfeso, vindos de Roma. O decreto de Cláudio, ao qual 18.2 se refere, também conhecido pelo testemunho de Suetônio, historiador romano, que diz que Cláudio "expulsou os judeus de Roma porque eles estavam constantemente envolvidos em tumultos instigados por Chrestus".[34] Os historiadores tendem a concordar que esse "Chrestus" não é ninguém menos que Cristo e que o que

---

33 Um sistema de polias foi construído que permitia que barcos menores fossem transportados por terra de um lado para o outro do istmo. Logo depois da visita de Paulo, Nero começou a construir um canal que ia de um lado ao outro. O projeto logo foi abandonado e só foi concluído em 1893.

34 *Claudius*, p. 25.

aconteceu foi que, como ocorreu em tantos outros lugares, a pregação dos cristãos nas sinagogas produzia tumultos que, por fim, levavam à expulsão dos responsáveis.[35]

Lucas não diz uma palavra sobre a conversão de Priscila e Áquila. O mais provável é que eles já fossem cristãos quando viviam em Roma, antes do édito de expulsão. Do contrário, é difícil explicar como um judeu que foi forçado a abandonar Roma por causa dos distúrbios causados pela pregação cristã, agora, ofereceria hospedagem a um missionário cristão. Logo depois, em Éfeso, Priscila e Áquila eram suficientemente respeitados na comunidade cristã para corrigir o pregador Apolo (18.26).

O versículo 18 é o único trecho em todo o Novo Testamento em que Áquila é mencionado antes de Priscila (veja 18.18,26; Rm 16.3; 2Tm 4.19).[36]

Nesse caso, a construção gramatical e a necessidade de explicar que Áquila era judeu (Priscila também era judia?) são os motivos para o nome dele aparecer primeiro. O fato de em todas as outras passagens, o nome de Priscila aparecer primeiro parece indicar que ela era mais importante na vida da igreja do que seu marido.

É em 18.3 que somos informados que Paulo era "fabricante [...] de tendas".[37] Aparentemente, suas exigências econômicas eram tais que ele só podia se liberar para pregar aos sábados (18.4), o que ele fazia na sinagoga,[38] até Silas e Timóteo chegarem com a ajuda dos cristãos da Macedônia, a qual permitiu que Paulo se dedicasse "inteiramente à palavra". Em sua segunda epístola aos Coríntios, Paulo lembra os cristãos de que "quando estava presente convosco e passei necessidade financeira, não fui um peso para ninguém; pois, quando os irmãos vieram da Macedônia, supriram a minha necessidade" (2Co 11.9).

Lucas nem sempre mantém o leitor informado em relação aos movimentos de Timóteo e Silas, pois eles não são os personagens centrais da narrativa. Aparentemente, Timóteo juntou-se a Paulo em Atenas, mas logo partiu para a Macedônia. Quanto a Silas, nada mais foi dito a respeito dele

---

35   O mais provável é que a expulsão não fosse definitiva, como Atos e Suetônio parecem sugerir, pois continuava a existir uma comunidade judaica em Roma. Dião Cássio, historiador romano do século III, diz que esse decreto proibiu os judeus de continuar a se reunir (*Historia romana*, 60.6). Josefo, em uma citação conservada só por Orósio, escritor do século V, dá a data do decreto: 49 d.C.

36   "Priscila" é a forma diminutiva do nome "Prisca", por isso, todas essas passagens referem-se à mesma pessoa.

37   O termo grego é *skenopoios*. O sentido literal, conforme a A21 traduz, é fabricante de tendas. Contudo, o que isso quer dizer? Alguns sugerem que o que Paulo fazia era tecer o pano de lã de cabra do qual eram feitas algumas tendas. Esse pano era conhecido como *cilicium*, porque era originalmente produzido na Cilícia — a província de Paulo — o que torna plausível esse *cilicium* ser o que ele, de fato, fazia. Contudo, a maioria dos estudiosos acha que as tendas mencionadas eram feitas de couro e, por isso, a ocupação de Paulo, em vez de ser a de tecelão, seria uma das muitas ocupações ligadas ao trabalho com couro para fazer tendas.

38   O artigo definido sugere que só havia uma sinagoga em Corinto.

6. Missão na Europa (15.36–18.22)

desde que estava na Bereia (17.14). Além disso, essa é a última vez que ele é mencionado em todo o livro. Conforme já comentado, ele aparece no restante do Novo Testamento com seu nome romano, "Silvano" (veja comentário sobre 15.22-29).

Parece que, agora, Paulo estava mais persistente em sua missão,[39] a oposição na sinagoga aumentou, e Paulo deixou-os com um gesto dramático ("Sacudiu suas roupas") e uma imprecação ("O vosso sangue seja sobre a vossa cabeça"). Sacudir a roupa era um sinal de desgosto, deixando-os indignos de sua presença (bastante parecido com a atitude de hoje em dia quando alguém torce o nariz). O sangue sobre a cabeça quer dizer que eles — e não Paulo — são, agora, responsáveis por qualquer coisa que lhes aconteça. (Compare essa expressão com Mt 27.25.)

Abandonando a sinagoga, Paulo estabeleceu seu centro de atividades na casa de certo Tício Justo, vizinho da sinagoga. O texto ocidental sugere que o próprio Paulo se mudou para lá quando saiu de seu alojamento com Priscila e Áquila. O sentido do que é dito aqui é que Paulo estabeleceu seu centro de ensino na casa de Tício Justo, e não mais na sinagoga. Embora alguns manuscritos antigos chamem esse homem de "Tito Justo", isso não é suficiente para afirmar que ele é também o Tito das epístolas paulinas. (Todavia, é estranho que em todo o livro de Atos, Tito nunca seja mencionado.)

Entre os judeus que aceitavam a pregação do evangelho estava Crispo, "chefe da sinagoga", (ARC, "o principal da sinagoga"; NVI, "chefe da sinagoga"; o texto grego diz *archisynagogos*). O artigo definido no texto grego indica que havia um único chefe e, se Sóstenes recebe o mesmo título, deve ser porque sucedeu Crispo. Embora Atos não diga isso, Paulo informa-nos (1Co 1.14) que ele batizou Crispo. De acordo com Atos, Crispo acreditou com toda sua família, e o mesmo foi verdade para muitos outros coríntios que se tornaram cristãos e foram batizados. Como Paulo não os batizou, pode-se supor que eles foram batizados pelos membros da comunidade cristã que Paulo já fundara quando chegou a Corinto, e cujo núcleo parece ter sido na casa de Priscila e Áquila.

A visão dos versículos 9 e 10 torna-se, particularmente, importante quando nos lembramos das palavras de Paulo já citadas, em relação a sua atitude de temor no início da missão em Corinto. Ela torna-se mais relevante quando levamos em consideração o episódio que se segue — o julgamento (ou tentativa de julgamento) diante de Gálio.

---

39 O texto grego é muito mais forte do que sugere a NRSV: "Paulo estava ocupado com a proclamação da palavra". As traduções mais literais são da A21: "Paulo dedicou-se inteiramente à palavra"; e da NVI: "Paulo se dedicou exclusivamente à pregação".

O último episódio (18.12-17) está entre duas declarações sobre o tempo que Paulo permaneceu em Corinto: "um ano e seis meses" (18.11) e "muitos dias" (18.18). Há alguma dúvida se "um ano e seis meses" refere-se ao período antes do aparecimento diante de Gálio ou se é o tempo total que Paulo passou em Corinto. De todo modo, ele ficou lá, pelo menos, um ano e meio.

Gálio, "procônsul de Acaia", também é conhecido por intermédio de outras fontes da história e da literatura romanas. Ele nasceu na Espanha e era irmão do famoso filósofo Sêneca. Seu nome de nascimento era Marcos Aneu Novato; mas ele foi adotado, como era comum entre as famílias aristocráticas romanas, por isso seu nome oficial era Lúcio Júnio Gálio Aneu. Ele, como seu irmão Sêneca, era amigo de Nero, mas, por fim, perdeu a graça de seu mestre e teve de cometer suicídio sob a ordem de Nero. Graças a uma inscrição encontrada no início do século XX, agora, é sabido que Gálio foi procônsul de Acaia de julho de 51 à mesma data do ano seguinte. (A posição de procônsul, muito procurada pelos aristocratas romanos, em geral, era mantida por um ano.) Graças a esse fato e à data do édito de Cláudio (18.2), é possível afirmar que o período que Paulo passou em Corinto foi, aproximadamente, do outono de 51 à primavera ou meio de 52. Esse é um dos poucos episódios de Atos que podem ser datados com relativa exatidão.

O que aconteceu diante de Gálio, dificilmente, pode ser chamado de julgamento. A própria acusação era ambígua, pois dizia que Paulo "convence os homens a render culto a Deus de um modo contrário à lei", mas não há indicação se isso se refere à lei romana ou à lei de Moisés. No entanto, Gálio não se permite envolver no assunto. Antes que Paulo possa sequer se defender, Gálio responde com palavras um tanto arrogantes e termina com a fórmula oficial que o juiz emprega para declarar que não ouviria o caso: "Não quero ser juiz dessas coisas". É provável que o tom pejorativo de suas palavras reflita a atitude de grande parte da aristocracia romana em relação aos judeus. A mesma atitude é encontrada nos escritos de Sêneca, irmão de Gálio. Assim, não é que Gálio seja um juiz justo ou que ele tema que o grupo de Paulo seja poderoso, mas, simplesmente, que ele não está interessado de maneira alguma nos acusadores nem no acusado, que para ele não são nada mais que judeus desprezíveis. Ele manifesta a mesma atitude quando, imediatamente, dá ordem para que eles todos saiam do tribunal, mas, em seguida, permite que Sóstenes apanhe bem em frente ao tribunal, enquanto Gálio não presta atenção.

O versículo 17 é difícil de entender. A maioria dos manuscritos, como a A21, não diz quem agarra Sóstenes. Alguns manuscritos dizem

6. MISSÃO NA EUROPA (15.36–18.22)

que foram "os gregos", mas esse pode muito bem ser o palpite de um copista que sentiu que era necessário mais clareza. Quem foi que agarrou e bateu em Sóstenes? Há diversas possibilidades: (1) foi a multidão da cidade que bateu nele, zombando dele com base na atitude que o procônsul demonstrara em relação aos judeus e sabendo que a atitude de Gálio lhes garantia imunidade; (2) eram judeus que estavam com raiva porque seu chefe lhes falhara e os envergonhara na presença de Gálio; (3) eram judeus, mas fizeram isso porque Sóstenes, como seu predecessor, tinha inclinação para o cristianismo ou já se tornara cristão. A última possibilidade encontra apoio no fato de que Paulo, mais tarde, refere-se a "Sóstenes", que estava com ele em Éfeso, e de que ele faz isso precisamente quando escreve para os coríntios (1Co 1.1, 2).

O LIVRO DE ATOS DO ESPÍRITO E OS ATOS DA HISTÓRIA

Na introdução deste comentário, foi declarado que esse livro da Bíblia deveria se chamar "Atos do Espírito", em vez de "Atos dos Apóstolos", pois o assunto do livro não é o que os apóstolos fizeram, mas, antes, o que o Espírito faz. Observamos repetidas vezes a ação do Espírito na comunidade de cristãos ou na obra de Paulo e seus companheiros. Todavia, nesse texto em particular, observamos outra dimensão muito relevante da ação do Espírito: o Espírito também está ativo na História, às vezes, de formas tão misteriosas que nem sequer suspeitamos quais são elas.

Há dois exemplos disso na presente passagem. O primeiro é o édito de Cláudio, expulsando os judeus (ou, pelo menos, alguns deles) de Roma. É por causa desse édito que Priscila e Áquila estão em Corinto quando Paulo chega lá. Todo o trabalho desse casal, primeiro em Corinto e, depois, em Éfeso, é resultado daquele édito decretado por um imperador pagão. O segundo exemplo é o julgamento diante de Gálio. Este não tinha intenção de proteger Paulo. Aparentemente, o que ele, de fato, sentiu foi desprezo por ele e pelos que o acusavam. Contudo, esse mesmo desprezo por parte de uma pessoa poderosa fornece a Paulo e outros cristãos o espaço necessário para continuar seu trabalho.

O que é relevante em tudo isso para nós hoje? Às vezes, pensamos que o Espírito de Deus só está ativo na igreja, na qual essa ação é manifestada de várias maneiras. Pensar que o Espírito age apenas na igreja é limitar o poder e a obra do Espírito. Antes de Paulo sequer chegar a Corinto, o Espírito de Deus já estava preparando o caminho para levar Priscila e Áquila para lá. Deus não só age na história da igreja e na vida dos cristãos, mas também na história do mundo e, até mesmo, na vida dos descrentes. É importante lembrar que, reiteradamente na história de Israel, quando o povo não era fiel, Deus empregava não só os profetas que enviava para eles, mas também seus inimigos (os filisteus, os amoritas, Ciro e muitos outros) para cumprir a vontade divina. É importante lembrar também que, de acordo com o testemunho bíblico, Deus não só tirou os filhos de Israel do Egito, mas também trouxe os filisteus de Caftor e os sírios de Quir (Am 9.7). Deus está presente na história da América Latina. Deus está presente na peregrinação dos povos hispânicos nos Estados Unidos. Negar essa presença é negar o poder de Deus.

Parte da mensagem dos profetas do Antigo Testamento era precisamente a seguinte: a presença de Deus nos eventos históricos de sua época. O mesmo pode ser dito sobre Lucas. Em seu evangelho, ele relaciona o nascimento de Jesus com as circunstâncias políticas da época: o rei Herodes, o édito de César Augusto, e o governo de Quirino sobre a Síria. O mesmo é verdade em Atos, como é possível observar nessa passagem. Da mesma forma, nossa mensagem hoje deve estar relacionada à ação de Deus nos eventos do nosso tempo e entre nossos povos. Se acontecer de haver um ditador, esse fato não é contrário à vontade e ao julgamento de Deus. Se há injustiça em nossas terras ou entre nossos povos, se alguns não têm casa, se camponeses não têm terra, se há repressão, se há justiça, se há liberdade, se há necessidade, se há prosperidade... tudo isso está intimamente relacionado com a mensagem cristã e com a obra do Espírito.

Naturalmente, nem sempre é fácil discernir a obra de Deus nos eventos históricos de nosso tempo. Podemos imaginar Paulo, hospedado com Priscila e Áquila e tomando conhecimento por intermédio deles de como a pregação do evangelho criou dificuldades em Roma. Agora, ele mesmo está pregando em Corinto e tem ampla experiência de como essa pregação pode levar a dificuldades. Por isso, não é de surpreender que ele temesse e tremesse, e que ele precisasse de uma visão para lhe dar maior coragem. Também ficamos desencorajados quando vemos tanta injustiça ao nosso redor. Na própria igreja há alguns que ficam aborrecidos se outros cristãos denunciam a injustiça da nossa sociedade. Portanto, às vezes, pelo medo de cometermos um erro, às vezes, porque temernos as consequências, hesitamos em dar nome claramente a essas injustiças e declarar que isso contraria a vontade de Deus. Nesses casos, as palavras do Senhor para Paulo são altamente relevantes: "Não temas! Mas fala e não te cales". Quando Deus ordena que falemos, o silêncio é pecado.

Há, no entanto, outro tipo de dificuldade que é menos dramática e contundente, mas igualmente presente: o desdém do poderoso. Gálio não

6. Missão na Europa (15.36–18.22)

podia se importar menos com Paulo e seus seguidores. Contudo, mesmo sem Gálio saber, Deus é ainda Senhor mesmo sobre seu desdém. Situações parecidas, com frequência, prevalecem hoje. Vivemos em um mundo em que, muitas vezes, somos olhados com desdém ou, no mínimo, somos ignorados. As grandes estrelas do cinema e da televisão, atletas famosos e, até mesmo, criminosos famosos recebem muito mais atenção e interesse público que a pregação do evangelho. Há cristãos profundamente comprometidos que devotam toda sua vida ao serviço do necessitado, com frequência com enormes sacrifícios, os quais, porém, são ignorados pela mesma sociedade que inquire com avidez em cada detalhe da vida de alguém que ficou extremamente rico explorando os outros. Em nossos países, investem-se mais recursos em cosméticos e cigarros que na pregação do evangelho ou em obras de justiça. Esse é um dos motivos por que os pregadores, tantas vezes, ficam tentados a imitar os métodos empregados em publicidade e *marketing* para vender cosméticos e cigarros. Gálio devia ter orgulho da inscrição celebrando seu proconsulado em Acaia, o que, na época, equivalia aos nossos programas de televisão. Como era triste a situação para os cristãos em Corinto — desprezados e ignorados, e ninguém escreveu inscrições em homenagem a eles! Porém, hoje, sabemos que até mesmo aquele desdém forneceu uma oportunidade para a obra do Espírito. Hoje, seremos capazes de encarar o mesmo desdém? Ou tentaremos ser como Gálio, procurando reconhecimento, aparecendo em programas de televisão e em jornais, sendo fotografados com ditadores ou magnatas, até mesmo ao custo de nossa fidelidade? A tentação é real e grave.

G. O RETORNO (18.18-22)

A jornada de Paulo em Corinto foi prolongada ("muitos dias"; 18.18). É bem possível que durante esse tempo, outras igrejas tenham sido fundadas nas cidades vizinhas. Em Romanos 16.1, Paulo refere-se à igreja de Cencreia — a qual, conforme já declarado, era um porto de Corinto no mar Egeu. Em 2Coríntios 1.1, ele dirige sua carta "à igreja de Deus em Corinto, com todos os santos em toda a Acaia".

De qualquer jeito, chegou a hora de retornar a Antioquia, e Paulo "navegou para a Síria". Na geografia da época, a "Síria" incluía a própria Síria e a Judeia. Conforme veremos, Paulo foi primeiro para Cesareia, que era o porto que servia a Jerusalém, e, depois, para Antioquia. No início da jornada, ele foi acompanhado por Priscila e Áquila. Eles estavam viajando para Éfeso, possivelmente por motivo de negócios, e Paulo, que estivera hospedado com eles, viajou com eles. Quanto a Silas e Timóteo, não é dita uma palavra, e pode-se supor que eles permaneceram em Corinto, trabalhando com a igreja dessa cidade e das cidades vizinhas.

O fim do versículo 18 é difícil de interpretar. A primeira questão que surge é quem raspou o cabelo porque estava sob uma promesssa. No sentido gramatical estrito, parece se referir a Áquila, a última pessoa mencionada antes da menção da promessa. Todavia, Lucas raramente fornece esses detalhes sobre personagens secundários, e o próprio fluxo da narrativa, cujo personagem principal é Paulo, parece indicar que essa frase em particular se refere ao apóstolo.[40]

A outra dificuldade apresentada por essa frase específica independe da primeira: que promessa era essa? O corte de cabelo traz à mente a promessa dos nazireus, descrito em Números 6.1-21. Um nazireu, para cumprir sua promessa, raspava a cabeça e oferecia seu cabelo em sacrifício a Deus. Todavia, isso era normalmente feito no templo, e qualquer um que fizesse essa promessa longe de Jerusalém, então, planejaria passar os últimos dias antes do cumprimento da promessa em Jerusalém. De acordo com a escola de Shammai, a mais flexível nesses assuntos, a pessoa deve passar, no mínimo, trinta dias em Jerusalém antes de raspar a cabeça. Entretanto, o texto de Josefo, antes ambíguo, parece indicar que o nazireu que estivesse longe de Jerusalém, podia raspar a cabeça e, depois, levar o cabelo e oferecer como sacrifício no templo.[41]

Independentemente de qual seja o caso, parece provável que Lucas menciona esse voto por parte de Paulo a fim de enfatizar sua contínua fidelidade às práticas da religião judaica. Paulo não era antijudeu, nem defendia o abandono das práticas de seus ancestrais, mas apenas insistia que os que não eram judeus não tinham de seguir essas práticas a fim de aceitar Cristo e se juntar à igreja.

De Corinto, Paulo foi para Éfeso. Olhando um mapa, parece estranho que, para ir de Corinto para Cesareia, alguém fosse antes para Éfeso. Talvez isso tenha acontecido, em parte, porque Paulo desejava acompanhar Priscila e Áquila que viajavam para Éfeso.[42] Mas isso também pode ser com base no método preferido de viagem na época que era por mar.

---

40   Alguns manuscritos do texto ocidental e também da Vulgata afirmam que foi Áquila quem fez um voto.

41   JOSEFO, *War*, 2.15.1. Williams, David John. *Acts*. Nova York: Harper & Row, 1985, p. 315, defende essa interpretação de Josefo, ao passo que HAENCHEN, E. *The Acts of the Apostles*, p. 543-546, rejeita-a. Outros propuseram, sem grande sucesso, a teoria de que esse era outro tipo de voto, de natureza mais privada.

42   Em Romanos 16.3-5a, Paulo envia-lhes saudações, sugerindo, assim, que Áquila e Priscila, na época, viviam entre os destinatários da carta, pois ele refere-se à igreja na casa deles. Isso poderia indicar que, em data posterior, o casal retornou a Roma. Contudo, alguns estudiosos sugerem que o último capítulo de Romanos é realmente uma carta endereçada a outra igreja, talvez de Éfeso. Em todo caso, Priscila e Áquila podiam ainda estar em Éfeso.

6. Missão na Europa (15.36–18.22)

Os marinheiros sempre tentavam manter a costa à vista ou, pelo menos, evitavam longas travessias em alto-mar. Por isso, as pessoas que iam para a região leste de Cencreia, com frequência, atravessavam o mar Egeu, primeiro, em direção a Éfeso e, depois, seguiam a rota para o sul e oeste.

Éfeso era um importante porto da Ásia Menor.[43] Seu templo de Ártemis (ou Diana) era uma das sete maravilhas do mundo antigo.[44] No meio da cidade havia uma ampla avenida com mais de nove metros de largura, e outros 4,5 metros de portais de cada lado. Essa avenida levava do porto ao teatro. O próprio teatro, que tinha capacidade para 24 mil pessoas sentadas, dá uma ideia do tamanho da cidade.[45]

Desse momento em diante, Éfeso desempenha um importante papel na história da igreja do século I. Essa cidade e sua igreja ocupam o centro do palco de Atos até o fim do capítulo 21. Depois, essa cidade aparece de novo no livro de Apocalipse.[46]

Qual é o sentido da expressão "os deixou" em 18.19? A leitura imediata do texto poderia indicar que a sinagoga estava fora da cidade, e que Paulo, depois de deixar seus companheiros em Éfeso, foi à sinagoga. Contudo, o restante da passagem, em que os verbos estão no tempo imperfeito, poderia indicar que Paulo visitou a sinagoga diversas vezes. Assim, talvez no versículo 19, Lucas esteja simplesmente se adiantando. Paulo deixou Priscila e Áquila em Éfeso quando continuou sua jornada em direção à Judeia. Nesse meio tempo, enquanto ele permaneceu em Éfeso, teve diversas discussões com os judeus na sinagoga, e estes lhe pediram para ficar mais tempo.

A KJV inclui no versículo 21, uma frase não encontrada nos melhores manuscritos e, por isso, omitida na A21 e em outras traduções: "Devo por todos os meios manter essa celebração que começou em Jerusalém". No versículo 22, o texto grego diz apenas: "Subiu até a igreja para cumprimentá-la". Contudo, em todo o livro de Atos e também em outras passagens do Novo Testamento, a expressão "subir", com frequência, refere-se a Jerusalém, que ficava no topo de uma colina. Em Atos mesmo, há frequentes referências a "subir" a Jerusalém e a "descer" de Jerusalém para Antioquia. Se alguém entender a frase: "Subiu até a igreja para cumprimentá-la" como apenas subir até a própria cidade de Cesareia, teria dificuldade para explicar por que Lucas, depois, continua para nos

---
43 Por causa de depósitos fluviais que o mar recebeu, agora, as ruínas de Éfeso estão diversos quilômetros distantes do mar.
44 Veja comentário sobre 19.23-41.
45 Sobre o teatro, veja 19.29.
46 Embora entre as epístolas paulinas haja uma endereçada aos Efésios, a questão dos verdadeiros destinatários dessa carta é muito debatida. Os melhores manuscritos dessa epístola não incluem a referência a Éfeso (Ef 1.1).

informar que Paulo "desceu" para Antioquia. De Jerusalém para Antioquia desce-se; mas não de Cesareia para Antioquia. Além disso, o motivo para navegar de Éfeso para a Cesareia, e não diretamente para Antioquia, deve ter sido a vontade de Paulo de ir a Jerusalém. Assim, embora Jerusalém não apareça nos melhores manuscritos do versículo 22, e embora Lucas não mencione seu nome, a A21 traduz corretamente o sentido da frase ao pôr na nota de rodapé que se refere a Jerusalém.

Finalmente, Paulo retornou a Antioquia de onde partira havia muito tempo.

MISSÃO E CONEXÃO

Lucas não nos informa sobre o que Paulo fez em Jerusalém ou em Antioquia. Além disso, já no versículo seguinte, ele já está saindo em uma nova jornada. De qualquer modo, o fato mesmo de retornar a essas duas cidades é crucial para entender a percepção de Paulo de sua própria missão. Ele não precisa retornar a essas duas cidades. Sua situação não é a dos missionários de hoje que devem retornar periodicamente às igrejas que lhes fornecem auxílio. Ao contrário, Paulo sustenta-se fazendo tendas ou com qualquer coisa que receba das igrejas que fundou, como a de Filipos. Sempre que há transações econômicas entre ele e Jerusalém, é a última que está recebendo contribuições das igrejas paulinas, não vice-versa.

O objetivo de Paulo ao retornar a Jerusalém e Antioquia não tem nada a ver com auxílio missionário, mas é fundamental para a natureza de sua missão. Sua missão não é só pregar o evangelho, converter pessoas e fundar igrejas, mas também criar laços entre os cristãos e entre as igrejas a fim de que todos sejam fortalecidos. Quando alguém é convertido como resultado de seu trabalho, ele junta essa pessoa à igreja. Quando Paulo funda uma igreja em Filipos, o que ele cria deve estar intimamente ligado com o restante do corpo de Cristo. Essa igreja pode ter sua autonomia e, até mesmo, algum tipo de independência, mas não pode ser uma igreja de Cristo por conta própria, isolada do restante do corpo. Essa compreensão da conexão e da natureza da missão é crucial para a igreja protestante latina. Em parte, como reação à igreja dominante, a qual era altamente hierárquica, com frequência, vamos para o extremo oposto. A conexão entre os cristãos e entre as comunidades de fé torna-se, assim, secundária. O que é importante é "crer em Jesus Cristo", conforme dizemos. A igreja é uma questão de conveniência, de apoio à crença, e não parte do próprio evangelho. Na percepção bíblica, crer em Jesus Cristo envolve e exige reunir-se à comunidade dos fiéis, a *koinônia* que era importante nos

6. Missão na Europa (15.36–18.22)

primeiros capítulos deste livro. Crer em Jesus Cristo, na verdade, é um assunto muito pessoal, mas não privado.

Quando se perde essa percepção, seguem-se diversas consequências. A primeira é que para o cristão, a igreja torna-se opcional. Participo da vida da igreja, se sinto-me como ela ou se, de alguma maneira, ela sustenta minha fé. Afinal, o que é importante é meu relacionamento pessoal com Deus. Por isso, em nossas visitas pastorais somos informados com tanta frequência: "Não se preocupe, pastor, posso ser cristão sem frequentar a igreja".

A segunda consequência é que limitamos a função da igreja. A igreja existe para preencher *minhas* necessidades espirituais. Se o que é feito ou dito na igreja em determinado dia não responde a essas necessidades, posso muito bem abster-me da igreja. Ouvimos, com bastante frequência, que a igreja é como uma estação de abastecimento à qual vamos para receber energia para o restante da semana. Isso bem pode ser verdade; mas a igreja é muito mais que isso. A igreja é parte do evangelho, das boas-novas; a igreja é a comunidade que vive na expectativa do reino de Deus e em que, por isso, esse reino faz-se presente, às vezes, pode parecer que é difícil acreditar nesse pensamento. A igreja existe não só para responder às *minhas* necessidades, mas também às necessidades de todos os cristãos e às necessidades deste mundo todo pelo qual Jesus Cristo morreu.

A terceira consequência é que a igreja, por ser opcional e existir para satisfazer minhas necessidades, é principalmente uma questão de gosto pessoal. Por isso, algumas pessoas mudam de igreja com a mesma frequência que trocam de blusa. Não gosto do pastor. A outra igreja é mais ativa. A música lá é melhor. Aquela igreja tem um programa mais ativo para jovens. Tornamo-nos, assim, turistas espirituais e, como todo turista, nunca conseguimos realmente conhecer o país que visitamos.

A quarta consequência é que qualquer desculpa é suficiente para dividir a igreja. Se, afinal, a comunidade de cristãos não é de grande importância, qualquer desacordo ou disputa é suficiente para nos dividir. Se um grupo não concorda com o pastor, ele simplesmente sai e encontra outro grupo. Ou se o pastor tem dificuldades com uma congregação específica ou com a denominação, ele simplesmente declara-se "independente", torna-se um "evangelista" e é isso aí.

Finalmente, como consequência de tudo isso, tornamo-nos uma série de grupos divididos, passando mais tempo competindo e debatendo entre nós mesmos que testemunhando o reino de Deus e sendo um sinal da obra de Deus em nosso mundo.

Contra essa truncada percepção de missão, há o que Lucas apresenta do começo ao fim do livro de Atos e o que Paulo mostra nessa passagem. A igreja é uma parte essencial da vida cristã. Seu propósito não é só responder às minhas necessidades, mas responder às necessidades do mundo e ser um sinal da obra e graça de Jesus Cristo. Ao levar adiante a missão, os cristãos devem permanecer em contato uns com os outros. Eles podem, até mesmo, nem sempre estar em total concordância, como vemos repetidamente no livro de Atos (lembre-se da necessidade da reunião em Jerusalém e da discórdia entre Paulo e Barnabé). Mas quando há desacordo, deve ser feito todo esforço possível para preservar os laços de amor e de comunhão. Assim, e só assim, o mundo acreditará. Foi por causa de nós e do mundo que o Senhor orou: "Que todos sejam um [...] para que o mundo creia que tu me enviaste" (Jo 17.21).

7. Em Éfeso e circunvizinhança
(18.23 - 20.38)

No versículo 23, Paulo começa uma nova jornada. Embora nessa jornada, ele visite outros lugares — alguns deles, pelo menos, pela segunda vez — Lucas dedicará atenção especial a Éfeso e aos eventos dessa cidade e da região vizinha.

A. DISCÍPULOS DEFICIENTES (18.23 - 19.7)

1. Apolo (18.23-28)

a. Um resumo (18.23)

A brevidade do versículo 23 resume muito os fatos. Paulo passa "algum tempo" em Antioquia. Quanto tempo? É impossível saber. Contudo, dadas as condições da estrada que ele tem de pegar para chegar à Galácia e à Frígia, pode-se imaginar que ele permaneceu em Antioquia, pelo menos, até a primavera seguinte. As passagens pelas montanhas ficavam fechadas durante o inverno. Além disso, a "região da Galácia e da Frígia" inclui diversas cidades que Paulo visitara antes: Derbe, Icônio, Listra e outras. Como Lucas informa-nos que ele andou de lá para cá "encorajando todos os discípulos", é lógico ele ter passado, pelo menos, algumas semanas em cada uma dessas cidades. Portanto, o que está por trás da brevidade desse versículo é uma jornada bastante longa. Mais uma vez, Lucas fornece-nos um resumo muito curto do tempo que deve ter passado ali — pelo menos, meses, talvez até mesmo anos.

b. A pregação de Apolo (18.24-28)

Agora, Lucas introduz um novo personagem em sua história que desaparecerá de novo em 19.1. Afora as referências de Paulo em 1Coríntios, esses poucos versículos são tudo que sabemos sobre Apolo.

Seu caráter e pessoa são descritos no versículo 24. O nome "Apolo" é uma abreviatura de "Apolônio". Ele era um judeu de Alexandria. O judaísmo alexandrino caracterizava-se, mesmo antes da época de Jesus, pelos magos e filósofos, muitos dos quais construíram pontes entre o judaísmo e a melhor cultura pagã. Por isso, quando Lucas nos informa que Apolo era um judeu alexandrino, isso traz imediatamente à mente toda essa tradição intelectual, da qual Apolo era muito provavelmente herdeiro. A palavra traduzida por "eloquente" (*logios*), pela A21, também pode ser traduzida por "culto" (NVI), "erudito" ou "inteligente". Ele também tinha "grande conhecimento das Escrituras" (sentido literal, "poderoso nas Escrituras"), o que parece se referir a sua habilidade em refutar seus adversários com base na Escritura, conforme pode ser visto no versículo 28.

Apolo já era cristão fervoroso em espírito (sentido literal, "fervente no espírito") e ensinava "com precisão" a respeito de Jesus. Tudo isso concorda com o que Paulo nos diz em 1Coríntios.

No entanto, a pregação de Apolo era deficiente, pois conhecia "somente o batismo de João". É difícil saber a natureza exata dessa deficiência. Ao comparar essa passagem com a seguinte (19.1-7), pode-se perceber que conhecer somente o batismo de João representa não conhecer, ou não ter recebido, o batismo do Espírito Santo. Todavia, se era esse o caso, não bastava que Priscila e Áquila chamassem Apolo de lado e explicassem "com mais precisão o caminho de Deus". Aqui não há indicação de que, depois dessa instrução, Apolo recebeu o Espírito Santo. Portanto, poderia parecer que o que está em pauta seja uma deficiência teológica. O que dificulta a interpretação de toda a passagem é que o versículo 25 nos informa que ele ensinava "com precisão", e o exato versículo seguinte diz que esse ensinamento era deficiente. Alguns estudiosos tentam resolver essa dificuldade alegando que as fontes que Lucas usou elogiavam Apolo, mas que o próprio Lucas, sendo seguidor e admirador de Paulo, tentou minimizar o ministério desse rival de Paulo e, por isso, introduz a sugestão de inadequação teológica.[1] Contudo, ao ler o texto como um todo, chega-se à conclusão de que, embora Apolo conhecesse bastante bem e com exatidão a vida

---

1 Veja HAENCHEN, E. *The Acts of the Apostles*, p. 554-55, e WOLTER, M. "Apollos und ide ephesinischen Johannesjünger". *ZntW* 78 (1987), p. 49-73.

7. EM ÉFESO E CIRCUNVIZINHANÇA (18.23-20.38)

de Jesus, ele não tinha seguido as consequências dessa vida além do chamado ao arrependimento (o "batismo de João"). Nesse caso, o que ele pregava na sinagoga, e levou Priscila e Áquila a chamá-lo de lado, poderia ser simplesmente a vida e o ensinamento de Jesus e a injustiça cometida em crucificá-lo (talvez, até mesmo, sua ressurreição); mas não pregava a inauguração dos "últimos dias", como Pedro dissera no Pentecostes. Isso explicaria por que em 19.1-7, o assunto do Espírito Santo é contrastado com o batismo de João.

Depois de ser instruído "com mais precisão", Apolo partiu para Corinto, com uma carta de recomendação dos cristãos de Éfeso, e, lá, ele foi de considerável ajuda para a igreja.[2]

UMA MULHER QUE ENSINAVA TEOLOGIA

No texto, o nome de Priscila aparece antes do nome de Áquila. Contudo, por volta do século II, o texto ocidental tinha invertido a ordem, dizendo que foram "Áquila e Priscila" que chamaram Apolo de lado. Essa tendência de minimizar a importância de Priscila pode ser vista em outras passagens conforme o tempo passa. Por exemplo, no século IV, uma das antigas igrejas de Roma foi chamada "igreja de Santa Priscila", depois, tornou-se "de Priscila e Áquila" e, por volta do século VIII, era a "Igreja dos Santos Áquila e Priscila".

Por vários motivos, no século II, desenvolveu-se uma reação antifeminista na igreja, e como parte dessa reação, que limitava a autoridade das mulheres na igreja, a tradição de mulheres que foram líderes relevantes foi obscurecida. Uma dessas mulheres era Priscila.[3]

A igreja protestante da América Latina faz parte dessa tradição. Além disso, de uma forma estranha, a história da igreja primitiva que, de início, era bastante aberta em relação à liderança da mulher e, depois, tornou-se mais fechada, é repetida em nossas igrejas. Quando o trabalho missionário protestante começou na América Latina, havia mulheres, bem como homens, entre os missionários. As mulheres viajavam para lugares remotos, criavam novas oportunidades, fundavam igrejas, ensinavam teologia. Assim, apenas poucas décadas atrás, as igrejas protestantes de fala espanhola estavam bem acostumadas em ter mulheres em posição de autoridade, atuando como pastoras e pregadoras. Hoje, há muitos que estão convencidos de que o ministério

---

2   De acordo com o texto oriental, Apolo foi para Corinto a pedido de alguns cristãos que estavam em Éfeso.

3   Sugere-se que ela foi a autora da epístola para os Hebreus e que seu nome foi eliminado como parte dessa reação antifeminista.

feminino é uma inovação, uma invenção recente, quando a verdade é bem o oposto.

Priscila — e também as quatro filhas de Filipe que pregavam, a quem encontraremos adiante nessa narrativa (21.9) — é uma indicação do que Pedro disse em seu discurso do Pentecostes, de que os dons do Espírito são derramados sobre os jovens e velhos, os homens e mulheres. Diante dos atos desse Espírito, todas as limitações que nós, seres humanos, impomos uns aos outros devem ser afastadas. A igreja latino-americana tem um valioso recurso nas mulheres, e os que se recusam a permitir o uso apropriado desses recursos devem ter cuidado para que não se vejam resistindo ao Espírito.

2. Os doze discípulos em Éfeso (19.1-7)

Esse episódio está intimamente relacionado com o precedente. Ele acontece depois da partida de Apolo, mas aparentemente ainda há alguns discípulos em Éfeso que não conhecem nada além do "batismo de João" (19.3). Por essa ser a mesma frase que aparece em 18.25 a respeito de Apolo, poderia parecer que o texto sugere que havia alguma relação entre esses doze (ou "uns doze"; 19.7) discípulos e Apolo. Será que eles eram as pessoas que tinham sido ensinadas por Apolo antes de este receber sua lição de teologia de Priscila e Áquila? Ou eles eram apenas pessoas vindas do mesmo círculo de Apolo? É impossível saber.

Em todo caso, agora, encontramos uma clara explicação da deficiência, se não de Apolo, pelo menos, desses discípulos. Paulo acrescenta dois elementos ao que eles já sabiam: primeiro, que a pregação de João Batista apontava para aquele que viria depois dele, Jesus Cristo (19.4); e segundo, que há um Espírito Santo (19.2,6). Aparentemente, esses discípulos eram seguidores de Jesus como mestre, mas não como o Cristo, o esperado Messias, o cumprimento das promessas. (Será que talvez essa também representasse a inadequação teológica de Apolo, ou seja, que ele podia falar com exatidão dos ensinamentos e dos milagres de Jesus, mas não sabia que ele era o cumprimento da promessa?) O que Paulo lhes diz é que, na verdade, essa era a mensagem do próprio João. Depois, com base nos testemunhos conjuntos de Paulo e de João Batista, esses discípulos são batizados e, quando Paulo impõe as mãos sobre eles, estes recebem o Espírito.

JESUS E O ESPÍRITO

Embora este não seja um tratado sobre a doutrina do Espírito Santo, há dois pontos importantes decorrentes dessa narrativa que são particularmente

7. EM ÉFESO E CIRCUNVIZINHANÇA (18.23–20.38)

relevantes para a igreja protestante de fala espanhola, na qual há tanta discussão a respeito do Espírito Santo.

O primeiro ponto é que há uma relação muito próxima entre ter o Espírito e ser capaz de confessar plenamente quem Jesus Cristo é. Observamos isso na própria narrativa. Os doze discípulos não sabem nada sobre o Espírito, e Paulo responde a essa situação fazendo que saibam que Jesus é o Cristo. A seguir, eles são batizados "em nome do Senhor Jesus" e recebem o Espírito. Nesse caso, quando Paulo fica sabendo que alguém não conhece o Espírito, ele conta-lhe sobre Jesus. Há uma necessária ligação entre conhecer e confessar Jesus como o Cristo e ter o Espírito Santo. Conforme Paulo mesmo diz em outra passagem: "Ninguém pode dizer: Jesus é Senhor! a não ser pelo Espírito Santo" (1Co 12.3).

O segundo ponto importante é que nem sempre a maneira como esses vários aspectos estão relacionados é a mesma. Gostamos de ter tudo preto no branco, saber exatamente como e quando o Espírito age. Em particular, em nossas igrejas, há alguns que afirmam conhecer mais sobre o Espírito Santo e sua ação do que é dado ao homem conhecer. Isso é tentar limitar o poder e a liberdade do Espírito. Aqui, como na maior parte das outras passagens de Atos, o Espírito vem depois do batismo, com a imposição das mãos por parte dos apóstolos (veja, por exemplo, 8.17). Todavia, no episódio de Cornélio, os gentios recebem, primeiro, o Espírito sem nenhuma imposição de mãos, e, depois, como consequência de ter recebido o Espírito, é que Cornélio e seus companheiros são batizados.

A importância de tudo isso para as nossas igrejas deve ficar clara: que não afirmemos saber mais do que realmente sabemos, nem tentemos limitar e controlar os atos do Espírito.

B. MILAGRES EM ÉFESO (19.8-22)

1. O ENSINAMENTO DE PAULO (19.8-10)

Esses versículos são um breve resumo que inclui, primeiro, a pregação de Paulo na sinagoga; segundo, sua ruptura com a sinagoga e, por fim, a continuação do ensino de Paulo na escola de Tirano. Depois de dois anos de pregação, a palavra tinha se espalhado pela região, de modo que "todos os que habitavam na Ásia, tanto judeus como gregos, ouviram a palavra do Senhor". Talvez Lucas, por estar apenas resumindo as atividades de Paulo, não mencione uma visita à igreja de Corinto que deve ter acontecido nessa época, como é possível deduzir da correspondência de Paulo para Corinto.

O único ponto aqui que talvez precise de esclarecimento é a referência à escola de Tirano. O texto ocidental fala "de certo Tirano, da quinta à décima hora" — ou seja, das 11 às 16 horas. O texto alexandrino, que é provavelmente o original e que a NRSV segue, diz apenas: "a sala de palestra de Tirano". Nada mais é conhecido dessa pessoa nem sobre sua sala de palestra ou escola. Talvez ele fosse um professor que tinha dado palestras ou ainda dava palestras no mesmo lugar, e cuja fama era tanta que o lugar era conhecido pelo nome dele. Talvez ele fosse apenas o proprietário de um prédio usado para dar palestras. Ele também pode ter sido o arquiteto ou construtor do prédio. De todo modo, na época em que o texto ocidental foi escrito, provavelmente por volta do século II, o escriba, ao copiar isso, não sabia quem era Tirano e, por isso, o texto diz "certo Tirano" (ARC).

2. Falsos milagres (19.11-16)

A seção inteira lida com milagres que aconteceram em Éfeso por meio do ministério de Paulo. Lucas, em geral, não apresenta Paulo como um operador de milagres. De acordo com Atos, a principal função de Paulo é pregar, ensinar e fortalecer a fé das igrejas. Nas epístolas paulinas, também vemos que ele estava coletando uma oferta para Jerusalém. Na narrativa de Lucas, são inúmeros os milagres que acontecem em conexão com o ministério de Paulo, mas, normalmente, eles não são o centro da narrativa, mas, antes, são a ocasião para outro evento que se torna importante. Assim, a cura da menina com dons de adivinhação de 16.16-18, por exemplo, serve como introdução para a prisão de Silas e de Paulo, em Filipos.

Aqui, os milagres que acontecem "por intermédio de Paulo" servem como introdução não para um episódio da vida de Paulo, mas, mais propriamente, para um episódio que mostra o fracasso dos que tentam imitá-lo com a esperança de serem capazes de realizar milagres como os atribuídos ao apóstolo.

a. Um resumo dos milagres (19.11,12)

Lucas introduz o episódio do demônio sarcástico (19.13-17) com um resumo dos milagres que Deus fez "por intermédio de Paulo". Ao ler essa passagem, imediatamente, pensamos que todos os milagres mencionados acontecem em Éfeso. Mas é possível que o texto deva ser lido em termos mais gerais. Lucas está para nos informar de um evento que aconteceu em Éfeso, o qual demonstra a fragilidade dos falsos operadores de milagre, e introduz essa narrativa com um comentário geral

7. Em Éfeso e circunvizinhança (18.23–20.38)

sobre os muitos milagres que aconteceram em conexão com o ministério de Paulo.

A referência aos lenços e aventais de Paulo que forneceram uma oportunidade para que alguns supostos evangelistas fizessem dinheiro com a venda deles e de outros itens que tinham abençoado. Contudo, observe que, aqui, o texto não sugere que Paulo distribuiu ou proclamou o poder de seus lenços e aventais, mas, antes, que as pessoas os pegavam sem o conhecimento do apóstolo. Não é, como alguns declaram hoje, que Paulo abençoou lenços para que pudessem ser realizados milagres por intermédio destes.

b. O sarcasmo do demônio (19.13-16)

A fama de Paulo manifestada na ansiedade das pessoas em pegar seus lenços e aventais a fim de realizar milagres também leva alguns exorcistas a imitá-lo. A referência aos exorcistas judeus não deve surpreender, pois o exorcismo era uma prática comum entre os judeus do século I.[4]

Não obstante, a própria narrativa apresenta alguns problemas. Primeiro, não fica claro qual é a relação entre os versículos 13 e 14. No versículo 13, temos a referência a "alguns judeus, exorcistas ambulantes", e o 14 refere-se aos "sete filhos do judeu chamado Ceva". Esses são dois grupos distintos ou as pessoas mencionadas no versículo 14 são um exemplo específico do que é citado no versículo 13? Segundo, entre os que servem como principais sacerdotes dentre os judeus não havia ninguém chamado Ceva. Terceiro, é difícil explicar por que Lucas se referiria a uma pessoa tão importante como se esse indivíduo fosse um mero desconhecido, o que é sugerido pela construção gramatical grega. Por fim, no versículo 14, Lucas fala dos sete filhos de Ceva, enquanto, no versículo 16, ele informa-nos que o espírito maligno saltou "sobre eles, apoderou-se de dois" (TB) — a A21 evita essa dificuldade falando simplesmente: "Sobre eles". Em todos esses casos, o texto ocidental parece resolver as dificuldades.[5] Por isso, alguns estudiosos acreditam que essa era a versão original, enquanto outros insistem que essa é apenas uma revisão muito bem

---

[4] Josefo, *Ant.* 8.2.5. Sobre a fama dos exorcistas judeus, veja Mastin, B. A. "Scaeva the chief priest". *JTS* 27 (1976), p. 405-12.

[5] No texto ocidental, há dois grupos diferentes de exorcistas. O primeiro, no versículo 13, são judeus. O segundo, os que aparecem no versículo 14 e no restante da história, são pagãos. Ceva é um sumo sacerdote, mas não somos informados que ele é judeu e, por isso, ele parece o sumo sacerdote de alguma forma específica de adoração que existia em Éfeso. Depois, o pronome pessoal "eles", do versículo 16, parece se referir aos dois grupos, e não a dois exorcistas. Também há muitos outros detalhes (como o uso do singular e o plural em vários diálogos) em que o texto ocidental parece mais coerente que o alexandrino.

elaborada, procurando precisamente resolver as dificuldades que o original apresentava.[6]

As dificuldades no texto alexandrino não são insuperáveis. Em primeiro lugar, o versículo 14 pode ser um exemplo particular do que o versículo 13 diz em termos mais gerais. Havia exorcistas judeus que tentavam expulsar demônios em nome de Jesus. Entre eles estavam os sete filhos de Ceva, sobre quem a narrativa fala mais especificamente. Segundo, o título "um dos principais sacerdotes", dado a Ceva, pode não ser interpretado como o dos chefes dos sacerdotes, mas, antes, como uma pessoa importante entre os sacerdotes.[7] Por fim, em alguns escritos da época, o termo "ambos" ou "dois" (TB; ARC) (*amphoteron*) é usado no sentido de "todos".[8]

De qualquer modo, a tendência geral da narrativa é clara: alguns exorcistas tentavam expulsar demônios com esta fórmula: "Eu vos ordeno por Jesus a quem Paulo prega". Essa é, antes, uma fórmula estranha na qual o exorcista distancia-se de Jesus, em cujo nome ele afirma expulsar o demônio. Ele não diz: "Em nome de Jesus", mas: "Eu vos ordeno por Jesus a quem Paulo prega".

A resposta do demônio é, mais propriamente, sarcástica: "Conheço Jesus, e sei quem é Paulo; mas vós, quem sois?" O texto grego emprega dois verbos diferentes, por isso, a A21 traduz a resposta do demônio por: "Conheço Jesus, e sei quem é Paulo; mas vós, quem sois?" Embora talvez a diferença entre esses dois verbos não deva ser exagerada, eles indicam que o demônio reconhece Jesus e Paulo de duas maneiras diferentes: o primeiro mais diretamente, como quando conhecemos alguém pessoalmente; o segundo como uma questão de informação, como quando temos alguma informação sobre a pessoa.

Logo em seguida, esse demônio que parece zombar dos exorcistas piora o insulto, pois o homem endemoninhado salta sobre eles e lhes dá uma surra para valer.

---

6   Strange, W. A. "The sons of Sceva and the text of Acts 19:14". *JTS* 38 (1987), p. 97-106, sustenta que o texto ocidental é o original, enquanto Delebecque, É. "La mésaventure des fils de Scévas selon ses deux versions". *RevScPhTh* 66 (1982), p. 225-32, acredita que é apenas uma revisão muito bem elaborada.

7   Pode ser traduzido por "principais sacerdotes", mantendo, assim, a possibilidade das duas interpretações. Em outras passagens de Atos, o próprio Lucas emprega o mesmo título no plural, o que mostra que, pelo menos, lá ele não pretende apresentar o título no sentido de "sumo sacerdote", mas, antes, no sentido de "sacerdote importante" 4.23; 5.23; 9.14,21; 22.30; 23.14; 25.2,15; 26.10,12.

8   Há uma ampla bibliografia sobre esse assunto em Renié, J. *Actes des Apôtres*. Paris: Pirot--Clamer, 1951, p. 265.

7. EM ÉFESO E CIRCUNVIZINHANÇA (18.23–20.38)

3. A REAÇÃO DO POVO (19.17-20)

Esses quatro versículos resumem a reação de vários grupos a tudo que aconteceu e, em especial, à surra recebida pelos filhos de Ceva. O versículo 17 indica que quando tudo isso se tornou do conhecimento de todos de Éfeso, todos ficaram aterrorizados, "tanto judeus como gregos". O versículo 18 afirma que a notícia também afetou os cristãos, que "confessa[ram] e admiti[ram] em público as suas práticas". O versículo seguinte não esclarece se os que praticavam mágica e reuniram seus livros para os queimar eram cristãos que não tinham abandonado suas práticas antigas ou se eram outras pessoas que ouviram falar sobre o que acontecera. Talvez o texto devesse ser lido como se referindo a ambos, de forma que, pelo menos, um dos pecados que os cristãos confessaram (no v. 18) foi que continuavam com suas antigas superstições.

É particularmente importante esse evento ter acontecido em Éfeso, pois essa cidade era conhecida pela produção de livros de mágica que, com frequência, eram mencionados como "escritos efésios".[9] É também importante mencionar o valor desses livros que foram queimados. Cinquenta mil moedas de prata seriam, aproximadamente, o valor de um bom salário por igual número de dias, ou seja, aproximadamente, 150 anos de um bom salário. É possível que Lucas mencione esse número a fim de marcar o contraste entre o que acontece aqui e o episódio seguinte, no qual interesses econômicos tentam impedir a pregação do evangelho. Nesse caso, o impacto do evangelho é tão grande que supera os interesses econômicos.

Por fim, o versículo 20 é um dos muitos resumos que Lucas inclui em seu livro.

4. UM ESBOÇO DO FUTURO (19.21,22)

Esses dois breves versículos são um esboço do que ainda está por vir, um resumo do futuro. Em especial, no versículo 21, somos informados que Paulo viaja pela Macedônia e Acaia para, depois, ir a Jerusalém e, finalmente, para Roma. Esse é o esboço do restante do livro. Contudo, o que temos aqui é mais que apenas um esboço; é a indicação de uma mudança radical na natureza da narrativa. A frase: "Depois de ocorridas essas coisas", sugere que, agora, algo fora cumprido. De certa maneira, Paulo, agora, cumpriu a tarefa missionária que o Espírito lhe confiara. O que falta, nesse ponto da história, é ir para Jerusalém e, depois, para Roma,

---

9 Esses livros ainda eram chamados "efésios", embora, naquela época, o Egito produzisse mais desses livros que Éfeso.

lugares não tanto de trabalho missionário como de perseguição e sofrimento. Na carreira de Paulo, essa passagem faz paralelo com o que Lucas diz sobre Jesus "manifest[ar] firme propósito de ir para Jerusalém" (Lc 9.51). O verbo "cumprir", que aparece nesse ponto do evangelho, também aparece nesse versículo de Atos. Da mesma maneira que se pode dizer que a paixão de Jesus começou em Lucas 9.51, também, agora, a vida de Paulo torna-se cada vez mais de sofrimento e oposição oficial.

No versículo 22, Paulo começa a fazer preparativos para a jornada que propôs enviando Timóteo e Erasto para a Macedônia. Já encontramos Timóteo antes (16.1; 17.14,15; 18.5). Essa é a primeira vez que Erasto é mencionado em Atos, embora o mesmo nome apareça em 2Timóteo 4.20 (passagem em que claramente se refere à mesma pessoa mencionada em Atos) e em Romanos 16.23. Por esse ser um nome relativamente comum na época, é impossível saber se o Erasto mencionado em Romanos e chamado de "tesoureiro da cidade" (de Corinto) é o mesmo que aparece aqui em Atos. Embora Atos não fale da oferta para Jerusalém, a partir das epístolas de Paulo, sabemos que a oferta era muito importante para ele, por essa razão, é possível que ele tenha enviado os dois colegas para promover a coleta na Macedônia ou talvez para pegar o que já fora recolhido.

VITÓRIA SOBRE OS DEMÔNIOS ATUAIS

Este comentário procura ler o texto de Atos à luz do contexto e da realidade atual da América Latina e da população latina dos Estados Unidos. Quando observamos essa realidade, ficamos conscientes do misterioso e esmagador poder do mal. Poucas décadas atrás, talvez se pudesse pensar que nossos problemas seriam resolvidos com relativa facilidade. Foi dito, por exemplo, que a raiz de todas nossas dificuldades era a ignorância ou falta de educação e que a formação de escolas e a promoção da educação pública fariam desaparecer a maior parte de nossas trágicas circunstâncias. Com o passar dos anos, observamos com que frequência a educação é usada para explorar os outros, e não para ajudar as pessoas a resolver suas dificuldades. Médicos, advogados, contadores, engenheiros e, até mesmo, ministros do evangelho usam o que conhecem para acumular riqueza e poder, enquanto o povo em geral ainda vive na doença, na injustiça, na miséria e no pecado. Com bastante acerto, o palestrante na formatura de uma de nossas universidades declarou que os diplomas a serem entregues naquela tarde eram como "licenças para pilhar" o povo. Sem dúvida, a educação não é a cura total que se pensou que fosse.

7. EM ÉFESO E CIRCUNVIZINHANÇA (18.23-20.38)

Outros argumentariam que o que precisamos é de mais desenvolvimento econômico. Reiteradamente, vemos que à medida que as pontes e estradas são construídas, e nosso interior é aberto para o mercado nacional e o internacional, há mais e mais camponeses perdendo sua terra, e a população em nossas favelas aumenta. Portanto, o desenvolvimento econômico não é a solução que costumávamos achar que seria.

Pode-se dizer o mesmo com a pregação do evangelho. Afirma-se frequentemente que, se todos aceitassem a fé, nossos problemas seriam resolvidos. Mas as estatísticas mostram que alguns dos países em que o comparecimento geral à igreja é mais alto — e, para os que acham que é uma questão de pregar a mensagem protestante, onde o cristianismo protestante conta com mais adeptos — são também os países com mais miséria econômica, mais crises agrícolas e mais opressão policial.

O que tudo isso quer dizer é que os últimos anos do século XX nos forçaram a encarar o poder do mal e a confessar que, na verdade, é um poder misterioso que não conseguimos entender e não sabemos como subjugar nem destruir. Em outras palavras, que os eventos das nossas nações e também os de todo o mundo contemporâneo estão nos levando de volta ao que a Bíblia chama de "demônios". O poder do mal não só é algo que não conseguimos explicar e não compreendemos, como também não controlamos nem destruímos sozinhos. Ele é misterioso, opressor e inexplicável. É justamente aí que repousa a terrível perversidade. Se conseguíssemos explicá-lo, estaríamos bem no caminho para superá-lo. Mas como não conseguimos explicá-lo nem mesmo entendê-lo, sua maldade é imensamente grande. Por isso, em face das doenças que afetam nosso povo, devemos declarar que a Bíblia tem razão em falar em termos de poderes demoníacos, e são esses poderes demoníacos que subjugam nosso povo.

Isso não quer dizer que devemos retroceder vinte séculos e esquecer tudo que, com a ajuda de Deus, a humanidade aprendeu sobre vírus, psicoses e hormônios. Sabendo tudo isso e conhecendo também as manipulações econômicas e políticas que estão por trás do sofrimento do nosso povo, não podemos fingir que a causa de nossas dificuldades é apenas um pequeno grupo de diabinhos, com chifres e forcados, flutuando em torno de nós.

O que isso quer dizer é que se é verdade que a percepção de mundo que explica todos os males com base nesses diabinhos é ingênua, também é ingênua a outra percepção de mundo, com frequência, chamada de "moderna", de acordo com a qual nossas doenças e problemas podem ser facilmente resolvidos, basta usarmos o melhor de nosso conhecimento contemporâneo.

Quando vemos as coisas desse jeito, então, o conflito que o Novo Testamento descreve em termos de demônios não é de todo diferente do que, hoje, queremos dizer quando falamos sobre "injustiça" e "opressão". Na verdade, o demônio da opressão econômica é muito mais feroz, muito mais demoníaco que qualquer diabinho sussurrando em nosso ouvido, como os que vemos nas histórias em quadrinhos. Se esse for o caso, conclui-se que o estudo em que o Novo Testamento nos fala a respeito da vitória sobre esses poderes também nos diz algo sobre a maneira como devemos, hoje, enfrentar os demônios gêmeos da injustiça e da opressão — ou qualquer dos muitos demônios que tomam posse do nosso povo.

Lida dessa maneira, a passagem sobre o demônio sarcástico relaciona-se com nossa situação de várias maneiras. Primeiro, o demônio diz que conhece Jesus e também está familiarizado com Paulo: "Conheço Jesus, e sei quem é Paulo". Esse reconhecimento de Jesus é muito mais do que ter ouvido falar dele. É o conhecimento de alguém que se encontrou com Jesus e, por isso, conhece e, até mesmo, reconhece seu poder. Esse é um assunto que talvez seja difícil para nós "modernos" entendermos, mas é central na mensagem do Novo Testamento. O que o Novo Testamento diz sobre Jesus não é simplesmente que ele foi um grande mestre, que ele realizou milagres e que ele morreu por nossos pecados. O Novo Testamento, com certeza, diz isso tudo, mas diz muito mais. Diz também e, acima de tudo, que Jesus, por meio de sua vida e morte, enfrentou as mais poderosas e terríveis forças do mal e saiu vitorioso. Embora o mal ainda esteja bem presente e, até mesmo, predomine, seu poder foi destruído, pois há aquele que o conquistou, e, nele, todos nós somos conquistadores. Assim, a mensagem central do Novo Testamento é que em Jesus começa um novo dia, e que a culminação desse novo dia virá na destruição final de todos os poderes do mal.

Os poderes do mal conhecem o poder de Jesus. O que isso quer dizer é que as palavras finais não pertencem a esses poderes; que esse mal será (e, de certa maneira, já é) conquistado; que, de maneiras misteriosas, já desfrutamos dos primeiros frutos da nova criação, algo que os olhos da fé podem apenas vislumbrar. Como Paulo diz em outra passagem: "Já que fostes ressuscitados com Cristo, buscai as coisas de cima, [...] pois morrestes, e a vossa vida está escondida com Cristo em Deus, quando Cristo, que é a nossa vida, se manifestar, também vos manifestareis com ele em glória" (Cl 3.1,3,4). Essa confiança na vitória de Jesus iniciada em sua ressurreição e a ser completada em seu triunfo final é uma parte essencial da fé do Novo Testamento. A menos que ponhamos nossa confiança nessa vitória de Jesus, nossa suposta fé está realmente distante e

7. EM ÉFESO E CIRCUNVIZINHANÇA (18.23–20.38)

é indireta, como a dos exorcistas que tentavam expulsar demônios "por Jesus a quem Paulo prega".

Isso leva ao segundo ponto importante nesse texto: o demônio age como se não soubesse quem são os exorcistas; mas, nisso, está seu sarcasmo, pois ele sabe o que é realmente importante sobre eles todos: que não têm autoridade para invocar o poder de Jesus. O comentário: "Mas vós, quem sois?", sugere muito mais do que falta de conhecimento. Na verdade, o que está implícito é um conhecimento desconcertante. O demônio está dizendo a essas pessoas que, embora ele conheça o poder de Jesus, sabe que há uma imensa distância entre o poder de Jesus e o poder que, agora, essas pessoas tentam invocar. Os poderes do mal não reconhecem o poder dos exorcistas precisamente porque eles sabem que a relação dele com o poder de Jesus é distante e indireta.

É isso que também vemos hoje em nossas lutas contra os poderes do mal. A igreja faz um pronunciamento contra a injustiça social e, logo, ouve a voz dos sarcásticos demônios atuais: "Você está combatendo a opressão, quando suas igrejas são governadas por chefes que comandam como senhores feudais? Você reclama de injustiça econômica quando entre vocês mesmos há injustiças semelhantes? Você prega a alegria da salvação quando em sua igreja todos têm a face sombria como se o mundo inteiro estivesse de luto?" O que essas vozes nos dizem é muito semelhante à resposta sarcástica do demônio para aqueles exorcistas itinerantes: "Conheço Jesus, e sei quem é Paulo; mas vós, quem sois?" Os que controlam o mundo hoje sabem, por mais indistinto que seja esse conhecimento, que os ensinamentos e a vida de Jesus têm algo a ver com injustiça humana. Talvez eles, até mesmo, suspeitem que seu próprio trabalho se opõe ao poder de Jesus. Mas eles também sabem que é bem fácil criar um empecilho entre nós e esse Jesus poderoso.

Isso leva ao terceiro ponto: é muito melhor não invocar o nome de Jesus que invocá-lo de forma indireta. O poder de Jesus invocado de uma distância prudente e de uma posição segura não funciona. Os exorcistas não só fracassam, mas também são surrados e têm de fugir sem roupa. Quando os cristãos estão bastante preparados para atacar os males de hoje em nome de Jesus, mas não para afirmar o poder de Jesus sobre eles mesmos, com frequência, terminam em um estado lamentável. Os demônios conhecem-nos da mesma maneira desconcertante em que o demônio sarcástico conhecia os exorcistas itinerantes. Independentemente do quanto eles invocassem o poder de Jesus, eles faziam isso a distância, sem compromisso e, por isso, tudo que fizeram foi bastante inútil. Se for para expulsarmos os demônios que hoje possuem nosso povo, só conseguiremos fazer isso quando invocarmos o nome de Jesus e fizermos isso no contexto de um compromisso verdadeiro com Jesus.

É aqui que as coisas ficam difíceis. O compromisso real com Jesus inclui muito mais do que frequentar a igreja, orar e ler a Bíblia. O Jesus a quem seguimos foi para a cruz e nos diz que, para segui-lo, temos de tomar nossa cruz. O compromisso com Jesus não é só uma questão de confissão de fé; é também uma questão de se juntar a ele no enfrentamento dos poderes do mal. O demônio conhece Jesus. Por quê? Porque Jesus enfrentou o mal, entrou na habitação dele, caminhou com o doente, o aleijado e os pecadores, foi criticado, insultado e, por fim, morreu pelos poderes do mal e, apesar de todas essas coisas, ele saiu vitorioso. O demônio conhece Jesus porque Jesus conhece o demônio. O demônio sabe a respeito de Paulo porque Paulo segue a Jesus no caminho que este apontou. Antes, no mesmo livro de Atos, Paulo disse aos discípulos que "em meio a muitas tribulações nos é necessário entrar no reino de Deus" (14.22). Ele já está decidido a ir a Jerusalém e, por fim, para Roma, embora saiba que o que o aguarda lá são dificuldades e sofrimentos. Por tudo isso é que o demônio sabe quem é Paulo e o respeita. Paulo caminha pela vida enfrentando os poderes do mal, e, por essa razão, esses poderes sabem que ele, na verdade, tem autoridade para invocar o nome de Jesus. Os poderes do mal reconhecerão nossos poderes só quando reconhecermos — reconhecermos de verdade — o poder de Jesus. E, por mais estranho que isso possa parecer, para conhecer esse poder de Jesus, o indivíduo também tem de conhecer os poderes do mal; tem de seguir Jesus no enfrentamento desses poderes, em receber e, até mesmo, sofrer todo o mal que eles podem lançar sobre nós e sairmos "mais que vencedores" por meio da virtude daquele que já conquistou a vitória para nós.

O antigo hino do evangelho apresenta bastante bem essa verdade: "Há poder na cruz". Há, de fato, poder, mas é na cruz da confrontação do mal que ele carregou sobre si e a qual nos convida a carregar.

C. O TUMULTO EM ÉFESO (19.23-41)

Aqui, chegamos ao confronto entre pregar o evangelho (ou, como Lucas diria, o "Caminho") e os interesses econômicos e religiosos do povo de Éfeso. Esses interesses centralizavam-se no grande templo de Ártemis. (Algumas traduções mais antigas dizem "Diana", porque, nos tempos antigos, a deusa Ártemis, de Éfeso, era identificada com a romana Diana. O grego, na verdade, diz "Ártemis", por isso, a A21 e outras traduções mais modernas retornaram a esse nome.) O primeiro templo de Ártemis

7. EM ÉFESO E CIRCUNVIZINHANÇA (18.23-20.38)

construído na região foi destruído por um incêndio que, de acordo com a tradição, aconteceu no mesmo dia do nascimento de Alexandre, o Grande, em 356 a.C.[10] Quase imediatamente após o incêndio, os efésios começaram a reconstrução de seu famoso templo, cuja fundação tinha mais de 150 metros de altura e 50 metros de largura e que era considerado uma das grandes maravilhas do mundo antigo até que foi destruído pelos godos em 262 d.C. A deusa era adorada na forma de uma estátua de pedra com uma ameia sobre a cabeça e múltiplos seios, por isso, era chamada de *polymastos*. Essa não é realmente a antiga Ártemis dos gregos, mas, antes, a deusa da fertilidade conhecida nas regiões vizinhas como a "Grande Mãe". Seu sumo sacerdote era sempre um eunuco e era chamado *megabyzos*. Abaixo dele, havia um grande cortejo de sacerdotes e sacerdotisas.

O templo, além de ser o orgulho da cidade, também era fonte de renda, pois os peregrinos de toda a bacia mediterrânea viajavam para visitá-lo. Além disso, como era costume nos tempos antigos, ele servia como banco que guardava o tesouro da cidade e dos indivíduos. Por fim, há indicações de que, na mente popular, a adoração de Ártemis estava associada ao culto ao imperador, em especial, porque a imperatriz Agripina era particularmente identificada com o templo e a adoração da deusa.[11]

A história que Lucas conta é relativamente simples.[12] Tudo começa com o negócio de um ourives chamado Demétrio e dos artesãos que trabalhavam com ele. Seu negócio[13] consistia em fazer pequenos templos de prata, réplicas do grande templo de Ártemis, para os peregrinos levarem com eles em seu retorno para casa.[14] Preocupado com a perda econômica que a pregação de Paulo podia acarretar, Demétrio convocou uma reunião dos artesãos que trabalhavam no negócio e fez um discurso que tratava as motivações econômicas com fervor religioso. De acordo com Demétrio, a pregação de Paulo afastava as pessoas da adoração dos deuses e "não há somente perigo de que esse nosso negócio caia em descrédito, mas também que o templo da grande deusa Ártemis perca toda a sua importância,

---

10 PLUTARCO, *Alexandre*, 3.3.
11 KRETZER, L. J. "A numismatic clue to Acts 19:23-41. The Ephesian Cistophori of Claudius and Agrippina". *JTS* 30 (1987), p. 59-70.
12 Como em tantos outros casos em Atos, aqui, mais uma vez, há relevantes variantes no texto ocidental. Essas pareciam tentativas de esclarecer elementos que podem estar confusos na narrativa original. Veja DELEBECQUE. "La revolte".
13 A palavra que a A21 traduz por "negócios" também quer dizer "lucro". É a mesma palavra usada para o lucro que os donos da menina escrava tinham com o espírito de adivinhação que a possuía, em 16.16.
14 Arqueólogos não encontraram nenhum templo de prata, embora tenham sido encontrados diversos feitos de argila. Provavelmente, parte do motivo para isso é que quando esses templos deixaram de ter relevância religiosa, as pessoas que tinham os templos de prata os fundiram para usar a prata da qual eram feitos.

vindo até mesmo a ser destituída da sua majestade aquela a quem toda a Ásia e o mundo adoram". Os que escutam se levantam e gritam: "Grande é a Ártemis dos efésios". A isso, segue-se uma confusão, e a multidão marcha em direção ao teatro, o lugar mais adequado para assembleias e reuniões populares. No caminho, eles arrastam com eles dois companheiros de Paulo, Gaio e Aristarco, e levam-nos ao teatro.

Essa é a primeira menção a Aristarco em Atos. Ele aparece de novo em 20.4; 27.2, em Colossenses 4.10 e Filemom 24. O caso de Gaio é mais complexo. Ele é mencionado de novo em 20.4 com Aristarco, passagem em que somos informados que ele era de Derbe. Aqui, somos informados que ele era da Macedônia. A passagem 20.4 refere-se a outra pessoa de mesmo nome ou há outro motivo para se dizer que ele é da Macedônia e de Derbe? Além disso, Paulo menciona certo Gaio de Corinto (Rm 16.23 e 1Co 1.14), e a terceira epístola de João também é endereçada a Gaio. É impossível saber a relação entre todas essas pessoas, em especial, porque o nome Gaio era bastante comum.

O teatro de Éfeso, cujas ruínas ainda podem ser vistas pelos visitantes, era imponente. Era um grande semicírculo construído sobre uma concavidade natural da terra, de frente para o porto e com assentos de mármore para 24 mil pessoas. Na época, o teatro estava sendo reconstruído, parte de um longo programa de reconstrução que começara durante o reinado do imperador Cláudio (41-54 d.C.) e que continuou até o início do século II.

Quando Paulo soube o que estava acontecendo, ele quis ir ao teatro, mas os discípulos o impediram de fazer isso. Em Romanos 16.3,4, Paulo diz que Priscila e Áquila arriscaram a vida por ele. Talvez ele esteja se referindo a algo que aconteceu durante essa revolta de Éfeso, e será que é possível que o casal estivesse entre os que impediram Paulo de ir ao teatro? Também "alguns dos oficiais romanos", ou "alguns dos principais da Ásia" (ARC; TB), enviaram uma mensagem para Paulo ficar longe do teatro. A palavra que Lucas emprega para esses oficiais é "asiarcas" (ARA). Asiarcas eram os líderes religiosos da província da Ásia, na qual havia um tipo de liga das cidades, cada uma representada pelo próprio asiarca. Assim, os asiarcas eram religiosos, em vez de oficiais civis, embora tivessem algum peso político.

Entrementes, a ameaça de tumulto continuou. No versículo 32, Lucas descreve a situação de forma bastante vívida: "[...]uns gritavam de um modo, outros do outro; pois havia confusão na assembleia, e a maior parte deles nem sabia por que motivo se havia reunido".

Os versículos 33 e 34 são parte da mesma confusão, a ponto de que o leitor moderno tem dificuldade em entender tudo que é contado. Quem

7. EM ÉFESO E CIRCUNVIZINHANÇA (18.23–20.38)

é esse Alexandre que aparece de repente e sem explicação? Lucas diz que os judeus o puxaram para a frente para que ele falasse. Talvez esses judeus estivessem com medo de que a reação contra Paulo se transformasse em reação contra eles, à medida que eles também rejeitavam a adoração a Ártemis. Ou talvez eles desejassem fazer uso do tumulto para garantir que o povo partisse para a ação contra Paulo e seus seguidores. De todo modo, quando os efésios viram que esse Alexandre era judeu, eles não o deixaram falar, provavelmente porque sabiam que os judeus não acreditavam em sua deusa. A bagunça era tanta que eles continuaram a gritar por quase duas horas: "Grande é a Ártemis dos efésios".

Finalmente, o "escrivão" da cidade interveio. Esse título não reflete a autoridade dessa pessoa, cuja responsabilidade era implementar as decisões da assembleia da cidade e, por essa razão, era um dos principais administradores da cidade. Ele era o intermediário entre o governo romano e a assembleia dos cidadãos. É com base nessa autoridade que, agora, ele trabalha para apaziguar a multidão. Ele começa a dizer-lhes que não precisam insistir, com gritaria desordenada, na grandiosidade de sua deusa, pois "existe alguém que não saiba que a cidade dos efésios é a guardiã do templo da grande deusa Ártemis e da sua imagem que caiu do céu? Visto que essas coisas não podem ser contestadas, convém que vos aquieteis e nada façais precipitadamente". O escrivão da cidade declara que a estátua caiu do céu, e essa afirmação parece sua resposta ao que Demétrio disse no versículo 26 sobre a pregação de Paulo contra os "deuses [...] feitos por mãos humanas". Ártemis, a que caiu do céu, não é vulnerável a essas críticas. Portanto, o escrivão da cidade diz ao povo que não é necessário tomar nenhuma atitude precipitada. Até aqui, ele está dizendo a todos da multidão que eles estão certos. Porém, agora, o tom de sua fala muda. Exatamente porque a multidão está certa, e sua deusa é grande como eles dizem, não é necessário defendê-la com tumultos e gritos. A seguir, vem seu golpe mais forte: a captura de Gaio e Aristarco, que não cometeram nenhum crime contra a deusa, não está de acordo com a lei. Se Gaio e Aristarco tivessem feito algo ilegal, há tribunais abertos, bem como procônsules, e Demétrio e seus amigos podem apresentar uma acusação formal contra essas pessoas. Com essas palavras, o escrivão da cidade volta ao motivo original do tumulto, lembrando-nos que Demétrio, depois de começar o processo, parece não ter ido adiante com ele. Finalmente, o escrivão da cidade lembra o povo de que acima deles está o poder de Roma e que "corremos o perigo até de sermos acusados de provocar desordem por causa dos acontecimentos de hoje, não havendo motivo algum que possamos justificar esta aglomeração". O escrivão da cidade, com essas palavras de advertência que ameaçam terríveis consequências para os insurgentes, dispensa a assembleia.

A SERVIÇO DO BOLSO

O tumulto de Éfeso bem poderia acontecer hoje, embora Ártemis esteja esquecida, e, entre as ruínas de Éfeso, tudo que restou de seu famoso templo seja uma única coluna. O mais notável é a forma como Lucas entremeia motivações religiosas e econômicas. Demétrio começa falando a seus colegas sobre as implicações da pregação de Paulo para o bolso deles e, depois, encobre tudo sob o manto da devoção a Ártemis. Os artesãos, movidos, primeiro, por sua possível perda econômica, terminam por gritar: "Grande é a Ártemis dos efésios". Aqui, constatamos dois fatos notáveis, que ainda estão presentes em situações similares atuais. O primeiro é que, por fim, os ourives parecem convencidos de que seu grito é resultado de puro fervor religioso. O segundo é que logo há uma multidão gritando a mesma coisa, sem a menor ideia do motivo para o tumulto, nem da maneira como os gritos apoiam os interesses de Demétrio e seus colegas.

Interesses econômicos e políticos são encobertos pela religião e, assim, encontram justificativa diante deles mesmos e aos olhos do mundo. O que aconteceu com Ártemis no tempo de Paulo, aconteceu e continua acontecendo mais recentemente com o cristianismo do nosso hemisfério. Quando Colombo chegou pela primeira vez nessas terras, a rainha e o rei da Espanha ordenaram que ele "tentasse diligentemente encorajar e trazer o povo das ditas Índias a toda paz e calma para que eles pudessem nos servir e ficar sob nossa autoridade e sujeição".[15] O resultado, como Gonzalo Fernández de Oviedo disse, foi que: "Os convertedores tiraram dos nativos seu ouro e, até mesmo, suas mulheres e filhos e quaisquer bens que tivessem e deram-lhes o nome do batizado cristão".[16] O mesmo aconteceu no Brasil, onde Manoel da Nóbrega escreveu para o rei de Portugal: "Se for para os índios terem vida espiritual, conhecer seu Criador, sujeitando-se a sua majestade e a sua obrigação de obedecer aos cristãos, [...] os homens [isto é, homens portugueses] poderiam ter escravos legítimos capturados nas guerras e também teriam o serviço e a servidão dos índios nas missões. A terra estaria cheia de colonizadores.

---

15   Na instrução para Cristóvão Colombo, datada de 29 de maio de 1493, *Colección de documentos inéditos relativos al descubrimiento, conquista y organización de las antiguas posesiones españolas de América y Oceania*, 42 vols. Madri, 1864-84, p. 30:146.

16   Oviedo, Gonzalo Fernándes de. *Historia general de las Indias*, reimpresso. Madri: Biblioteca de Autores Española, 1959, p. 4:58.

7. Em Éfeso e circunvizinhança (18.23–20.38)

Nosso Senhor ganharia muitas almas, e sua majestade receberia grande lucro dessa terra".[17]

Pior de tudo é o fato de que o rei e a rainha da Espanha, os "convertedores", a quem Fernández de Oviedo e Manoel da Nóbrega se referem, e também os colonizadores que exploravam os índios eram todos cristãos sinceros. Eles não eram pessoas que, simplesmente, assentaram-se e fizeram cálculos, chegando à conclusão de que era vantajoso converter os nativos dessas terras. Para eles, o serviço de Deus e o serviço de seus próprios interesses eram a mesma coisa. É exatamente por isso que o episódio de Demétrio é tão relevante: o texto não fornece a menor indicação de que Demétrio e seus colegas eram hipócritas que, conscientemente, usaram a devoção existente pela deusa para proteger seus interesses. Ao contrário, em toda a narrativa, as duas motivações são confundidas e o que começa como um negócio acaba como um tumulto religioso.

O que aconteceu na época de Paulo e na época da *conquista* ainda acontece em nosso hemisfério, onde todo tipo de interesse religioso e político é disfarçado como religião. Alguns anos atrás, enquanto ensinava em Porto Rico, recebi uma longa, estranha e inesperada carta contendo todo tipo de argumentos pseudoteológicos contra a cremação e em favor do embalsamento e jazigos impermeáveis. O autor estava convencido que todo bom cristão desejaria ser embalsamado e enterrado em um jazigo "enquanto esperava a ressurreição final". Achei a carta intrigante, mas não entendi bem seu sentido até ler o último parágrafo, em que o autor afirmava que ele era bastante qualificado para discutir esses assuntos à medida que ele mesmo era coveiro! Se ele fosse um ourives do século I, esse bom senhor, provavelmente, teria gritado com igual sinceridade e fervor: "Grande é a Artemis dos efésios".

Esse caso, em particular, beira o ridículo, mas outros são trágicos. Se alguém dentre nós ousar insistir que se deve fazer justiça ao necessitado, afirmando que isso é o que Escritura ordena, há alguns que nem sequer se dão ao trabalho de considerar se isso é verdade ou não. Eles simplesmente acusam essa pessoa específica de ser comunista ou herege. Eles insistem que o que a Bíblia nos manda fazer é simplesmente pregar o "evangelho" (como eles o entendem) e excomungam ou, pelo menos, afastam os que discordam deles. Pior ainda, tem havido casos em que, além da excomunhão, uma pessoa em particular é denunciada às autoridades. E a maior tragédia de todas é que parece que as pessoas que tomam essas atitudes acreditam sinceramente que estão agindo como cristãos! Nesses casos, como no de Demétrio, o que acontece muitas vezes é que alguém

---

17 *Monumenta historica soietatis Iesus. Monumenta Brasilae.* Roma, 1965s., 2:122.

cujo interesse é ameaçado cria a atmosfera necessária, incitando o fervor religioso contra os que parecem gerar a ameaça e, desse ponto em diante, a sinceridade cega de muitos cristãos cuida do assunto. "Grande é a Ártemis dos efésios".

Há mais. A intervenção do escrivão da cidade de Éfeso lembra-nos que os efésios não estão sozinhos no mundo nem são donos do próprio destino. Acima deles está o Império Romano. Entre nós, os que tomam as atitudes que acabamos de descrever não são donos de si mesmos. Sobre eles há outros interesses e poderes. Há missões estrangeiras. Há indivíduos, sociedades e empreendimentos que fornecem recursos financeiros para a igreja. Há relações políticas que devem ser respeitadas. Para entender o que realmente acontece quando as pessoas são declaradas hereges porque ameaçam os interesses de alguém, é necessário entender essa complexa rede de relações; exatamente como para entender a intervenção do escrivão da cidade de Éfeso, é necessário lembrar a relação entre os efésios e o império.

No caso do tumulto em Éfeso, a intervenção do escrivão da cidade beneficiou os cristãos, pois o tumulto foi dissolvido. Mas nem sempre é esse o caso. Em João 11.48, temos uma situação com o resultado oposto. Jesus acabara de ressuscitar Lázaro da morte. Poderíamos esperar que os líderes do povo aclamariam e reconheceriam seu poder. Contudo, o que eles fazem é se reunir e chegar à conclusão de que têm de encontrar um meio de matar Jesus, pois "se o deixarmos em paz, todos crerão nele; então os romanos virão e tirarão tanto o nosso lugar como a nossa nação". Os líderes de Israel, exatamente como o escrivão de Éfeso e como muitos líderes de nosso hemisfério e de nossas igrejas, não são realmente donos de si mesmos. Por isso, às vezes, eles agem em uma direção e, às vezes, em outra, não de acordo com a verdade, mas da melhor maneira que serve aos interesses dos que estão acima deles.

O que devemos fazer nessa situação? Primeiro, devemos examinar a nós mesmos. Será que pode ser possível que eu, em alguns assuntos em que estou convencido de que minha atitude é apenas a sincera expressão de minha fé, esteja, na verdade, servindo aos meus interesses ou aos interesses dos que quero agradar? Segundo, devemos ser "astutos como as serpentes". Se algo é evidente nessa passagem, é que Lucas era astuto. Aqui, como nos capítulos anteriores de Atos, ele mostra que entende a complexa situação de seu tempo em que o evangelho é proclamado. Devemos, como Lucas, tentar entender o que está acontecendo ao nosso redor, e entender isso no sentido profundo de analisar os poderes e os interesses que estão em jogo. Terceiro, e mais importante, devemos ser fiéis em meio a todos esses interesses. Paulo era cidadão romano. Já o vimos recorrer a sua cidadania, mas isso não o levou a defender o império. Independentemente de quanta proteção César e sua ordem poderiam fornecer a ele (embora, no fim, seja nas mãos dos servos de César que ele morreria), a tarefa de Paulo não é defender César, mas proclamar Jesus. Sua tarefa é proclamar Jesus como governante soberano diante de quem qualquer governante deve se render. Se o resultado é ele ser acusado de ser subversivo, esse é o preço a pagar pela obediência.

D. JORNADA À MACEDÔNIA, GRÉCIA E TRÔADE (20.1-12)

1. A JORNADA (20.1-6)

Esses seis versículos resumem uma longa viagem. Embora Paulo tenha decidido ir a Jerusalém, ele não viaja diretamente para essa cidade, que fica na direção leste, mas, antes, segue na direção oposta, na direção da Macedônia e da Grécia. Lucas não fornece o motivo para esse desvio. A partir das epístolas de Paulo, sabemos que uma relevante parte de sua missão era promover e coletar a oferta para Jerusalém e que um dos motivos para sua extensa viagem pela Macedônia e Grécia era precisamente reunir essa oferta. Poderia também parecer que diversos companheiros de Paulo, os quais Lucas menciona aqui, eram representantes dessas igrejas que deviam ir com Paulo e com a oferta para Jerusalém.

Não há muito a dizer a respeito desses companheiros. Sópatro e Secundo não são mencionados em outras passagens. Trófimo aparece de novo em 21.29 e, depois, em 2Timóteo 4.20. Tíquico só é mencionado nesse versículo de Atos, mas aparece com bastante frequência nas epístolas (Ef 6.21; Cl 4.7; 2Tm 4.12; Tt 3.12). Já encontramos Aristarco em 19.29 e o encontraremos de novo em 27.2. Paulo também o menciona em Colossenses 4.10 e Filemom 24. Timóteo é um dos personagens mais conhecidos do Novo Testamento. O que apresenta um problema é Gaio. Em 19.29, ele foi mencionado com Aristarco, em que há menção de que ambos são da Macedônia. Aqui, somos informados que ele era de Derbe. Como Derbe não é na Macedônia, parece que, aqui, estamos lidando com outra pessoa (veja também Rm 16.23 e 1Co 1.14). Contudo, aqui, o texto ocidental não diz: "Gaio, de Derbe", mas: "Gaio, de Doberes". Doberes era uma pequena cidade da Macedônia, e, se isso estiver correto, esse Gaio é o mesmo de 19.29. O que não fica claro é se a leitura original é a do texto ocidental ou se "Doberes" é simplesmente uma tentativa de corrigir a inconsistência envolvida em Gaio ser de Derbe.

O versículo 5 não deixa muito claro quem foi na frente. Poderia ser apenas Tíquico e Trófimo ou todos os sete mencionados no versículo 4.

A rota de Paulo leva-o de Éfeso a atravessar o Egeu para a Macedônia, depois, por terra para a Grécia. Poderia ser normal, depois, retornar por mar para a Ásia e, a seguir, para Jerusalém. Todavia, Paulo decide retornar por terra para Filipos, onde ele e seus companheiros (não fica claro exatamente quais entre eles) celebram a Páscoa, para, depois, atravessar o mar. A viagem de cinco dias para Trôade é a mesma que a anterior, só que no sentido contrário, leva dois dias (16.11,12).

2. Êutico (20.7-12)

Em Trôade, Paulo passa sete dias e é no fim de sua estadia que acontece o episódio com Êutico. O "primeiro dia da semana" a que o texto se refere poderia ser a noite de domingo, mas também poderia ser a mesma hora de sábado, pois de acordo com a maneira judaica de contar os dias, o novo dia começa ao anoitecer. Portanto, o que para nós seria a noite de sábado, para eles poderia ser o primeiro dia da semana. Há ampla evidência de que, pelo menos, por volta do século II, os cristãos celebravam a ressurreição do Senhor reunindo-se em uma longa vigília, que começava na noite de sábado e terminava com batismos e o partir do pão na manhã de domingo bem cedo. Isso, em geral, era feito no domingo de Páscoa, mas, paralelo a isso, todo domingo havia uma pequena Páscoa e toda sexta-feira uma pequena sexta-feira da Paixão. De todo modo, em Trôade, os discípulos estão reunidos para "partir o pão", mas Paulo dirige-se longamente a eles. Isso também era habitual na adoração antiga em que, primeiro, havia uma exposição da Escritura um tanto extensa e, depois, a própria comunhão: o culto da palavra e o culto da mesa. É no meio dessa reunião, por causa da extensão da pregação de Paulo e, talvez, também por causa do calor e do ar viciado produzido pelas "muitas luzes", que o jovem Êutico cai no sono enquanto está sentado em uma janela do terceiro andar.[18]

A história é clara, e não requer muito comentário. Êutico, vencido pelo sono, cai da janela do terceiro andar na rua e morre. Paulo sai para a rua, pega o jovem, proclama que ele viva e, simplesmente, retorna ao terceiro andar, onde os cristãos partem o pão, e Paulo continua sua extensa pregação. Apenas depois de tudo isso e da partida de Paulo, que Lucas nos informa que, na verdade, "levaram vivo o jovem e ficaram muito consolados".

---

18 O terceiro andar, de acordo com a forma estadunidense de contar os andares, em vez da europeia. Veja DEER, D. F. "Getting the 'story' straight in Acts 20.9". *BibTrans* 39 (1988), p. 246-47.

7. Em Éfeso e circunvizinhança (18.23–20.38)

O MAIOR MILAGRE

Quanto mais se estuda essa passagem, tanto mais surpreendente ela se torna. Primeiro, podemos nos surpreender com a franqueza que Lucas afirma que Paulo, seu herói, fez uma pregação tão longa que as pessoas dormiram. Lucas não tem intenção de exaltar Paulo, elogiando-o como o maior pregador de todos os tempos. Aqui, pode-se quase ler nas entrelinhas um tom suave de crítica a Paulo por este ser muito prolixo. Só isso seria suficiente para perceber a importância desse texto em nosso contexto, no qual, com tanta frequência, exaltamos tanto nossos líderes — inclusive nossos líderes religiosos — que agimos como se fosse sinal de deslealdade encontrar algum defeito neles. Há pregadores que vivem para se apresentar quase como personagens super-humanos, o mais eloquente de todos os tempos, o mais santo, o com maior fé, o que realiza mais milagres e assim por diante. Porém, aqui, Lucas apresenta-nos um Paulo humano, capaz de fazer sua plateia dormir, como pode acontecer com qualquer um de nós qualquer dia.

Todavia, a virada mais surpreendente no próprio texto é o curso de sua narrativa. Quando lemos a história pela primeira vez, o que se destaca é a ressurreição de Êutico — cujo nome quer dizer "afortunado". Como Jesus fizera antes com Lázaro; e Pedro, com Tabita; agora, Paulo arrebata Êutico das garras da morte. Contudo, quando continuamos a estudar o texto, isso não é o mais surpreendente. O mais surpreendente é a maneira como Lucas lida com a ressurreição do jovem e como descreve a reação da igreja a esse evento. Em outros momentos, Lucas, depois de nos contar um milagre, acrescenta que os que testemunham o evento ficaram atemorizados, ou se regozijaram, ou que, de alguma maneira, expressaram sua surpresa. Não obstante, aqui, as coisas continuam como se a ressurreição de Êutico tivesse sido apenas um intervalo em meio a algo mais importante.

A história desenvolve-se em dois estágios. Primeiro, quando o jovem cai e morre, Paulo interrompe sua pregação, vai até o jovem e anuncia que ele deve viver. Ele não diz simplesmente que nada deve interromper o culto ou que a solenidade da ocasião exige que continue a pregar, mas, antes, interrompe o que está fazendo, vai até o jovem e responde à necessidade dele. A igreja interrompe sua vida interior em favor do necessitado.

Infelizmente, essa é uma lição que nem sempre aprendemos. Às vezes, damos a impressão de que a coisa mais importante é a vida interior da igreja e que todas as necessidades do mundo que vemos são apenas interrupções ou, no melhor dos casos, oportunidades que temos de apresentar a mensagem da igreja e convidar outros a se juntar a nós. No caso de Êutico, fica claro que o Deus de Paulo não é só o Deus da igreja, mas é o Deus da vida que responde aos poderes da morte. Vivemos em um continente em que os poderes da morte parecem ter feito acampamento. Fome, analfabetismo, subnutrição, falta de terra, exploração do trabalho e milhares de situações similares dão a impressão de que a morte tem a última palavra. Nessas circunstâncias, é urgente e necessário que a igreja esteja preparada para interromper a própria agenda a fim de servir ao Deus da vida.

No entanto, ainda mais surpreendente é o segundo momento da narrativa. Paulo e os cristãos retornam e continuam sua adoração. O milagre da ressurreição de Êutico, sem dúvida, causa-lhes grande conforto (v. 12), mas não é motivo para se vangloriar nem para abandonar a adoração de Deus e sair às ruas gritando e anunciando o grande milagre que Deus realizou. Por quê? Certamente, não porque o milagre é pequeno, mas, antes, por haver um milagre ainda maior: a própria vida da igreja e a presença de Deus em sua vida comum e no partir do pão. Não é que eles não percebam o milagre da ressurreição de Êutico; antes, é que estão ouvindo a Palavra de Deus, e a atividade dessa palavra é mais milagrosa, mais poderosa, mais surpreendente, mais inspiradora, que a ressurreição de uma pessoa morta.

O livro de Atos fala de um Deus que realiza atos extraordinários. Há ampla prova disso no próprio livro. Mas o que nunca devemos esquecer é que o ato mais extraordinário de Deus é a redenção em Jesus Cristo, em que observamos a criação da igreja, formada por um povo como nós mesmos (ou como os primeiros discípulos, ou os cristãos de Trôade). Sem dúvida, o poder de Deus manifesta-se na ressurreição de Êutico. Mas ele manifesta-se ainda mais na ressurreição de cada um de nós, nascidos de novo, tirados de uma vida devotada aos poderes da morte e nascidos para a vida de serviço ao Deus vivo. E nascidos de novo para uma nova comunidade de amor e de comunhão, como aquela reunida naquela noite em Trôade para partir o pão. Esse é o maior milagre de todo o livro de Atos. Sem isso, o restante não faz sentido. Comparado com isso, o restante empalidece.

A igreja é um milagre. Esse é o tema central de Atos. É um milagre de Jesus por intermédio do Espírito. Se a própria igreja não for um milagre, se a vida e a ação da igreja são tão rotineiras que precisamos de outros milagres a fim de confirmar nossa fé, talvez precisemos redescobrir o que Atos nos relata sobre a atividade do Espírito na igreja.

E. DESPEDIDA EM MILETO (20.13-38)

1. DE TRÔADE A MILETO (20.13-16)

Em poucas palavras, Lucas resume a viagem a Mileto, cerca de 15 quilômetros de Éfeso. O texto ocidental acrescenta uma parada em Trogílio, motivo pelo qual algumas versões também a acrescentam. Lucas informa-nos que a razão por que Paulo não retorna à Ásia e a sua amada igreja de Éfeso é sua pressa em chegar a Jerusalém antes do Pentecostes. Não fica claro se isso quer dizer que Paulo temia que, se parasse em Éfeso, seus amigos o forçariam a permanecer mais tempo lá ou se era simplesmente uma questão de pegar o primeiro navio disponível indo para o leste e de, esse navio em particular, não parar em Éfeso.

2. DESPEDIDA AOS PRESBÍTEROS EFÉSIOS (20.17-38)

Paulo envia uma mensagem a Éfeso, para que os presbíteros dessa igreja pudessem ir vê-lo em Mileto. Como entre Mileto e Éfeso é preciso percorrer a distância de 15 quilômetros, a viagem de ida e volta dos presbíteros levaria, pelo menos, três dias, provavelmente, muito mais que isso. Por isso, pode-se supor que o navio parava em Mileto, e que Paulo aproveitou a oportunidade, enquanto o navio estava sendo descarregado e carregado de novo, para encontrar-se com os presbíteros.

Essa fala aparece entre duas seções na primeira pessoa do plural, "nós", mas deve-se supor que o narrador, talvez o próprio Lucas, estava presente. Não há dúvida de que há diversas frases e perspectivas teológicas aqui que têm um claro sabor paulino, por isso, parece que, embora Lucas tenha resumido a conversa que deve ter durado horas ou, até mesmo, dias, a essência do que ele conta vem do próprio Paulo.[19] A fala pode ser dividida em quatro partes.[20]

a. Obra passada de Paulo (20.18-21)

Os primeiros versículos da fala são devotados a uma revisão do trabalho anterior de Paulo. Aparentemente, essa revisão apresentada aqui serve para afirmar a autoridade de Paulo para falar com os presbíteros como ele faz.

---

19 NEIL, William. *The Acts of the Apostles*. Grand Rapids, Mich.: Wm. B. Eerdmans, 1973, p. 213-15, enumera uma série de paralelismos entre essa fala e as epístolas de Paulo. Como Lucas não parece ter conhecido essas epístolas nem as ter usado quando escreveu o livro de Atos, isso parece indicar que, na verdade, ele ouviu Paulo dizer palavras semelhantes.

20 Há um esboço um tanto diferente em ZEILINGER, F. "Lukas, Nawalt des Paulus: Überlegungen zur Abschiedsrede von Milet. Apg. 20, 18-35". *BibLitur* 54 (1981), p. 167-72.

b. Situação atual de Paulo (20.22-24)

"Agora", diz Paulo, e isso traz sua fala para o presente momento. Ele está a caminho de Jerusalém, "impelido pelo Espírito". Isso pode ser entendido de várias maneiras. Primeiro, pode querer dizer que Paulo sente um impulso que vem de dentro de ir a Jerusalém. Nesse caso, o "espírito" é seu espírito humano. Segundo, pode querer dizer que Paulo já sabe que ficará preso em Jerusalém. Nesse caso, a frase é um anúncio do que acontecerá em Jerusalém: ele, "no espírito", já vive seu futuro. Por fim, e o mais provável, é que o "espírito" pode se referir ao Espírito Santo. (Em antigos manuscritos gregos não há distinção, com letras maiúsculas e minúsculas respectivamente, para "Espírito" quando a palavra se refere ao Espírito Santo nem quando se refere ao espírito humano.) No último caso, o que Paulo quer dizer é que o Espírito Santo o compele a ir a Jerusalém. Com certeza, no versículo seguinte, Paulo declara que já foi advertido pelo Espírito Santo do que o aguarda lá e que recebeu essa advertência diversas vezes — "de cidade em cidade". Como essa advertência reiterada muitas vezes não aparece nos capítulos precedentes de Atos, isso lembra-nos mais uma vez que Lucas não tenta nos contar todos os detalhes do que acontece em cada lugar.

De qualquer forma, Paulo, apesar dessas advertências, decidiu continuar sua viagem a Jerusalém, o que nos leva de volta ao paralelismo entre essa resolução de Paulo e o que Lucas nos relata sobre Jesus ter manifestado "o firme propósito" de ir a Jerusalém (veja comentário sobre 19.21,22). De acordo com alguns manuscritos do versículo 24, se tudo isso for cumprido, Paulo terminará sua carreira "com alegria" (ARC).

c. O futuro (20.25-31)

Essa seção da fala começa como a anterior: "E agora" (a mesma expressão que aparece no v. 22). Paulo começa dando-lhes a triste notícia de que não os verá de novo.[21] Por conseguinte, ele não será mais responsável pelo bem-estar espiritual deles: "Afirmo que estou limpo do sangue de todos". Essa tarefa, agora, pertencerá a esses presbíteros a quem Paulo reuniu: "Tende cuidado de vós mesmos e de todo o rebanho".

O sentido literal da palavra do versículo 28 que a NTLH traduz por "pastores" é "bispos". Depois, à medida que a hierarquia da igreja se desenvolve, haverá distinção entre bispo e presbítero. Contudo, essa distinção não aparece ainda aqui. Nesse caso, parece que o termo "presbítero" refere-se ao cargo, ao passo que "episcopado" ou supervisor é a função desses presbíteros.

---

21 Isso parece contradizer as epístolas pastorais que indicam que Paulo retornou a Éfeso depois de sua prisão em Roma. Essa é uma das muitas razões que levam os estudiosos a acreditar que as pastorais não foram escritas pelo próprio Paulo.

7. Em Éfeso e circunvizinhança (18.23–20.38)

A razão por que esses presbíteros têm de estar especialmente atentos é que haverá "lobos cruéis". Continuando com a imagem de rebanho, Paulo, agora, fala dos que destroem esse rebanho ou roubam suas ovelhas como os lobos. Esses lobos mencionados no versículo 29 parecem vir de fora, ao passo que os falsos mestres, do versículo 30, se levantarão "dentre vós mesmos". Talvez aqui haja uma referência a dois movimentos hereges que afligiram com mais frequência o cristianismo em seus anos iniciais: as tendências "judaizantes" contra as quais Paulo escreveu com frequência e o início do gnosticismo, ao qual ele também parece se referir em algumas de suas epístolas.

d. Conclusão (20.32-38)

Por fim, Paulo deixa-os, recomendando-lhes a Deus e à mensagem da graça, que "é poderos[a] para vos edificar e vos dar herança entre todos os santificados". O que isso quer dizer é que eles, uma vez que Paulo não estará mais com eles, ainda terão o poder de continuar sendo edificados sobre a fundação que os apóstolos estabeleceram e de resistir aos falsos mestres que surgirão.

Os versículos 30 a 35 — que, à primeira leitura, parecem fora de lugar — apontam para uma preocupação fundamental de Paulo. A vida econômica da igreja não é um assunto periférico nem secundário. Ao contrário, é uma parte essencial da vida da igreja. Por isso, Paulo lembra esses presbíteros, que logo não terão mais sua orientação, que ele mesmo não procurou "prata, nem ouro, nem roupas". A roupa é enumerada porque, naquela época, antes de existir máquina de costura ou dos produtos sintéticos serem inventados, a roupa era cara e ter diversas vestimentas era sinal de riqueza. O próprio Paulo, em vez de pedir dinheiro, trabalhou com "estas mãos" e com elas ganhava sustento não só para si, mas também para os seus companheiros. A consequência de tudo isso é que "deveis trabalhar assim, a fim de socorrerdes os doentes". E tudo isso termina com palavras que Paulo atribui a Jesus, mas que não são encontradas em nenhum dos nossos evangelhos atuais: "Dar é mais bem-aventurado que receber".

Por fim, depois de concluir sua fala, Paulo ajoelha-se para orar. Na igreja primitiva, normalmente, orava-se em pé, com as mãos estendidas. Ajoelhar era sinal de solenidade e de súplica profunda.

A subsequente despedida é muito emocional. Há muito choro, e os presbíteros abraçam e beijam Paulo, por fim, indo com ele até o navio.

MINISTÉRIO ATUAL

A fala de Paulo em Mileto é frequentemente usada como modelo por sucessivas gerações de ministros. Há muitos motivos para isso, pois aqui ouvimos sobre o ministério de Paulo, resumido em poucas linhas, e sobre o ministério de seus sucessores.

Seguindo essa linha de interpretação e aplicando isso mais diretamente à situação das igrejas da América Latina e das hispânicas dos Estados Unidos, dois pontos merecem ser apresentados:

O primeiro refere-se à função desses presbíteros, ou bispos, que devem garantir que haja o ensinamento correto na igreja. Da mesma maneira que a igreja, nas gerações imediatamente posteriores à de Paulo, teve de enfrentar doutrinas que ameaçavam a integridade do evangelho, também hoje somos ameaçados em nossas igrejas por doutrinas semelhantes. Na igreja primitiva, essas doutrinas, basicamente, eram duas: cristianismo judaizante e gnosticismo. Em nossas igrejas hoje, as doutrinas que nos ameaçam são semelhantes a essas duas.

O cristianismo judaizante insistia que, embora Jesus tivesse vindo para salvar o mundo, a salvação realmente dependia dos cristãos observarem a lei. Isso parece nada mais que um acréscimo à mensagem do evangelho e, por isso, uma sugestão, mais propriamente, inócua. Mas Paulo via as coisas de forma diferente, pois ele estava convencido de que, na verdade, isso era uma ameaça ao cerne do evangelho. Se o que era necessário para o indivíduo ser salvo, era obedecer à lei, a morte de Cristo era desnecessária, e a graça de Deus é inútil.

Não é preciso ser muito observador para perceber que, hoje, ensinamentos parecidos ameaçam nossas igrejas. Ouvimos, com frequência, as pessoas dizerem: "Isso mesmo, a graça de Cristo é suficiente, mas você tem de..." Nesse ponto, cada um acrescenta o que imagina que tem de ser feito para a pessoa ser um verdadeiro cristão. Alguns insistem nas regras de dieta do Antigo Testamento. Outros dizem algo sobre a vestimenta, os adornos das mulheres, as bebidas alcoólicas ou a ação social. O fato é que todas essas doutrinas — independente de como são chamadas, "conservadora", "liberal", "reacionária" ou "radical" — se elas, de algum modo, acrescentarem exigências à graça de Deus, são semelhantes às tendências judaizantes contra as quais Paulo escreveu. Com certeza, a graça impele-nos a nos comportar de determinada maneira, mas esse comportamento não é um pré-requisito para a graça. Não recebemos a graça porque nos comportamos como devemos, mas, antes, comportamo-nos como devemos porque conhecemos a graça de Deus.

Os gnósticos, a outra doutrina que ameaçava e deturpava o evangelho nos tempos antigos, afirmavam ser mais "espirituais" que os cristãos comuns. Os gnósticos acreditavam que as coisas materiais eram más ou, pelo menos, desprezíveis. O importante era o "espiritual". Os cristãos

7. Em Éfeso e circunvizinhança (18.23–20.38)

verdadeiramente espirituais não estão interessados no corpo — no deles nem no dos outros, nem em suas necessidades físicas — mas, antes, só devem se interessar por sua vida espiritual. Por fim, este mundo não é nossa preocupação, mas só o mundo por vir, puramente espiritual. Os cristãos primitivos tiveram de lutar de forma firme e poderosa contra esses ensinamentos que questionavam não só aspectos fundamentais da vida cristã, mas também doutrinas como a criação, a encarnação de Deus em Jesus Cristo e a ressurreição do corpo.

Essas doutrinas que, em anos recentes, aparecem repetidamente na história da igreja, tornaram-se particularmente atraentes na América Latina e nas igrejas hispânicas dos Estados Unidos. À medida que as circunstâncias social, econômica e política ficam mais difíceis e violentas, cada vez mais cristãos buscam refúgio nessas doutrinas e atitudes. Se o importante é a salvação da alma, e Deus não está preocupado com o corpo, não tenho de me preocupar muito se em meu país o corpo das pessoas consideradas subversivas é torturado, se os camponeses perdem suas terras ou se minorias étnicas não recebem educação. Em países que enfrentam o aumento das tensões sociais e econômicas ou, até mesmo, que passam por guerra civil, a igreja torna-se, desse modo, um refúgio onde o indivíduo não precisa se inquietar nem mesmo se preocupar com esses assuntos. Além disso, essas tendências, às vezes, são sustentadas com recursos econômicos e pessoais fornecidos por pessoas interessadas em manter a paz e a ordem a qualquer custo, e, assim, é promovido um falso cristianismo que não merece o nome do Senhor Jesus Cristo encarnado.

O segundo ponto em que essa fala específica é relevante para a nossa situação é no assunto econômico que Paulo traz à tona no fim de sua fala. Aqui, três pontos estão evidentes: primeiro, Paulo não pede ouro nem prata; segundo, os presbíteros têm de seguir seu exemplo; terceiro, o propósito de tudo isso é ajudar o necessitado.

A primeira coisa que esse texto nos diz é que a vida econômica da igreja não é um assunto periférico nem é um mero processo utilitário por meio do qual a igreja cobre seus gastos. Não é simplesmente o fato de a igreja ter de possuir um orçamento porque, do contrário, ela não pode se conduzir no mundo em que vivemos. É sobretudo o fato de que esse orçamento também deve refletir, como toda a vida da igreja, o evangelho e seus valores. Infelizmente, isso nem sempre é verdade em nossas igrejas. Por exemplo, há nas igrejas da América Latina, missionários estrangeiros que recebem salários mais altos que o dos trabalhadores nacionais, e a diferença é que os nativos vivem na miséria, enquanto os missionários vivem muito melhor que suas próprias congregações. Há denominações em que se acha que, a fim de verdadeiramente ser uma igreja, é necessário poder pagar o salário de um pastor de tempo integral, então todo esforço econômico da igreja é devotado a sustentar o ministério ordenado. Nesses casos, se deveria considerar a possibilidade de ter pastores que, como Paulo, ganhem, pelo menos, parte de seu sustento de uma forma diferente e que sirvam a igreja durante seu tempo livre. Também há evangelistas que, graças ao rádio e à televisão, constroem vastos impérios econômicos e, depois, vivem em uma opulência sustentada por miríades de cristãos pobres e ingênuos. Além disso, independente do tamanho das nossas igrejas e congregações, o fato é que, na maioria delas, a maior parte dos recursos econômicos é devotada à vida da própria igreja: salário de pastor, construção e manutenção dos prédios, mobiliário e assim por diante.

O que Paulo sugere nessa passagem é muito diferente de tudo isso. Ajudar o necessitado deve ser uma parte essencial da vida econômica da igreja. Habitualmente, ao coletar oferta, citamos o versículo 35: "Dar é mais bem-aventurado que receber". Mas quando chegamos no ponto de administrar os fundos da igreja, esquecemos essas palavras. Para a igreja, como também para os indivíduos, é mais bem-aventurado dar do que receber, e a fidelidade da igreja, como a fidelidade de cada cristão, deve ser medida com base no quanto ela dá, e não com base no quanto recebe.

8 Cativeiro de Paulo
(21.1- 28.31)

Agora, chegamos à última seção principal do livro de Atos. Aqui, o que Paulo indicou será cumprido: que ele vai a Jerusalém apesar das correntes que o esperam lá. Mas muito mais que isso também é cumprido, pois Paulo, que sempre desejou ir a Roma, chega finalmente à capital, embora, agora, como prisioneiro.

A. DE MILETO A JERUSALÉM (21.1-16)

A narrativa continua na primeira pessoa do plural "nós". Não está claro quem está incluído nesse grupo. No restante da narrativa, além de Paulo e do próprio narrador, Trófimo e Aristarco são mencionados. Também não está claro se os outros mencionados antes ainda fazem parte do grupo ou já se separaram dele. De todo modo, a jornada continua, aparentemente, no mesmo navio que passa ao longo da costa, de Mileto para Cós e, depois, para Rodes e, finalmente, para Pátara.[1] Lá, eles pegam outro navio, provavelmente maior, que segue uma rota mais direta para a Palestina. Eles navegam para o sul, para Chipre e, por fim, chegam a Tiro.

Em Tiro, o grupo encontra-se com "os discípulos", ou seja, os cristãos da cidade. (Atos não nos informa como o evangelho chegou a Tiro, e o verbo que a A21 traduz por "encontrar" sugere que eles tiveram de ser procurados.) Lá, os cristãos disseram a Paulo que, "pelo Espírito", ele

---

[1] O texto ocidental leva o grupo para Mirra, 80 quilômetros mais a leste, e é lá que pegam o navio para Tiro.

não devia ir a Jerusalém. A despedida é emotiva (v. 5,6) e lembra-nos da despedida de Paulo em Mileto.

De Tiro, depois de uma parada de um dia em Ptolemaida e uma visita aos cristãos da cidade, o grupo segue para Cesareia. O modo como Lucas descreve a viagem de Ptolemaida para Cesareia ("Partindo no dia seguinte, fomos para Cesareia"; v. 8) parece sugerir que eles aportaram em Ptolemaida e, depois, continuaram até Cesareia por terra e, depois, pegaram outro navio.

Em Cesareia, Paulo e seus companheiros hospedam-se na casa de Filipe, a quem Lucas chama "o evangelista" a fim de distingui-lo do apóstolo. Esse Filipe é o mesmo que encontramos no capítulo 8, evangelizando Samaria e o eunuco etíope. Lucas informa-nos que Filipe "tinha quatro filhas virgens que profetizavam" — ou seja, que interpretavam a palavra e pregavam. Na igreja primitiva, ao contrário do que se pensa, muitas vezes havia, na verdade, mulheres em posições de liderança que pregavam e profetizavam.[2]

No versículo 10, Ágabo é apresentado como se não tivéssemos ouvido falar nele antes, em 11.28. No estilo dos profetas do Antigo Testamento, Ágabo ilustra sua profecia por meio de ações (veja, por exemplo, Jr 13.1-11, em que o profeta, como Ágabo aqui, usa um cinto). É provável que o "cinto" de Paulo que Ágabo pega não seja de couro, mas, antes, um longo pano normalmente usado enrolado diversas vezes em torno da cintura e que também era usado para carregar dinheiro e pequenos objetos.[3] Amarrando-se com o cinto, Ágabo anuncia que os judeus amarrarão Paulo e "o entregarão nas mãos dos gentios". Esse é o tema do restante do livro.

Embora o profeta fale por intermédio do Espírito, os companheiros de Paulo, inclusive o narrador, tentam dissuadir Paulo de ir a Jerusalém. Só quando Paulo insiste em fazer isso, eles finalmente dizem: "Faça-se a vontade do Senhor". O grupo passa oito dias em Cesareia e, depois, parte para Jerusalém. O que a A21 traduz por "fizemos os preparativos" pode se referir a conseguir montaria para a viagem a Jerusalém, a 100 quilômetros de distância. Eles foram acompanhados pelo cipriota Mnasom, em cuja casa planejavam hospedar-se. Não fica claro se isso quer dizer que durante a viagem eles parariam na casa de Mnasom, na estrada para Jerusalém, ou se, na verdade, Mnasom vivia na cidade e, lá, se hospedariam com ele.[4]

---

2   Alguns especulam que, talvez, tenha sido das filhas de Filipe ou do próprio Filipe que Lucas ouviu muito do que conta nos capítulos anteriores de Atos, em especial o que se refere à eleição dos "sete" e ao ministério de Filipe. NEIL, William. *The Acts of the Apostles*. Grand Rapids, Mich.: Wm. B. Eerdmans, 1973, p. 216-17.

3   HAENCHEN, E. *The Acts of the Apostles*, p. 601.

4   O texto ocidental esclarece o assunto indicando que Mnasom vivia em uma vila na metade do caminho entre as duas cidades e que foi lá que ele ofereceu hospedagem a eles. Veja DELEBECQUE, E. "La dernière étape du troisième voyage missionaire de saint Paul selon les deux versions des Actes des Apôtres". *RevThLouv* 14 (1983), p. 446-55.

8. Cativeiro de Paulo (21.1–28.31)

OS MANDAMENTOS DO ESPÍRITO

Essa passagem, aparentemente tão simples, na verdade, envolve uma séria dificuldade. Já no versículo 4, somos informados que os cristãos de Tiro, inspirados pelo Espírito, dizem a Paulo que ele não deve ir para Jerusalém. Antes, Paulo já declarara que iria a Jerusalém sob a orientação do Espírito. A seguir, no versículo 11, Ágabo informa-o sobre o que acontecerá em Jerusalém, embora não faça nenhuma tentativa de dissuadir Paulo de ir para lá. Os discípulos, por sua vez (inclusive o próprio narrador) rogaram a Paulo que não subisse a Jerusalém (v. 12).[5] Então, o Espírito transmite mensagens contraditórias? Alguns estudiosos simplesmente concluem que "Lucas não percebeu a dificuldade em que estava envolvido aqui".[6]

Talvez haja outra resposta. Talvez Lucas esteja sugerindo que o Espírito age de forma diferente do que imaginamos. A percepção comumente defendida é que o Espírito age de tal maneira que toda dúvida desaparece, dizendo-nos exatamente o que temos de fazer. Mas talvez Lucas, embora insistindo na importância de levar a sério a orientação do Espírito, também nos diz que o Espírito não deve ser considerado uma muleta da qual dependemos e, assim, usarmos o Espírito para evitarmos tomar decisões difíceis. Em Atos, o Espírito não diz a Paulo exatamente o que ele tem de fazer; a seguir, confirma isso com uma série de profecias em que todas elas claramente se harmonizam. Ao contrário, o Espírito impele Paulo a ir para Jerusalém, mas, depois, também usa outras pessoas para adverti-lo sobre o preço a pagar por ir para lá. A decisão final ainda está nas mãos de Paulo.

Isso pode parecer diminuir a importância e a autoridade do Espírito, mas, na verdade, é o oposto. Se o livro de Atos fosse retratar uma igreja na qual o Espírito diz aos cristãos exatamente o que eles têm de fazer a cada passo, isso, em si mesmo, o tornaria menos relevante para nós, pois nossa experiência frequente é que, embora o Espírito fale conosco e nos oriente, todas nossas decisões têm o sinal do risco e da ambiguidade característicos de toda ação humana. Não podemos nos esconder por trás do Espírito e simplesmente dizer: "O Espírito disse-me para fazer isso". Porém, pelo mesmo motivo, também não podemos nos esconder atrás da falta de clareza da orientação a fim de não fazer nada.

Não entender isso é um dos motivos pelos quais, em muitas de nossas igrejas, hesitamos em agir. Idealizamos a obra do Espírito em Atos e em todo o Novo Testamento. Imaginamos que quando o Espírito fala, os

---
5 Isso já foi mencionado no século XIX por DE WETTE, W. M. L. *Kurze Erklarung der Apostellgeschichte*. Leipzig: Weidmann, 1870, p. 356.
6 HAENCHEN, E. *The Acts of the Apostles*, p. 602.

seres humanos sempre sabem exatamente o que têm de fazer. Por isso, quando há dúvida sobre como agir, convencemo-nos que não devemos fazer nada, porque o Espírito não falou ou porque ouvimos vozes contraditórias. Tivesse Paulo feito isso, não teria ido a Jerusalém. O fato é que praticamente todas as decisões que os cristãos e a igreja devem tomar ocorrem em situações iguais. Há desemprego em nossa cidade. O que temos de fazer? Com certeza, temos de orar e pedir a orientação do Espírito. Mas isso quer dizer que não devemos fazer nada enquanto não recebermos uma clara revelação, dizendo-nos o que fazer passo a passo? É claro que não. O Espírito, por meio das Escrituras, por meio dos ensinamentos de Jesus, por meio da nova vida inspirada em nós, já nos deu orientação suficiente para que, no mínimo, saibamos que devemos agir. Sentar e ficar esperando até receber uma ordem detalhada e clara é apenas uma desculpa para não fazer o que sabemos que devemos fazer.

B. O VOLTAR-SE PARA OS GENTIOS (21.17 - 22.24)

1. Chegada a Jerusalém (21.17-25)

Nessa seção do livro, somos informados sobre a chegada de Paulo a Jerusalém, sua prisão no templo, sua defesa e como ele, finalmente, volta-se para os romanos. O uso da primeira pessoa do plural na narrativa ("nós") acaba no versículo 18 e não reaparece até Paulo partir para Roma (27.1). Poderíamos explicar isso como uma chave teológica;[7] mas a explicação mais simples é que o autor, em todo o processo em Jerusalém, está interessado no que acontece a Paulo, e não ao restante do grupo. Embora seja bem provável que o narrador estivesse presente em todos esses eventos, ele era um espectador, ou uma testemunha, em vez de um participante, e, por isso, o sujeito da narrativa é Paulo, em vez do anterior, o "nós".

Aparentemente, os "irmãos" que, no versículo 17, receberam "alegremente" Paulo e seus companheiros não incluem Tiago e os presbíteros, que só aparecem na narrativa no dia seguinte, quando Paulo e seus companheiros os visitam (v. 18). É possível, portanto, que ao chegar a Jerusalém, Paulo tenha contatado primeiro os elementos mais helenistas da igreja (sobre esses elementos e seus conflitos com os "hebreus" veja o comentário sobre 6.1-7) a fim de visitar os líderes da antiga igreja

---

7   Por exemplo, Rius-Camps, Josep. *El camino de Pablo a la misión a los paganos*, p. 228-36; alega que o desaparecimento da primeira pessoa do plural, "nós", na maior parte de toda a jornada de Paulo em Jerusalém é uma indicação de que o Espírito não concorda com sua atitude de fazer concessão aos elementos judaizantes da igreja. Dificilmente, isso é convincente.

8. Cativeiro de Paulo (21.1–28.31)

de Jerusalém no dia seguinte. Parece que entre os últimos, os "hebreus" — ou seja, judeus palestinos cuja língua era o aramaico — ainda predominavam.

Lucas não menciona a oferta que Paulo estava trazendo, mas é possível supor que, por ocasião dessa visita, ele entregou-a para Tiago e os líderes da igreja de Jerusalém, os "presbíteros". Não se sabe quem eram esses presbíteros nem há nenhuma indicação de como eram escolhidos e da autoridade que detinham. Duas coisas são aparentes: primeiro, os "Doze" não estão mais em Jerusalém ou, pelo menos, Pedro, importante personagem dos primeiros capítulos de Atos, não está mais lá. Do contrário, Lucas o teria mencionado. Segundo, havia diversos desses líderes, pois Lucas informa-nos que "todos os presbíteros" estavam presentes.

Quando Tiago e os presbíteros souberam, por intermédio de Paulo, a respeito da missão entre os gentios, eles louvaram a Deus. Porém, logo depois, contaram a Paulo o problema que sua presença representava. Havia em Jerusalém um grande número de judeus que acreditavam no evangelho, mas eram "zelosos da lei". Entre eles, corria o rumor, a respeito da missão de Paulo entre os gentios, de que este dissera aos judeus que não precisavam mais obedecer à lei de Moisés nem circuncidar seus filhos. Os líderes da igreja temiam a reação deles — alguns manuscritos até mesmo sugerem um possível tumulto ou agitação. A fim de evitar isso, eles sugerem as atitudes que Paulo deve tomar a fim de mostrar a esses judeus "zelosos da lei" que ele mesmo ainda era um bom judeu, fiel aos costumes de Moisés.

O que Tiago e os presbíteros sugerem é explicado nos versículos 23 e 24. Paulo deve reunir quatro homens que tenham feito o voto nazireu e pagar as despesas deles, mostrando, assim, que ainda é um seguidor da lei. Contudo, as dificuldades surgem quando se tenta conciliar o que é dito aqui com o que é conhecido de outras fontes sobre o voto nazireu.[8] Com certeza, Paulo não pode se juntar aos nazireus em seu voto, pois isso requereria, pelo menos, trinta dias de residência em Jerusalém.[9] O mais provável é que não estejam pedindo que Paulo se junte aos nazireus em seu voto, mas que apenas siga os rituais de purificação (como ele acaba de chegar de terras gentias) e também pague as despesas dos quatro nazireus. Esperava-se que, depois de Paulo mostrar que ainda buscava a purificação após retornar de outras terras e que ele até mesmo fora além do exigido, os rumores se acalmassem. O versículo 25 repete a decisão do chamado conselho de Jerusalém em relação ao que era exigido dos gentios convertidos ao cristianismo.[10]

---

8   Veja também comentário sobre 18.18-22.
9   Alguns sugerem que Lucas simplesmente não conhece os detalhes das práticas dos nazireus e, por isso, engana-se. Veja, por exemplo, Haenchen, E. *The Acts of the Apostles*, p. 610-14.
10 Veja comentário sobre 15.22-29.

2. Prisão de Paulo no templo (21.26-36)

Paulo começa a fazer o que foi sugerido. Depois de passar pelo ritual de purificação com os nazireus e entrar no templo — na verdade, nos pátios externos, que eram considerados parte da área sagrada — ele anuncia seu propósito de seguir os ritos necessários para a própria purificação, que levará sete dias (ao que o v. 27 se refere) e também de apresentar a oferta que era devida dos quatro nazireus.

Tudo corre bem até que, pouco antes dos sete dias estarem concluídos, explode a tempestade. A causa é um grupo de cristãos da Ásia — ou seja, de uma das áreas em que Paulo trabalha com mais intensidade. A presença deles em Jerusalém pode indicar que, na verdade, Paulo chegou à cidade santa antes do Pentecostes, pois esses judeus da Ásia podem ser peregrinos que vieram para a celebração. Paulo é acusado de ensinar contra três coisas (v. 28): "contra nosso povo, contra a lei e contra este lugar". Mas pior de tudo, ele é acusado de ter profanado o templo trazendo gregos para o interior dele. Lucas explica que eles dizem isso porque viram Paulo com Trófimo na cidade e acreditam que ele também tinha levado Trófimo ao templo. Logo, há um tumulto que envolve "toda a cidade" — e isso, provavelmente, é um exagero de Lucas. A multidão agarra Paulo e o arrasta para fora do templo, e este é fechado imediatamente. Como o sujeito de um verbo não é necessariamente expresso no grego, nesse caso, em particular, não fica claro se os que agarraram Paulo faziam, de fato, parte da multidão ou dos levitas que guardavam o templo.

A notícia do tumulto e do linchamento proposto chega "ao comandante" — sentido literal, "líder de milhares" — que comanda a força romana em Jerusalém. Mais tarde (23.26), seremos informados que seu nome era Cláudio Lísias. Não demoraria muito para o comandante ficar sabendo do tumulto, pois o quartel-general da coorte romana em Jerusalém era na torre Antônia, logo acima da extremidade do templo, e dela, podia-se ver quase tudo que acontecia na área santa do templo. Na verdade, para chegar à área da desordem da própria torre, Lísias e seus soldados só tiveram que descer alguns degraus da escada mencionada no versículo 35.[11]

O comandante age prontamente. Ele prende Paulo e o algema com duas correntes[12] para, depois, perguntar a identidade do prisioneiro e o motivo do tumulto. A multidão dá-lhe respostas contraditórias, aparentemente, porque, como acontece muitas vezes nessas situações, nem mesmo os que

---

11 Veja Josefo, *War*, 5.5.8.
12 Sobre isso, veja o comentário sobre 12.3-19a. Possivelmente, Lucas descreve aqui um procedimento similar ao aplicado, antes, a Pedro. Nesse caso, Paulo estaria preso a dois soldados, um de cada lado.

8. CATIVEIRO DE PAULO (21.1–28.31)

participam da desordem sabem com certeza o motivo dela. O que está bem claro é que eles estão com raiva de Paulo, que é carregado para longe enquanto a multidão grita: "Mata-o".

3. DIÁLOGO DE PAULO COM LÍSIAS (21.37-39)

Paulo não só se dirigiu ao comandante em grego, mas o fez em grego elegante e polido. O comandante fica surpreso, pois confundira Paulo com outra pessoa: "Sabes a língua grega? Por acaso não és o egípcio que algum tempo atrás provocou uma revolta e levou ao deserto quatro mil assassinos?" Flávio Josefo, historiador judeu,[13] preserva algumas informações sobre os movimentos nacionalistas que surgiram na Palestina nessa época. Entre eles, Josefo refere-se ao "Sicário", cujo nome deriva de "sica", ou punhal. Esse é o nome que o comandante dá, em grego, aos "assassinos". Os sicários esfaqueavam suas vítimas, com frequência, bem no meio das multidões reunidas para festividades religiosas e, depois, dispersavam-se no meio da multidão. Assim, a maioria dos sicários não fugia para o deserto, mas apenas vivia aparentemente como a maioria das pessoas de Jerusalém.[14] Josefo fala de determinado "egípcio" a quem Lísias parece ter confundido com Paulo:

> Naquela época, determinado homem do Egito chegou a Jerusalém dizendo ser um profeta e incitando as multidões a ir com ele para o monte das Oliveiras, em frente da cidade. [...] Mas quando Félix soube do ocorrido, ele ordenou que seus soldados pegassem as armas e saiu, com um grande exército de cavalaria e infantaria, para atacar o egípcio e seus seguidores. Ele matou quatrocentos deles e capturou duzentos. O egípcio fugiu durante a batalha e desapareceu sem deixar rastro.[15]

Se o egípcio, como afirma Josefo, desapareceu sem deixar rastro, não é de surpreender que Lísias, ao ver o tumulto, pensasse se tratar da pessoa que era procurada pelas autoridades. Também é interessante observar que Lísias confundiu o egípcio com os sicários como, com frequência, acontece até hoje, quando as autoridades, especialmente em regimes opressivos, confundem todos que se opõem a elas, como se estes fossem uma massa amorfa. Por sua vez, pode-se especular por que o fato de Paulo saber grego

---

13 *War*, 2.13.3-6.
14 Veja HORSLEY, R. A. e HANSON, J. S. *Bandits, prophets, and messiahs: Popular movements at the times of Jesus*. San Francisco: Harper & Row, 1985, p. 200-16.
15 *Ant.*, 20.8.6. Veja também JOSEFO. *War*, 2.13.6.

fez que Lísias soubesse que ele não era o egípcio foragido. A maioria da comunidade judaica do Egito falava grego. Porém, aparentemente, Lísias sabia que o "egípcio", a quem tentavam prender, não falava grego. Paulo, ainda usando linguagem muito refinada, responde que não é egípcio, mas, antes, um judeu de Tarso e cidadão daquela cidade. Mais tarde, ele acrescenta que também é cidadão romano; mas, de início, ele não menciona isso. Após fornecer essa informação, ele insiste em ter permissão para falar com o povo.

4. Discurso de Paulo para o povo (21.40 - 22.24)

Com a permissão de Lísias, Paulo dirige-se à multidão "na língua dos hebreus" — ou seja, em aramaico. Sua fala é em sua maior parte autobiográfica. É aqui que ficamos sabendo que Paulo, embora seja originalmente de Tarso, foi criado em Jerusalém e estudou "aos pés de Gamaliel" — a quem já encontramos em 5.34-39. Esse é o segundo relato de Atos a respeito da conversão de Paulo. (Os outros dois estão em 9.1-19 e em 26.12-18. Como os três episódios já foram comparados enquanto comentávamos sobre 9.1-19, não é necessário examinar esse relato específico em detalhes.)

Nos versículos 17-21, ficamos sabendo de algo novo. Em Jerusalém, precisamente no templo, Paulo teve um êxtase em que Jesus ordenou que ele deixasse Jerusalém, "porque não aceitarão o teu testemunho a respeito de mim" e "porque eu te enviarei para longe, aos gentios".

Embora a multidão tenha ficado em silêncio nesse ponto, eles não aguentaram mais. Sem dúvida, Paulo, com poucas palavras, ofendera-os. Primeiro, ele ousou dizer que foi precisamente nesse lugar santo que Jesus falou com ele. É importante lembrar que esse era o lugar em que o Deus de Israel tinha falado com alguns dos profetas (por exemplo, com Isaías, em Is 6). Por inferência, Paulo está igualando Jesus ao Deus do templo e estabelecendo um paralelismo entre ele mesmo e Isaías, cuja mensagem também era dirigida a um povo que não queria ouvir (Is 6.9: "Vai e diz a este povo: Ouvindo, ouvireis, e nunca entendereis; e, vendo, vereis, e jamais percebereis".) Segundo, Paulo mencionou mais uma vez sua missão para os gentios, que é exatamente o motivo do tumulto, e afirmou que essa missão era resultado da ordem recebida no próprio templo.

Mais uma vez, a multidão pede a morte de Paulo: "Tira do mundo este homem, porque ele não deve viver". O gesto de tirar o manto e jogar poeira para o alto, o que nos parece estranho, era sinal de raiva, pesar e confusão. Em Jó 2.12, por exemplo, quando os três amigos de Jó viram o que acontecera com ele, "choraram bem alto, e cada um rasgou o seu

8. Cativeiro de Paulo (21.1–28.31)

manto e jogou terra para o ar sobre a cabeça". Essa reação dos três amigos de Jó inclui os mesmos três elementos encontrados em 22.23: gritar, tirar a roupa e jogar poeira para o alto.

A resposta do comandante, a fim de acalmar a situação, é ordenar aos soldados que levem Paulo para a fortaleza (ele já estava na escada que levava a ela; v. 35), a fim de inquirir sobre todo o assunto açoitando Paulo, para que ele então diga a verdade.

FORÇAS DA OPOSIÇÃO

Ao ler essa passagem, somos imediatamente golpeados pela maneira em que Paulo se encontra em meio a vários poderes e interesses e em como estes são semelhantes aos que nos rodeiam hoje. Paulo, primeiro, é pressionado pelos líderes da igreja de Jerusalém, que estão preocupados com o fato de que as atividades de Paulo possam ser mal interpretadas. Circulam rumores de que Paulo convida os judeus a abandonar a lei de Moisés e os costumes que estão no exato cerne da identidade judaica. Tiago e os presbíteros parecem não acreditar nesses rumores; mas também não parecem fazer muito para contra-atacá-los. Eles sugerem que Paulo tome algumas medidas que, dizem eles, desmentirão os rumores. Mas o que eles não oferecem é para acompanhá-lo nem para falar em favor dele. Além disso, desse ponto em diante, eles não são mais mencionados em Atos, enquanto Paulo passa por todas as vicissitudes de seu aprisionamento. Infelizmente, parece que a solidariedade e a irmandade a que os primeiros capítulos de Atos se referem estão se diluindo.

Não é preciso muito esforço para perceber a relação entre essa situação e a vida das nossas igrejas, na qual a fofoca e o boato são poderosos instrumentos do demônio. Achamos, com frequência, que o problema está apenas com os boateiros, que começam os rumores e os circulam pelo mero prazer de fazer isso, ou com os que ouvem algo e repetem sem ter certeza se o fato é verídico ou não. Mas o problema vai muito além disso, pois ele alcança também os que dizem que não acreditam em rumores, mas, mesmo assim, os repetem ou, pelo menos, não tentam contra-atacá-los. Há, até mesmo, os que se aproximam dos outros e dizem: "Você soube? Fulano está dizendo isso e isso sobre você"; mas eles não parecem acreditar que devem confrontar fulano com a falsidade do que está sendo dito. Na verdade, nesse caso, eles também se tornam fofoqueiros, pois, em vez de diminuir o poder da fofoca, eles, agora, acrescentam outro rumor ao falar sobre a pessoa que acusam de espalhar rumores. De uma maneira, isso é o que acontece no caso de Paulo e dos líderes da igreja de

Jerusalém. Esses líderes, em vez de enfrentar os rumores malignos sobre Paulo, espalham o próprio boato a respeito daqueles que estão falando de Paulo. Desse ponto em diante, a igreja de Jerusalém começa a desaparecer de cena; mas também pode ser o caso de que, nesse ponto, essa igreja começa a morrer. Fofoca e rumor têm um poder profundamente corrosivo na vida da igreja.

Esses cristãos de Jerusalém, embora digam a Paulo o que ele deve fazer para contra-atacar os rumores, não tomaram uma única atitude para se juntar a ele nessa tarefa. Quando os nazistas ocuparam a Dinamarca, eles ordenaram que todos os judeus usassem a estrela de Davi visivelmente em suas roupas. Ficou claro que o propósito dessa ordem era facilitar as ações que as forças de ocupação adotariam contra os judeus. No dia seguinte, o rei da Dinamarca saiu ostentando uma estrela de Davi! Ele não limitou sua ação a aconselhar seus súditos judeus, mas, antes, juntou-se a eles no risco que sofriam. Em determinado país da América Latina, onde um ditador reinava, uma mulher atirou o sapato na imagem do ditador no cinema. As luzes se acenderam, e o chefe dos guardas anunciou que, no fim do filme, eles descobririam com facilidade quem tivera tanta falta de respeito com o governante, pois ela estaria sem um pé de sapato. Contudo, no fim da sessão, a maioria das mulheres saiu do cinema descalça! Se isso é feito entre um rei e seus súditos ou entre concidadãos, quanto mais deveria ser feito entre cristãos! Jesus não se contentou em nos dar bons conselhos, mas, antes, tornou-se um de nós e participou de nossa dor e luta.

Em nossas igrejas, há muitos de nós que estão bem prontos para dar conselhos sensatos para os que atravessam dificuldades e para dizer aos que são objeto de fofoca o que eles devem fazer nessa situação. Mas isso não é suficiente. Se somos verdadeiramente um corpo, o corpo de Cristo, devemos carregar os fardos uns dos outros.

Segundo, há a multidão de judeus. Nos capítulos iniciais de Atos, vimos como os chefes entre os judeus (os principais sacerdotes e os membros do Sinédrio) temiam o povo, que tendia a favor dos cristãos. Já na época do martírio de Estêvão, observamos que, pela primeira vez, é o "povo" que ataca os cristãos. Agora, está claro que o povo tomou o partido dos principais sacerdotes e dos líderes religiosos e políticos a ponto de o tumulto acontecer sem que esses líderes tivessem de provocá-lo. Mais adiante, os líderes do povo apareceram de novo, tentando destruir Paulo. Porém, nessa passagem em especial, há apenas alguns judeus da Ásia e a multidão que tentam matar Paulo. Podemos imaginar o sofrimento de Paulo não só pela tragédia física de sua prisão, mas também por ver que o

8. Cativeiro de Paulo (21.1–28.31)

próprio povo judeu o entregou para as autoridades, quando, na verdade, ele é preso "por causa da esperança de Israel" (28.20).

Isso também é parte da tragédia do nosso povo. Muitos que vêm em nossa defesa, denunciando injustiças cometidas contra nós e proclamando a mensagem de esperança, foram abandonados e, até mesmo, traídos pelo povo ao qual tentaram servir. Naturalmente, muito disso deve-se à maneira como os que controlam a informação deturpam a verdade a fim de criar um empecilho entre esses líderes em potencial e o povo. Lembre-se do que foi dito sobre o controle da informação no comentário sobre 4.13-22. No fim, o povo ficou convencido de que seus defensores, na verdade, eram seus inimigos, e, assim, tornaram-se um instrumento a fim de conseguir a destruição daqueles, que, na verdade, tentavam ajudá-los.

O mesmo acontece na igreja. Ao longo da história da igreja, há muitos que, por amor à igreja, tentam reformá-la. Muitas vezes, essas pessoas são condenadas como hereges e expulsas da igreja que amam. E não é isso que acontece até que com bastante frequência em nossas igrejas latino-americanas? Todos nós não conhecemos histórias de jovens que, por zelo e fervor pela igreja, começaram sugerindo formas de melhorar a vida da igreja e, por fim, foram excomungados ou expulsos da comunidade?

Terceiro, há o comandante que intervém na situação em que se tem a falsa impressão de que Paulo era "o egípcio", o famoso subversivo. Ele não está interessado em salvar Paulo da multidão (embora, conforme veremos adiante, em 23.27, quando convém aos seus propósitos, ele tenha afirmado que interveio para salvar Paulo). Antes, seu interesse é resguardar sua responsabilidade. Se houver um tumulto enquanto ele e seus soldados estão na torre Antônia, ele terá dificuldade em explicar isso para os seus superiores. Esse é o motivo para a intervenção dele. Ele, como romano e membro do exército de ocupação, não sabe muito sobre o país nem sobre seus conflitos religiosos internos. Sua única preocupação é garantir que não haja tumulto nem rebelião que possa macular sua folha de serviço. Ele está particularmente interessado em capturar o famoso "egípcio". Qualquer judeu que não se ajuste à ordem imposta por Roma representa o mesmo tipo de problema para ele, por isso confunde esse "egípcio" com Paulo e também com os sicários, sem prestar atenção nas imensas diferenças existentes entre esses vários elementos. Para Lísias, Paulo, os sicários e o "egípcio" são tudo a mesma coisa.

Em décadas recentes, a América Latina tem observado muitos "comandantes" como Lísias. Há pessoas cuja única função na vida é manter a ordem existente a qualquer custo e, para quem, qualquer pessoa que, de alguma maneira ou em alguma medida, opõe-se a essa ordem ou a critica é "subversiva". É uma tragédia que justamente porque essas pessoas, como Lísias, não fazem a necessária distinção, centenas, até mesmo milhares, de pessoas "desaparecem" ou são torturadas para forçá-las a confessar que elas são, de fato, subversivas como os "comandantes" da defesa nacional afirmam.

Situações semelhantes, embora felizmente, em geral, com menos consequências trágicas, também existem na igreja. Há inquisidores que enxergam heresia em tudo. Na América Latina, repete-se, com frequência, a piada, mencionando o nome completo deles, sobre o inquisidor moderno que morreu em um acidente de trânsito com dois teólogos de opiniões mais questionáveis. Ao chegarem aos portões perolados, todos eles foram informados que tinham de se apresentar diante do trono do Altíssimo a fim de serem examinados quanto a sua ortodoxia. O primeiro teólogo entrou, foi inquirido por meia hora e saiu dizendo com muita tristeza: "Não passei". O segundo também entrou, passou meia hora diante do trono celestial e também saiu dizendo com muita tristeza: "Não passei". O terceiro, o famoso inquisidor, entrou na câmara santa, ficou dois minutos diante da presença divina e saiu vangloriando-se muito feliz: "Ele não passou!"

Tradicionalmente, os protestantes afirmam que essas atitudes existiram só na Igreja Católica Romana. Contudo, entre os protestantes, eventos parecidos acontecem. Em vez de fazer as necessárias distinções e de tentar entender a percepção de cada pessoa e o que ela está dizendo, simplesmente desenvolvemos uma série de rótulos ou "sacos intelectuais" em que pomos as pessoas: "liberal", "reacionário", "comunista", "direitista". Depois, simplesmente pomos cada pessoa no saco que parece mais apropriado e não temos mais de lidar com o assunto. No texto que estamos estudando, Lísias fica surpreso quando Paulo se dirige a ele em grego refinado. Ele admira-se: "Sabes a língua grega? Por acaso não és o egípcio?" Porém, com frequência, garantimos que o indivíduo não nos surpreenda. Já sabemos que ele é liberal, fundamentalista, reacionário ou esquerdista. Contudo, quando perdemos a habilidade de ser surpreendidos por alguém, perdemos a habilidade de ouvir e, assim, desumanizamos a outra pessoa e a nós mesmos.

Por fim, devemos observar Paulo. Em toda a narrativa, sua atitude é interessante. Ele começa aceitando o conselho de Tiago e dos presbíteros, embora haja certo risco em aparecer publicamente no templo. A igreja está dividida por causa dos rumores que circulam a respeito dele, e ele está disposto a fazer o que puder para contra-atacar esses rumores. Mesmo depois de o tumulto começar, quando os soldados o

8. Cativeiro de Paulo (21.1–28.31)

estão carregando para a fortaleza, Paulo insiste em dar seu testemunho, que trata de Jesus Cristo e de sua própria atitude em relação a Israel. Sua fala começa enfatizando sua ligação com os que o ouvem. Ele é judeu, criado em Jerusalém, educado por um dos maiores mestres de seu tempo, "instruído de acordo com o rigor da lei de nossos pais [...] sendo zeloso para com Deus". Ele até mesmo elogia os que estão se opondo a ele pelo fato da oposição ser motivada por sinceridade religiosa: "Zeloso para com Deus, assim como o sois todos vós no dia de hoje". É com base nessa relação que ele oferece seu testemunho. Eles, com esse mesmo fundamento, ouvem-no até ele chegar a um ponto em que afirma algo que eles não podem aceitar — que Jesus falou com ele no templo e o enviou para os gentios. É nesse momento que a multidão se agita, e Lísias ordena que Paulo seja levado para o forte.

A fala de Paulo tem várias implicações missiológicas. Primeiro, Paulo reconhece e enfatiza os laços entre ele e sua plateia e, até mesmo, dá-lhe crédito por suas percepções e tradições religiosas. Isso é o oposto a muito do que acontece em muitos dos nossos círculos em nome do "evangelismo", em que se começa pelo ataque às tradições e à cultura dos que ouvem. Também é muito diferente de determinado tipo de pregação que era bastante comum em muitas de nossas comunidades hispânicas e ainda é ouvido, pregação essa na qual somos informados de milhares de maneiras que toda a tradição e a religiosidade hispânicas que aprendemos com nossos ancestrais têm de ser abandonadas. Não. Paulo afirma a religiosidade dos que ouvem. Ele não só conquista a boa vontade deles, mas também, e acima de tudo, porque ele realmente aprecia essa religiosidade e essas tradições. Ele, com certeza, convida-os a acreditar em Jesus; e, por fim, sua insistência no nome de Jesus revive a revolta contra ele. Mas Paulo não prega Jesus dizendo-lhes, primeiro, que eles não têm valor, que não passam de pagãos, que sua cultura e tradições são de Satanás. Ao contrário, a mensagem é de amor e de afirmação, até mesmo, para os que o perseguem.

Isso é muito diferente do que, com frequência e de tantas maneiras, é-nos ensinado — que para sermos verdadeiros cristãos precisamos dar as costas a nossa cultura e às tradições religiosas de nossos ancestrais, como se eles tivessem sido ateus obstinados, sem nenhum conhecimento de Deus ou como se alguém só pode ser cristão se aceitar a cultura estrangeira dos missionários.

Graças a Deus, a igreja protestante da América Latina, agora, alcança certa maturidade, e parte dessa maturidade está justamente em ser capaz de ver a ação e a manifestação de Deus até onde os primeiros missionários não conseguiam ver. Com base nessa percepção de nossa cultura e nossas tradições, começamos a descobrir, com outros cristãos, o que representa ser verdadeiramente latino e verdadeiramente fiel ao evangelho.

C. PAULO SOB CUSTÓDIA DE LÍSIAS (22.25 - 23.33)

Até aqui, Lísias intervém no que, afinal, é um assunto entre os judeus. Agora, ao levar Paulo prisioneiro e, especialmente, a partir do momento em que o apóstolo declara ser cidadão romano, todo o sistema legal romano entra em cena.[16]

1. Paulo reivindica cidadania romana (22.25-29)

Agora, ele está amarrado "com correias" (ARA). Isso provavelmente refere-se a amarrá-lo em um poste para ser açoitado. Nesse ponto é que Paulo diz ao centurião que é cidadão romano. Imediatamente, o centurião percebe a gravidade da situação[17] e pede novas instruções ao comandante. Este se aproxima de Paulo e pergunta se é verdade que ele é cidadão romano. É provável que seu comentário sobre o preço que teve de pagar por essa cidadania sugira que Paulo tinha de ser um homem de recursos. O nome do comandante, *Cláudio* Lísias, pode ser uma indicação de que ele comprou sua cidadania enquanto Cláudio era o imperador, quando a imperatriz Messalina conseguiu relevante lucro com a venda de cartas de cidadania.[18] Nesse caso, Cláudio seria seu nome romano, adotado em homenagem ao imperador por tornar-se cidadão romano, e Lísias seria seu nome grego.

Não há indicação de como os ancestrais de Paulo adquiriram a cidadania romana. Talvez, um deles a tenha comprado, como fez Lísias. De qualquer jeito, o resultado da declaração de Paulo é que ele não é torturado nem açoitado, e o comandante, até mesmo, teme as consequências do que fez. Não somos informados como Paulo provou que era, de fato, cidadão romano. Sabe-se que reivindicar falsamente a cidadania romana era crime punido com pena capital.[19]

---

16 Sobre o histórico jurídico de todo o livro e, em especial, sobre itens que têm a ver com a cidadania romana e seus privilégios, veja Black, M. "Paul and roman law in Acts". *RestorQ* 24 (1981), p. 209-18. Sobre o uso de Paulo de sua cidadania, veja Cassidy, R. J. *Society and politics in the Acts of the Apostles.* Maryknoll, N.Y.: Orbis, 1968, p. 100-103.

17 Sobre esse ponto veja comentário sobre 16.35-40.

18 Cássio, Dião. *Roman History*, 60.17.

19 Epíteto, *Diatribes*, 3.24, 41.

2. Paulo diante do conselho (22.30 - 23.10)

No dia seguinte, Lísias soltou Paulo, mas ainda o trouxe para permanecer diante de uma reunião dos "principais sacerdotes e todo o Sinédrio". Essa reunião do conselho judaico apresenta diversas dificuldades. Primeiro, há o assunto de como Cláudio Lísias, um pagão, podia estar presente em uma reunião do Sinédrio. Segundo, há o assunto de como era possível que Paulo não soubesse que o indivíduo que presidia a sessão era o sumo sacerdote (v. 2-5). Terceiro, levanta-se a questão de como o comandante poderia entender as deliberações do Sinédrio, conduzidas em aramaico. Por essas razões, questiona-se a historicidade dessa narrativa.[20]

Essas dificuldades são removidas se pensarmos não em termos de uma sessão oficial do Sinédrio, mas, antes, da reunião dos membros desse conselho convocada pelo comandante e, provavelmente, realizada na própria residência dele ou em algum local romano de reunião. Por isso, a passagem 22.30 na verdade diz que ele convocou os membros do conselho e não o conselho em si ou que ele tenha se apresentado em uma das sessões dele. Nesse caso, como não era uma reunião do Sinédrio, mas seus membros reuniram-se a convite do comandante romano, deve-se supor que Ananias não usaria sua vestimenta oficial nem presidiria a sessão, e que a discussão aconteceu em grego ou com intérpretes para que o comandante pudesse acompanhá-la. Afinal, esse era o propósito da reunião.

Sabe-se alguma coisa sobre Ananias, o sumo sacerdote, de outras fontes. Em Atos, ele aparece só aqui e em 24.1. Ele foi sumo sacerdote do ano 48 até 58 e devia sua posição a Herodes Agripa II. Sua crueldade e arbitrariedade (mostradas em 23.2) eram tão grandes que, em 66, quando estourou a rebelião judaica, ele foi morto pelo povo.[21]

No versículo 6, Paulo recorre a um estratagema a fim de dividir seus acusadores. Ele, declarando sua condição de fariseu, afirma que está em julgamento "por causa da esperança da ressurreição dos mortos". Paulo não esclarece que o ponto sob discussão não é se o morto ressuscitará, mas, antes, se a ressurreição já começou com Jesus de Nazaré. O resultado é que os membros do Sinédrio ficam divididos, e surgem disputas entre fariseus e saduceus, precisamente porque, nesse ponto, os fariseus estavam mais próximos dos ensinamentos cristãos que os dos saduceus (v. 8). Aparentemente, a discussão atinge tal intensidade que o comandante começa a temer que Paulo fosse linchado pelos que estavam com o ânimo exaltado. Talvez, o comandante, ao lembrar-se de que o prisioneiro

---

20 Veja, por exemplo, Haenchen, E. *The Acts of the Apostles*, p. 639-43.
21 Josefo, *Ant.* 20.5-6; *War* 2.17.9.

era cidadão romano e as graves consequências que trariam sua morte nas mãos de uma multidão revoltada,[22] ordena que os soldados intervenham tirando Paulo da reunião e o levando de volta para o quartel.

3. COMPLÔ CONTRA PAULO (23.11-22)

À noite, Paulo tem uma visão na qual o Senhor o encoraja, dizendo que o que acaba de testemunhar em Jerusalém, ele testemunhará em Roma. Embora, de início, isso possa parecer uma promessa simples de que tudo ficará bem, não se deve esquecer que, aqui, há um paralelismo entre o que aconteceu em Jerusalém e o que acontecerá em Roma. Em outras palavras, que Paulo deve ter coragem não porque suas dificuldades logo acabarão, mas, antes, porque o que começou em Jerusalém continuará em Roma.

A seguir, Lucas conta-nos sobre um complô para matar Paulo. É uma intriga digna do suspense de uma novela moderna. Um grupo de fanáticos compromete-se a fazer jejum total até que consigam matar Paulo e, depois, juntam forças com os "principais sacerdotes e líderes religiosos".[23] O plano é relativamente simples: os sacerdotes e presbíteros pedirão ao comandante para enviar Paulo diante do Sinédrio, e os que juraram matar Paulo cumprirão seu juramento quando o prisioneiro estiver sendo conduzido pelas estreitas ruas de Jerusalém. Mais à frente, no versículo 21, somos informados que eram mais de quarenta os que juraram matar Paulo.

O sobrinho de Paulo fica sabendo do complô. Essa é uma das duas únicas vezes em que é mencionada a família do apóstolo no Novo Testamento.[24] A irmã mencionada aqui é a única irmã de quem temos conhecimento. De todo modo, seu sobrinho visita Paulo na fortaleza e conta-lhe sobre o complô. Paulo tem o cuidado de não dizer nenhuma palavra para os que o guardam, simplesmente pede que um deles leve o jovem até o comandante. Quando Lísias fica sabendo do complô, ele diz ao jovem para manter silêncio sobre o assunto e toma as providências para frustrar a conspiração.

4. PAULO É ENVIADO PARA CESAREIA (23.23-33)

Lísias ordena que dois centuriões preparem uma forte escolta para levar Paulo para Cesareia, onde o governador reside. Aparentemente,

---

22   A palavra que Lucas usa aqui para descrever a desordem é a mesma usada em Éfeso pelo escrivão da cidade, quando ele se referiu ao caráter insidioso da acusação. Era considerado um crime para pena capital.

23   Observe que os escribas não são mencionados. Sugeriu-se que, porque entre os escribas havia muitos fariseus, os que planejaram a conspiração não confiavam neles. TURRADO, Lorenzo. *Hechos de los apóstoles y Epístola a los Romanos*. Madri: Biblioteca de Autores Cristianos, 1975, p. 221.

24   A outra é em Romanos 16.7.

8. CATIVEIRO DE PAULO (21.1–28.31)

temendo um novo tumulto ou talvez que os conspiradores soubessem o que está acontecendo e atacassem a escolta em alguma região isolada que atravessassem, o comandante toma duas precauções. Primeiro, ele ordena que partam durante a terceira vigília da noite — ou seja, três horas depois do pôr do sol ou, aproximadamente, às nove da noite, conforme a A21 traduz. O plano é viajar toda a noite para que, ao amanhecer, Paulo e sua escolta já estejam bem longe, impedindo que os revoltosos planejem um golpe. Segundo, ele ordena uma escolta muito mais forte do que parece necessário — um total de 470 homens.[25] Assim, se os conspiradores soubessem do plano romano ou, até mesmo, se vissem a escolta, não conseguiriam criar um tumulto e matar Paulo no meio da confusão.

O objetivo de Lísias é enviar Paulo para Félix, o governador. A situação ficou muito complicada e arriscada, e o comandante — como é comum entre oficiais de qualquer governo — decide que chegou a hora de passar a responsabilidade para outro.[26]

A carta que Lísias escreve, e que Lucas reproduz nos versículos 26 a 30, é um *elogium*. De acordo com a prática legal romana, quando um magistrado menor transferia um caso para um magistrado maior, ele devia enviar junto um *elogium* no qual resumia o processo que tinha acontecido, bem como a natureza do caso. Cláudio Lísias, como o protocolo exige, chama o governador Félix de "excelentíssimo". Esse é o mesmo título que Lucas usa para Teófilo, em Lucas 1.3. É interessante observar que Lísias apresenta uma versão um tanto diferente para os eventos, tentando evitar qualquer possível crítica a sua ação. No versículo 27, ele diz que foi com os soldados em socorro de Paulo a fim de salvá-lo "ao saber que era cidadão romano". De acordo com a narrativa de Lucas, isso não é estritamente verdade. Lísias foi por outros motivos. Ele nem mesmo sabia quem era Paulo. Na verdade, ele soube que Paulo era cidadão romano muito depois. Há uma sutil contradição entre os versículos 29 e 30 que sugere hesitação do comandante. No versículo 29, ele diz: "Achei que ele estava sendo acusado por questões da lei deles, mas que não havia nada digno de morte ou de prisão". Porém, a seguir, no versículo 30, ele diz que tinha decidido enviar Paulo e seus acusadores para Félix, para que este pudesse ouvir o caso. Em outras palavras, Lísias acredita que Paulo é inocente, mas, ainda assim, envia-o para ser julgado por Félix. Não é difícil perceber, nas entrelinhas, a ansiedade de um

---

25 A palavra que a A21 traduz por "lanceiros" é de tradução incerta. Claramente, a palavra tem sentido militar, mas não é suficientemente comum em textos antigos para que se determine seu sentido exato. Ela refere-se a soldados levemente armados. Poderiam ser arqueiros ou homens armados com fundas. Como a tradução tradicional é "lanceiro', a A21 simplesmente seguiu essa tradição.

26 O texto ocidental acrescenta que Lísias fez isso porque estava com medo de os judeus pegarem Paulo e o matarem; e que, depois disso, houvesse rumores de que Lísias aceitara dinheiro para permitir que isso ocorresse.

governante oficial que teme as possíveis consequências de uma situação e decide passar a responsabilidade para outro.

Não fica clara a maneira como a escolta procede. A distância de Jerusalém para Antipátride é de mais de 60 quilômetros. A infantaria vai com Paulo até esse ponto e, no dia seguinte, retorna para o quartel. Isso só é possível se o "dia seguinte" não quiser dizer o dia seguinte a que deixaram Jerusalém, mas o dia seguinte ao que chegaram em Antipátride.[27] Por estarem, agora, a uma boa distância de Jerusalém, basta uma escolta menor. Finalmente, eles chegam a Cesareia, onde o prisioneiro e a carta explicando seu caso são entregues ao governador. Daí em diante, Paulo passa a ser responsabilidade de Félix, e não mais de Cláudio Lísias.

ENTRE OS PODERES

O mais notável em toda essa passagem é a maneira como Paulo se move em meio aos poderes políticos e religiosos de sua época, mesmo quando ele está na prisão. Parece que ele não está particularmente orgulhoso de sua cidadania romana. Antes, quando Lísias lhe perguntou se ele não era o "egípcio", ele apenas disse que era cidadão de Tarso. Contudo, agora, quando as autoridades estão preparadas para açoitá-lo, como era costume para forçar o acusado a confessar seus crimes, Paulo informa-os que, na verdade, é cidadão romano. O resultado é consternação entre os mesmos romanos que, até aquele momento, achavam que eram donos da situação. O comandante que, antes pensara ter capturado o perigoso "egípcio", fica, agora, sabendo que seu prisioneiro representa uma ameaça muito diferente para ele do que imaginara de início. Conforme Lucas informa, Lísias ficou com medo por ter amarrado Paulo (22.29) e, por fim, ele mesmo planeja uma maneira de salvar Paulo — que serviria para contrapor o plano que os judeus tinham para matá-lo.

Contudo, o fato de Lísias salvar Paulo nessa situação difícil não leva Lucas a, ingenuamente, apresentá-lo como aliado. Ao contrário, Lucas deixa o motivo para a atitude de Lísias bastante claro e, até mesmo, sugere que Lísias, em sua carta para Félix, dá uma mudada nos eventos para que ele mesmo aparecesse de uma forma mais favorável. Tudo isso é muitíssimo realista, e lembra-nos a maneira como muitas autoridades agem hoje.

---

27 Haenchen, como faz muitas vezes, simplesmente afirma que Lucas não conhece a geografia da Palestina (HAENCHEN, E. *The Acts of the Apostles*, p. 648). Também é possível que os "lanceiros" fossem uma cavalaria com armamento leve, e que soldados de infantaria só fossem com Paulo até a periferia de Jerusalém, assim os que retornaram de Antipátride eram da cavalaria com armamento leve, e os setenta soldados da cavalaria regular continuaram a tarefa de escoltar Paulo até Cesareia. Assim, a maior parte da jornada de Jerusalém a Antipátride pode ter acontecido no ritmo da cavalaria.

8. Cativeiro de Paulo (21.1–28.31)

A seguir, vem o episódio diante dos membros do Sinédrio. Mais uma vez, Paulo mostra-se politicamente astuto. Em vez de entrar em uma discussão inútil com eles, ele usa a discórdia que sabia existir no próprio conselho para fazer que, por fim, eles discutissem entre eles mesmos.

Em tudo isso, Lucas apresenta um Paulo politicamente astuto. Ele não é apresentado como um pregador ardente, conforme o imaginamos muitas vezes, que acusa continuamente os inimigos de Deus, independentemente de quem sejam eles e dos interesses que tenham. Ao contrário, Lucas retrata-o aqui como um missionário astuto que sabe como usar os interesses de cada grupo ou indivíduos envolvidos. Ao mesmo tempo, ele apresenta Paulo como uma pessoa íntegra, não disposta a mentir nem a ficar calada apenas para salvar sua vida.

Que mensagem poderia ser mais pertinente e urgente para a nossa igreja latino-americana e hispânica? De um lado, a necessidade de uma análise política realista e sóbria, sabendo quem são os vários grupos e indivíduos envolvidos, quais são seus interesses, o que os motiva, e, de outro lado, empregar esse conhecimento com integridade. Entre esses dois pólos, nossas igrejas, com frequência, esquecem o exemplo de Paulo. De um lado, há os que alegam que basta "pregar o evangelho", esquecendo que o evangelho é sempre pregado para os seres humanos de verdade que existem em um contexto social e político, e que esse contexto tem muito a ver com a maneira como a mensagem é ouvida e como as pessoas respondem ao que dizemos e fazemos. Os interesses políticos e econômicos estão bem dispostos a nos usar, e farão isso em favor de seus próprios propósitos, se não soubermos quem são esses poderes e qual é o objetivo deles. De outro lado, às vezes, parecemos estar desejosos demais a "brincar" com quem quer que esteja no poder ou a ficar calados em relação à injustiça e à opressão, contanto que nos seja permitido pregar. Ou "douramos a pílula" para os ricos para que eles nos deem sua oferta. Contudo, entre essas duas opções infelizes, há o exemplo de Paulo — uma pessoa sábia, astuta e íntegra.

D. PAULO SOB CUSTÓDIA DE FÉLIX (23.34 - 24.27)

1. Primeira entrevista com Félix (23.34,35)

Félix é conhecido não só em todo o livro de Atos, mas também por meio de dados preservados por historiadores romanos[28] e por

---

28   Tácito, *Hist.* 5.9; Suetônio, *Claudius*, 28. Veja também Bruce, F. F. "The full name of the procurator Felix". *JStNT* 1 (1978), p. 33-36.

Flávio Josefo.[29] Ele era um homem livre — ou seja, um escravo que fora libertado — cujo irmão tinha sido favorito de Agripina (mãe de Nero). Tácito, referindo-se a essas origens, diz que Félix "praticava todo tipo de crueldade e lascívia, usando o poder de um rei com o espírito de um escravo". Um dos meios que ele usou para progredir em sua carreira política foi por intermédio do casamento com mulheres influentes, e, por essa razão, Suetônio chama-o de "o marido das três rainhas". Mais adiante, Lucas conta-nos a respeito de uma delas, Drusila (24.24). Ele foi designado procurador da Judeia no fim do reinado de Cláudio, que morreu em 54. Portanto, quando Paulo foi levado diante dele (provavelmente no ano de 58), ele já detinha esse cargo havia cerca de quatro anos.

Aparentemente, Félix quer descobrir a que província Paulo pertence porque, antes de decidir se deve ouvir o caso, ele tem de determinar se tem jurisdição nesse caso. Os governadores da Judeia sabiam muito bem que os assuntos religiosos eram espinhosos e podiam levar a tumultos e dificuldades que poderiam ser interpretados em Roma como sinal de incompetência do governador. Assim, se houvesse algum meio de se livrar desse difícil caso em que os líderes religiosos do povo judeu confrontavam um cidadão romano, Félix faria isso com alegria. Uma boa forma de alcançar esse objetivo seria transferir o caso para outra província. O caso criminal podia ser ouvido diante do tribunal da província onde supostamente o crime fora cometido (*forum delicti*) ou diante do tribunal da província do acusado (*forum domicilii*). Se Félix conseguisse transferir o caso para a província de Paulo, ele se livraria de um assunto difícil. Estabelece-se que Paulo, nativo da Cilícia, é cidadão de Tarso, cidade livre da província, e que, por essa razão, ele não está sujeito às autoridades provinciais. Pelo menos, essa é a maneira que alguns estudiosos entendem os versículos 34 e 35.

O "palácio de Herodes" — sentido literal é *praetorium* de Herodes — onde Paulo está preso foi o antigo palácio de Herodes, o Grande, que também servia como sede do governo da província e, por isso, era chamado *praetorium*.

2. O JULGAMENTO DIANTE DE FÉLIX (24.1-23)

"Cinco dias depois", a chegada de Ananias é uma indicação da importância com que o sumo sacerdote e seus companheiros viam o caso. Como a distância total entre Jerusalém e Cesareia era de cerca de 100 quilômetros, supõe-se que esse grupo de judeus saiu de Jerusalém não mais do que dois ou três dias depois de saber que Paulo tinha sido

---

29 *Ant.*, 20.8.5-9; *War* 2.13.2.

8. Cativeiro de Paulo (21.1–28.31)

transferido. Eles levaram um "advogado" com eles — ou seja, um especialista na lei e na retórica, as principais disciplinas que os advogados estudavam. Embora o nome Tértulo seja romano, o mais provável é que ele também fosse judeu.

O julgamento gira em torno de dois discursos, o de Tértulo e o de Paulo. Os dois começam com *captatio benevolentiae*, um esforço para conquistar a boa vontade de Félix. A de Tértulo (v. 2-4) é cheia de adulação; enquanto a de Paulo é muito breve (v. 10b). Há diversas acusações contra Paulo: ele é "uma peste, promovendo rebeliões",[30] "o chefe da seita dos nazarenos" que "tentou profanar o templo. Tudo isso, tudo que interessa ao governador como juiz romano é a acusação de rebelião e de profanação do templo, pois o governador tinha a responsabilidade de evitar tumultos e de salvaguardar o templo contra qualquer profanação.[31]

No versículo 9, Félix pede e obtém corroboração dos fatos dos líderes judeus que foram de Jerusalém para o julgamento. A seguir, os versículos 11 a 13 tratam das duas principais acusações de promover rebeliões e de profanar o templo. Paulo, de forma sábia, ignora a acusação de que age dessa maneira "por todo o mundo" e limita sua defesa aos doze dias que acabara de passar em Jerusalém. Durante esses doze dias, ninguém o vira discutindo com a multidão nem a incitando, seja no templo seja nas sinagogas.

No versículo 14, a natureza do discurso muda, pois não é mais uma mera resposta às acusações, mas, antes, uma explicação positiva de sua fé e de por que foi a Jerusalém. Ele confessa-se seguidor do "Caminho, a que chamam de seita". A palavra "seita" apareceu antes na acusação de Tértulo, e, agora, Paulo responde a isso. Algumas versões traduzem por "heresia", porque o termo grego usado aqui é *hairesis*, do qual deriva o termo moderno "heresia"; porém, naquela época, a palavra não tinha a conotação negativa que tem hoje. Antes, referia-se a facção, grupo ou partido em uma discussão. Paulo acrescenta que, embora siga esse Caminho, "sirvo o Deus de nossos pais e creio em tudo o que está escrito na Lei e nos Profetas". Ele faz tudo isso a fim de "ter consciência inculpável diante de Deus e dos homens". Em toda essa parte do discurso, é interessante observar que, embora Paulo fale da ressurreição final, ele não menciona a ressurreição de Jesus, nem argumenta que esse evento mostra que Jesus era o Messias prometido. Essa declaração seria facilmente interpretada de

---

30 Aqui, mais uma vez, aparece a mesma palavra que o escrivão da cidade de Éfeso usou para advertir a multidão e que era temida pelos súditos e também pelas autoridades do Império Romano, para quem a ordem era de suma importância.

31 Nesse caso como em muitos outros, o texto ocidental oferece mais detalhes, embora eles sejam menos confiáveis. Veja Delebecque, E. "Saint Paul avec ou sans le tribun Lysias em 58 à Césarée. Texte court ou texte long?" *RevThom* 81 (1981), p. 426-34.

forma errônea por Félix, pois boa parte do nacionalismo e da resistência judaicas contemporâneas a Roma centrava-se na expectativa do Messias.

Paulo continua a explicar o motivo de sua visita a Jerusalém. Aqui, por fim, Lucas menciona a oferta que é tão importante nas epístolas de Paulo e sobre a qual Atos, em geral, não diz nada: "Vim trazer à minha nação esmolas" (v. 17). Ele estava no templo, o qual respeita, cumprindo suas obrigações religiosas, quando "alguns judeus da Ásia me encontraram". Ele estava lá, "não em aglomerações, nem com tumulto".[32] Por inferência, os que causaram tumulto foram os "judeus da Ásia", e eles é que deviam estar diante da corte testemunhando de suas próprias acusações. Quanto aos judeus presentes, Paulo desafia-os a dizer "que crime acharam, quando compareci perante o Sinédrio", exceto sua referência à ressurreição da morte — assunto no qual Félix não tem interesse.

No versículo 22, depois do discurso de Paulo, somos informados que Félix, "porém, [...] era bem informado a respeito do Caminho". É provável que isso não queira dizer que ele sentia alguma simpatia pelo cristianismo, como fica óbvio no restante da narrativa. Será que isso quer dizer que Félix já tinha investigado a respeito desse movimento que crescia em sua província? Ou isso só queria dizer que Félix tomara conhecimento sobre o Caminho cristão em conexão com o julgamento de Paulo e, por fim, decidira adiar sua decisão? É impossível saber. Mas fica claro que Félix não quer se envolver no assunto e, por essa razão, adia sua decisão, com a desculpa de que tem de esperar até Lísias o informar melhor.

Enquanto isso, Paulo permanece preso, embora com "alguma liberdade", pois tem permissão para que seus amigos cuidem de suas necessidades.[33]

3. Entrevista com Félix e Drusila (24.24-27)

A seguir, Lucas informa-nos sobre outra entrevista de Paulo com Félix, embora, dessa vez, na presença de Drusila, esposa do governador. Ele só nos informa que ela era judia. Mas Josefo é mais prolixo.[34] Ela era a filha mais nova de Herodes Agripa I (veja 12.1), por isso, irmã de Agripa II e Berenice (veja 25.13). Ela fora casada antes com o rei Aziz, de Emesa, mas

---

32 A palavra traduzida por "tumulto" é muito mais branda no grego que a acusação de "rebelião" feita por Tértulo.

33 Havia três tipos comuns de aprisionamentos. O mais severo era a *custodia publica*, na qual a pessoa ficava presa e algemada, como foi o caso de Paulo e Silas em Filipos. A *custodia militaris* exigia que o prisioneiro fosse algemado a um soldado, a mão direita do preso algemada à mão esquerda do soldado. Às vezes, se o prisioneiro estivesse confinado, podia-se retirar a algema. A *custodia libera* era muito mais branda e semelhante à atual "prisão domiciliar". Nesse caso, parece que Paulo é posto sob *custodia militaris*.

34 *Ant*.20.7.1-2.

8. Cativeiro de Paulo (21.1–28.31)

deixou-o para se casar com Félix. Ela teve, pelo menos, um filho, Agripa, que morreu com ela quando o Vesúvio entrou em erupção no ano de 79.

Félix, acompanhado de sua esposa Drusila, convocou Paulo e "ouviu-o acerca da fé em Cristo Jesus". Contudo, quando Paulo começa a falar sobre "justiça, sobre o domínio próprio e sobre o juízo vindouro, Félix ficou com medo". Lucas está bem ciente do que dizem sobre Félix, em particular, sobre sua natureza dissoluta e cruel, por essa razão, ele, aqui, pinta o retrato de um homem que se recusa a ouvir o que Paulo diz porque isso, de fato, tocou-o. Assim, ele dispensa Paulo com uma vaga promessa de ouvi-lo de novo em alguma ocasião futura, quando tiver mais tempo.

No versículo 26, Lucas informa-nos que essa não foi a última entrevista entre Paulo e o governador, e que Félix estava simplesmente tentando conseguir dinheiro de Paulo para libertá-lo. No fim, "passados dois anos", chegou um novo governador, mas Félix deixou Paulo na prisão. Os "dois anos" (em grego, *dietia*) é o termo técnico usado na lei para se referir ao tempo máximo durante o qual um acusado pode ser mantido em prisão preventiva. Se Lucas estiver usando o termo nesse sentido técnico, o que ele quer dizer é que, depois desses dois anos, Félix devia libertar Paulo, mas Félix, a fim de conquistar a boa vontade dos líderes dos judeus ou apenas para evitar ter problemas com eles, deixou Paulo na prisão, de maneira que seu sucessor teria de lidar com esse assunto.

PODER, PACIÊNCIA E CORRUPÇÃO

Aqui, Lucas pinta um triste retrato das autoridades, judias e também romanas. Não é necessário acrescentar muito sobre o sumo sacerdote Ananias. Este, conforme já observado, era um homem cruel com pouco apoio do povo. Quando o povo, por fim, rebela-se contra Roma, um dos primeiros atos do povo foi matar o homem que alegava ser seu líder religioso, mas, na verdade, só estava preocupado com o próprio poder e autoridade. Nesse episódio em particular, ele leva um advogado com ele a fim de apresentar a acusação contra Paulo. Esse advogado, bastante conhecido por seu amor ao dinheiro e por sua falta de escrúpulos, deixa bastante óbvio sua adulação do governador. Essa atitude do advogado contrasta com a atitude de Paulo, que credita a Félix nada além do fato de ser governador por quatro anos. As acusações levantadas contra Paulo são vagas e, várias delas, estão completamente além do escopo das leis e dos interesses romanos.

O governador romano, por sua vez, tenta lavar as mãos em relação ao assunto (como fez aquele outro romano, Pôncio Pilatos). Assim, em vez de tomar uma decisão, ele adia-a usando a desculpa de que estava à espera de uma palavra do comandante Lísias. Depois, ele chama Paulo diante dele e de sua esposa, e, quando o apóstolo começa a falar sobre justiça e retidão, ele sente-se acusado e fica assustado. Porém, a despeito disso, ele ainda busca o próprio benefício e tenta encontrar uma forma de conseguir que Paulo faça alguma oferta em dinheiro para livrar-se dessa acusação. Por fim, ele simplesmente deixa passar dois anos e deixa seu cargo sem ter decidido nem resolvido nada.

Tudo isso deve ter exigido um bom grau de paciência por parte de Paulo. Dois anos na prisão — provavelmente algemado, à espera do resultado de um julgamento que já acontecera — é muito tempo. É ainda mais tempo para alguém que sabe que está na prisão porque o juiz não tem coragem de tomar uma decisão ou está apenas à espera de ser subornado. Paulo deve ter tido muita oportunidade de praticar o que havia ensinado: "Também nos vangloriamos nas tribulações; sabendo que a tribulação produz perseverança, e a perseverança, a aprovação, e a aprovação, a esperança; e a esperança não causa decepção" (Rm 5.3-5).

A lição dessa passagem para hoje é óbvia. Vivemos em um tempo que exige uma santa impaciência com a atual injustiça e sofrimento, e santa paciência a fim de ter perseverança mesmo quando parece não haver uma solução à vista. Não é uma questão de se conformar com o que existe e de aceitar isso; e, tampouco, é uma questão de ficarmos desencorajados porque nossos esforços não dão resultado. Paulo estava preso, sob o poder do império mais poderoso que o mundo mediterrâneo já conheceu e sujeito aos caprichos de um governador que era politicamente poderoso, mas moralmente fraco. Isso era o bastante para perder a paciência. Mas os anos passaram, e séculos passaram-se, e não restou nada daquele imperador nem daquele império, com todas suas legiões, a não ser um eco distante nas páginas da História. Ao passo que do pobre prisioneiro que parecia definhar nas prisões do império, a lembrança viva permanece em todos os cantos do mundo, e sua mensagem ressoa ainda hoje com muito poder como quando provocou temor pela primeira vez no instável governador.

Do ponto de vista puramente humano, a igreja latino-americana tem muitos motivos para se desesperar. Nossos povos estão imersos em pobreza ainda maior. Quanto mais analisamos a situação, tanto mais ficamos conscientes de que a raiz dessa pobreza está em circunstâncias e sistemas muito além do nosso controle. Fome, miséria, opressão política e milhares de outras realidades semelhantes convidam-nos ao desespero. Sabemos, como cristãos, que temos de lutar contra isso. Porém, ao mesmo tempo, por sermos realistas, sabemos que nossa luta não é contra carne ou

8. Cativeiro de Paulo (21.1–28.31)

sangue, mas contra principados e poderes. Estamos sujeitos a poderes tão indignos de respeito como eram o sumo sacerdote Ananias e o governador romano Félix. Contudo, em meio a isso tudo, graças ao poder e à presença do Espírito (daquele mesmo Espírito Santo que é o principal protagonista de Atos) temos esperança, sabendo que o sofrimento produz perseverança, e a perseverança produz caráter, e o caráter produz... esperança!

E. PAULO SOB CUSTÓDIA DE PÓRCIO FESTO (25.1 - 26.32)

1. O julgamento diante de Festo (25.1-12)

Pouco se sabe sobre Pórcio Festo. Josefo descreve-o como um governador ativo que agiu de imediato e com sabedoria contra a desordem que existia na província.[35] Há algumas dificuldades na determinação da data exata em que Festo chegou à Cesareia, mas é provável que tenha sido no ano 60.[36] A "província" a que se refere o versículo 1 era a província romana da Síria, da qual a Palestina fazia parte.

A narrativa de Atos parece confirmar o que Josefo diz sobre a maneira como Festo governou. Apenas três dias após sua chegada a Cesareia, ele "subiu" a Jerusalém. Pode-se imaginar que, estando ciente do espírito cada vez mais rebelde da nação, ele queria ter notícias, o mais rápido possível, a respeito daquela porção da sua província que era a mais provável de causar dificuldades.

Como Lucas só está interessado na forma como Festo tratou Paulo, ele dá a impressão de que o único motivo de Festo ir a Jerusalém foi o julgamento do apóstolo. O mais provável é que ele tenha ido a Jerusalém para tratar de muitos assuntos pendentes. Aparentemente, os que tinham conspirado para matar Paulo não haviam desistido, apesar da forma em que Lísias havia frustrado os seus planos, e agora, tinham recorrido ao novo governador, pedindo que Paulo fosse trazido de volta a Jerusalém. Lucas informa-nos que o complô para matar Paulo no caminho ainda estava em pé.[37] Contudo, Festo responde, de forma bastante razoável, que estava partindo logo e não fazia sentido enviar Paulo a Jerusalém, mas, antes, que seus acusadores deveriam ir a Cesareia para apresentar suas acusações contra o prisioneiro.

---

35 *Ant.*, 20.8-9; *War*, 2.13-14.
36 Veja Turrado. *Bíblia comentada*, p. 227-28.
37 O texto ocidental acrescenta que os que faziam parte desse novo complô eram os mesmos que conspiraram antes para matar Paulo.

Festo continua agindo com a energia que Josefo lhe atribui. Ele não permanece em Jerusalém mais de dez dias e, no dia seguinte do retorno de Festo a Cesareia, Paulo já é julgado. Festo está na província a menos de duas semanas, e estamos à beira do resultado final de um processo que, sob o comando de Félix, arrastava-se havia dois anos.

Pouco é dito sobre o julgamento em si. No capítulo 24, Lucas acaba de nos contar sobre o julgamento diante de Félix, por isso, agora, ele limita esse aspecto do julgamento a dois versículos (7 e 8) nos quais resume as acusações contra Paulo e a defesa deste. No fim, Festo sugere que o julgamento seja transferido para Jerusalém, onde deve continuar sob sua supervisão. Possivelmente, o que aconteceu é que os acusadores de Paulo não conseguiram provar suas acusações, e Festo quer lhes dar a oportunidade de tentar fazer isso em Jerusalém, onde eles podem ter acesso a mais testemunhas. Lucas diz que ele fez isso "querendo agradar os judeus". É interessante o fato de que é a mesma motivação que Lucas atribuiu a Félix para manter Paulo na prisão, mesmo acima do limite legal de dois anos (24.27). Isso parece contradizer a interpretação dos que afirmam que o propósito de Atos é mostrar a seus leitores romanos que o evangelho foi perseguido pelos judeus, mas não pelos romanos, que eram sempre seus justos defensores. Nessa passagem, como em 24.27, Lucas, com bastante clareza, diz que as autoridades do governo romano são instáveis e que estavam mais interessadas em conquistar a boa vontade dos líderes judeus que em fazer justiça.

A resposta de Paulo é um dos momentos mais emocionantes do livro de Atos. Ele apela a César e, ao mesmo tempo, acusa o governador de não cumprir seu dever: "Estou perante o tribunal de César, onde devo ser julgado. Nenhum mal fiz aos judeus, como muito bem sabes". Além disso, ele nega a autoridade do governador para fazer o que este propôs: "Ninguém pode me entregar a eles".

Em relação a apelar a César, há diversos pontos obscuros que os historiadores da lei romana não conseguem esclarecer. Por exemplo, não se sabe se só os cidadãos romanos têm o direito de apelar para César, se esse direito aplica-se a todos os tipos de crimes, se a pessoa pode apelar para César antes de o governador emitir um veredicto e outros assuntos parecidos.[38] Parece que Lucas sugere que o direito de apelar não era automático, pois Festo delibera com seu conselho antes de garanti-lo (25.12). De todo modo, desse momento em diante, o caso de Paulo não está mais nas mãos de Festo, e tudo que se segue no livro de Atos é uma série de encontros e episódios de grande interesse para o leitor, mas que não têm nada a ver com a situação legal de Paulo diante das autoridades.

---

38   Veja HAENCHEN, E. *The Acts of the Apostles*, p. 667, n. 2.

8. CATIVEIRO DE PAULO (21.1–28.31)

2. PAULO DIANTE DE AGRIPA E BERENICE (25.13 - 26.32)

Embora Paulo tenha apelado para César, ele não parte para Roma imediatamente, mas permanece preso em Cesareia enquanto são feitos os arranjos necessários para a sua transferência. É durante essa época que Festo recebe a visita de Agripa e Berenice. Esse Agripa era Herodes Agripa II, filho de Herodes Agripa I, que ordenou a morte de Tiago. Ele só tinha 14 anos quando seu pai morreu em 44. Embora ele fosse um dos favoritos do imperador Cláudio, este não lhe deu o trono de seu pai, provavelmente por ele ainda ser muito jovem, mas deu-lhe territórios limitados e, só no ano de 53, Herodes Agripa II recebeu o título de rei. Seus territórios não incluíam toda a Judeia, que permaneceu sob o comando dos governadores romanos. A capital era em Cesareia de Filipo. Contudo, como ele era membro da dinastia judia que reinara na Palestina até pouco tempo, tinha o direito de nomear o sumo sacerdote e também tinha a custódia do tesouro do templo. Na época da narrativa de Lucas, ele tinha por volta de 30 anos. Ele morreu bem depois, em 92, encerrando, assim, a dinastia de Herodes.

Sua irmã Berenice era um ano mais jovem que ele, e dez anos mais jovem que Drusila, esposa de Félix. Ela fora casada com um oficial judeu de Alexandria e, depois, com o próprio tio, com quem teve dois filhos.[39] Depois da morte de seu segundo marido, Berenice foi morar com seu irmão Herodes Agripa II e, logo, começaram a circular rumores de um relacionamento incestuoso entre os dois. Talvez para contra-atacar esses rumores, Berenice casou-se com o rei da Cilícia, Polémon; mas ela logo o abandonou e voltou a viver com seu irmão. Depois, quando a rebelião judaica estava para estourar, ela tentou, sem sucesso, acalmar a situação. A seguir, ela torna-se amante de Tito, com quem planejava se casar; mas Tito, quando se tornou imperador, teve de desistir dela por razões políticas.[40]

Berenice e Agripa foram para Cesareia, como exigia o protocolo, para saudar o novo representante romano, e foi durante essa visita que Festo lhes contou sobre Paulo e seu caso (25.14-21). Agripa mostra interesse no caso, e Festo promete satisfazer sua curiosidade. Portanto, o que está acontecendo não é um julgamento, o que não era mais possível em vista de Paulo ter apelado a César, mas, antes, uma tentativa de Festo, como anfitrião, de entreter seus convidados, Agripa e Berenice.

No dia seguinte, a entrevista acontece, e Lucas descreve-a em 25.23 - 26.32. Ela acontece "com muita pompa" e entre os presentes estavam "os chefes militares e [...] os homens de posição da cidade". Festo explica por que Paulo foi trazido. Agora, ele acrescenta mais uma razão para a

---
39 JOSEFO. *Ant.* 20.5.2; *War*, 2.11.6.
40 JUVENAL. *Satires*, p. 6; SUETÔNIO. *Titus*, p. 7.

entrevista. Supõe-se que Festo deva enviar para Roma não só o acusado, mas também um resumo de seu caso (o *elogium* mencionado quando discutimos 23.23-33). Nesse caso, Festo está confuso e diz: "Não tenho coisa alguma definida sobre ele que possa escrever a meu senhor".[41] Não se deve esquecer que Festo tinha chegado havia pouco tempo à província e não estava muito bem informado a respeito de muitas das nuanças da religião judaica nem da maneira como seus predecessores se conduziam em relação a essa religião. Por isso, ele usa a visita de Agripa para conseguir uma melhor compreensão do que está em jogo e, assim, estar mais bem informado ao escrever para o imperador.

Agripa dá permissão a Paulo para falar, e Paulo responde com um dos mais longos discursos de Atos (26.2-23). Esse discurso, como em outros casos similares, começa com um breve *capatio benevolentiae* (v. 2,3), no qual o orador tenta conquistar a boa vontade de sua plateia. A fala de Paulo é uma combinação de autobiografia com argumento teológico. O argumento teológico, em essência, é uma junção da doutrina farisaica que incluía a esperança da ressurreição com o evento da ressurreição de Jesus. Paulo não toca no verdadeiro ponto de contraste entre a crença tradicional dos fariseus e da mensagem cristã: enquanto os fariseus não acreditavam na ressurreição final, os cristãos afirmam que a ressurreição já começou com Jesus sendo levantado dentre os mortos. O material autobiográfico refere-se em grande parte à conversão de Paulo, que já encontramos duas vezes. (Quando comentamos 9.1-19, discutimos os vários textos de Atos em que essa conversão é relatada, portanto, não é necessário repeti-la aqui.) Por fim, depois de contar sobre sua conversão, Paulo retorna à afirmação teológica. Ele, na verdade, viaja para todos os lugares convidando judeus e também gentios a se arrependerem e se voltarem para Deus. Mas "não dizendo nada senão o que os profetas e Moisés disseram que haveria de acontecer. Isto é, como o Cristo deveria sofrer, e como ele seria o primeiro que, pela ressurreição dos mortos, anunciaria luz a este povo e também aos gentios".

É nesse ponto que Festo interrompe Paulo exclamando: "Estás louco, Paulo! As muitas letras te levaram à loucura" (26.24)! As duas palavras que a A21 traduz por "louco" e "loucura" têm a mesma raiz grega — que é também a raiz da palavra "maníaco". O oposto desse tipo de "mania" é senso ou sabedoria, e é isso que Paulo reivindica no versículo seguinte: "Não estou

---

41 Essa é a primeira vez na literatura antiga em que o imperador é chamado de "senhor" (*kyrios*, que a ARC traduz por "soberano"). Logo depois disso, os cristãos enfrentariam perseguição, e um dos principais motivos para essa perseguição seria a incompatibilidade entre a afirmação de que Jesus é o Senhor e a declaração do Estado de que César é o senhor.

8. Cativeiro de Paulo (21.1–28.31)

louco, ó excelentíssimo[42] Festo; ao contrário, estou dizendo palavras verdadeiras e de perfeito juízo". Então, ele volta-se para o rei Agripa que, como judeu, deve estar informado sobre os profetas e também sobre os eventos que Paulo acabara de proclamar, pois "essas coisas não aconteceram em algum canto, às escondidas". Aqui o mais provável é que a palavra "essas" se refira aos ensinamentos dos profetas e aos eventos cristãos que Paulo acaba de mencionar. Agripa, como judeu que vive na região, deve saber sobre os profetas e também deve estar ciente do nascimento do cristianismo, que não aconteceu "em algum canto".[43] A seguir, ele desafia o rei com a seguinte pergunta: "Crês nos profetas, ó rei Agripa? Sei que crês".

A resposta de Agripa é difícil de ser traduzida com todas suas nuanças. As traduções mais tradicionais sugerem que Agripa se declara quase convencido. A tradução da A21 está mais próxima do espírito do original ao traduzir por: "Por pouco me convences a me tornar cristão". Agripa não está dizendo que o argumento é convincente, mas, mais propriamente, que Paulo o pôs em uma posição de quase o fazer parecer cristão. O texto grego sugere um papel a ser desempenhado, quase como em um teatro, por essa razão, talvez a melhor tradução seja: "Você quase me fez parecer com um cristão". Agripa não está dizendo que é quase um cristão, mas que Paulo quase conseguiu forçá-lo a agir em favor do cristianismo. A resposta pode até mesmo ter um toque de ironia.

As palavras de Paulo tornaram-se clássicas, pois, com frequência, são citadas na literatura e na pregação cristã: "Quisera Deus que, por pouco ou por muito, não somente tu, mas também todos os que hoje me ouvem, se tornassem iguais a mim, com exceção destas algemas". As últimas palavras de Paulo indicam que ele estava algemado, talvez preso a um soldado, como era costume. De qualquer forma, o que ele está dizendo ao rei e também aos outros presentes é que ele não inveja a posição nem o poder deles e que, exceto pelas algemas, ele, na verdade, está em situação melhor que a deles. Isso encerra a audiência. O rei levanta-se, talvez demonstrando desgosto pelo tom pessoal das palavras de Paulo, e, com ele, saíram as outras pessoas importantes que estavam presentes.[44] Em uma conversa à parte, todos esses (o rei, sua irmã, Festo e as pessoas importantes que estavam com eles) declaram que não encontraram crime em Paulo, e Agripa afirma que o único motivo pelo qual não podem

---

42   O mesmo título que Lucas usa para Teófilo.
43   Sobre a história dessa frase, veja MALHERBE, A. J. "Not in a corner: Early christian apologetic in Acts 26:26". *SecCent* 5 (1985-86), p. 193-210.
44   A palavra que a A21 traduz por "e os que com eles estavam sentados" também é uma palavra técnica para membros de um conselho, por isso, talvez seja o título dos que se levantaram. Veja HAENCHEN, E. *The Acts of the Apostles*, p. 690, n. 1.

libertá-lo é o apelo que ele fez a César. Naturalmente, ele também pode estar usando isso como subterfúgio, pois, a essa altura, libertar Paulo traria relevantes dificuldades para Festo perante os líderes judeus que tentavam matar Paulo.

TESTEMUNHO EM MEIO AO PODER, INDECISÃO E CURIOSIDADE

Festo trouxe a essa situação um estilo diferente de governo. Félix ficou mais de dois anos sem tomar uma decisão final. Festo trata do caso de Paulo logo depois de chegar à província. Contudo, ele faz isso em um momento em que ainda não sabe quão profundos são os sentimentos levantados pelo caso de Paulo. No final do julgamento em Cesareia, embora os acusadores não tenham conseguido provar suas acusações, o que Festo faz, em vez de soltar o prisioneiro, é propor um novo julgamento em Jerusalém, onde se esperava que os acusadores conseguiriam apresentar mais testemunhas. Isso é claramente uma manobra política. Festo, como Félix antes dele, percebe que sua carreira política pode ser ameaçada se soltar o prisioneiro, odiado por alguns dos líderes judeus. É nessa conjuntura que Paulo apela a César. Isso não quer dizer que Paulo sente uma simpatia especial pelo imperador que, na época, era Nero. Isso quer dizer simplesmente que Paulo percebe a contradição entre os princípios legais que se supõe que Festo defenda e os interesses políticos que, na verdade, guiam seus atos.

Situações paralelas acontecem frequentemente na América Latina. Em décadas recentes, houve inúmeros líderes de igrejas latino-americanas que foram presos por militares e, depois, libertados por intermédio da apelação a uma autoridade mais alta — às vezes, até mesmo ao próprio ditador. Em alguns casos, alguém foi preso, e não desapareceu apenas porque houve um rápido telefonema para o embaixador estadunidense ou foi enviada uma série de telegramas para as Nações Unidas e outras agências internacionais. Em cidades dos Estados Unidos, pastores hispânicos confrontam-se todos os dias com casos em que a polícia ou outros agentes governamentais passam por cima dos direitos de alguém latino, homem ou mulher, e a única forma de conseguir justiça é apelando a uma autoridade mais alta.

Nesses casos, o próprio apelo, com frequência, é um testemunho. Paulo, ao apelar ao imperador, está indicando, mesmo que indiretamente, a triste corrupção do império e a necessidade de a mensagem que ele proclama. Ele não está necessariamente dizendo que Nero é bom. Antes, ele aponta a contradição interna do sistema e exige que o sistema, no mínimo, siga as próprias regras. Quando apelamos a um ditador em nome de um irmão ou irmã que foi injustamente encarcerado, não estamos endossando o ditador. Estamos, antes, apontando as contradições internas do sistema que o ditador encabeça e exigindo que o sistema, no mínimo, ajuste-se às regras básicas da justiça. O mesmo é verdade quando um latino, no Texas ou em Illinois, registra uma queixa contra um sistema político que parece discriminar sistematicamente contra hispânicos. Nesses casos, além de exigir justiça, testemunhamos para que a integridade moral seja, em si mesma, um testemunho do Senhor a quem servimos.

Todavia, as autoridades e os poderosos nem sempre tentam esmagar o fraco e aqueles por quem sentem desprezo. Às vezes, a opressão consiste em reduzir as pessoas a meros objetos de curiosidade. Festo usa Paulo para entreter seus convidados, Agripa e Berenice. Há uma profunda desumanização em converter um ser humano em mero objeto de curiosidade, em uma aberração de circo. Como Agripa e Festo finalmente descobrem, a suposta aberração ainda é um ser humano e, no caso de Paulo, este também tem poder e convicção que vem do Espírito Santo, de maneira que no fim do encontro, o governador e o rei são os que se sentem desconfortáveis. O governador não tem outra saída além de zombar de Paulo: "As muitas letras te levaram à loucura". O rei também zomba: "Por pouco me convences a me tornar cristão".

Nesse estranho encontro, Paulo é o vencedor. Por fim, os que o questionam não estão convencidos, mas, com certeza, estão condenados. Esse poder é tão estranho que torna um homem algemado vitorioso sobre um rei e um governador romano! Não tão estranho, pois é o poder do Espírito Santo prometido no início do livro — o Espírito, o principal ator da história.

F. PAULO É ENVIADO PARA ROMA (27.1 - 28.10)

A narrativa retoma a primeira pessoa do plural ("nós") e continua assim até o fim dessa seção, que trata da viagem de Cesareia para a Itália e, por fim, para Roma. Por ser contada na primeira pessoa do plural e por oferecer tantos detalhes, com frequência, acha-se que, originalmente, essa seção fazia parte de um diário de viagem que Lucas incorporou em sua obra. Contudo, é mais fácil explicar a situação apenas dizendo que o autor de Atos é alguém que se refere a Paulo, seus companheiros e a ele mesmo como "nós". Por sua vez, o narrador não se inclui entre os prisioneiros. Talvez isso indique que as instruções concernentes à prisão de Paulo, dadas por Félix, ainda estão sendo seguidas — a saber, que Paulo "fosse tratado com brandura, permitindo que seus amigos o servissem" (24.23). Com base nessas instruções é que o narrador pode navegar com Paulo.[45] Também somos informados, em 27.2, que Aristarco fazia parte do grupo.[46]

1. O início da viagem (27.1-12)

Paulo e "outros prisioneiros" foram postos sob o cuidado de um centurião, Júlio, da coorte Augusta. Sabemos que, pelo menos na época de Agripa II, houve em Cesareia um regimento chamado *Coorte Augusta I*. Talvez, o centurião Júlio tenha pertencido a ela. Os historiadores romanos, por sua vez, fazem diversas referências a determinados soldados pretorianos chamados de "augustanos", enviados para várias partes do império em missões especiais;[47] assim, é possível que Júlio fosse um desses soldados que viera a Cesareia em alguma missão específica e, agora, retorna a Roma.

O grupo embarca em um navio de Adramítio, cidade a sul de Trôade. A rota leva-os primeiro para Sidom, onde Júlio permite que Paulo visite "os amigos". E só aqui é que Lucas se refere aos cristãos como "amigos". É provável que ele esteja repetindo o modo como o centurião se referia aos cristãos, amigos de Paulo, e não irmãos e irmãs dele. Pode-se supor que Paulo tenha feito essa visita acompanhado de um soldado ao qual, provavelmente, estava algemado. Depois dessa visita, navegando para o norte de Chipre, eles chegam a Mirra. O texto explica que eles seguiram essa rota "porque os ventos eram contrários". Isso quer dizer que o vento soprava do oeste, e o navio navegava sob o sotavento de Chipre a fim de se proteger desse vento e de usar a corrente, que lá soprava para o oeste. De acordo com o texto ocidental, esse trecho do percurso em Mirra levou quatorze dias.

Em Mirra, eles foram embarcados em um navio de Alexandria que estava em viagem para a Itália. Supõe-se que o primeiro navio continuaria ao longo da costa da Ásia Menor, em direção a Adramítio. Como o novo navio navegava de Alexandria para Itália, ele devia ser maior que o anterior. Mais adiante (27.37), Lucas informa-nos que havia 276 pessoas a bordo.

Desde o início, a viagem no navio alexandrino foi lenta e difícil. O vento ainda estava contrário, e os viajantes, finalmente, chegaram a Cnido, no extremo sudoeste da Ásia Menor. Lá, em vez de continuar diretamente na direção oeste, o que não podiam fazer por causa dos ventos predominantes, eles foram em direção ao sul, a fim de navegar no sotavento de

---

45 A lei também permitia que um cidadão romano na situação de Paulo levasse dois escravos com ele. Por isso, alguns sugerem, com pouco sucesso, que talvez o protagonista dessas "seções de nós" estivesse viajando, pelo menos legalmente, como escravo de Paulo.
46 Sobre Aristarco, veja 19.29 e 24.10.
47 Tácito. *Annals*, 14.19; Suetônio. *Nero*, p. 25.

8. Cativeiro de Paulo (21.1–28.31)

Creta. "Salmona" é um promontório de Creta, na metade do caminho entre os dois extremos da ilha. Hoje há, perto das ruínas, uma baía chamada "Klolimonias", provavelmente o lugar que Lucas chama de "Bons Portos" (Kalous limenas). Não é uma baía muito boa, pois é aberta aos ventos, por isso Lucas diz que o local não era "próprio para passar o inverno".

Nos versículos 9 e 12, eles decidem não passar o inverno lá, mas, antes, continuar em direção a Fenice. É provável que esse porto que Lucas descreve em 27.12 seja o que hoje se chama Lutrus.[48] Essa era para ser uma viagem curta de cerca de 60 quilômetros, depois dos quais poderiam ancorar em um porto bem protegido contra os ventos do inverno.

Mas já estavam no final do ano, e o tempo seguro para navegar passava rapidamente. Lucas informa-nos que já passara "o jejum" (v. 9). Essa era a celebração judaica do *kippur* (veja Lv 16.29-31), que acontecia no décimo dia de *tishrei*, ou seja, perto do fim de setembro e início de outubro. No ano de 59, data provável dessa viagem, o jejum foi em 5 de outubro. Por isso, todos concordaram que não era mais possível chegar à Itália antes do inverno e apenas procuravam um bom abrigo para esperar até uma estação melhor.

Nesse ponto, há discórdia entre os viajantes quanto ao que fazer. Os especialistas em navegação (o piloto e o proprietário do navio) dizem que devem continuar a viagem.[49] Paulo diz-lhes que devem permanecer em Bons Portos. Lucas não nos informa se Paulo faz essa recomendação com base no bom senso ou por algum tipo de inspiração ou visão. A primeira hipótese é duvidosa, pois não há indicação de que Paulo fosse um especialista em navegação.[50] De todo modo, parte do que Paulo anuncia aqui se torna verdade e parte não, pois, sem dúvida, o navio será perdido, mas todas as vidas serão salvas.

Em geral, as decisões ligadas à navegação seriam de responsabilidade do capitão e do dono do navio. Todavia, nesse caso, Lucas parece indicar que era o centurião que tinha poder de decisão. Para confundir as coisas um pouco mais, em 27.12, ele informa-nos que "a maioria deles foi da opinião que de lá seguissem viagem", o que sugere que procuraram o consenso de diversas pessoas. Talvez, porque houvesse considerável risco envolvido, independente de que decisão tomassem, e Lucas está indicando que houve uma discussão geral quanto ao que fazer.

---

48 De acordo com outras opiniões, Fenice é o lugar hoje conhecido por "Phineca" e que não é mais porto porque a terra subiu cerca de quase 5 metros. Veja Haenchen, E. *The Acts of the Apostles*, p. 700, n. 7.

49 As palavras que a A21 traduz por "piloto" e "dono do navio" são termos técnicos sobre cujo sentido exato ainda há debate. O mais provável é que o primeiro seja o capitão, e o segundo, o dono ou o representante dos donos.

50 Contudo, não se deve esquecer que Paulo viajava frequentemente por mar. Há uma lista de viagens marítimas em Haenchen, E. *The Acts of the Apostles*.

A AUTORIDADE DOS ESPECIALISTAS

Esse episódio nos convida a uma breve reflexão. Parece, antes, um pouco precipitado da parte de Paulo, que não é especialista em navegação, dizer aos especialistas o que têm de fazer. Não obstante, o restante da história mostra que Paulo estava certo.

Hoje, com bastante frequência, quando a igreja procura dizer uma palavra profética sobre algum dos problemas em debate no mundo, é informada para se manter em silêncio, pois são os "especialistas" que realmente sabem o que tem de ser feito, e a igreja e seus porta-vozes não são especialistas no assunto em discussão. Quando, por exemplo, há discussão sobre a poluição do meio ambiente, e alguns líderes da igreja advertem sobre os perigos de cometer violência contra a natureza a fim de obter lucro, há tentativas de silenciá-los dizendo que, afinal, eles não são especialistas em economia nem em ecologia. Ou quando alguém levanta uma voz profética contra a injustiça econômica, os que lucram com essa injustiça argumentam que, afinal, o profeta não é economista. De forma semelhante, em décadas recentes, quando a igreja falou sobre o dano físico causado pelo uso de tabaco, os "especialistas" pagos pelos fabricantes de cigarro insistiram que os líderes da igreja não eram especialistas em assuntos de saúde. Há muitos outros exemplos. O fato é que em um mundo no qual os "especialistas", com frequência, usam sua autoridade para justificar o mal, é tempo de os cristãos e a igreja reclamarem sua autoridade. Essa autoridade não se baseia em ser especialista em assuntos de economia, política, ecologia ou saúde, mas em ter uma clara percepção do futuro que Deus prometeu, do elemento central da mensagem cristã, o reino de Deus. Talvez a igreja e seus líderes não sejam especialistas, mas se tiverem uma palavra do Senhor, eles têm autoridade.[51]

2. TEMPESTADE E NAUFRÁGIO (27.13-44)

A decisão parece corroborada quando um vento sul moderado começa a soprar, o que permitiria aos viajantes navegar em direção noroeste para Fenice. Contudo, o vento sul torna difícil sair da baía e parece que, por isso, tiveram de rebocar o navio, remando os botes do navio. Não obstante, eles mal tinham saído da baía quando o vento muda de direção. O Nordeste a que o texto se refere é um vento muito temido na região. O melhor a fazer nessa situação é virar o navio, para que assim o vento bata na proa. Desse jeito, a batida das ondas é amenizada, e o navio

---

51 Para uma discussão mais ampla desse tópico, veja STRACHAN, K. *El llamado ineludible*. Miami: Editorial Caribe, 1969, p. 137-43.

8. Cativeiro de Paulo (21.1–28.31)

não seria levado tão depressa pelo vento. Mas o vento apareceu muito de repente. Para virar o navio era necessário oferecer seu lado para o vento e as ondas, o que seria extremamente perigoso. Assim, os marinheiros decidiram simplesmente deixar o vento carregá-los, talvez levantando apenas uma vela bem pequena para manter a popa na direção do vento e para que o navio tivesse navegação suficiente para evitar ser batido de lado pelas ondas. Aparentemente, o vento foi tão repentino que eles não tiveram nem mesmo tempo para recolher o bote até que se viram sob o sotavento de Cauda, pequena ilha cerca de 40 quilômetros a oeste de Bons Portos.

Os versículos 17-19 informam-nos de uma série progressiva de medidas de emergência que foram adotadas. A frase "amarraram-no com cordas" é interpretada de várias maneiras.[52] Aparentemente, cordas foram amarradas em torno do navio a fim de neutralizar o poder das ondas que, do contrário, despedaçariam o navio. O que não fica claro é como e em que direção essas cordas foram amarradas. Sirte era um banco de areia ao norte da costa da África, famoso pelos muitos naufrágios que aconteciam ali. Como o navio foi rapidamente levado em direção a sudoeste, e os marinheiros não tinham como saber até onde seriam arrastados, o medo deles de bater nesse banco de areia era natural. Há algum debate em relação à tradução da frase que a A21 traduz por "lançaram quatro âncoras". Se essa tradução estiver correta, então, o que eles baixaram foi um dispositivo que aumentaria a resistência do navio na água e o impediria de ser carregado tão depressa. Em geral, esse dispositivo seria um barril ou cone de lona amarrado de tal maneira que flutuava logo abaixo da superfície. De qualquer forma, no dia seguinte, por essas medidas não serem suficientes, eles começaram a deixar o navio mais leve, jogando a carga ao mar, provavelmente, porque o navio já estava alagado. Finalmente, no terceiro dia, eles jogaram os equipamentos do navio. Isso se refere ao mastro principal e sua vela. A partir daí, tudo que tinham para guiar o navio era uma vela pequena e a âncora no mar.

Tudo isso é insuficiente. A tempestade dura muitos dias, sem sol nem estrelas; assim, os marinheiros não tinham noção de onde estavam. Em meio ao desespero, os que estavam a bordo nem mesmo comiam. É quando Paulo intervém. Ele começa lembrando-os que fora contra sair de Creta. Ele disse isso para que, agora, eles prestem atenção as suas palavras de encorajamento e de esperança: "Agora vos aconselho que não vos desanimeis, pois não se perderá vida alguma entre vós, mas somente o navio". De acordo com Paulo, ele diz isso porque um anjo (ou seja, um mensageiro) de Deus informou-o que o Senhor queria que ele chegasse

---

52 Veja Haenchen, E. *The Acts of the Apostles*, p. 703, n. 1.

a Roma para ficar diante de César e garantiu-lhe a vida de todos que estavam com ele.

Assim, eles foram arrastados pelo mar Adriático por duas semanas. Nesse contexto, o "Adriático" não é o mesmo mar que recebe esse nome hoje — ou seja, o mar entre a Grécia e a Itália — mas inclui também a seção sul do mar Mediterrâneo. Por fim, à noite, os marinheiros suspeitaram que se aproximavam da terra, talvez porque pudessem ouvir a rebentação. As sondagens confirmaram a suspeita deles, e eles decidem ancorar a fim de não bater nas rochas. Quatro âncoras são lançadas da popa ao mar. Elas só podiam ser lançadas ao mar. Porém, considerando-se que também era necessário lançar algumas âncoras da proa e a alguma distância do próprio navio, os marinheiros abaixaram o bote salva-vidas e estavam prontos para embarcar nele, quando Paulo adverte os soldados de que, na verdade, os marinheiros tentavam fugir e deixar o restante das pessoas por conta própria. Nesse ponto, os soldados soltam o bote salva-vidas, e todos são obrigados a esperar o resultado final a bordo do navio.

Nos versículos 33-38, Paulo, mais uma vez, encoraja seus companheiros de viagem, embora, dessa vez, não só com palavras, mas também com seu exemplo. Ele lembra-os de que estão há quatorze dias sem comer — o que é claramente um exagero, pois, nesse caso, eles não conseguiriam continuar a lutar contra o mar. A seguir, ele implora-lhes para comer por causa de sua saúde (o que também poderia ser traduzido por sua própria salvação), prometendo-lhes que "nem um cabelo cairá da vossa cabeça". Depois, ele une o próprio exemplo às palavras que disse, pega o pão, agradece, parte-o e come-o. A sequência dos verbos, tomar do pão, agradecer, partir e comê-lo é um claro lembrete da ceia do Senhor, embora o texto não dê nenhum indício de que isso fosse como um culto de comunhão.[53] O exemplo de Paulo encoraja seus companheiros, que também comem. É nesse ponto que Lucas nos informa que havia 276 pessoas no navio.[54] Depois de comer e, agora, à espera de que o navio encalhasse na terra, eles continuaram o processo de diminuir o peso do navio, para que ele pudesse chegar mais perto da costa.

De manhã, eles viram diante de si uma terra desconhecida com uma baía e uma praia, e tentaram guiar o navio para a praia. Como o tempo passava rapidamente, e eles não tinham bote, simplesmente cortaram os cabos das âncoras. Com a ajuda dos remos de navegação e da pequena vela, achavam que conseguiriam chegar até a praia. Contudo,

---

[53] O texto ocidental afirma que, na verdade, foi um culto de comunhão, mas talvez isso seja apenas a interpretação do redator com base na sequência de verbos, conforme mencionamos.

[54] Alguns manuscritos apresentam um número menor, como 76 ou "cerca de setenta e seis".

antes de chegarem à praia, bateram em um recife, e o navio estava para se partir.

Os soldados, que responderiam com a vida se os prisioneiros fugissem, decidiram matá-los. Mas o centurião, cujo respeito por Paulo parece ter aumentado durante a tempestade, proibiu isso a fim de salvar o apóstolo. Todos eles chegaram à costa, alguns nadando, outros segurando pranchas e outros objetos que flutuavam.[55]

A IGREJA, ESPERANÇA DO MUNDO

Esse episódio todo é tão emocionante que, ao lê-lo, pode-se esquecer o fato de que os que viajam com Paulo são salvos por causa da presença do apóstolo. Talvez isso pareça estranho, pois tendemos a pensar em termos muito individualistas: cada pessoa é responsável pelos próprios atos. Contudo, aqui, Deus garante a Paulo a vida de seus companheiros de viagem. Graças à fidelidade de Paulo em obedecer ao que o Senhor lhe ordenou, as outras pessoas também são salvas. Há na Escritura uma história paralela que mostra o caso oposto. É a história de Jonas, que pega um navio a fim de ir na direção oposta da direção ordenada por Deus. Como consequência de sua desobediência, o navio todo estava em perigo, e os que navegavam com Jonas não tiveram alternativa, exceto jogá-lo ao mar.

É importante manter essas duas histórias em tensão, pois embora seja verdade que a igreja fiel é uma esperança para o mundo; também é verdade que a igreja desobediente é uma ameaça, e talvez o mundo faça bem em jogá-la ao mar.

Graças à fidelidade de Paulo, e à missão que Deus confiara a ele, os que viajavam com Paulo foram salvos no naufrágio. Além disso, quando Paulo lhes prometeu que seriam poupados e os convidou a comer, o próprio fato de que ele comeu é um sinal de que suas palavras de esperança não eram palavras vazias. Ele estava convencido de que há um futuro diferente daquele que seus companheiros temiam. Com o simples ato de pegar o pão, agradecer e comê-lo, ele oferece esperança a todos os marinheiros, soldados e passageiros desesperados.

Da mesma forma, a igreja tem uma palavra de esperança para o mundo. O fundamento para essa esperança é que a igreja tem uma visão do futuro diferente da visão do mundo. Mas o mundo não acreditará em nós se não vivermos agora como pessoas que realmente têm essa esperança. Os companheiros de Paulo acreditaram nele e decidiram comer quando o viram comendo. O mundo acredita à medida que nos vê sendo

---

55 Nesse ponto, a gramática é estranha e pode até mesmo ter o sentido de que alguns chegaram à praia sobre os ombros de outros.

realmente pessoas que têm uma nova esperança, anunciando um futuro diferente e já o vivendo. Em meio a um continente em constante crise de falta de esperança, com dívidas externas imensas, situações políticas trágicas e meio ambiente cada vez mais poluído e escasso, a igreja não tem alternativa a não ser anunciar com suas palavras, com seus atos e com a própria vida interior o futuro diferente que Deus prometeu.

Os atos de Paulo lembram-nos a comunhão: ele pegou o pão, agradeceu, partiu-o e convidou os outros a comer. Talvez o que devamos fazer hoje seja algo semelhante: que nossa comunhão seja de tal maneira que lembremos ao mundo da esperança de sua própria salvação, do reino de Deus. Que ao tomar o pão, agradecer e parti-lo, nosso ato e a vida que nasce dele sejam um anúncio vivo da nova ordem do reino de Deus. Essa igreja é realmente uma esperança para o mundo. O oposto também é verdade: a igreja que não tem a obediência necessária para ser uma proclamação de esperança só merece ser, como Jonas, jogada para fora do navio em perigo.

3. NA ILHA DE MALTA (28.1-10)

A ilha em que os náufragos aportam é Malta.[56] A palavra traduzida por "indígenas" é *barboroi*, palavra empregada para os que não falavam grego. Até hoje, a língua dos malteses é uma língua semítica aparentada do fenício. Aqui, no versículo 2, há um contraste irônico entre o fato de Lucas chamar essas pessoas de "bárbaras" e afirmar que elas mostraram "muita bondade".

Como os náufragos eram muitos — de acordo com a maioria dos manuscritos 276 — imagina-se que, de acordo com o versículo 2, os que estavam reunidos em torno da fogueira eram apenas alguns dentre eles, enquanto outros encontraram outra fogueira para se reunir em torno ou encontraram outras maneiras de se aquecer. Na época das tempestades de outubro, a temperatura em Malta cai para 12° C e, por isso, os que foram salvos do navio, molhados como estavam, precisariam se aquecer.

É aqui que aparece uma serpente. O texto é claro e não precisa de muita explicação. Na literatura antiga, há casos paralelos de náufragos picados por cobra.[57] O principal problema com essa passagem é que em Malta não há cobras venenosas. A explicação tradicional dada pelos próprios malteses é que, como consequência do milagre de Paulo, todas as

---

56 Embora haja uma antiga lenda que sustenta que a ilha, na verdade, era Melita, ilha do Adriátrico defronte de Ragusa. MEINARDUS, O. F. A. *Paul shipwrecked in Dalamatia*. BibArch 39 (1976), p. 145-47.

57 HAENCHEN, E. *The Acts of the Apostles*, p. 713, n. 5.

8. Cativeiro de Paulo (21.1–28.31)

cobras de Malta perderam seu veneno! Intérpretes mais céticos dizem que isso só mostra que essa história toda é uma lenda. Outros sugerem que, como Malta é uma ilha relativamente pequena e densamente populosa, as cobras venenosas foram caçadas pelos habitantes e estão extintas.

De qualquer jeito, o episódio da cobra, breve como é, mostra a inconstância dessas pessoas. Primeiro, acham que Paulo é um terrível pecador porque foi mordido pela serpente. Depois, vendo que ele não morre, chegam à conclusão de que ele é um deus. Nos dois casos, estão enganados. Lucas não nos informa o que Paulo fez a fim de tentar mudar a cabeça deles. Ele, antes, informou-nos sobre um episódio parecido ocorrido em Listra, onde Paulo e Barnabé insistiram que não eram deuses.

No versículo 7, o "homem mais importante da ilha" oferece-lhes hospedagem. Esse parece um título oficial e pode indicar que Públio era representante de Roma em Malta. Como tal, ele oferece-lhes hospitalidade por três dias, enquanto eles procuram outro abrigo para os três meses de espera para a mudança de tempo. Nada se sabe sobre Públio além do que Lucas nos informa aqui. Estranhamente, Lucas não nos fornece nem mesmo seu nome completo. Durante os três meses que Paulo permaneceu lá, houve milagres na ilha, dos quais o primeiro foi a cura do pai de Públio. (Essa é uma das passagens em que os termos médicos parecem ter sido usados a fim de confirmar que Lucas era médico. Sobre esse ponto, veja a introdução deste comentário.) Não é dita nenhuma palavra acerca da pregação do evangelho, mas só sobre os milagres realizados por intermédio de Paulo, e as muitas honras recebidas por este e seus companheiros. A tradição posterior afirma que Paulo fundou uma igreja ali, e que Públio foi o seu primeiro bispo.

TENHA CUIDADO COM A TEOLOGIA BANAL!

As mudanças de opinião dos malteses em relação a Paulo são notáveis. Primeiro, quando uma cobra o pica, eles acham que ele deve ser um terrível pecador para merecer essa punição. Depois, quando ele não morre, eles decidem que ele deve ser um deus. Nos dois casos, eles estão enganados. Como alguns dizem ao comentar essa passagem: "A teologia ruim é igualmente inepta em sua avaliação do sentido da tragédia e em sua imputação da boa sorte".[58] Os malteses estavam enganados no primeiro caso, porque o fato de a cobra picar Paulo não quer dizer que ele era um pecador pior que qualquer outro. Eles estavam igualmente errados no segundo caso porque o fato de ele sobreviver à

---
58 Willimon, William H. *Acts*. Atlanta: John Knox Press, 1988, p. 185.

picada não queria dizer que ele era um deus. Paulo era um ser humano a quem Deus chamou — como Deus chamou cada um de nós — e a quem ele confiou uma missão, como também nos foi confiada uma missão. Enquanto segue essa missão, ele depara-se com momentos difíceis: prisão, açoitamento, naufrágio; mas também tem momentos gloriosos: conversões, curas, libertação. Em Malta, ele é um prisioneiro à espera do julgamento diante de Nero.

O que Lucas nos relata aqui é muito mais do que uma historieta sobre alguns "bárbaros" do século I. Infelizmente, a mesma teologia banal desses antigos malteses encontra seu caminho na igreja, e é especialmente popular em alguns círculos latino-americanos e hispânicos. De acordo com essa teologia, toda má sorte é punição pelo pecado, e todos que têm fé e obedecem às ordens de Deus sempre serão afortunados e, até mesmo, prósperos do ponto de vista econômico. Não faz muito tempo, ouvi um pregador em um programa de televisão em uma capital latino-americana testemunhando como Deus o enriqueceu, dando-lhe dois carros, uma mansão luxuosa e não lembro mais o que. Eu estava em pé em uma esquina, olhando um aparelho público de televisão. Ao meu lado, uma mulher pobre, descalça e com uma cesta imensa sobre a cabeça, ouvia atentamente o pregador. Perguntei-me o que a mulher sentia e pensava ao ouvir essa pregação. Ela pensava que era pobre, que seus filhos não tinham o que comer porque ela era uma pecadora maior do que eu, que estava bem vestido, em pé ao lado dela? Ou ela pensaria que os personagens de uma novela que ela acabara de ver, mentindo e enganando uns aos outros, eram melhores que ela, porque tinham automóvel e casa bonita? Ou será que talvez ela pensasse, com profunda sabedoria oriunda da vida, que o pregador não tinha ideia sobre o que estava falando?

Não sei o que a mulher pensava. Mas sei que o que ela e eu ouvíamos não eram as boas-novas sobre aquele que nasceu em uma manjedoura, que não tinha onde deitar sua cabeça e que morreu na cruz. O que ouvíamos era, antes, a teologia banal e não cristã dos antigos malteses, que acreditavam que se a cobra picou Paulo, esse era um sinal do pecado dele, e se ele não morreu da picada, isso era um sinal da divindade dele.

Infelizmente, essa "teologia barata", bem banal, prova ser cara. Seu preço é que não ousamos falar de nossos sofrimentos e ansiedades, pois, de acordo com essa teologia, essas coisas acontecem por nossa culpa, um sinal da nossa corrupção. Seu preço é a interiorização da opressão do pobre — informados de que se são pobres, isso é sinal de que pecaram. O preço é uma igreja na qual, em oposição a tudo que a Bíblia ensina, o pobre, o doente e o desesperançado são ameaçados com o desprezo; e o rico, o poderoso e o saudável são exaltados. Em suma, o preço é deixar de lado a cruz de Cristo e sua mais profunda relevância.

G. PAULO NA ITÁLIA (28.11-31)

1. No caminho para Roma (28.11-15)

Finalmente, depois de passarem três meses em Malta, Paulo e seus companheiros continuam sua viagem para a Itália. Lucas não nos informa se os 276 indivíduos que estavam no naufrágio embarcaram nesse outro navio alexandrino ou só alguns deles. Ele informa-nos que o navio tinha como sua insígnia os "deuses gêmeos" (NVI; o Dióscuros (ARA), ou como A21 apresenta "Castor e Pólux"). Esses deuses gêmeos eram patronos dos marinheiros. O navio, que hibernara em Malta, levou-os primeiro para Siracusa, depois, para Régio, no extremo sul da península italiana, e, finalmente, a Putéoli (ou Pozuoli). Este era um porto ao norte de Nápoles. Embora Lucas não diga explicitamente, foi lá que o grupo aportou para, depois, continuar em direção a Roma por terra.

O versículo 14 é extraordinário por dois motivos. Primeiro, é relevante o fato de que, até mesmo no relativamente pequeno porto de Putéoli, tão distante da Judeia, já haver uma igreja. Não há indicação de como o cristianismo chegou lá; mas esse fato em si mesmo nos lembra que o que Lucas narra é apenas uma parte da história e que, embora Paulo e Barnabé estivessem realizando suas obrigações missionárias, havia muitos outros que propagavam o evangelho de várias maneiras. Segundo, esse versículo é interessante porque sugere que Paulo tinha liberdade suficiente para decidir permanecer em Putéoli por uma semana, a convite dos cristãos da cidade.[59] Parece que o centurião Júlio, depois de conhecê-lo havia meio ano, respeitava-o e, de certa maneira, até amava o prisioneiro que lhe fora confiado.

A estadia de uma semana em Putéoli dá aos cristãos da cidade tempo para enviar uma palavra a Roma, daí, outros irem ao encontro de Paulo e seus companheiros. Alguns desses cristãos de Roma, talvez os mais fortes e mais jovens ou talvez os que estavam viajando a cavalo, encontram-se com Paulo e seus companheiros na praça de Ápio, cerca de 65 quilômetros de Roma. O restante deles, talvez um dia depois, encontra-o na taberna Três Vendas, 16 quilômetros mais perto de Roma. Lucas informa-nos que Paulo, quando os viu, "deu graças a Deus e se animou".

---

59 O texto ocidental, aparentemente para evitar a impressão de que Paulo podia tomar tal decisão por conta própria e falar do convite dos cristãos de Putéoli, diz apenas que ele permaneceu lá por sete dias, sem mencionar o convite.

2. Paulo em Roma (28.16-31)

Finalmente, chegamos a Roma. Algumas traduções incluem no versículo 16 uma frase tirada do texto ocidental (e também da tradição antioquense): "O centurião entregou os prisioneiros ao general do exército". Esse era o procedimento normal, e é provável que seja por isso que o texto ocidental o acrescente, mas o texto alexandrino não acrescenta a frase, por isso a NRSV e outras traduções não a incluem. De todo modo, "permitiu-se que Paulo morasse à parte, sob a guarda de um soldado". Essa é a *custodia militaris*, discutida anteriormente. Em 28.30, Lucas informa-nos que Paulo alugou um lugar para viver — ou, pelo menos, essa é uma das leituras possíveis do versículo.

Paulo, três dias após sua chegada (possivelmente o tempo necessário para determinar a condição de sua prisão, encontrar moradia e fazer outros arranjos), reúne os líderes locais dos judeus de Roma. Isso é feito por iniciativa própria dele para explicar a eles por que está preso e resumir os eventos que levaram à presente situação. Eles respondem que embora tenham ouvido falar do cristianismo, e o que ouviram falar não foi bom, não receberam nenhum comunicado da Judeia sobre ele nem ninguém fora até lá acusá-lo. Isso é surpreendente, porque em capítulos anteriores, encontramos judeus que seguiram Paulo a fim de impedir sua missão, e os líderes da Judeia também tinham um interesse especial nele. Sobre esse ponto, é importante lembrar que poucos anos antes, como resultado das desordens que aconteceram em Roma em torno da pregação de determinado "Crestos" — provavelmente Cristo — o imperador Cláudio expulsou os judeus da cidade ou, pelo menos, os líderes deles. Portanto, é bastante provável que os judeus de Roma estivessem ansiosos para evitar incidentes semelhantes, e os de Jerusalém, conhecendo a situação em Roma, podem ter desistido de fazer mais acusações contra Paulo.[60] De todo modo, os líderes de Roma decidiram permitir que ele explicasse o assunto com mais detalhes.

No dia determinado, "muitos" foram à casa de Paulo, e este passou o dia inteiro tentando convencê-los, "tanto pela Lei de Moisés como pelos Profetas". Lucas, como fez no início do livro, resume mais uma vez a mensagem cristã como "bom testemunho [do] reino de Deus" (28.23,31). E, como já aconteceu antes, alguns creram, e outros não. Em resposta, Paulo cita Isaías 6.9,10, passagem que fala do endurecimento de coração do povo de Deus, e conclui dizendo que "esta salvação de Deus é enviada aos gentios, e eles ouvirão". De acordo com alguns manuscritos que a NRSV não segue, os judeus partiram, e havia dissensão entre eles.

---

60   Sobre o decreto de Cláudio, veja o comentário sobre 18.1-17.

8. Cativeiro de Paulo (21.1–28.31)

De certa forma, esse episódio resume o que é reiteradamente mostrado no livro: a mensagem é, primeiro de tudo, para os judeus, mas, quando eles a rejeitam, ela é oferecida para os gentios. O que acontece em toda a história que Lucas está concluindo é precisamente o que foi ilustrado em inúmeros incidentes.

Por fim, Lucas termina seu livro com um resumo que inclui dois anos durante os quais Paulo prega sobre o reino de Deus e ensina sobre Jesus Cristo "com toda liberdade, sem impedimento algum".

Esse é o fim do livro. Não se diz nenhuma palavra sobre o que acontece, no final, com Paulo. Talvez os dois anos mencionados sejam uma referência ao tempo máximo que uma pessoa podia permanecer na prisão sem ser julgado (veja comentário sobre 24.24-27). Com base em outros escritos e tradições, há muitas conjecturas sobre o restante da vida de Paulo. Mas Lucas cala-se.

EPÍLOGO: OS ATOS DO ESPÍRITO

Em certo sentido, o fim do livro traz união à dupla obra de Lucas. Seu evangelho começa pondo o advento do Senhor em seu contexto político: "Havia nos dias de Herodes, rei da Judeia" (Lc 1.5); "saiu um decreto da parte de césar Augusto" (Lc 2.1); "esse primeiro recenseamento foi feito quando Quirino era governador da Síria" (Lc 2.2). O livro de Atos termina com um tom parecido, com Paulo preso em Roma em consequência dos atos de determinados líderes judeus. O primeiro livro começa entre judeus e faz referência a Roma; o segundo livro termina em Roma e faz referência a judeus.

Mas o livro não termina de fato; simplesmente é interrompido. Ao ler as últimas palavras do livro, queremos virar a página para ver o que acontece a seguir. Mas não existe a página seguinte. O que aconteceu com Paulo? O que aconteceu a seguir? E os outros apóstolos? Talvez o livro, em vez de terminar com um ponto final, devesse terminar com reticências...

Por que o livro não termina? O assunto foi incessantemente discutido, levando a várias teorias. Mas talvez a explicação seja bem simples: o livro não termina porque os atos do Espírito não terminam ali. Se seu livro, na verdade, era sobre os "atos dos apóstolos", Lucas poderia nos dizer o que cada apóstolo fez depois da ascensão do Senhor. Mas esse não é o propósito de Lucas. O verdadeiro protagonista desse segundo livro é o Espírito. Enquanto esperamos pela segunda vinda final do reino de Deus, os atos do Espírito continuam.

Esse é o principal motivo por que o livro é tão relevante para nós hoje. Se fosse apenas uma questão de histórias e historietas sobre os apóstolos ou a igreja primitiva, ele, provavelmente, seria muito inspirador, mas, ainda assim, seria um livro antigo de maior interesse para antiquários. Mas não é esse o caso. O mesmo Espírito, cujos atos observamos no livro de Atos, continua agindo entre nós; ainda vivemos nos tempos dos atos do Espírito; vivemos, por assim dizer, no capítulo 29 de Atos; e enquanto vivermos nesses tempos, esse livro será a Palavra de Deus para o nosso benefício e orientação.

Índice

A
Abraão, 123, 123 n.81
Acã, 98
Ágabo, 172, 172 n.60, 290, 291
Agripa. *Veja* Herodes Agripa I; Herodes Agripa II
Agripina, 273, 308
Alexandria, 220 n.3, 260
Alexandria, texto de. *Veja* Texto egípcio
América Latina:
    continente mestiço, 192-193;
    falso testemunho em, 231;
    interesses econômicos, 276-279;
    lutas do poder na, 111-112, 231, 247-248;
    mal e, 268-272;
    propriedade da terra na, 111-112, 247-248;
    subversão, 240, 299-300.
Amós, Livro de, 211, 211 n.42
Ananias e Safira, 97-99, 99 n.53, 101, 103
Ananias (o cristão), 151, 152, 156, 157
Ananias (o sumo sacerdote), 303, 308, 311
Anás, 81
anjos, 106, 143, 178-179, 324
Antioquia da Pisídia, 193-197
Antioquia (Síria):
    cidade de, 168;
    como o centro missionário, 175-176, 205, 216;
    conversão dos gentios, 168-175, 216;
    o retorno de Paulo, 205, 253-256, 259

Paulo e Barnabé em, 170-173, 175, 186, 205-208, 220
Antipátride, 306, 306 n.27
Apocalipse, livro de, 255
Apolo, 248, 260-263, 261 n.2
Apóstolos: (*Veja também* Doze, os)
    como "testemunhar", 36, 38;
    eleição dos sete, 114, 116-118, 117 n.72, 133;
    ensinando, 70, 72;
    Função dos Atos, 18, 21, 34-37, 61;
    nome "cristão", 171;
    Paulo e Barnabé como, 200;
    Pentecostes, no, 52;
    pós ascensão, 45-48;
    termo "apóstolos", 200-201, 203 n.30.
Áquila:
    Apolo e, 248, 260;
    Paulo e, 248, 249, 251-252, 253-255, 254 n.42, 274.
Arábia, 152, 155
Aramaico, 46-47, 57, 115, 211-212, 296
Arato, 243
Areópago, 242-243
Aretas IV e os nabateus, 154-155
Aristarco, 274, 275, 279, 289, 320
Ártemis, 255, 272-278
ascensão, 41-43
asiarcas, 274
Atenas, 241-246
Atos do Espírito Santo. *Veja também* Discursos de Atos; "nossa" parte dos Atos
    autoria, 16-19, 223 n.8, 319;
    contexto, 23-27;
    data, 19;
    Espírito Santo em, 23, 34, 120, 250-253;
    Epístolas paulinas, 17, 19, 96, 152-155, 173, 207-208, 284;
    Evangelho de Lucas e, 15-17, 19, 29-33, 41-42, 331;
    propósito, 20-23, 33, 208, 313, 332;
    reino de Deus em, 33, 34, 35-40, 35 n.16;
    resumo, 66, 69-72, 70 n.2, 92-96, 99, 104, 134, 152, 221, 223, 259, 267;
    versão do texto, 27-28.

B
Babel, Torre de 53, 57
Barjesus, 189, 190
Barnabé:
    Atos, depois de, 220;
    com Paulo em sua primeira missão, 170-173, 185-190, 193-194, 196-206, 220;
    denominado "apóstolo", 200;
    discórdia com Paulo, 220;
    e o milagre em Listra, 202;

em Antioquia com Paulo, 170-173, 175, 186, 205-208, 220;
em Jerusalém com Paulo, 207-211, 211 n.38;
generosidade de, 97, 170;
João e Marcos, 179, 189, 219, 220;
patronos de Paulo, 153, 154, 155
Barret, C. K., 213 n.45
batismo:
    água, 145, 145 n.24;
    de Cornélio, 137, 263;
    de crianças, 228n, 233 n.18;
    de Crispo, 249;
    de João Batista, 34, 260-262;
    de Lídia, 228, 228 n.14;
    do carcereiro de Filipos, 233;
    do eunuco egípcio, 145-146;
    dos discípulos que ensinaram Apolo, 262;
    dos gentios, 165-168, 190;
    dos pagãos, 191;
    "em nome de Jesus", 136;
    Espírito Santo e, 62, 136-138, 165, 168, 260;
    por Pedro e João, 136-138, 165-168.
Bauer, F. C., 18, 21 n.10
Bereia, 239
Berenice, 315, 319
Bergquist, J. A. , 95 n.43
Blasto, 181
Bolívia, 193
Bonhoeffer, Dietrich, 103
Borse, U. , 222n
Bowers, W. P. , 222 n.5
Bruce, F. F. , 29 n.3, 227 n.12
Bultmann, Rudolf, 108

C
Caifás, 81
Calígula, 153 n.36, 155
Calvino, João, 43
"Caminho, o", 149, 149 n.29, 309-310
cânon muratoriano, 16
Capper, B. J. , 99 n.53
carcereiro de Filipos, 233-234
Carey, William, 226
Cassidy, R. J. , 26
César Augusto, 135 n.4, 161, 227 n.12, 247
Cesareia:
    cidade de, 161;
    jornada de Paulo a, 253, 254, 290;
    Paulo levado para, 304-306, 306 n.27;

                Paulo prisioneiro em, 313-315;
                Reconhecimento de Lucas de, 180-181.
Cetina, Edesio Sánchez, 60 n.21
céu, 43, 43 n.25
Ceva, 265, 265 n.5
Chipre, 169, 189-190, 220, 320
Cícero, 235 n.20
circuncisão:
        cristãos circuncidados, 165;
        de Timóteo, 221, 225;
        Lei de Moisés, 208, 208 n.33, 293.
Cirene, 169
Cláudio, imperador, 235 n.21:
        Agripa e, 315; edict, 247, 251, 330;
        reinado de, 172, 274.
Cleantes, 243
Clemente de Roma, 19
Códice Beza, 45, 48 n.35, 62 n.25, 227, 235, 244 n.32
Colômbia, 113, 140
Colossenses, epístola para os, 220, 270, 274, 279
comunhão de bens, 93-94, 99 n.53, 96-98, 101, 103-104
comunhão:
        cristãos primitivos, 71, 280;
        Paulo e, 324, 326.
Concílio de Jerusalém, 207-215
Conselho do Sinédrio:
        João e, 81-83, 106-107, 111;
        julgamento de Estêvão, 121-127, 126 n.89;
        Paulo diante do, 303, 306;
        Pedro diante do, 81-83, 88, 89.
conversões:
        de Cornélio, 161-168, 161 n.42, 163 n.47, 164 n.49, 209-211;
        de "devotos convertidos", 196, 196 n.24, 237;
        de gentios, 161, 168-175, 196-200, 196 n.23, 208-211, 208 n.34, 216, 234;
        de Lídia, 228;
        de Saulo/Paulo, 149-152, 156-158;
        diária, 158;
        do carcereiro de Filipos, 233;
        na igreja latino-americana, 234 .
 Corinto:
        cenário de, 246-247;
        Paulo em, 246-251, 248 n.37, 252, 253.
Coríntios, epístolas para os
        Apolo em, 260;
        Barnabé em, 220;
        Batismo de Crispo, 249;
        Epístolas, 229n;
        Fuga de Paulo de Damasco, 154;

ÍNDICE

        Paulo e os cristãos gentios, 214;
        Paulo para Corinto, 247, 253;
        Silas e Timóteo em, 248-249;
        Sóstenes em, 251.
Cornélio: história do batismo de, 137, 263;
        conversão de, 161-167, 204, 209-211.
Costas, Orlando, 89
Creta, 321
criança, batismo de, 228 n.14, 233 n.18
Crispo, 249
Cristãos, nome de, 171, 171 n.58

D

Dâmaris, 27 n.19, 244
Damasco, 150, 150 n.30, 152, 156
Davi, 124, 124 n.86
Decock, P. B. , 144 n.20
Delebecque, E. , 266 n.6
Delfos, 230 n.16
Demétrio, 273, 275-277
demônios, 230, 231, 264-266, 268-272
Derbe, 221
"desaparecido", 88
"Deuses gêmeos" (Castor e Pólux), 329
"devotos convertidos",196, 196 n.24, 197, 237, 241
discursos de Atos:
        composição de Lucas dos, 46-47, 46 n.30, 58-60, 78-79, 78 n.21, 79 n.22, 125, 195, 210, 212;
        elementos dos, 58-59, 194, 195, 309, 316;
        Estêvão, 121-127;
        estilo literário, 78;
        NRSV e/ou A21 e, 81, 195 n.22, 196, 196 n.23, 211 n.41;
        Paulo diante de Agripa II, 315-319;
        Paulo diante de Félix, 308-311;
        Paulo em Antioquia de Pisídia, 193-197;
        Paulo em Mileto, 283-285, 283 n.20;
        Paulo no Areópago, 243-244;
        Paulo para multidão de Jerusalém, 296-297, 298, 301;
        Pedro diante do Sinédrio, 81-83;
        Pedro na sala do andar de cima, 46-47;
        Pedro no Pentecostes, 58-62, 60 n.21, 64;
        Pedro sobre Cornélio, 210, 210 n.36;
        Pedro sobre o milagre na porta Formosa, 77-79, 81-83;
        Tiago em Jerusalém, 211-215.
Diana. *Veja* Artemis
Dião Cássio, 248 n.35
Dibelius, Martin, 106
Didaquê, 96, 145 n.24, 150 n.29, 172 n.59

Dionísio, do Areópago, 243 n.28, 244, 244 n.31
discípulos. *Veja* Apóstolos
Dockx, S. , 222 n.6
Dodd, C. H. , 58
Dorcas, 160-161
Doze, os:
    Apolo e, 262;
    batismo pelo, 136;
    Barnabé e, em Jerusalém, 170;
    eleição de Matias, 45-49, 49 n.38;
    eleição dos sete, 116-117, 117 n.72, 118, 133;
    o uso de Lucas de 20, 49 n.38, 116 n.69, 203 n.30;
    Paulo e, 173, 208;
    perseguição dos, 177;
    papéis dos, 116-117, 117 n.72, 120.
Drusila, 308, 310

E
Efésios, epístola para os, 255 n.46
Éfeso:
    Antigas superstições, 263-267, 267 n.9;
    Apolo em, 248, 260;
    Adoração de Artemis, 254, 273-276;
    batismo em, 137;
    descrição, 254, 254 n.42;
    Milagres de Paulo, 263-267;
    Priscila e Áquila, 248, 253, 254 n.42, 260;
    teatro, 255, 274;
    tumulto, 272-279.
egípcio, Paulo e o, 295, 299, 306
Elizondo, Virgil, 192, 192 n.13
Eneias, 159-160
Epicuristas, 242
episcopado, 47, 284
Epístola de Barnabé, 96, 150 n.29
Epístolas de Paulo. *Veja* paulinas, epístolas
Erasto, 268
escravos e servos em Atos, 61, 61 n.22
Espírito Santo:
    Atos e, 23, 33, 120, 136-139, 332;
    batismo e, 62, 136-139, 164, 165, 260;
    discípulos, 35;
    fisicalidade e, 33;
    Jesus e, 32-33, 262;
    língua grega e, 31 n.7;
    Mentira de Ananias para, 97-99, 101-103, 105;
    missões e, 120;
    motivos do, 291;

na fala de Paulo em Mileto, 283-285;
   na história, 251-253;
   na igreja latino-americana, 39, 56, 119, 129, 251-253, 262, 291;
   nivelando nos"últimos dias", 61, 64, 66-68;
   no evangelho de Lucas, 32-33, 262;
   no Pentecostes, 52-53, 55-58, 62, 66;
   obstáculo para, 221, 226;
   retrato de Lucas, 291-292;
   testemunho e, 39, 61.
Estêvão, 121-127, 128;
   martírio de, 125-127, 126 n.89;
   mensagem para a igreja de hoje, 129-131.
Estoicos, 242, 243
Etiópia, 144, 144 n.18, 146, 146 n.26
Eunuco etíope, 143-147
Eusébio de Cesareia, 177 n.67, 220 n.3
Êutico, 280-283
Evangelho:
   boas-novas e, 41, 235;
   desprezo pelo, 252-253;
   falso, 232, 244-245;
   poder do, 197-200.
evangelismo e a igreja latino-americana, 75-76, 168, 173-175, 198, 229, 301
exorcismo, 265-267, 265 n.5, 271

F

Fala a Diognetus, 96
Fariseus, 81, 209, 216, 303, 315
Farragut, Antonio Salas, 52 n.7
fé, 90-91, 181-184, 233
Félix, governador, 305-313, 318
Fenícia, 169, 180, 208
Fenice, 321, 321 n.48, 322
Fernández de Oviedo, Gonzalo, 276, 277
Festo (Pórcio Festo), 313-319
Filemom, epístola para, 75, 274, 279
Filipenses, epístola para, 228
Filipe ("o evangelista"):
   como helenista, 147;
   e o eunuco etíope, 143-147;
   e Simão, o mago, 140-142;
   filhas de, 262, 290, 290 n.2;
   papel em Atos, 20, 120;
   primeira missão de, 134-136, 139-140, 142, 145-147.
Filipos, 226-227, 227 n.12, 229, 233-234, 236, 238
Flávio Clemente, 30 n.5

G

Gaio, 274, 275, 279
Galácia, viagem missionária de Paulo à, 221, 225
Gálatas, epístola para os:
    Atos e, 17, 152, 155, 172, 207-208;
    Barnabé em, 171, 219-220;
    igreja de Jerusalém em, 207, 210;
    retorno missionário, 220, 221, 226;
    resumos em, 154, 173.
Galileia, 68 n.28
Gálio, 249-253
Gamaliel, 107-108, 107 n.60, 110, 296
García, Rubén Darío, 47 n.34
Gênesis, livro de, 123 n.81
Gentios:
    Antioquia da Pisídia, em 197;
    Antioquia, em, 168-175, 208, 215;
    batismo em Jope, 163-166;
    conversões, 161, 168-175, 196 n.24, 196-200, 208, 215, 234;
    Judaizantes e, 18n, 165, 170, 208, 286;
    Lei de Moisés e, 208, 209, 213, 293;
    Paulo e, 195-196, 196 n.24, 200, 207-211, 211n, 215, 221, 225-226, 292-293;
    primeiras missões para, 145-146, 168-172, 173, 175, 195;
    proibições para, 212-213, 213 n.47, 215;
    reação dos judeus, 195-197, 196 n.24, 208-209, 237, 239, 240.
Gnosticismo, 87, 136, 285, 286
González de San Nicolás, Gil, 87
Grego, língua:
    de Herodes e Manaém, 187;
    Espírito Santo e, 33;
    eunuco etíope, do, 144;
    gramática, 34;
    Helenistas e 114;
    "heresia", 309;
    "Jerusalém", 35;
    koinonia, 70-71, 71 n.5;
    "louco", 316;
    na descrição do Pentecostes, 52-53, 60, 60 n.21;
    no tempo de Lucas, 29;
    nos discursos de Paulo, 243-244, 295, 296, 300;
    nos discursos de Pedro, 47, 77, 79, 81, 138;
    Septuaginta, 46, 46 n.32, 54 n.14, 211-212;
    verbos, 98, 207 n.32.
Gregos, 237, 240, 242. *Veja também* Helenistas

H

Haacker, K. , 161 n.42

Haenchen, Ernst: sobre
    Auxílio a Paulo pelos gentios, 208;
    Barnabé, 97 n.50;
    Cronologia de Paulo em Lucas, 152;
    Josefo, 254 n.41;
    Judeus da diáspora, 53 n.10;
    narrativas de Icônio e Listra, 202;
    nazireus, 293 n.9;
    Porto de Fenice, 321 n.48;
    Reconhecimento de Lucas, 97, 293 n.9, 306 n.27;
    Teologia de Lucas, 210 n.37;
    Uso de seções "nós" por Lucas, 222.
hebraico, língua, 114
Hebreus, 114, 118, 292
Hebreus, epístola para os:
    autoria, 220 n.2, 261 n.3;
    sobre ascensão, 43;
    sobre fé, 181.
Heimerdinger, J., 145 n.23
Helenistas:
    da igreja primitiva, 114-117, 118-121, 128, 146, 292;
    disputas de Paulo com, 152;
    Ideais da comunidade, 92;
    latinos e, 147;
    oposição a Estêvão, 121, 128;
    preconceito hebraico e, 114-119;
    referências de Lucas a, 170 n.55;
    viúvas e, 114-115, 115 n.67, 119.
Hemer, C. J., 223 n.9
Herodes Agripa I, 24, 176-178, 187, 310, 315
Herodes Agripa II, 24, 303, 311, 315-320
Hitler, Adolf, 231

I

Icônio, 200-202, 221
idolatria, 203-204, 241, 246
Igreja Católica-romana:
    Hitler e, 231;
    na América Latina, 66, 68, 175, 176, 201, 299.
Igreja hispânica nos Estados Unidos: (*veja também* igreja Latino-americana)
    Astúcia política, 306-307;
    crescimento, 88-89, 140, 198-199;
    doutrinas que ameaçam, 224, 285-286;
    Espírito Santo na, 251-252;
    fuga de controvérsia, 232-233;
    injustiça e, 117-119, 318-319;
    nomes e "estar entre", 191;
    Paulo e, 191, 306-307;

Pentecostes e, 64-66;
pobreza da, 38, 44;
reino de Deus e, 39.
Igreja latino-americana:
"desvantagem da vantagem", 56;
"estar entre", 191;
astúcia política, 306-307;
autoridade e o poderoso, 140-143, 306, 318-319, 322, 328;
auxílio para o necessitado, 184, 284, 288;
Católica-romana, 66, 68, 175, 176, 201, 299;
chamado de Deus, 158;
comunhão, 73, 236;
comunhão de bens, 104-105;
comunidade, 257-258;
Comunidades cristãs de base, 65;
controle ideológico, 89;
conversão, 234;
crescimento, 140-141;
doutrinas que ameaçam, 285-287;
ênfase espiritual, 41-44, 287;
esperança, 312, 325-326;
Espírito Santo, 39, 56, 120, 128, 251-253, 262, 291;
estruturas de poder, 84-87, 111-114, 149, 157;
Evangelho para, 244-245;
evangelismo, 75-76, 168, 173-174, 198, 229, 300;
exclusão, 148-149, 167-168;
falso testemunho, 231;
fé, 181-184, 233;
filiação da igreja, 76, 223, 245;
fofoca e boato, 297-298;
futuro da 226, 245, 325-326;
hierarquia, 64-66;
história e, 127-128;
injustiça enfrentada, 251-252;
leitura de Atos, 225-226;
liderança missionária, 118;
líderes da igreja, 48, 285-287, 318-319;
mal, 268-272;
maturidade, 302;
milagres, 110;
mulheres, 261;
mundo ocidental, 173;
novas estruturas, 49;
Paulo e, 156-159, 168, 191-192, 306-307;
pecados ambientais, 246;
Pentecostes, 56, 64-66;
perseguição, 140-141;
perseverança, 72-75;

pluralismo, 117-121;
pobreza, 38, 44, 140-141, 184, 312, 328;
polarização, 200-202;
prestígio social, 236;
problemas enfrentados, 41-44, 226, 312;
profetas, 198, 322-323;
questões econômicas, 276-279, 287-289;
regras muito rígidas, 285-287;
reino de Deus, 38, 39, 41, 62-66, 326;
responsabilidades missionárias, 48, 176, 205-207, 216-217, 224-225, 228-229;
santo protesto, 90-91;
subversão, 198-199, 238, 239, 298-301;
teologia ruim, 327-328;
tradições culturais, 192-193, 301-302;
veracidade, 102-103.

Igreja primitiva:
Atos como guia e história, 20-23;
como milagre, 281;
comunhão, 26, 71, 280;
episcopado, 47, 284;
Gnosticismo, 87, 285, 286;
Helenistas e, 114-117, 128, 146-147, 292;
Império Romano e, 21-23, 176-180, 237, 238;
Judaizantes, 17-18, 18 n.6, 165, 170, 208, 286;
missões, 119, 134-140, 142, 145-146, 160-161, 169-175, 186, 196, 205-207;
na época da conversão de Paulo, 152;
"o Caminho", 149, 149 n.29;
Papéis da mulher, 119, 160 n.40, 237, 261, 290, 290 n.2;
pobreza, 94, 94 n.39, 96;
profetas, 172, 187;
protesto santo, 89-91;
questões, 165-166, 168-175, 208, 213-214, 216, 292-293;
ressurreição na, 316;
superstições antigas, 263-267;
vida econômica, 92-94, 96, 285.

Império Romano:
aprisionamento, 80 n.24, 107, 107 n.59, 310 n.33;
atitude com os judeus, 249-250;
autoridades, 292-293;
cidadania romana, 235, 235 n.20, 302, 306, 315;
colônias, 227 n.12;
Corinto, 246-247;
Cornélio e, 161, 161 n.42, 165;
cristianismo primitivo e, 22-23, 176-180, 237, 238;
e o Sinédrio, 111-112;
Grécia, 241;
imperador, 316 n.41;
magistrados, 230, 230 n.17, 235, 235 n.12;

militares e autoridade, 161, 161 n.43, 178, 178 n.69, 235 n.21, 238, 238 n.24, 274, 306 n.27;
no contexto de Atos, 23-27;
Pentecostes e 74-75;
sistema legal, 302;
tumulto em Éfeso e poder de, 274-275, 277-278.
Inocente III, papa, 64 n.26
Irineu, 16, 117 n.73
irmandade, 71, 71 n.5, 73
Isaías, livro de, 144, 144 n.20, 145, 243, 296, 331

J

Jasom, 238
Jerusalém: (*veja também* Jerusalém, igreja de)
contraste com Antioquia, 168;
Paulo em, 207-211, 211 n.38, 256, 283, 289-301, 294 n.12, 306, 313;
prisão de Paulo e o tumulto no templo, 294-298, 304;
referências de viagem, 256;
viagem e Festo a, 313.
Jerusalém, Bíblia de (BJ), 34, 221, 240, 267
Jerusalém, igreja de (*veja também* Concílio de Jerusalém)
Barnabé e, 169;
carta para os gentios, 215-216;
crescimento da igreja e, 173-176;
cristãos fariseus na, 208, 216-217;
judaizantes na, 18 n.6, 208, 208 n.34;
Lucas sobre, 19, 20;
Paulo e, 172, 208-209, 279-280, 292-293, 297, 309;
pobreza da, 94, 94 n.39;
sobre a admissão de gentios, 208-214;
sobre cristãos gentios, 214-215, 217.
Jesus: contra o mal, 43 n.25, 269-271;
conversão de Saulo e, 150;
Espírito Santo e 32-37, 262;
nome de, 77, 78, 137, 137 n.10;
no discurso de Paulo, 81-82;
no discurso de Estêvão, 125-126.
Jó, 297
João, 79-83, 86, 106-108, 111, 136-140
João, evangelho de, 278
João Crisóstomo, 80, 242 n.28, 244 n.32
João Marcos (*Veja* Marcos):
e Barnabé, 179, 189, 219, 220;
e Paulo, 179 n.71, 186, 189 n.6, 193;
e Pedro, 179, 220 n.3.
João Batista, 35, 195, 261, 262
Joel, profecia de, 59-61, 64, 66
Jonas, 325, 326

Jope, 160, 161-166
José Barsabás, 48
Josefo (Gênesis), 123
Josefo (Flávio Josefo), 307-308;
    sobre Drusila, 310;
    sobre Espírito, 123;
    sobre Festo, 313;
    sobre Herodes, 178 n.68, 181;
    sobre nazireus, 254;
    sobre o egípcio, 294-295;
    sobre sacerdotes, 117 n.75.
Judaizantes:
    Gentios e, 165, 207-208, 208 n.34, 286;
    Lei de Moisés, 207-208, 208 n.33, 286;
    Lucas e, 18, 171;
    Paulo e, 285, 286.
Judas (apóstolo), 46, 47, 47 n.34, 48-49
Judas Barsabás, 214-215
Judeus: (*veja também* Judaizantes, Helenistas)
    apedrejamento de Paulo, 203;
    aristocracia romana e, 250-251;
    da Ásia, 293-294, 298, 310;
    de Tessalônica, 236;
    exorcistas, 265, 265 n.5;
    expulsão de Roma, 248, 248 n.35, 251, 330;
    Hebreus, 115-116, 118, 263;
    prisão e morte de Paulo, 293-294, 298, 310;
    propósitos de Atos e, 313;
    sobre gentios convertidos, 196-200, 196 n.24, 207-208, 237, 239-240.
Júlio César, 247
Júlio (centurião) 320, 329
Justino Mártir, 97, 136 n.8, 139

K

Kaye, B. N., 215 n.51
King James Version (KJV), 75 n.11, 255
koinonia, 70-71, 71 n.5, 73 n.10, 74, 94, 96, 100
Krodel, G., 51 n.1
Kurzinger, Joseph, 134

L

laos ("povo"), 77, 77 n.17, 79, 79 n.23, 211
Lei de Moisés, 214;
    Judaizantes e, 209, 214-215, 286, 293-294.
Levítico, livro de, 213, 214
Lex Julia, 235
Lida, visão de Pedro, 160

Lídia de Tiatira, 227, 228 n.14, 229 n.15, 235
Lísias (Cláudio Lísias), 294-296, 299-306, 305 n.26, 310, 312-313
Listra, 202-203, 221
Lucas:
    como "Lúcio", 187;
    discursos de Atos, 46-47, 46 n.30, 58-60, 78-79, 78 n.18, 79 n.22, 125, 195, 210, 210 n.37, 212;
    e autoria de Atos, 16-19, 327;
    e Judaizantes, 171;
    exatidão histórica, 181, 238 n.24;
    filhas de Filipe, 290 n.2;
    grego de, 145 n.22;
    histórias selecionadas, 20, 134-135, 146 n.26, 185;
    o "pobre" para, 95, 95 n.43;
    o "povo" para, 77, 77 n.17, 79, 211;
    propósitos de Atos, 154 n.37, 208, 303, 332;
    resumos de Atos, 66, 69-70, 70 n.2, 92-96, 99, 104, 134, 152, 181, 221, 222, 259, 267;
    seções "nós", 18, 222, 223, 319;
    sobre Apolo, 260;
    sobre as missões de Paulo, 172, 207-208;
    sobre autoridades romanas, 303;
    sobre Espírito Santo, 291;
    sobre Paulo, 185, 306;
    sobre Pentecostes, 52-54, 53;
    sobre pós conversão de Paulo, 152, 154 n.37;
    sobre propriedade comum, 92-94, 99.
Lucas, evangelho de:
    ascensão em, 41-42;
    autoria, 16;
    data de, 19;
    Espírito Santo em, 34, 250;
    "o Caminho" em, 150 n.29;
    o "povo" em, 79;
    relação com Atos, 15-17, 19, 29-33, 29 n.1, 41-42, 331;
    temas de, 34, 60, 95.
Lutero, Martinho, 64 n.26

M
Macedônia, 222, 222 n.5, 227
macedônio, homem 222, 229
Mago, 266
mal:
    demônios e falso testemunho, 230-232, 268-272;
    Jesus e, 25, 36, 269-270;
    na América Latina, 268-272.
Malta, 326-327, 326 n.56
Manaém, 187, 187 n.4

Mar Adriático, 324
Marcião, 16
Marcos. *Veja* João Marcos
Marcos, evangelho de, 20
Maria, mãe de João Marcos, 179
Marshall, I. H. , 47 n.33, 202 n.27
Mateus, evangelho de, 47, 114
Matias, eleição de, 45, 48-50, 49 n.38
Mattingly, H. B. , 171 n.57
Menina com espírito de adivinhação, 230, 273
Menoud, P. H. , 70 n.3
Messias e messianismo, 61, 135, 237, 310
Mettayer, A. , 99 n.54
mídia, controle ideológico da, 89
milagres:
    Atos, cheio de, 108-109, 282;
    cura na porta Formosa, 76-79, 81-82, 88;
    de Paulo em Éfeso, 263-267;
    de Pedro, 160-161;
    de Pentecostes, 55;
    e "povo" e, 105-106;
    em Listra, 202-203;
    igreja e, 281;
    no pórtico de Salomão, 105, 203;
    primeira missão e, 135;
    ressurreição de Êutico, 280;
    visão de mundo moderna e, 108-109.
Mileto, 283
Minear, Paul S. , 29 n.3
missões:
    Atos como orientação, 186;
    chamado missionário, 188;
    da igreja primitiva, 119, 134-140, 142, 145-146, 145n, 160-161, 169-175, 186, 196, 205-207;
    doutrina apostólica, 70, 72;
    flexibilidade para, 228;
    Igreja latino-americana e, 48, 118, 175, 205-207, 216-217, 224-225, 228-229, 257-258;
    justiça e, 121;
    mulheres na liderança, 261;
    sentido da, 205-207.
Mirra, 289 n.1, 320
Mnasom, 290, 290 n.4
Moisés, no discurso de Estêvão, 122-125
Montagnini, F. , 71 n.8
mulheres: *veja também* Priscila
    em Bereia, 239;
    epístolas paulinas e, 229 n.15;

Lídia, 228;
papel na igreja, 121, 160 n.40, 223, 261, 290, 290 n.2;
Paulo e, 228, 229 n.15;
preconceito antifeminista, 27, 27 n.19, 45, 229 n.15, 244 n.32, 261;
seguidoras de Jesus, 45;
"tementes a Deus", 197, 223, 228;
viúvas, 114-116, 115, 115 n.66, 160, 160 n.40.
Munck, J. , 208 n.34

N

Nabateus e Aretas IV, 154-155
nazireu, 254, 254 n.41, 293
Neápolis, 226
Neil, William, 283 n.19
Nero, 247 n.33, 250, 318
Nervo, Amado, 183
New International Version (NIV), 30-31, 34, 138, 219, 242, 249 n.39, 260
New Revised Standart Version (NRSV) e/ou A21:
    Apolo em, 260;
    "Artemis", 272;
    dedicação e prólogo, 30-31;
    "devotos gregos", 237;
    discursos de Atos, 81, 195, 196, 211;
    e o texto egípcio, 27, 212, 264, 330;
    e o texto ocidental, 240 n.25;
    em relação a Paulo, 195, 196, 218, 219, 220, 240 n.26, 242, 248, 249 n.39, 256, 290, 317, 330;
    exortação de Barnabé, 171;
    "Helenistas", 170 n.55;
    Herodes e Manaém, 187;
    koinonia em, 70, 71 n.5;
    "membros do conselho", 317;
    naufrágio, 321, 323, 326;
    "negócio", 273 n.13;
    omissões de, 256;
    palavras de Agripa, 317;
    Pentecostes, 53, 59, 62;
    "porta-vozes", 305;
    sobre Pedro, 81, 138, 160, 177, 180;
    verbos em, 53, 98, 211 n.41, 216.
nomes:
    de Jesus, nome, 77, 78, 81-82, 137, 137 n.10;
    de Saulo/Paulo, 190, 190 n.11;
    e batismo, 137, 137 n.10; "Jasom", 238, 238 n.23.
"nós" seções de Atos:
    como chave teológica, 18, 292;
    discurso de Paulo em Mileto, 283;
    jornadas de Paulo, 18, 289;

ÍNDICE

    Paulo em Jerusalém, 292, 292 n.7;
    Paulo em Roma, 317;
    teorias para, 18, 223;
    texto ocidental sobre, 172 n.60.
Novo Testamento:
    batismo em, 137 n.10;
    demônios em, 231, 268-272;
    Jesus contra o mal, 43 n.25, 269.
Nóbrega, Manoel da, 276

O

opressão, 44, 268-272, 317, 329
oração, 71-72, 74, 182-183
oráculos, 230 n.16
Overman, J. A. , 162 n.44

P

pagãos e paganismo, 169, 191, 194, 200 n.26, 203, 241
Palestina, 115-116, 173, 294
Papias, bispo de Hierápolis, 47 n.34, 220 n.3
paulinas, epístolas: *veja também* Epístolas de Paulo
    apostolado em, 17;
    autoria, 229 n.15, 284 n.21;
    Barnabé em, 220;
    datação de Atos, 19;
    desafio missionário nas, 216;
    discrepâncias com Atos, 17, 152-155, 173, 207-208, 284 n.21;
    Éfeso nas, 254 n.42;
    fala de Paulo em Mileto, 283;
    igreja primitiva e, 20;
    mulheres nas, 229 n.15;
    o pobre nas, 96;
    Tíquico em, 279.
Paulo de Alexandria, 54 n.14
Paulo/Saulo: *veja também* paulinas, epístolas; primeiras viagens missionárias de Paulo; Retorno das viagens de Paulo; discursos de Paulo; julgamento de Paulo
    Ananias e, 151, 152, 156, 157;
    Barnabé e, 170-173, 175, 185-190, 193-194, 196, 196-206, 205 n.31, 207-211, 211 n.38, 220;
    batismo em Éfeso, 137;
    chamado missionário, 188;
    cidadania romana, 235, 302, 306;
    como fabricante de tenda, 248, 248 n.37;
    complô para matar, 304-306, 306 n.27, 313, 313 n.37;
    conversão de, 149-152, 150 n.33, 156-158;
    "demônio sarcástico" e, 265, 271-272;
    detenções e prisões, 230-235, 294, 294 n.12, 302-303, 306, 313-315;

349

em Antioquia, 170-173, 175, 186, 205-208, 220;
em Antioquia da Pisídia, 193-197, 194;
em Cesareia, 253, 254, 290, 304-306, 313-315;
em Éfeso, 137, 263-267, 275;
em Jerusalém, 207-211, 211 n.38, 256, 283, 294, 289-301, 306, 313;
estilo de pregação, 281;
Êutico e, 280-283;
gentios e, 195-197, 196 n.23, 200, 207-211, 215, 221, 225-226, 292-293;
homem macedônio e, 222, 229;
Igreja da América Latina e, 156-159, 168, 191-193, 306-307;
igreja de Jerusalém e, 172, 208-209, 279-280, 292-293, 297, 309;
Judeus e Judaizantes, 18, 18 n.6, 197 n.25, 285, 286, 293-294, 298, 310;
Lei de Moisés e, 292-293;
Lídia e, 227;
milagre, 202-203, 202 n.28, 263-267;
mulheres e, 229 n.15;
nas epístolas e em Atos, 17, 154;
naufrágio e serpente, 320-327;
nazireus e, 293;
no julgamento de Estêvão, 127;
nome de, 190, 190 n.11;
o egípcio e, 295, 299, 306;
para Roma depois do naufrágio, 329-331;
pós conversão, 152-154, 155 n.39;
prendendo cristãos, 127;
profecia de Ágabo, 290;
Retrato de Lucas, 168, 306;
Timóteo e, 221, 224-225.
Paulo, retorno das viagens de, 219-223;
à Macedônia, 222 n.5, 222;
de Mileto para Jerusalém, 289-290;
detenções e prisões, 231, 236;
em Corinto, 246-251, 248 n.38, 252, 253;
menina com espírito de adivinhação, 230;
para Atenas, 241-246;
para Bereia, 239;
para Filipos, 226-227, 229;
para Jerusalém e Antioquia, 253-258, 259, 279, 283-284, 290;
para Neápolis, 226-227;
para Tessalônica, 236.
Paulo, discursos de:
diante de Agripa II, Festo e Berenice, 315-319;
diante de Félix, 308-311;
em Antioquia da Pisídia, 193-197, 194;
em Mileto, 283-285;
grego dos, 243, 293, 296, 301;
no Areópago, 243-245, 243 n.29;
para a multidão de Jerusalém, 296-297, 298, 301.

Paulo, julgamentos de:
    diante de Félix, 305-313, 309;
    diante de Festo, 313-319;
    diante de Gálio, 249-253;
    diante de Lísias, 303, 306.
pecado, 213 n.46, 231, 246
pecados ambientais, 246
Pedro:
    batismos, 136-138, 165-168;
    Códice Beza e, 48 n.35;
    conversão de Cornélio, 161-168, 163 n.47, 164 n.49, 209-211;
    desentendimento com Paulo, 220;
    detenções e prisões, 79-80, 81-83, 84, 87, 106;
    discurso de Pentecostes, 58-62, 64;
    discurso para apóstolos na sala do andar de cima, 46-47;
    discurso sobre Cornélio, 210, 210 n.36;
    discurso sobre milagre na porta Formosa, 77-79, 81-83;
    enviado para Samaria com João, 136-138;
    eventos em Cesareia, 163-164;
    Judaizantes e, 164-165;
    julgamento com João, 106-107, 111;
    Marcos como intérprete, 220 n.3;
    milagres de, 159-160;
    morte de, 182;
    prisão e fuga, 177, 180, 183;
    Simão, o mago, e, 140-141;
    visão em Jope, 162-163, 162 n.46.
pena de morte, 126, 126 n.89
Pentecostes, 51-66;
    Babel e, 53, 57;
    celebração de, 51-52, 52 n.4;
    descrição de Lucas, 52-54;
    discurso de Pedro, 58-61, 64;
    Espírito Santo e, 51-53, 55-58, 62, 66;
    lições para, 62-68;
    lista de nações, 54, 54 n.14;
    "últimos dias" e, 60-64.
Perge, 205
Perrot, C., 214 n.48
perseverança, 70, 70 n.3, 72-75
Platão, 93, 97, 241
pluralismo, na igreja latino-americana, 117-121
pobreza:
    da igreja primitiva, 94, 94 n.39, 96;
    na América Latina e entre hispânicos dos Estados Unidos, 26, 38, 141, 174, 287, 318;
    em Lucas/Atos, 96, 96 n.44.
presbíteros:

cargo de, 284-287;
os sete, 116, 116 n.71;
Paulo diante dos, 292-293, 297, 304;
"presbíteros", 205.
primeiras viagens missionárias de Paulo, 185-186;
Antioquia da Pisídia, 193-197;
com Barnabé, 171-173, 185-191, 193-197, 200, 201, 205, 205 n.31, 219;
Chipre, 189-191;
Icônio, 200;
Listra e Derbe, 202-203;
retorno da viagem, 205.
Priscila:
Apolo e, 248, 260;
e Paulo em Éfeso, 253, 254 n.42, 274;
em Corinto, 248-252;
epístola para os hebreus e, 261 n.3;
nome de, 248, 261 n.3;
papel, 229 n.15;
preconceito antifeminista e, 27 n.19, 229 n.15, 261, 261 n.3;
textos minimizando, 27 n.19, 261.
profecias em Atos, 60-61, 290
profetas:
Ágabo, 290;
itinerantes, 172, 172 n.59;
mestres e, 220.
Protestantismo na América Latina: *veja também* Igreja latino-americana
e a Igreja Católica-romana, 299;
exclusão na, 147-149;
maturidade de, 301;
mulheres na, 261;
perseguição da, 112, 140-141;
polarização da, 200;
poder e autoridade, 140-143, 147-149;
problemas enfrentados pela, 225;
subversivos e, 299-300.
Pseudo Clementina literatura, 30 n.5, 139
Ptolemaida, 290
Públio, 327
punição:
aprisionamento, 80 n.24, 106, 310 n.33;
de cidadãos romanos, 235, 235n, 299, 306;
pena de morte, 126, 126 n.89.
Puteóli, 329, 329 n.59

R
Ramsay, W. M. , 242 n.28
"razão" e a moderna visão de mundo, 108-109
reino de Deus:

ÍNDICE

        comunhão de bens e, 100, 104;
        dois reinos e, 64, 64 n.26, 100;
        em Atos, 31, 32, 34-40, 60-61, 62-64;
        Igreja latino-americana e, 38, 39, 42, 62-65, 326;
        últimos dias e, 60-66, 100-101, 104, 146.
Rembao, Alberto, 142
Revised Standard Version (RSV), 240
Riddle, D. W. , 211 n.39
Rius-Camps, Josep:
        sobre João Marcos, 179 n.71, 189 n.6;
        sobre o uso dos Doze por Lucas, 49 n.38;
        sobre os Doze, 49 n.38, 116 n.71;
        sobre Paulo, 190 n.11, 197 n.25;
        sobre profetas e mestres, 187;
        sobre seções "nós", 223 n.8, 292, 292 n.7.
Roloff, Jürgen, 31 n.9, 136
Romanos, epístola para os, 254 n.42, 267, 275, 312

S

Sabugal, Santos, 150 n.30
Saduceus, 79, 81, 85-87, 303
sacerdotes da igreja primitiva, 116, 260, 266 n.7
Safira, 97-99, 99 n.53, 101-105
Salamina, 189, 220 n.2
Salmos, 61, 90
Samaria/Samaritanos:
        e Simão, o mago, 136 n.6, 140;
        primeira missão para, 134-140, 135 n.4, 175, 207.
Sanédrio. *Veja* Conselho do Sinédrio
Santiago de Compostela, 177 n.66
Saulo: *veja também* Paulo/Saulo
        conversão de, 149-152, 150 n.30, 156;
        nome de, 190, 190 n.11;
        prendendo cristãos, 127, 149.
Schwartz, D. R., 36 n.18
Sebaste, 135, 135 n.4
Selêucia, 189
Sêneca, 250
"Senhor", 26, 26 n.15, 316 n.41
Septuaginta, 46, 46 n.32, 54 n.14, 211-212
Sérgio Paulo, 190
Sicários, 295
Siquém, 135
Silas:
        carta para Antioquia, 215;
        Paulo e, 215, 220, 230, 233-236;
        Timóteo e, 240, 248.
Silvano, 215, 236, 249. *Veja também* Silas

Simão Pedro, fé de, 140-143
Simão (Simão, o mago), 136, 136 n.6, 138-143
Simeão, 211
sinagoga:
    em Antioquia da Pisídia, 193-197, 194;
    em Corinto, 248, 248 n.38;
    em Éfeso, 255;
    em Filipos, 226;
    em Tessalônica, 236.
Síria, 253, 313. *Veja também* Antioquia
Sóstenes, 249-251
Strange, W. A., 266 n.6
Suetônio, 247, 248 n.35, 307

T
Tácito, 307
Tarso, 127, 171, 308
"tementes a Deus":
    a lei e, 161-162;
    devotos convertidos, 196, 196 n.24, 198, 200 n.26, 237, 242;
    pagãos, 191, 194, 200 n.26, 203, 237.
Templo de Jerusalém:
    discurso de Estêvão em, 123-124, 124 n.86;
    e Pentecostes, 53 n.8;
    Samaritanos e, 135;
    tumulto e prisão de Paulo no, 294-299, 294 n.12, 302-303, 306.
teologia:
    "barata", 327-329;
    humilhando o ser humano, 44.
Teófilo, 16, 16 n.1, 20, 22, 29-30, 29 n.3, 30 n.5, 32
Tertuliano, 97, 220 n.2
Tértulo, 309, 310 n.32
Tessalonicenses, epístola para os, 236, 238
Tessalônica, 236, 238
testemunho: *veja também* missões
    apelo à autoridade como, 318-319;
    dos apóstolos, 37, 39, 61;
    e a Igreja latino-americana, 38, 142;
    falso, 232, 244-245;
    missões e, 207.
Texto egípcio, 27-28;
    autenticidade, 145 n.23;
    e NRSV e/ou A21, 27, 212, 264, 330;
    sobre abstenções para os gentios, 212-213;
    sobre exorcistas judeus, 266;
    sobre Tirano, 264
texto ocidental:
    abstenções para gentios, 212;

    autenticidade, 145 n.25;
    Códice Beza, 45, 48n, 62n, 221 n.4, 227, 235, 244 n.32;
    complô para matar Paulo, 313 n.37;
    conversão de Paulo, 151;
    jornadas de Paulo, 189, 202, 215, 215 n.51, 283, 289 n.1;
    julgamento de Paulo diante de Félix, 308;
    Lísias em, 305 n.26;
    Mnasom em, 290 n.4;
    Paulo em Corinto, 248;
    Paulo em Putéoli, 329 n.59;
    Paulo em Roma, 330;
    preconceito antifeminista, 27, 27 n.19, 45, 240 n.25, 244 n.32, 261;
    Priscila no, 27 n.19, 261;
    refletindo revisão de Lucas, 221 n.4;
    seções "nós", 171;
    sobre Apolo, 261 n.2;
    sobre exorcistas, 265, 265 n.5;
    sobre Gaio, 279;
    sobre Simão, o mago, 138 n.12;
    sobre Tirano, 263;
    sobre tumulto em Éfeso, 272;
    sobre viagem marítima amaldiçoada, 324, 324 n.54;
    versículo 15.34, 216;
    versões de textos, 145, 151, 165 n.51, 172 n.60, 208 n.33, 211-212;
    voto de Áquila, 254 n.40.
Tiago, irmão de Jesus, 177, 210-214, 292-293, 297
Tiago, irmão de João (apóstolo), 177, 177 n.67, 180-181
Tiede, D. L., 35 n.16
Timóteo:
    circuncisão de, 221, 224-225;
    e seções "nós", 222;
    em Atos e epístolas, 179;
    em Bereia, 239;
    em Corinto, 248;
    igreja de Tessalônica, 236;
    na Macedônia com Erasto, 268;
    primeiro encontro com Paulo, 221, 224.
Timóteo, epístolas para, 221, 268, 179
Tirano, 263
Tiro, 289, 289 n.1
Tito Justo, 249
Tito, 315
Tradição apocalíptica judaica, 144 n.20
Trôade, 221-222, 226, 229, 279
Trófimo, 279, 294
Trujillo, Rafael Leónidas, 231
Tübingen escola de, 18, 21
Turrado, Lorenzo, 31 n.8

U
últimos dias, 60-66, 100-101, 104, 146. *Veja também* Reino de Deus

V
viúvas, 114, 114 n.64, 115, 160 n.40
Vulgata, 254 n.40

W
Waitz, H., 213 n.47
Walter, N., 114 n.64
Wilcox, M., 162 n.44
Williams, David John, 254 n.41

Z
Zahn, Th., 212 n.43
Zehnle, Richard, 78
Zeus, 202, 204
Ziesler, J. A., 94 n.39
Zweck, D., 243 n.29

Sua opinião é importante para nós. Por gentileza, envie seus comentários pelo e-mail editorial@hagnos.com.br

hagnos

Visite nosso site: www.hagnos.com.br

Esta obra foi impressa na Imprensa da Fé.
São Paulo, Brasil.
Outono de 2020.